◉ Zusters van Saramyr ◉

Chris Wooding

⊚ Zusters van Saramyr ⊚

Boek 3 van de trilogie
De Wevers van Saramyr

LUITINGH FANTASY

© Chris Wooding 2005
All Rights Reserved
© 2006 Nederlandse vertaling
Uitgeverij Luitingh ~ Sijthoff B.V., Amsterdam
Alle rechten voorbehouden
Oorspronkelijke titel: *The Ascendancy Veil*
Vertaling: Sandra van de Ven
Omslagontwerp: Rudy Vrooman
Omslagillustratie: Larry Rostant
Copyright kaart: © 2005 David Senior

ISBN 90 245 4624 9/9789024546244
NUR 334

www.boekenwereld.com

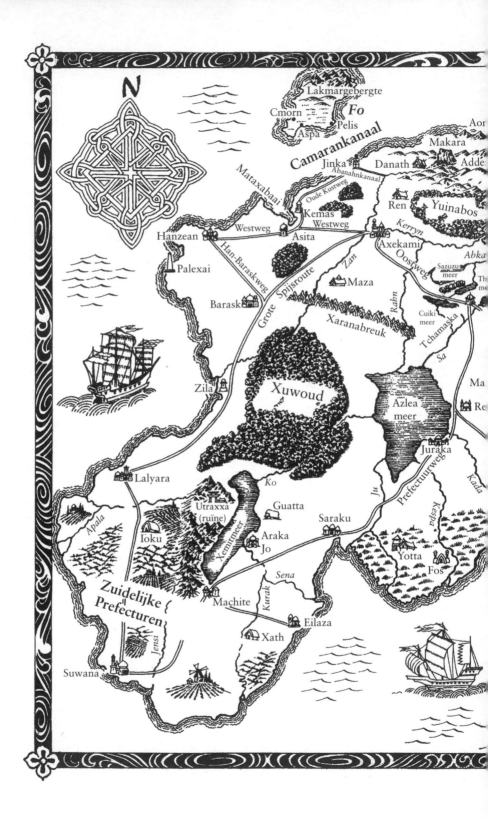

Takaki

Pakaru

Esa

Loku

Shema

Lalatameer

Meitha

Nieuwlanden

Irikmeer

Beske

milgebergte

Shuinmeer

Zeimeer

Junja

To
Nieuwlandweg

Aku

Shinza

Akumeer

Junjaweg

Junja

Arris

Yurita
eilanden

Fayen

Zuidelijke

Izanzai

Mek

Juwachapas

Tempel van

Xaxai

Suran

Handelsroute

Tchom Rin

Jospa

Mula

Ariachtha

Koa

Igarach

Kitara

Ososk

Rin Zuidelijke Handelsroute

SARAMYR

Belangrijke nederzettingen, wegen en rivieren

⊚ 1 ⊚

Ze doemden op uit de rook, als schimmen in de kolkende duisternis. Op dat moment, vlak voor ze de zaal binnenstroomden, leken het net demonen, reusachtige, in nevelen gehulde gestalten. Het waren echter geen demonen. De demonen waren nog buiten.

Het handjevol overgebleven verdedigers ving de aanval met stoïcijnse grimmigheid op. Sommigen hadden postgevat op het balkon dat om de hele zaal heen liep, maar de meesten hadden zich op de grond opgesteld achter een barricade die ze hadden opgeworpen van omgevallen beelden, sokkels en de paar tafeltjes die ze hadden gevonden. De Saramyrese hang naar een minimalistische inrichting had in dit geval niet in hun voordeel gewerkt. Toch zochten ze waar mogelijk dekking, richtten hun geweren en schoten een hagel van kogels af op de ghauregs die met daverende passen op hen afrenden.

Ooit was de toegangshal schitterend geweest, een koele, galmende ruimte die tot doel had indruk te maken op hoogwaardigheidsbekleders en edelen. Nu was hij van alle opsmuk en versieringen ontdaan en waren de muren verschroeid. De vloer was gebarsten door dezelfde explosie waarbij de draperieën en wandtapijten bij de deuropening in brand waren gevlogen. Op die plek lagen her en der verspreid een stuk of tien monsterlijke lijken. Eén goed geplaatste bom had afgerekend met de eerste golf schepsels; de geweren zouden een deel van de volgende horde tegenhouden. Maar verder was het voor de verdedigers een hopeloze zaak.

De ghauregs daverden door de brede open ruimte in het midden van de hal en werden neergemaaid. Hun dikke grijze vacht raakte besmeurd met bloed toen de loden kogels door hun huid drongen. Maar voor elk monster dat stierf, kwam een nieuwe in de plaats, en vele die vielen stonden weer op, tot nog grotere razernij gebracht door de pijn. Ze maten acht voet van hun schouders tot aan de grond, die woeste reuzen met hun dikke vacht en nog dikkere spieren. Pijn en dood hadden voor hen geen betekenis, en ze snelden met nietsontziende woede dwars door het spervuur.

De verdedigers slaagden erin snel genoeg de hanen weer te spannen voor een tweede salvo voor de schepsels zich op de barricade stortten en die begonnen te slopen, terwijl andere eroverheen klauterden naar de mannen erachter. De geweren werden op de grond gegooid en de zwaarden werden getrokken, maar tegen de grote, sterke ghauregs haalden de paar klingen niet veel uit. Dat wisten ze, maar toch vochten ze terug. Ze hadden het bevel gekregen het administratieve complex te verdedigen en dat zouden ze tot hun laatste snik doen. Saramyrese soldaten verkozen immer de dood boven de schande van ongehoorzaamheid.

De ghauregs klauwden en haalden uit naar hun tegenstanders. Als die niet snel genoeg uit de weg sprongen, werden ze tot moes geslagen, of opgetild en als kapotte marionetten door de lucht geslingerd. Degenen die de aanval wisten te ontwijken, hakten met hun zwaarden in de spieren en pezen in de achterpoten van de ghauregs. Binnen een mum van tijd was de vloer glibberig van het bloed en werden de kreten van de mannen overstemd door het brullen van de monsters.

De soldaten op het balkon namen hun doelwitten zo goed en zo kwaad als het in het strijdgewoel ging op de korrel, maar ze hadden inmiddels zelf ook problemen. Achter de ghauregs waren namelijk verschillende skrendels binnengekomen: slanke, behendige wezens met lange wurgvingers die via de zuilen naar boven zwermden. Het kleine beetje dekking dat de soldaten hun collega's op de grond konden bieden, verslapte algauw in de strijd om de nieuwkomers op een afstand te houden.

De monsters hadden de barricade vernield en zaaiden dood en verderf. Enorme kaken beten en hapten, slagtanden begroeven zich met luid gekraak in botten en kraakbeen, reusachtige schouders spanden zich terwijl hun kleine, machteloze prooi uiteen werd gereten. Al snel hadden de vijf of zes ghauregs die nog over waren de onbeduidende troepenmacht die de hal verdedigde in de pan gehakt. Er waren nog maar een paar soldaten over, die achteloos een voor een konden worden gedood. Toen de ghauregs hun gele oogjes op de laatste, koppig standhoudende verdedigers richtten, ging een van hen echter in vlammen op.

De twee zusters van de Rode Orde kwamen statig aan de achterkant de hal binnen, met lange passen waar een dodelijke arrogantie uit sprak. Beiden droegen ze het doorschijnende zwarte gewaad en de intimiderende gezichtsschmink van de Orde: de zwarte en rode haaientanden om hun lippen, de twee bloedrode halvemanen die van hun voorhoofden over hun ogen naar hun wangen liepen. Hun ogen hadden de kleur van smeulende kolen.

De andere ghauregs deinsden terug voor de hitte die van hun brandende kompaan afsloeg, en dat moment van aarzeling was voor de zusters genoeg om ze te vernietigen. Twee monsters vielen bloedend uit al hun lichaamsopeningen op de grond; twee andere gingen in withete vlammen op, als pilaren van vuur, rook en borrelend vet; de laatste werd als door een onzichtbare hand opgetild en zo hard tegen de muur verpletterd dat de stenen ervan barstten. De skrendels maakten zich uit de voeten, lieten zich weer langs de zuilen omlaag zakken en probeerden de deur te bereiken. Een van de zusters maakte een nonchalant gebaar met haar in een zwarte handschoen gehulde hand en verminkte ze. Hun dunne botten braken en versplinterden, zodat ze zwakjes spartelend op de grond vielen.

Binnen een paar tellen was het gebeurd. De strijd was gestreden, en nu waren er alleen nog de rusteloze, vlijtige vlammen, het gejammer van de stervende skrendels en de kreten van de gewonde mannen. De paar vermoeide verdedigers die zich staande hadden gehouden, keken vol ontzag naar de zusters.

Kaiku tu Maikama nam het tafereel in zich op. Haar blikveld bevond zich op de grens van de werkelijkheid en het Weefsel, waardoor het leek alsof de twee werelden over elkaar heen waren gelegd. Ze keek voorbij de gehavende, bebloede gestalten die naar haar staarden, voorbij de met lijken bezaaide hal naar de deuropening, waar de rook van de brand de zaal in kolkte. Onder dat vernis van de werkelijkheid zag ze echter een gouden diorama van draden, de stiksteken en vezels van het bestaan; in die wereld bestond de hal uit miljoenen flinterdunne, eindeloze strengen. Ze zag de stroom van de lucht die de levenden in- en uitademden, het kolken en golven in het hart van de rook en de stevige, standvastige lijnen van de zuilen. Ze boog en strekte haar vingers, bond de woest bewegende draden van de vlammen vast, steeds strakker, tot het vuur zichzelf verstikte en uitdoofde.

'Juraka is gevallen,' zei ze met een stem die door de hele zaal galmde. 'We trekken ons in zuidwestelijke richting terug naar de rivier.' Ze kon hun teleurstelling voelen als een golf die haar overspoelde. Dit had ze hun liever niet verteld. Hun metgezellen lagen dood om hen heen, tientallen levens waren opgeofferd om deze stad te verdedigen, en nu was zij degene die de overlevenden moest vertellen dat het allemaal voor niets was geweest. Misschien haatten ze haar erom. Wellicht koesterden ze in hun hart verbittering, omdat zij was gekomen en van hun strijd een zinloze had gemaakt, en dachten ze nu: smerige afwijkende.

Het kon haar weinig schelen. Ze had grotere zorgen.

Ze liet het aan haar metgezel Phaeca over om de situatie in minder harde bewoordingen uit te leggen, terwijl zij door de vervliegende rook van het gebluste vuur naar buiten liep. Het was een warme, heldere winterdag.

Juraka, een oeroude handelsstad die ooit was begonnen als tussenstop voor mensen die over de Prefectenweg de lange reis van Tchamaska naar Machita ondernamen, was gesticht op een heuvel aan de oevers van het kolossale Azleameer. In de loop van de tijd was er een bloeiende vis- en schepenhandel ontstaan, en tijdens de bloederige interne machtsstrijd die na de dood van de krankzinnige keizer Cadis tu Othoro was losgebarsten, was de stad versterkt en uitgerust met een garnizoen. Recentelijk was het een van de belangrijkste bastions geworden op het front dat het restant van het keizerrijk jarenlang in stand had weten te houden tegen de wevers en de horden onder hun bevel.

Tegen de tijd dat Nuki's oog die dag achter de horizon zou verdwijnen, zou de stad echter in handen van de vijand zijn.

Kaiku vloekte zachtjes, een weinig damesachtige gewoonte die ze had opgepikt van haar lang geleden gestorven broer en nooit was kwijtgeraakt. Ze had natuurlijk best geweten dat er vroeg of laat een eind zou komen aan de patstelling, dat uiteindelijk een van de partijen de overhand zou weten te krijgen. Ze wenste alleen dat zij het waren geweest, in plaats van de wevers.

Het administratieve complex was een uitgestrekt, ommuurd plein met een aantal prachtige gebouwen in een kring eromheen. Rechts van haar was de heuvel tot aan de rand van een klein woud bedekt met huizen; links lagen straten en pleintjes verspreid tussen een allegaartje van daken bedekt met sierleisteen. Als een waterval leken die zich in het reusachtige meer te storten, dat fel blikkerde in het heldere daglicht, maar aan de horizon in een waas leek op te gaan. Daar voerden schepen in een trage dans een felle strijd; af en toe bereikte de knal van een geweer of het gebulder van een kanon haar oren. De oevers stonden boordevol steigers en pakhuizen, die nu voor het merendeel vernield waren en in brand stonden. De rook steeg in onscherpe kolommen op en bedekte de laagst gelegen straten met een bedompte mantel.

Kaiku liet haar blik over de stad glijden, over de verwoeste tempels en geruïneerde huizen, de straten waar nog steeds schermutselingen plaatsvonden tussen mannen en vrouwen aan de ene kant en aan de andere kant schellers en furiën, of nog angstaanjagender wezens. Op de thermiekbellen hoog boven de stad zweefden gierkraaien, zodat hun meesters, de nexussen, het overzicht konden bewaren. Dat waren echter vijanden waarmee ze bekend was, wezens waarmee ze in de vier jaar sinds de oorlog was uitgebroken al vaak te maken had gehad. Nu richtte ze haar aandacht op de wezens die verantwoordelijk waren voor de ondergang van de stad.

Het waren er twee: de ene stond bij de oevers van het meer en de andere torende hoog boven de bomen op de top van de heuvel uit. Feya-kori's: 'smetdemonen', in de Saramyrese spreektrant waarin over bovennatuurlijke wezens werd gesproken. Ze waren veertig voet lang, die kwijlende, logge, stinkende wezens, karikaturen van de menselijke vorm, verwrongen gestalten met lange, dikke armen en benen, die op handen en voeten liepen en een sinister miasma uitwasemden als ze bewogen. Ze bestonden uit een misselijkmakend, wervelend soort slijm dat van hun lijf drupte en op de grond spetterde, en dat alles wat het beroerde deed branden of wegrotten, blaadjes deed verschrompelen en hout verpulverde. Ze hadden geen gezicht, alleen een bobbel tussen hun schouders met daarin felle, brandende bollen waar lichtgevende klodders uit kwamen. Terwijl ze overal verwoestingen aanrichtten, kreunden ze smekend naar elkaar; droeve kreten die een griezelige begeleiding vormden bij de trage, domme bruutheid van hun daden.

Terwijl Kaiku stond te kijken, waadde een van de monsters het meer in. Het water siste en borrelde, en vanaf zijn ledematen verspreidde zich een zwarte laag. Haar maag keerde zich om toen ze begreep wat het monster wilde doen. Hij baande zich een weg naar een van de jonken van het keizerrijk, hief met een naargeestige kreun zijn stomp van een hand en liet die met een dreun op het schip neerkomen. Het brak doormidden; zowel bemanningsleden als zeilen gingen in vlammen op. In een reflex sloot Kaiku haar ogen en wendde zich af, maar zelfs dan kon ze de krachtige aanwezigheid van de demon via het Weefsel nog duidelijk voelen, als een tegennatuurlijke duisternis die haar bewustzijn geselde.

De andere feya-kori drong door het bos heen, waarbij hij een spoor van verpieterd blad en omgevallen bomen achterliet, als een walgelijk litteken. Als een massa kwaadaardigheid verpletterde hij met zijn arm de dichtstbijzijnde daken. Vijf zusters van Kaiku hadden al het leven gelaten bij een poging de feya-kori's te verslaan. Het bevel tot terugtrekking deed inmiddels de ronde, en de troepen van het keizerrijk trokken zich in zuidwestelijke richting terug.

Toen voelde ze de spinachtige bewegingen van een wever in de lagergelegen straten en hoorde in de verte het gegil van soldaten. Eindelijk vonden de woede en het verdriet in haar hart een doelwit.

Als ik dit geen halt kan toeroepen, beloofde ze zichzelf, dan zal ik ten minste een van hen laten boeten.

Ze liep met grote, boze passen weg bij het administratieve complex en door de gebedspoort met zijn uitbundige lofzang op Naris, de god van de geleerden, naar de smalle, schuin aflopende straten die erachter lagen.

Bloed sijpelde in een honingraatpatroon tussen de straatkeien door, stroomde langzaam maar zeker heuvelafwaarts weg bij de lijken van mannen, vrouwen en afwijkende roofdieren in foetushouding. Kaiku bedacht met een verbitterd soort geamuseerdheid dat de afwijkenden, die door de wevers waren geschapen, tegelijkertijd hun belangrijkste medestanders en hun gevaarlijkste tegenstanders waren. Zij en alle andere zusters waren voortgekomen uit hetzelfde proces dat monsters als de ghauregs had gebaard. Ze wist zeker dat de goden, die vanuit het Gouden Rijk toekeken, onbedaarlijk moesten lachen om wat er was gebeurd.

Snel liep ze tussen de beschadigde gebouwen door, zonder zich erg druk te maken om de wezens die in de steegjes als bezeten tekeergingen. Overal gaapten lege balkons en winkels haar aan, alsof ze verbijsterd waren dat ze zomaar in de steek waren gelaten. Karren en riksja's waren blijven staan op de plek waar mensen ze in de haast om de stad te evacueren, hadden achtergelaten. Hoger op de heuvel klonk het geknal van geweren; tientallen soldaten verspilden hun munitie in een vruchteloze poging om de demon die zich vanuit het bos een weg baande naar het meer te verwonden.

De kreten die ze had gehoord, werden nu luider. Ze voelde het Weefsel bewegen, alsof het uit kronkelende tentakels bestond: de wever bespeelde slordig de onzichtbare draden die zich onder de huid van de werkelijkheid bevonden. Ze haatte hen, haatte hun onhandigheid in vergelijking met het elegante weven van de zusters, de brute manier waarop ze de natuur aan zich onderwierpen. Ze voedde haar woede nu ze de wever naderde en haar aanwezigheid voor hem verborg met enkele behendige ontwijkingsmanoeuvres.

De straat kwam uit op een kruispunt van drie grote wegen. Het hart van het kruispunt was een geplaveid plein met een bronzen standbeeld van een meerval, die was afgebeeld alsof hij omhoogzwom naar de hemel: zijn lijf gekromd, zijn vinnen en snorharen wapperend als vaandels. Dat was de dierlijke vorm van Panazu, de god van de rivieren, storm en regen, en dus ook van de meren. Een toepasselijke keuze voor een stad die aan de oevers van het grootste meer van dat werelddeel lag. Het plein was omringd door gebouwen van twee verdiepingen, met openhangende luiken, gebarsten plantenpotten op de stoep en houten muren die waren doorzeefd met geweerkogels.

Dit was een van de belangrijkste defensieve stellingen in Juraka geweest, en was daarom versterkt met barricades en uitgerust met twee kanonnen. Dergelijke matregelen waren echter zinloos tegen de wevers. Zonder een zuster van de Rode Orde om het tegen hem op te nemen, was de wever erin geslaagd de geesten van de soldaten te vertroebelen en een rel te veroorzaken. Afwijkenden hadden de onbemande stellingen overspoeld en hielden nu vreselijk huis onder de doodsbange mannen. De wever was nergens te bekennen.

Kaiku verspilde geen tijd aan gepieker over hoe deze hachelijke situatie was ontstaan. Er had hier een zuster moeten zijn om de soldaten te beschermen, maar overal in de stad was de Rode Orde in wanorde vervallen. Ze ging gewoon brutaal aan de rand van het kruispunt staan en opende het Weefsel. De lucht om haar heen kwam in beweging, streek langs haar jurk en deed het geelbruine haar wapperen dat over haar ene wang viel. Ze gaf zich over aan de extase van het weven.

De pure vreugde van lichaamloosheid, van het zien van de ruwe bouwstenen van de schepping, in een eindeloze wirwar van glinsterende draden, was bij een ongeoefende geest voldoende om deze tot krankzinnigheid te drijven. Kaiku was hier echter al vele malen geweest, en ze beschikte over mantra's en andere beheersingstechnieken waarmee ze zich kon wapenen tegen die eerste vloedgolf van bedwelmende harmonie. Ze zag de scheuren en gaten die de wever in zijn kielzog had achtergelaten, voelde zijn invloed, die zich uitstrekte naar de geborduurde gouden poppetjes die de soldaten voorstelden, en hen in verwarring bracht, zodat ze zich niet konden verweren.

Hij was zich nog niet van haar aanwezigheid bewust, en van dat voordeel maakte ze gebruik. Ze sloop naderbij, kronkelde over de draden, schoot van de ene streng naar de andere, zodat de trillingen die ze veroorzaakte subtiel en wijdverbreid zouden blijven, zo onopvallend dat ze volledig door de galmende aanwezigheid van de demonen zouden worden overstemd. Het kostte haar weinig moeite om hem te vinden: hij bevond zich op de bovenste verdieping van een oud bordeel aan de kruising. Deze wever was jong en onvoorzichtig, want ondanks zijn grote macht merkte hij haar pas op toen ze dichtbij genoeg was om toe te slaan.

Kaiku richtte zich echter niet direct op hem. Hoe boos ze ook was, ze was zich nog steeds bewust van het risico dat ze liep als ze rechtstreeks de confrontatie met een wever aanging. Nee, ze glipte tussen de vezels van de balken die het dak van het bordeel ondersteunden, klampte zich stevig over de volle lengte vast om de noodzakelijke mentale hefboomkracht te kunnen uitoefenen. De beste manier om een wever te doden, had ze ontdekt, was via een omweggetje.

Met één felle beweging reet ze de balken uiteen.

De verwoestende explosie die volgde op het verpulveren van de draden van het Weefsel had zo veel kracht dat de luiken van het bordeel uit hun scharnieren werden geblazen. Vlammen schoten door de ramen op de bovenste verdieping naar buiten; planken werden versplinterd of tolden door de lucht. Het dak stortte in en verpletterde de wever. De schokgolven van zijn dood verspreidden zich razendsnel door het Weefsel, voor ze langzaam wegstierven.

Zo, weer een minder, dacht Kaiku, terwijl het Weefsel uit haar blikveld verdween.

De soldaten kwamen langzaam bij zinnen, maar raakten meteen in verwarring toen ze beseften dat ze van alle kanten werden aangevallen. Sommigen reageerden te traag en werden gedood door de afwijkenden die tussen hen door zwermden. Anderen waren sneller en wisten op tijd hun zwaarden te heffen. Er waren er nog genoeg over om flink weerstand te kunnen bieden, en dat deden ze dan ook, in de greep van een plotselinge, felle woede.

Kaiku liep tussen hen door, links en rechts afwijkenden dodend. Met een handgebaar deed ze organen barsten en botten verpulveren, smeet de wezens weg of verbrandde ze tot as. De soldaten, die elkaar met schorre stemmen bemoedigend toeschreeuwden, vochten met hernieuwde moed. Kaiku voegde haar stem aan het kabaal toe, gaf lucht aan haar diepe, onbestemde haat vanwege wat haar, haar land en deze mensen was aangedaan. Een tijdlang baadde ze in bloed. Al snel waren er geen vijanden meer om het tegen op te nemen. Ze kwam weer tot zichzelf, alsof ze uit een vage, oppervlakkige roes ontwaakte. Het was nu stil op het kruispunt, een opeenhoping van lijken, dat een bedwelmende stank van bloed en buskruit uitwasemde. De soldaten klopten zichzelf op de borst en hielden haar wantrouwig in de gaten, op hun hoede voor hun redder. Een van hen deed een stap in haar richting, alsof hij zijn dankbaarheid wilde uitdrukken, maar hij aarzelde, wendde zich af en deed alsof hij alleen maar zijn gewicht had willen verplaatsen. Ze kon zien dat ze zachtjes kibbelden over de vraag of ze haar moesten bedanken voor haar hulp, zoals het hoorde, maar het feit dat niemand het uit eigen vrije wil deed, maakte het betekenisloos. Goden, zelfs nu was ze in hun ogen slechts een afwijkende.

'We moeten gaan,' zei Phaeca, die opeens achter haar stond. Toen Kaiku niet reageerde, legde de zuster haar hand op haar arm.

Kaiku maakte een zacht, bevestigend keelgeluidje, maar ze verroerde zich niet. De feya-kori van de top van de heuvel kwam naderbij; zijn sombere gekreun leidde de geluiden in van de verwoesting die hij veroorzaakte.

'We moeten gaan,' herhaalde Phaeca zachtjes maar vastberaden, en Kaiku besefte dat ze tranen in haar ogen had, tranen van pure woede en teleurstelling. Ze veegde ze met de rug van haar hand af en liep boos weg, overweldigd door een voorgevoel dat het tij van de wanhopige oorlog die ze voor hun vaderland vochten onherroepelijk was gekeerd, en niet in hun voordeel.

◎ 2 ◎

De Sasakobrug, die de Kespa overspande, lag iets meer dan dertig mijl ten zuidwesten van Juraka en maakte deel uit van de Prefectenweg. Het terrein was helemaal tot aan de rivier heuvelachtig en bebost, en de weg slingerde tussen hoge landruggen door. In het verleden hadden die als volmaakte uitvalsbases gediend voor struikrovers en dieven die in hinderlaag lagen te wachten op de handelskaravanen die in vredestijd over de weg reisden. De brug zelf was een verborgen schat: een elegante, witte boog, ondersteund door een waaier van pilaren die aan weerszijden van de weg als de spaken van twee fragiele wielen uit het midden van de rivier staken. Het bouwsel was gemaakt van een uiterst harde houtsoort die nauwelijks door de tand des tijds was aangetast. Zelfs na al die eeuwen waren de gedetailleerde etsen en votieve iconografie op de pilaren en balustrades nog heel duidelijk, hoewel sommige taferelen, personages en wezens die erop waren afgebeeld alleen de grootste geleerden nog bekend zouden voorkomen.

Nu Juraka was opgegeven, was de Sasakobrug in de strijd tegen de legers van de wevers het belangrijkste punt geworden in het oostelijke front.

Rond zonsondergang begon het te regenen, zodat de canvas-tenten van het leger van het keizerrijk doorweekt raakten. De Sasakobrug was vooraf al aangewezen als het verzamelpunt, mocht Juraka verloren gaan. Lang geleden was er daarom een defensieve infrastructuur aangelegd. Er stonden al palissades en wachttorens; tussen de plooien van de heuvels waren kanonnen en mortieren verborgen. De Sasakobrug was de enige plaats waar een leger de Kespa kon oversteken, tenzij het bereid was zeventig mijl naar het zuiden te reizen om de Yupibrug – die net zo streng werd bewaakt – over te steken, of nog dieper het moeras in te trekken naar de plek waar de stad Fos uitkeek op de Lotusboog. Als ze kwamen – en dat was ongetwijfeld het geval – zouden ze hierlangs moeten.

Kaiku stond hoog op de flank van een beboste helling in het zangvogelhuis uit te kijken over de heuvels langs de rivier. De geborduurde muurschermen waren op het westen geopend, want de koele wind blies de regen tegen de andere kant, en het zachte licht van de maan Neryn baadde het tafereel in spookachtig groen. Daar, tussen de glinsterende takken, straalden lantaarns, het bewijs dat er onder het bladerdak een uitgestrekt kampement schuilging. De Kespa, die gelijkmatig van het Azleameer in het noorden door het moerasland in het zuiden naar de oceaan stroomde, was tussen de elkaar overlappende landflanken net zichtbaar. Overal was het rusteloze, sissende gespetter van regenwater te horen, en de insecten zwegen onder het geweld.

De soldaten van het keizerrijk hadden het zangvogelhuis leeg aangetroffen toen ze met de bouw van de verdedigingswerken waren begonnen en hadden het in beslag genomen. Het was een gekoesterde herinnering aan de dagen die nu al onmogelijk ver weg leken. Toen was de overheersing van de hooggeplaatste families in het keizerrijk nog onbetwist, zoals het duizenden jaren was geweest, tot de wevers de macht hadden overgenomen en het land in een woeste oorlog hadden gestort in een poging hun eigen bestaan te waarborgen. In die tijd hadden edelen vaak een zangvogelhuis, een beschut liefdesnestje vol romantische opsmuk – waaronder zangvogels – dat werd gebruikt door pasgetrouwde of verliefde stelletjes, of door ouders die even wilden ontsnappen aan hun kinderen.

Kaiku slaakte onwillekeurig een zucht. Het was inmiddels vier jaar geleden dat de oorlog was uitgebroken, maar haar persoonlijke oorlog was al bijna tien jaar gaande. Zou ze zichzelf wel hebben herkend, als ze de vrouw die ze was geworden was tegengekomen? Zou ze ooit hebben gedacht dat ze de kleuren van de Rode Orde zou dragen? Ze kon zich een tijd herinneren waarin ze de gezichtsschmink gruwelijk had gevonden. Nu genoot ze ervan om de kleuren op haar gezicht aan te brengen. Ze verleenden haar nieuwe kracht, zorgden ervoor dat ze zich net zo angstaanjagend voelde als ze eruitzag. Vreemd, het effect dat het dragen van een dergelijk masker kon hebben, maar als ze de afgelopen tien jaar iets had geleerd, was het wel dat er grote macht in maskers besloten lag. Ze dacht aan het Ware Masker dat ooit aan haar vader had toebehoord; het vuig grijnzende gezicht verscheen zo helder voor haar geestesoog alsof de zon opeens achter de wolken vandaan was gekomen. Dat beeld kwam ongewild bij haar op, zoals altijd, en hoewel ze het meteen verdrong, probeerde het haar te verleiden met beloften die minder makkelijk zouden vervagen.

Ze moest afleiding zoeken, dus draaide ze zich om naar de kamer, waar anderen zich voor overleg verzamelden. Het was een grote, ruime zaal zonder meubelen, afgezien van een lage, ovale tafel van zwart hout in het midden, waarop vazen met guyabloesems en zilveren schalen met versnaperingen waren neergezet. De kamerschermen waren versierd met afbeeldingen van vogels in vlucht en landschappen vol meren, bergen en wouden, en op de blinkend gepoetste houten vloer lagen zitmatten. In de hoeken van de kamer, waar aan knoestige pilaren gemaakt van boomtakken amuletten en andere prullaria van bijgeloof hingen, stonden oplettende bedienden. Zelfs bij een haastig afgekondigde bijeenkomst als deze werden de regels van de etiquette in acht genomen.

De meeste aanwezigen kende ze wel. Het was de gebruikelijke verzameling van door verschillende baraks afgevaardigde generaals, enkele leden van de Libera Dramach en hier en daar een vertegenwoordiger van een andere hooggeplaatste familie. Ze liet haar blik rusten op de mensen die ze goed kende: Yugi, die iemand hartelijk lachend een klap op zijn schouder gaf; Phaeca, die ernstig stond te praten met een man die Kaiku niet herkende; Nomoru, die in haar eentje aan de rand van de zaal zat, zag er zo haveloos uit als altijd en trok een gezicht dat duidelijk uitdrukte dat ze veel liever ergens anders zou zijn.

Toen iedereen aanwezig was, namen ze om de tafel plaats, met uitzondering van Nomoru, die op een afstand bleef. Kaiku wierp haar een boze blik toe. Ze begreep maar niet waarom Yugi haar altijd bij dergelijke bijeenkomsten betrok. Nomoru was voortdurend zo onbeschoft dat Kaiku zich dood schaamde als ze bij haar was. Zelfs nu straalde ze norsheid uit en trok ze de blik van de generaals en de edelen; die vroegen zich af wat ze hier deed, maar waren te beleefd om dat hardop te zeggen.

De man aan het hoofd van de tafel was generaal Maroko van bloed Erinima. Hij was forsgebouwd, met een kaal hoofd, een lange zwarte baard en een snor die tot voorbij zijn schouders hing. Daardoor zag hij er ouder uit dan zijn vijfenveertig oogsten. Hij was de opperbevelhebber van het leger dat in Juraka gestationeerd was geweest, verkozen na het bij dergelijke aangelegenheden gebruikelijke gekibbel en ellebogenwerk tussen de hooggeplaatste families.

'Zijn we allemaal aanwezig?' vroeg hij, op nogal informele toon, gezien de gelegenheid.

'We missen er nog een,' zei Kaiku. Ze had de zin nog niet uitgesproken, of de aankomst van de laatkomer werd aangekondigd door een verstoring in het Weefsel. De lucht leek zich te verdikken, en Cailin tu Moritat verscheen aan het eind van de tafel, recht tegenover Maroko.

Ze was een spookachtig waas in de lucht, haar gezicht een witte vlek boven op een lange, zwarte veeg die enkele duimen boven de vloer in het niets leek op te lossen. Haar gelaatstrekken waren als een vage indruk te onderscheiden, maar ze waren wazig en onbestendig. Kaiku voelde het ongemak van de mensen die naar haar keken en stond zichzelf een heimelijk glimlachje toe. Cailin kon een haarscherp beeld van zichzelf projecteren als ze wilde, zodat ze bijna niet van echt te onderscheiden was. Ze had echter een theatrale inslag, en als een schemerige, half geziene aanwezigheid die als een gier boven de vergadering zweefde, straalde ze veel meer dreiging uit. Ze maakte mensen graag bang.

Kaiku stelde haar voor aan degenen die haar nog niet kenden, en voegde aan haar naam de juiste eretitel toe: Eerste van de Rode Orde. Ze was nu het officiële hoofd van de zusters, en had de titel aangenomen toen ze na de staatsgreep van de wevers uit de schaduw waren getreden. De Rode Orde had weliswaar nooit een hiërarchische structuur gehad, maar al heel lang was Cailin in alle opzichten de leider. Ze vond het nodig haar status eindelijk officieel te maken, omdat de Orde anders wellicht niet serieus zou worden genomen. Kaiku kon niets tegen haar redenatie inbrengen, maar zoals bij bijna alles wat Cailin deed, had ze het ongemakkelijke gevoel dat deze op het oog spontane zet in werkelijkheid lang van tevoren al was uitgedacht en deel uitmaakte van een overkoepelend plan waarvan zij niet op de hoogte was.

Maroko handelde voortvarend de vereiste begroetingen en verwelkomingen af en richtte zich toen op het doel van de bijeenkomst. 'Ik heb jullie rapporten gelezen, en ik ben op de hoogte van onze verliezen,' zei hij. 'Op dit moment vind ik het niet belangrijk om iemand de schuld te geven of lof toe te wuiven. Wat ik wil weten is:

wat in Omecha's naam waren dat voor een... monsters in Juraka, en hoe kunnen we ze verslaan?'

Het was iedereen duidelijk dat die vraag tot de zusters was gericht. Kaiku nam het woord.

'We noemen ze feya-kori's,' zei ze. 'Ik zeg met nadruk dat wíj ze zo noemen, want we hebben die naam zelf bedacht; voor zover we weten, lijken ze op geen enkele bestaande of uit legendes bekende demon.'

'Dus jullie wisten er al van voor ze ons aanvielen?' zei een oude generaal, haar in de rede vallend. Kaiku wist wie hij was: altijd was hij een van de eersten die met de beschuldigende vinger naar de zusters wees. Wantrouwde hij hen omdat ze zusters waren, of afwijkenden, of allebei? Hoe dan ook was hij bij lange na niet de enige.

'Nee,' antwoordde ze kalm. 'Die informatie bereikte pas tijdens de aanval onze oren. Helaas kwam het bericht te laat, of kwamen de wevers te snel in actie, en konden we u niet van tevoren waarschuwen. Maar u zult het met me eens zijn dat het verlies van vijf van onze zusters afdoende bewijs is dat wij er net zozeer door werden verrast als u.'

'Meer dan afdoende,' zei Maroko instemmend, met een nadrukkelijke boze blik op de generaal. 'Niemand twijfelt hier aan de loyaliteit van de Rode Orde.' Hij keek naar Kaiku. 'Wat weten jullie?'

'Heel weinig,' gaf Kaiku toe. 'En wat we weten, is voornamelijk op gissingen gebaseerd. De wevers hebben al eerder demonen opgeroepen, maar zelfs bij benadering nooit zulke machtige als de feya-kori's. Ze hebben de afgelopen jaren natuurlijk verschillende nieuwe heksenstenen gewekt, maar niemand had erop gerekend dat ze zoveel sterker waren geworden.'

'Hoe zijn ze er dan in geslaagd?' vroeg een andere generaal, die op zijn ellebogen vooroverleunde in de lichtkring van een lantaarn. 'En hoe kunnen we ze tegenhouden?'

'Op die vragen heb ik geen antwoord,' antwoordde ze. 'Het enige wat we weten, is dat ze afkomstig zijn uit Axekami.'

'Uit Axekami?' riep iemand uit.

'Inderdaad. Deze demonen zijn niet uit de diepste krochten van een woud gekomen, of uit een vulkaan, of uit een andere verlaten woestenij waar hun soortgenoten meestal huizen. Deze komen uit het hart van onze hoofdstad.'

Dat veroorzaakte grote beroering. De generaals begonnen onderling te ruziën en te speculeren. Kaiku en Phaeca maakten van de gelegenheid gebruik om met Cailin te communiceren. Sommige generaals wierpen hun afkerige blikken toe toen ze de veelzeggende verkleuring van hun ogen opmerkten, die aangaf dat ze het Weefsel bespeelden. De zusters weefden en stikten patronen vol impressies en bedoelingen en zonden die naar de plek, vierhonderd mijl verderop, waar hun Eerste zich ophield. Kaiku controleerde zorgvuldig of de verbinding veilig was, bleef alert op trillingen in de draden die konden wijzen op afluisterende wevers, maar voor zover zij kon beoordelen, werden ze nergens door bedreigd.

'Het lijkt me duidelijk dat we om te beginnen iemand naar Axekami moeten sturen,' zei Yugi op dat moment.

Zijn voorstel maakte een eind aan het gemompel rond de tafel. Hoewel hij officieel geen enkel gezag had, was hij de leider van de Libera Dramach, de organisatie die was opgericht om de afgezette erfkeizerin Lucia tu Erinima te beschermen. Zowel Lucia als de Rode Orde was nauw met de groepering verbonden, waardoor met hen net zo goed rekening diende te worden gehouden als met de hooggeplaatste families van het keizerrijk.

'U bent zich er ongetwijfeld van bewust hoe gevaarlijk een dergelijke onderneming zou zijn,' zei generaal Maroko, maar ondertussen streek hij gewoontegetrouw met zijn vingertoppen langs de punten van zijn lange snor, waarmee hij verried dat hij het een goed idee vond. 'De hoofdstad ligt in het hart van het terrein van de wevers, en alle rapporten wijzen erop dat de stad... erg is veranderd.'

Yugi haalde zijn schouder op. 'Ik doe het zelf wel,' zei hij.

'Ik betwijfel of we het ons kunnen veroorloven jouw leven zo op het spel te zetten,' antwoordde Maroko met opgetrokken wenkbrauwen. Dat was de reactie die Yugi had verwacht. 'Toch moet iemand gaan,' zei hij, terwijl hij afwezig een slok nam uit de beker wijn die voor hem op tafel stond. 'Die feya-kori's vormen het grootste gevaar waarmee we sinds het begin van de oorlog zijn geconfronteerd. We hebben geen idee hoe we ze moeten aanpakken. Ze zijn te machtig voor de Rode Orde, en als we op de aanval op Juraka mogen afgaan, haalt artillerie ook weinig tegen ze uit. Iemand moet naar Axekami om erachter te komen wat voor wezens dit zijn en waar ze vandaan komen.'

'Daar ben ik het mee eens,' zei Maroko. 'Maar ik heb niet het gezag om een dergelijke beslissing te nemen. Het is onze verantwoordelijkheid om het oostelijke front in stand te houden. We kunnen echter wel een voorstel doorspelen aan de raad in Saraku...'

'We hebben behoefte aan antwoorden, niet aan nog meer onenigheid!' riep iemand. Hier en daar werd er gelachen. Maroko grimlachte.

'Dan handel ik het zelf af, als een interne kwestie van de Libera Dramach,' zei Yugi. 'Met uw welnemen, uiteraard,' voegde hij eraan toe, hoewel dat niet echt nodig was.

'Regel het,' antwoordde Maroko. 'Houd ons op de hoogte van uw bevindingen.'

Kaiku was haar verzoek aan Cailin nog aan het formuleren toen ze haar antwoord al kreeg. Cailin kende haar beste leerling door en door.

((Ga met hen mee. Jullie allebei))

Nadat de bijeenkomst was afgesloten, gingen Kaiku en Phaeca op zoek naar Yugi. Ze troffen hem aan in zijn tent, die op het terrein van het zangvogelhuis was opgeslagen, waar paden tussen door onkruid verstikte vijvers en overwoekerde bloemperken kronkelden. De takken knikten onder het geweld van de regen, en dunne straaltjes water sijpelden van de blaadjes op de soldaten, die als mieren in een nest bedrijvig af en aan liepen. Het kostte hun enige moeite om de tent te vinden op het overvolle terrein, maar toen ze er eenmaal voor stonden, wisten ze meteen dat ze de goede te pakken hadden; dat konden ze ruiken aan de hardnekkige geur van verbrande amaxawortel die eromheen hing.

Er hing geen belletje of iets anders waarmee ze de aandacht van de mensen binnen konden trekken, dus trok Kaiku gewoon de flap open en stapte naar binnen, met Phaeca dicht op haar hielen.

Yugi keek op van de kaart die voor hem op tafel lag. Hij zat in kleermakerszit op een mat. De rest van de tent was een rommeltje, omdat hij zijn overige bezittingen nog niet had uitgepakt. In het bleke licht van de papieren lantaarn boven hem, viel het Kaiku op hoe oud hij eruitzag, hoe diep de lijnen in zijn gezicht waren en hoe ingevallen zijn wangen. Hij kon niet goed omgaan met de druk van het leiderschap. Hoewel hij aan de oppervlakte nog even guitig en bot maar oprecht leek als altijd, ging het snel bergafwaarts met hem. Tegelijkertijd werd zijn amaxawortelverslaving erger, een symptoom van een innerlijk conflict waar Kaiku het fijne niet van wist. Toen ze hem had leren kennen, rookte hij al jaren in het geheim het verdovende middel, en het had zijn betrouwbaarheid als lid van de Libera Dramach nooit in de weg gestaan. Hij was altijd in staat geweest om ervan af te blijven als hij wilde, dankzij een biologische eigenaardigheid of een karaktereigenschap die hem ertoe in staat stelde de verslaving te weerstaan die de meeste gebruikers van het middel in haar greep hield. Tegenwoordig zag ze hem echter steeds vaker met die iets te felle glans in zijn ogen en rook ze regelmatig die dampen rond de plaats waar hij rustte. Ze vreesde voor hem.

Even trok Yugi een niet-begrijpend gezicht toen hij de twee in het zwart geklede zusters zag staan, die door de regen waren komen lopen, maar helemaal niet nat waren. Toen verscheen zijn vertrouwde grijns, die in het gelige licht echter ziekelijk en verkrampt aandeed. 'Kaiku,' zei hij. 'Kom je je als vrijwilliger melden?'

'Je klinkt verbaasd,' merkte ze op.

Hij haalde een hand door zijn donkerblonde haar, dat in pieken als de stekels van een egel overeind stond, en stond op. 'Ik had niet verwacht dat Cailin je zou laten gaan.'

'We hebben meer dan genoeg zusters om één brug tegen de wevers te verdedigen. En wat de feya-kori betreft... ach, dat weet jij net zo goed als ik. Of er nou één zuster meer of minder is, of zelfs tien, het zal weinig verschil maken.'

'Ik bedoel dat ik niet had verwacht dat ze jóú zou laten gaan,' zei hij. 'Ze beschouwt je tegenwoordig als een nogal kostbaar bezit.'

Kaiku was niet blij met wat hij suggereerde, maar ze deed het met een glimlach af. 'Ik doe toch meestal niet wat me wordt opgedragen, Yugi. Je kent me toch?'

Yugi leek de humoristische boventoon niet te horen. 'Vroeger wel,' prevelde hij. Toen bleef zijn blik op Phaeca rusten. Hij maakte een afwezig geluidje ter begroeting. 'Jij ook?'

'Ik kijk ernaar uit om naar huis te gaan,' zei Phaeca.

Hij liep langzaam langs de wanden van de tent, diep in gedachten verzonken. 'Afgesproken. Dan zijn jullie met z'n drieën. Dat moet genoeg zijn.'

'Met z'n drieën?' vroeg Kaiku. 'Wie is nummer drie?'

'Nomoru,' antwoordde hij. 'Ze vroeg of ze mocht gaan.'

Kaiku hield haar gezicht zorgvuldig neutraal. Ze liet niet doorschemeren dat ze de pezige verkenner niet mocht, noch dat ze verbaasd was dat Nomoru zich vrijwillig had aangemeld.

'Ze komt uit het Armenkwartier,' zei Yugi. 'Ze kent daar mensen. Ik wil even peilen hoe het er daar voor staat, contact leggen met onze spionnen. Die arme sloebers in de hoofdstad zuchten nu al vier jaar onder het juk van de wevers. Ze zagen er geen been in om in opstand te komen toen Lucia de troon dreigde te erven; misschien zien ze hun fout in nu ze een tijdje hebben kunnen proeven van het alternatief. Eens zien of de omstandigheden dat oude vuur weer een beetje hebben aangewakkerd.'

'Een opstand?' vroeg Phaeca.

Hij gromde bevestigend. 'Even de sfeer peilen,' zei hij nogmaals.

Het bleef even stil. Het enige geluid was het doffe roffelen van de regen op het canvas.

'Was dat het?' vroeg Yugi.

Kaiku wierp Phaeca een blik toe, en Phaeca begreep de hint. Ze verontschuldigde zich en glipte de tent uit.

'Ah,' zei Yugi droog, terwijl hij onder de doek krabde die hij om zijn voorhoofd had. 'Je kijkt nogal ernstig. Zit ik in de penarie?'

'Dat wilde ik jou net vragen,' antwoordde Kaiku. 'Zit je in de penarie?'

'Niet meer dan ieder ander,' zei hij. Hij keek naar alles, behalve naar Kaiku, pakte een perkamenthoes op en begon er afwezig aan te prutsen.

Ze aarzelde even en probeerde toen een andere aanpak. 'We hebben elkaar de afgelopen jaren niet zo vaak gesproken als ik zou willen, Yugi,' zei ze.

'Ik denk dat dat voor de meeste mensen geldt die je vroeger kende,' antwoordde hij met een vluchtige blik op haar. 'Je hebt andere bezigheden gehad.'

Dat vond Kaiku een pijnlijke opmerking. Ze wist dat ze haar oude vriendschappen had verwaarloosd, deels vanwege de oorlog, maar vooral omdat ze zich had onderworpen aan Cailins onderricht, waardoor er weinig tijd overbleef voor andere dingen. Lucia was afstandelijk geworden, ongrijpbaar, meer nog dan toen ze nog een kind was. Mishani was er nooit, want ze was altijd wel met een of andere diplomatieke kwestie bezig. Van Tsata had ze niets meer gehoord sinds hij kort na het uitbreken van de oorlog naar zijn vaderland was teruggekeerd. En Asara... Nou ja, aan haar kon ze maar beter niet denken. Hoezeer Kaiku haar ook haatte, in de kleine uurtjes werd ze vaak geplaagd door een verraderlijk verlangen om haar vroegere kamenierster terug te zien. Asara zat nu echter ver in het oosten, en zou daar waarschijnlijk blijven, wat voor hen allebei maar het beste was.

'De oorlog heeft veel veranderd,' zei ze zachtjes.

'En jou nog het meest,' antwoordde Yugi met iets snauwerigs in zijn stem, terwijl hij haar van top tot teen opnam.

Dat was kwetsend. 'Waarom val je me zo aan? We waren ooit vrienden, en misschien geloof je dat niet meer, maar we zijn zeker geen vijanden. Hoe komt het dat je zo bent geworden?'

Hij lachte verbitterd, een plotseling geblaf dat haar aan het schrikken maakte. 'Goden, Kaiku! Het is tussen jou en mij niet meer zoals vroeger. Als ik nu naar je kijk, zie ik Cailin. Jij bent niet de vrouw die ik vroeger kende. Je bent anders, killer. Je bent nu een zuster.' Hij gebaarde geërgerd naar haar. 'Hoe kun je van me verwachten dat ik je in vertrouwen neem, als je er zo uitziet?'

Kaiku kon haar oren nauwelijks geloven. Ze wilde hem eraan herinneren dat ze zuster was geworden om voor zíjn ideaal te vechten, dat de oorlog zonder de zusters binnen een jaar voorbij zou zijn geweest en dat de wevers dan zouden hebben gewonnen. Ze hield zich echter in. Als ze erop in zou gaan, zou er alleen maar ruzie van komen, wist ze, en dan zou ze waarschijnlijk de kwetsbare banden vernietigen die er tussen hen nog bestonden. Ze slikte dan ook haar woede in, met een discipline die ze had overgehouden aan de beproevingen van de Rode Orde.

'Niet, kennelijk,' zei ze kalm. 'Zou je me willen laten weten hoe en wanneer we naar Axekami gaan?'

Met die woorden vertrok ze, en voegde zich bij Phaeca, die buiten in de regen op haar stond te wachten. Samen liepen ze over het overvolle terrein van het zangvogelhuis terug naar de rivier. Voor het eerst in lange tijd viel het Kaiku op dat de soldaten zo onopvallend mogelijk voor hen uit de weg gingen.

⊚ 3 ⊚

De drie manen stonden aan een hemel bezaaid met sterren. Twee van hen hielden laag in het westen gelijke tred en zakten langzaam weg achter de scheve tanden van het Tchamilgebergte. De smetteloze groene parel Neryn piepte achter de grote, gevlekte schijf van haar zuster Aurus vandaan. Iridima, met haar blauw gemarmerde witte huid, leek hen vanuit het oosten boos aan te kijken. Onder hen strekte de woestijn van Tchom Rin zich van de ene horizon tot de andere uit, als een zee van traag rollende golven, zo uitgedroogd dat ze elk moment konden breken. Een koel briesje streek over de gladde, beschaduwde bulten en deed het stof van de toppen opstuiven. Dat was het enige geluid dat in de verre omtrek te horen was.

Saramyr werd van noord naar zuid doorkliefd door het Tchamilgebergte, dat de dichter bevolkte en gecultiveerde gebieden in het westen scheidde van het woestere landschap in het oosten. Het zuidoostelijke deel van Saramyr werd gedomineerd door de enige woestijn die het werelddeel rijk was. Hij begon aan de voet van de bergen en hield meer dan zesduizend mijl verderop vlak voor de oostkust op. Daar waren de kolonisten ruim zevenhonderd jaar eerder aangekomen om de oostelijke gebieden te bevolken.

Verhalen over die pionierstijd namen een belangrijke plaats in in de folklore van Tchom Rin: verhalen over mensen die verkozen te blijven, terwijl andere naar de vruchtbaardere Nieuwlanden in het noorden gingen; mensen die met de godin Suran een pact sloten; zij zouden in haar rijk wonen en haar aanbidden, en in ruil daarvoor zou zij hun de gewoonten van die wrede nieuwe wereld leren. Suran was haar volgelingen genadig en liet hun de weg naar welvaart zien. In de woestenij van zand bouwden ze grote steden en reusachtige tempels, en ze verjoegen de Ugati en hun oude, machteloze goden. De kolonisten eisten de woestijn voor zich op, en de woestijn veranderde hen, tot ze een zelfstandig volk werden en de gewoonten van het westen ver weg leken.

Een van de belangrijkste steden die de eerste kolonisten hadden gebouwd, was Muia. De stad lag er vredig en sereen bij in het groen getinte maanlicht, in de luwte van een steile rotswand die zich langs de westelijke grens ervan mijlenver uitstrekte. De Tchom Rinse architectuur was, aldus de overlevering, uitgevonden door ene Iyatimo, die zijn ontwerpen had gebaseerd op de messcherpe bladeren van de robuuste chiastruik, een van de weinige planten die in de woestijn kon overleven. Of dat nu waar was of niet, de stijl werd razend populair, en de gebouwen van Tchom Rin werden befaamd om hun gladde randen en scherpe punten. Bolle panden liepen uit in spitsen zo dun als naalden; de ramen waren traanvormig en liepen naar boven taps toe; de muren die de stad omringden zagen er indrukwekkend en grimmig uit door de rijen lemmetvormige versieringen. Door de lagergelegen delen van de stad liep een wirwar van straatjes langs ordentelijk verspringende rijen ruime woningen omhoog; het bovenste deel was een woud van pieken, een zee van bajonetten die op de hemel waren gericht. Alles leek de lucht in te zijn getrokken, alsof de aantrekkingskracht van de manen de steden van Tchom Rin had vervormd, waardoor er iets nieuws en merkwaardig oogstrelends was ontstaan.

Muia sluimerde onder de schrikwekkende bescherming van een standbeeld van Suran, dat zeker tweehonderd voet hoog was. Ze was gezeten in een nis die uit de rotswand was gehakt, met een opgerolde hagedis op haar schoot en een slang om haar schouders, die de dieren voorstelden die haar in haar grot in de woestijn hadden gevoed toen ze daar door haar moeder Aspinis was achtergelaten. Het geloof dat in westelijk Saramyr heerste – dat het van arrogantie getuigde om goden en godinnen onverbloemd af te beelden, in plaats van als symbolische afbeeldingen of in hun dierlijke verschijningsvorm – was nooit naar Tchom Rin overgewaaid, dus was Suran afgebeeld zoals ze er volgens de legendes uitzag: als een gemelijk, boos meisje met lang haar vol klitten en een groen en een blauw oog, weergegeven in gekleurde leisteen. Ze droeg lompen en had een knoestige staf in haar hand, waar de slang zich gedeeltelijk omheen had gewonden.

Suran beschikte over noch de uitstraling, noch de welwillendheid van het grootste deel van het Saramyrese pantheon. Het volk van Tchom Rin had een godin gekozen die tevreden moest worden gestemd, niet alleen maar geprezen; zij was een stugge, verbitterde godin die elke tegenslag kon overwinnen en wraak beschouwde als het puurste emotionele doel. Dat paste bij hun aard, en ze aanbaden haar dan ook vol vuur – haar alleen, want ze haalden hun neus op voor het passieve, rekbare geloof van hun voorvaderen. Waar mensen buiten de woestijn haar beschouwden als een duistere godin, de veroorzaker van droogte en pestilentie, hielden de woestijnbewoners juist met hart en ziel van haar omdat ze hen voor dergelijke kwaden behoedde. Ze was de beschermvrouwe van het zand, en in Tchom Rin was haar heerschappij onbetwist.

Die nacht sliep de stad vredig in het gezegende respijt van de hitte van de dag. Net als elders waren ook hier echter mensen die beroepsmatig afhankelijk waren van het nachtelijke duister, en een van hen was op weg om de belangrijkste man van Tchom Rin te vermoorden.

Keroki bewoog zich snel en vloeiend als kwik langs het touw dat strak tussen twee aan elkaar grenzende spitsen hing, zonder acht te slaan op het feit dat hij op de geplaveide, stoffige straten te pletter zou slaan als hij viel. Hoogtevrees was een zwakte die hij zich niet kon veroorloven, en net als de andere onbeduidende gebreken die hij als kind had vertoond, was het er tijdens zijn wrede scholing in de kunst van het moorden uit geslagen.

Hij had het einde van het touw bereikt, dat om de puntige leuning van een balkon was geslagen, en liet zich op de stevige ondergrond zakken. Even stond hij zichzelf een geamuseerde gedachte toe: de architectuur van Tchom Rin mocht dan erg mooi zijn, ze bood je ook meer dan voldoende uitsteeksels om een touw aan vast te maken. Het touw liet hij hangen, tussen de twee dunne torens, onzichtbaar tegen de nachtelijke hemel. Als alles goed ging, zou hij langs dezelfde weg terugkeren. Zo niet, dan was hij dood.

Keroki was een kleine, gedrongen man, een uiterlijk dat in tegenspraak was met de sierlijkheid van zijn bewegingen. Zijn gelaat was getaand, zijn huid bruinverbrand door de woestijnzon. Het lichtgroene zijden gewaad dat hij droeg, hing losjes om zijn lijf, behalve waar het met een paarse sjerp was omgord: het was de kledij van een bediende van bloed Tanatsua. De eenvoudigste vermommingen werkten vaak het best. Het verbaasde hem telkens weer hoe vaak hij verhalen hoorde over moordenaars die maskers en zwarte kleren droegen, alsof ze te koop wilden lopen met hun beroep. Het was zo simpel om een vermomming te kiezen die bij je taak paste, en die eenvoudige gewoonte had hem al vaak het leven gered.

Er bevonden zich drie schildwachten in de toren, maar die waren allemaal dood. Dat had zijn opdrachtgever ook beloofd. Hij had een infiltrant bij de familie, die vergiften als specialiteit had.

Het was niet eenvoudig om in het verblijf van bloed Tanatsua in Muia binnen te dringen. Sterker nog, als Keroki's opdrachtgever niet over vrijwel onbegrensde middelen had beschikt, of niet zoveel tijd had gehad om voorbereidingen te treffen, zou het onmogelijk zijn geweest. In de toren van waaruit hij naar deze was overgestoken, had hij al minstens tien schildwachten omzeild of uitgeschakeld en vele valstrikken ontweken. Deze ingewikkelde omweg was de enige denkbare manier om zijn doelwit te bereiken, en zelfs dan moest hij er maar op vertrouwen dat bepaalde obstakels voor hem uit de weg zouden worden geruimd.

Hij was er echter de man niet naar om stil te staan bij de mogelijkheid dat hij zou falen. Op wat voor moeilijkheden en gevaren Keroki ook stuitte, die nacht zou barak Reki tu Tanatsua aan zijn eind komen.

Hij glipte de toren binnen, door de kamers waar de schildwachten op de grond lagen, slachtoffers van een traag werkend gif dat zo geniepig was dat ze waarschijnlijk niet eens hadden beseft wat hun overkwam, laat staan dat ze het in verband hadden gebracht met de maaltijd die ze een hele poos daarvoor hadden genuttigd. Zo onopgesmukt als de buitenkant van de toren was, zo uitbundig en weelderig waren de kamers die hij tegenkwam ingericht: met gelakte muren, krullende bronzen lateibalken en brede spiegels, waardoor alles dubbel aanwezig leek. Bolvormige lantaarns van verguld maaswerk hingen aan het plafond en wierpen boeiende schaduwen.

Keroki had geen oog voor de subtiliteiten van het decor. Zijn waardering voor schoonheid was zijn hoogtevrees achternagegaan. Nee, hij spitste zijn oren, alert op geluiden, en zijn blik gleed in het rond, op zoek naar tekenen dat er iets niet helemaal klopte: een kloppend adertje op de slaap van een schildwacht dat aangaf dat hij alleen maar deed alsof hij dood was; een scherm dat dusdanig was neergezet dat iemand zich erachter kon verbergen; aanwijzingen dat de lichamen waren verplaatst door iemand die er toevallig op was gestuit en alarm had geslagen. Even overwoog hij de drie mannen de keel door te snijden, zodat de verdenking niet op de gifmenger zou vallen. Maar hij besloot dat niemand zich voor de gek zou laten houden door het kleine beetje bloed dat er uit hun aderen zou stromen nu hun hart niet meer klopte en zette het idee van zich af. De gifmenger moest zich zelf maar zien te redden. Ongetwijfeld had hij zijn sporen zelf al grondig uitgewist.

Voorzichtig daalde Keroki de trap af. De toren bestond uit een reeks ronde, op het oog onschuldige kamers, ingericht als bibliotheken, studeerkamers of ruimtes waar je ontspannen kon genieten van muziek en ander vermaak. Met zijn geoefende oog keek Keroki dwars door de vermomming heen. Het waren valse kamers die door niemand werden gebruikt, behalve door de schildwachten. Die waren weken bezig geweest in hun geheugen te prenten waar de vele dodelijke valstrikken en alarmen verborgen waren. Die waren hier geplaatst om het hart van de woning te beschermen tegen dieven die langs dezelfde weg binnendrongen als hij. Op de rijk bewerkte kaptafels stonden kistjes met borduursel, die een schat aan sieraden beloofden. Als je er een opende, kreeg je echter een haal over je vingers met een in gif gedoopt lemmet, of werd er bijtend poeder in je gezicht geblazen dat dwars door je ogen heen brandde. Waardevolle wandtapijten waren met draden bevestigd aan brandbommen. Stevige deuren – die hier veel gebruikelijker waren dan in het westen, waar men liever schermen en gordijnen gebruikte – zouden ontploffen als ze niet op een bepaalde manier werden geopend. Zelfs in de trappen die de kamers met elkaar verbonden zat hier en daar een valse tree, met steen zo dun als een laagje glazuur, waar voetangels met veerwerking onder verborgen lagen.

Het kostte Keroki veel tijd om door de toren af te dalen. Zelfs met alle informatie die de infiltrant had weten te verschaffen – details over de locatie en werking van de verschillende valstrikken – moest hij ongelooflijk voorzichtig zijn. Hij was geen vijfendertig oogsten oud geworden door anderen blindelings zijn leven toe te vertrouwen, en hij controleerde alles zelf voor hij het erop waagde. Bovendien waren er geheimen die de infiltrant niet had weten te achterhalen, en bepaalde valstrikken die hij niet zomaar kon omzeilen, maar moest onderzoeken en met zijn verzameling eersteklas instrumenten onschadelijk moest maken.

Ondertussen dacht hij na over zijn missie, nam alles nog een keer door zoals hij al weken deed, op zoek naar dingen die hem konden verraden. Maar nee, het was nu nog net zo eenvoudig als toen hij de opdracht had gekregen. Die ochtend zou er een belangrijke bijeenkomst van de woestijnbaraks plaatsvinden, het resultaat van vele dagen onderhandelen, overeenkomsten tekenen en afspraken maken. De bijeenkomst zou worden voorgezeten door de jonge barak Reki tu Tanatsua. De baraks van Tchom Rin zouden zich verenigen, en daarmee zou de positie van bloed Tanatsua als de heersende familie bezegeld worden.

Als Keroki die nacht echter in zijn opzet slaagde, zou de leider van de alliantie sterven, en zou de bijeenkomst op chaos uitlopen. Zijn opdrachtgever – de zoon van een rivaliserende barak – vond dat het een schande voor zijn familie was dat zijn vader zich in dezen aan bloed Tanatsua zou onderwerpen. Daarom was Keroki ingeschakeld. Hij had net de laatste valse kamer achter zich gelaten, toen hij stemmen hoorde.

Meteen stonden al zijn zintuigen op scherp. Er hoorden aan de voet van de toren geen schildwachten te zijn: de wachters boven in de toren en de spitsroeden van de dodelijke kamers daarna waren bescherming genoeg. Was de beveiliging op het laatste moment omhooggeschroefd? Had zijn informant gefaald? Het deed er niet meer toe; hij kon niet meer terug.

De mannen bevonden zich aan de andere kant van de deur waaraan hij luisterde. Ze stonden stil, en afgaand op hun stemmen en het gesprek dat ze voerden, waren ze niet bijzonder alert. Toch vormden ze een enigszins lastig obstakel.

Keroki ging op zijn zij liggen, met zijn oog zo dicht mogelijk bij de vloer, en haalde twee piepkleine, platte spiegeltjes met lange, dunne handvatten tevoorschijn. Door ze onder de deur door te schuiven en naar elkaar toe te kantelen, kon hij de ruimte bekijken. Het was een groot atrium met een koepelvormig plafond vol fresco's, een vloer van troebel koraalrood marmer en een met pilaren gestut balkon, waardoor er rondom een zuilengalerij was ontstaan. Overdag zouden de pilaren baden in het licht dat door de traanvormige openingen in de muren naar binnen scheen, maar 's nachts waren ze koel en donker. Volmaakte beschutting.

Nu hij had besloten dat de kust veilig genoeg was, kon Keroki geruisloos de deur openen, door hem op zijn scharnieren op te tillen, zodat die niet zouden piepen. Toen er genoeg ruimte was voor zijn hoofd, gluurde hij om de hoek. Drie schildwachten, gekleed in ruimvallende gewaden van bloedrode zijde en met nakatazwaarden aan hun gordel, stonden midden in het atrium met elkaar te praten. De lantaarns die aan dunne gouden kettingen in het midden aan het plafond hingen, verspreidden een zacht, intiem schijnsel. De randen van de zaal werden verlicht door vrijstaande lampen van bewerkt koper, maar niet genoeg om de donkere schaduwen te verdrijven.

Keroki kwam tot de slotsom dat de schildwachten de deur niet goed genoeg konden onderscheiden om te zien dat hij op een kier stond, dus glipte hij naar binnen en verstopte zich achter een van de brede pilaren van de zuilengalerij. Zijn hartslag was nauwelijks versneld door het dreigende gevaar; hij liep met de nonchalante gratie van een roofdier. De stemmen van de schildwachten galmden door het atrium terwijl hij van de ene pilaar naar de andere schoot op de momenten dat hun gesprek erg geanimeerd raakte, of als een van hen lachte, zodat zelfs de zachtste geluidjes die hij maakte onhoorbaar zouden zijn. Normaal gesproken werd het oog getrokken door alles wat bewoog, maar hij wist hoe hij zich ongemerkt moest voortbewegen. Het gevolg was dat de schildwachten hem niet zouden opmerken terwijl hij door de schaduwen van de zuilengang liep, tenzij ze hem recht aankeken.

Het was zijn bedoeling om langs de muur naar de andere kant van de zaal te lopen en ongemerkt door de deur die daar zat naar buiten te glippen. Dan zou hij bijna bij de slaapkamer van barak Reki zijn. Hoogstwaarschijnlijk zou hij het wel hebben gehaald, ware het niet dat hij een drukplaat in werking stelde die achter een van de zuilen verborgen lag.

Hij voelde de steen onder zijn voet nauwelijks merkbaar meegeven: een lichte verschuiving en een klik toen hij erop stapte. Zijn lichaam verstijfde, zijn hart sloeg een slag over en hij hield zijn adem in.

Er gebeurde niets.

Langzaam blies hij zijn ingehouden adem uit. Hij was niet zo dwaas te denken dat de valstrik niet werkte. Kennelijk was hij dusdanig ontworpen dat hij pas in werking trad als je je voet optilde. Als je erop ging staan, zette je het mechanisme alleen maar scherp. Het werd pas geactiveerd als je eraf stapte. De meeste mensen zouden de minieme verschuiving die de aanwezigheid ervan verried niet eens hebben gevoeld, maar Keroki was scherper dan de meeste mensen.

Hij vervloekte zichzelf in stilte. De zuilengalerij was met opzet donker gelaten om indringers te lokken, en op het meest uitnodigende punt was er een valstrik gelegd. Hier was Keroki's informant niet van op de hoogte. Hij had moeten beseffen dat het te gemakkelijk ging.

Onwillekeurig brak op zijn voorhoofd het koude zweet uit. Hij schatte de situatie in. De bewakers konden hem nog steeds niet zien, maar intussen zat hij wel vast. Als hij zijn voet van de drukplaat haalde, zou dat ongetwijfeld onplezierige gevolgen voor hem hebben. Wat voor valstrik was het eigenlijk? Hij kon zich niet voorstellen dat het iets dodelijks of erg gevaarlijks zou zijn. Dit was immers een functionele ruimte, wat inhield dat er vaak mensen kwamen die niets wisten over de valstrik. Misschien werd hij alleen 's nachts in werking gesteld. Dan nog geloofde hij niet dat iemand het risico wilde lopen dat er per ongeluk een gast zou omkomen. Een alarm dan; hoogstwaarschijnlijk een klok, geluid door een hamer, die gespannen werd zodra er druk op de plaat werd uitgeoefend. Een alarm zou echter net zo fataal voor hem zijn als een valstrik, want als hij werd ontdekt, was de kans klein dat hij het er levend af zou brengen.

Het zweet sijpelde langs zijn wang omlaag, en de tijd verstreek, begeleid door het gemompel van de schildwachten op de achtergrond. Keroki had al veel te veel tijd verspild aan de dodelijke valse kamers in de toren; hij kon zich niet nog meer tijdverlies veroorloven. Al heel snel zou de dageraad aanbreken, en als hij die nog wilde meemaken, moest hij zorgen dat hij voor die tijd weg was.

Hij zocht nog steeds naar een oplossing toen een verandering in de toon van de stemmen hem waarschuwde dat de schildwachten hun gesprek beëindigden. Ze zwegen, en hij hoorde hun zachte voetstappen in verschillende richtingen gaan. Het duurde even voor hij besefte wat ze deden.

Ze verspreidden zich om de zuilengalerij te doorzoeken.

Hij werd overspoeld door een afschuwelijks adrenalinegolf, maar onderdrukte die. Na zijn jarenlange brute scholing beschikte hij over een meedogenloze discipline, en hij wist wanneer hij gebruik moest maken van de reflexen van zijn lichaam en wanneer hij ze beter kon onderdrukken. Dit was niet het juiste moment voor opwinding. Hij moest kalm blijven en goed nadenken. En hij had nog maar een paar tellen.

Toen de schildwacht hem vond, lag hij plat op zijn rug, zodat hij moeilijk te onderscheiden was in de schaduw van de zuil en het schemerige licht. De schildwacht zag hem pas toen hij hem tot op een paar voet was genaderd, en zelfs toen moest hij zich nog inspannen om hem goed te zien. Aan zijn kledij te zien was hij een bediende, die bewusteloos aan de voet van een zuil lag, alsof hij door een indringer was neergeslagen. De voet van de bediende drukte weliswaar nog steeds stevig de alarmplaat in, maar de schildwacht was te verrast om dat op te merken.

Hij floot kort naar zijn metgezellen en boog zich voorover om te zien wat er aan de hand was. Onverstandig genoeg verwachtte hij geen gevaar van de liggende gestalte. Hij ging ervan uit dat de ware dreiging al was verdwenen en deze arme bediende had achtergelaten. Die overtuiging kostte hem zijn leven.

Keroki draaide zich om, zette een blaaspijpje aan zijn lippen en schoot een pijltje in de keel van de schildwacht. Het gif werkte razendsnel, bijna meteen, maar toch had de man net genoeg tijd om verrast te grommen voor zijn stembanden verlamd raakten. Tegen de tijd dat hij eraan dacht zijn zwaard te trekken, was alle kracht uit zijn lichaam weggevloeid en zakte hij door zijn knieën. Keroki verschoof om de vallende man bij zijn arm te grijpen, draaiend om de voet die hij nog steeds op de drukplaat hield. Hij gaf een rukje aan de arm, zodat de man in de richting van zijn moordenaar viel, en dempte de klap met zijn eigen lichaam. De schildwacht was al dood toen Keroki hem op de drukplaat trok. Zwijgend zond hij een gebed omhoog naar de god Omecha, dat het mechanisme niet al te gevoelig was, en haalde toen zijn voet van de plaat.

Er ging geen alarm af.

De andere twee schildwachten riepen nu naar elkaar, gewaarschuwd door het fluitje van hun metgezel. Keroki stopte een nieuw pijltje in zijn blaaspijp. Toen hij om de pilaar heen gluurde, zag hij dat de ene man op het punt stond vanuit de zuilengalerij het atrium over te steken en dat de andere, die minder kordaat had gereageerd, zich nog in de schaduwen ophield. Keroki richtte zorgvuldig en blies een pijltje dwars door de zaal. Het schoot, onzichtbaar in het zwakke licht, langs de eerste schildwacht en raakte de man achter hem. Die zakte ineen met een kreun die luid genoeg was om de aandacht van de overgebleven wachter te trekken. Hij keek achterom, zag zijn gevallen kameraad. Toen hij zich met getrokken zwaard weer omdraaide, kreeg hij Keroki's pijltje vlak onder zijn oog. Hij slaagde erin nog een paar tellen koppig voort te strompelen, maar toen werd ook hij slap en sloeg tegen de grond, zo hard dat zijn schedel brak. Keroki stapte achter de pilaar vandaan, keek vluchtig om zich heen en klakte met zijn tong. De infiltrant die hem het gif voor zich pijltjes had geleverd, was werkelijk zeer getalenteerd.

Hij sleurde het lijk van de laatste schildwacht achter een van de zuilen en veegde met een stuk stof het spoor van bloed en haar weg dat hij had achtergelaten. Zodra hij zichzelf ervan had overtuigd dat de lijken niet zichtbaar waren voor iemand die er niet naar op zoek was, liep hij verder. De dageraad naderde, en hij moest ook nog door de valse kamers vol valstrikken terug voor iedereen wakker werd. Hij ontdekte verder geen hiaten in de kennis van zijn informant. Zonder verdere problemen wist hij de weelderige gangen door te komen, hoewel hij zich twee keer moest verbergen om een patrouille te ontlopen en hij op een gegeven moment een slim verborgen sleutel moest zien te vinden om een bepaalde deur te openen die altijd op slot was. Weerspiegelde gestalten slopen met hem mee door de stille gangen, waar de koele lucht roerloos was als een droom, ontdaan van al het vocht. De nacht werd groener toen Neryn achter haar grote zus vandaan glipte en ongehinderd kon stralen. Beelden van Suran leken hem in de gaten te houden vanuit hun puntige nissen in de gelakte muren. Eén keer liep er geruisloos een kat langs, op zijn eigen geheime missie.

Er stonden geen wachters bij de deuren van barak Reki's slaapkamer. Men beweerde dat zijn vrouw de gedachte niet kon verdragen dat er gewapende mannen zo dichtbij waren terwijl ze sliepen. Dat was een gril die ze binnenkort waarschijnlijk zou betreuren, dacht Keroki.

Hij legde zijn hand tegen de deur, tegen het bewerkte oppervlak, terwijl hij met de andere naar zijn mes tastte. Verder kwam hij niet.

Wat hem echt verbijsterde, was niet de dolk, zo dun als een naald, die in zijn arm werd gestoken, of de hand die over zijn mond werd gelegd en zijn hoofd ruw naar achteren trok. Nee, het was het feit dat hij zijn aanvaller niet had horen aankomen. Hij werd al onderuitgehaald voor hij de kans kreeg om te reageren, en sloeg zo hard tegen het koude marmer dat de lucht uit zijn longen werd gedreven. Voor de tweede keer die nacht lag hij plat op zijn rug te kijken naar het plafond. Alleen verspreidde zich nu een afschuwelijk, verdoofd gevoel als ijswater door zijn lichaam. Hij probeerde zich te bewegen, maar zijn spieren gehoorzaamden niet meer aan zijn brein, en zijn gedachten werden niet omgezet in daden. Gif op het lemmet. Voor het eerst sinds zijn kindertijd werd hij overspoeld door zuivere paniek, een rauwe, nieuwe, ongekende angst voor verlamming, die hem tot in het diepst van zijn ziel raakte. Het liefst zou hij het uitgillen.

In de duisternis stond een vrouw met gespreide benen over hem heen,

een welhaast bovennatuurlijke schoonheid met een donkere huid en gitzwart haar, gekleed in een dunne sluier van een gewaad met een zijden ceintuur eromheen. Keroki had alle lustgevoelens lang geleden al uit zijn gedachten gevaagd, maar toch zou dit prachtige wezen onder andere omstandigheden meer dan voldoende zijn geweest om zijn vastberadenheid aan het wankelen te brengen. Het laatste wat hij nu echter voelde, was opwinding.

Ze liet zich op haar knieën zakken, ging op zijn middel zitten. Sierlijk plukte ze de dolk uit zijn arm en legde die opzij. Toen bracht ze haar gezicht vlak bij het zijne. Haar adem rook naar woestijnbloemen.

'Je vriend de gifmenger is echt opmerkelijk, vind je niet?' zei ze poeslief. 'Voor ik hem doodde, heb ik hem overgehaald me het goedje te geven waar je momenteel van geniet.' Een wrede, hypnotiserende glimlach speelde traag om haar lippen. 'Het leek me een goed idee om dit persoonlijk af te handelen. We hoeven Reki er niet mee lastig te vallen. Dat zou veel te veel... vervelende gevolgen hebben. En trouwens,' zei ze met een stem die tot een fluistering was gedaald, 'ik heb mijn prooi het liefst levend. En ik heb vannacht ontzettende honger.'

Keroki, ervan overtuigd dat hij in de klauwen van een demon was gevallen, probeerde opnieuw te schreeuwen, maar het enige wat hij over zijn lippen kon krijgen, was een zacht gejammer.

Ze legde een vinger op zijn lippen.

'Ssst,' zei ze zachtjes. 'Straks maak je mijn man nog wakker.'

Pas toen besefte Keroki wie zijn tegenstander was. Hij had haar in eerste instantie niet herkend, want hij had haar gezicht nooit gezien, en de beelden en schilderijen deden haar geen recht. Reki's vrouw, Asara.

Ze drukte haar lippen tegen de zijne en zoog, tot hij iets in zijn binnenste voelde losscheuren en de stralende vloed van zijn essentie sprankelend en glinsterend uit zijn mond in de hare stroomde. Zijn laatste gedachten, terwijl de eb en vloed van zijn leven wegstierven in het duister, waren merkwaardig onbaatzuchtig. Hij vroeg zich af welk lot zijn land, het land dat hij liefhad – hoewel hij dat tot op dat moment nooit had geweten – wachtte als er zo'n monster aan de zijde van de machtigste man van de woestijn stond.

◎ 4 ◎

Het verbond tussen de baraks van Tchom Rin werd halverwege de ochtend bekrachtigd, op de westelijke binnenplaats bij de residentie van de landvoogd in Muia. Het was een toepasselijk indrukwekkende locatie voor zo'n gedenkwaardige dag: hoog boven de omringende huizen, omringd door een muur waarvan de bovenkant was afgewerkt met puntige deklijsten. Het witte plaveisel en de zuilen die langs de randen stonden, waren oogverblindend waar het zonlicht erop viel. Troggen vol groen en schitterende bloemen stonden in een kring rond het midden van de binnenplaats; klimplanten bungelden aan het houten latwerk dat tussen de bovenkant van de pilaren en de buitenmuur was bevestigd en een verkoelende schaduw wierp in de zuilengang. Een trap liep omhoog naar een verhoging aan de westelijke kant, waar het verdrag was klaargelegd, en daarachter kon je helemaal tot aan de rotsen kijken waar de reusachtige zittende gestalte van Suran met haar vreemd gekleurde ogen de gebeurtenissen gadesloeg.

Het was een opmerkelijk serene aangelegenheid, gezien het belang ervan: slechts een stuk of vijf, zes toespraken en een beetje ceremonie, toen de baraks met hun gevolg in de rij gingen staan om de overeenkomst te ondertekenen. Natuurlijk waren er maar weinig die dit echt als een feestelijke gebeurtenis beschouwden. Iedereen had zijn trots moeten inslikken en oude grieven schoorvoetend van zich af moeten zetten, en dat liet een bittere nasmaak achter. Zelfs nu grote delen van Saramyr door de wevers onder de voet werden gelopen en er inmiddels drommen afwijkenden over de bergen waren gekomen die ook hen bedreigden, hadden ze vier jaar lang onderling gekibbeld, getrokken en geduwd voor ze eindelijk hadden geaccepteerd dat ze de handen ineen moesten slaan als ze hun gezamenlijke vijand wilden verslaan. Het viel hun niet gemakkelijk om hun geschillen opzij te zetten; daarvoor waren ze te diepgeworteld.

Een van de weinigen die wél in feeststemming was, was Mishani tu Koli. Ze stond met een glas gekoelde wijn in haar handen een beetje achteraf tussen de weinige aanwezigen, toen de laatste handtekeningen onder het verdrag werden gezet en Reki de laatste toespraak gaf. Het licht van Nuki's oog viel in schuine stralen op de binnenplaats, en de droge warmte op haar huid was prettig en troostend. Het was lang geleden dat ze zo opgewekt was geweest. Het verdrag was ondertekend en haar werk hier zat erop.

Al bijna een jaar vervulde ze in de woestijn de rol van bemiddelaar, uit naam van de hooggeplaatste westelijke families in het algemeen en van de Libera Dramach in het bijzonder. Haar huid was ondanks haar lange verblijf geen spat donkerder geworden, maar ze was wel van de mode van Tchom Rin gaan houden. Haar gewaad was luchtiger dan wat ze thuis zou hebben gedragen, en diep oranjebruin, zoals de zon vlak voordat hij achter de einder verdween. Haar zwarte haar was gevlochten en met speldjes bedekt met edelstenen opgestoken, zodat het nu in vele strengen tot aan haar knieën op haar rug hing. Ze droeg donkere oogschaduw en kleine zilveren oorhangertjes. Als ze niet zo'n lichte huid had gehad, had ze gemakkelijk voor een woestijnvrouw kunnen doorgaan.

'Mishani,' zei iemand zachtjes ter begroeting. Toen Mishani omkeek, zag ze dat Asara naast haar stond te kijken naar de gebeurtenissen op de verhoging, die bijna ten einde waren. Zoals altijd duurde het een fractie voor ze haar in verband kon brengen met de Asara die ze uit het verleden kende. Hoewel ze nauw hadden samengewerkt om het verdrag dat die dag werd ondertekend tot stand te brengen, en daarom veel tijd met elkaar hadden doorgebracht, kon ze niet accepteren dat dit dezelfde vrouw was die ooit de kamenierster van Kaiku was geweest. Iets heel fundamenteels en instinctiefs in haar binnenste kwam ertegen in opstand, iets wat ze met haar intellect moest overwinnen. In lichamelijk opzicht waren ze immers niet hetzelfde. Er was niets waaraan ze kon zien dat er nog iets van de oude Asara in deze nieuwe verschijning school.

Als ze niet beter had geweten, zou ze hebben gedacht dat ze naar een rasechte Tchom Rinse vrouw uit een zuivere woestijnfamilie stond te kijken. Haar huid was gebruind en smetteloos, haar haren

– die nog zwarter waren dan die van Mishani – zaten in een eenvoudige paardenstaart. Die benadrukte de sierlijke beenderstructuur van haar gezicht en vestigde de aandacht op haar amandelvormige ogen, waarvan de natuurlijke kleur nog mooier uitkwam door de zeegroene oogschaduw die ze droeg. Haar nauwsluitende lichtblauwe gewaad was op haar ene schouder met een broche bevestigd en wapperde zachtjes in de warme ademtochten van de westenwind. Ze had zich zo simpel mogelijk gekleed in een poging haar echtgenoot op deze dag niet te overschaduwen, maar haar eenvoudige verschijning benadrukte alleen maar hoe mooi ze was.

Het was echter een valse schoonheid. Dat wist Mishani, als enige aanwezige, afgezien van de zuster van de Rode Orde die naast de verhoging toezicht hield. Asara was een afwijkende, die haar uiterlijk helemaal kon veranderen als ze daar zin in had. Haar talent was zelfs onder afwijkenden uniek, en daar was Mishani blij om. In haar eentje was ze al gevaarlijk genoeg.

'Je bent vast erg trots, Asara,' merkte Mishani op.

'Op Reki?' Het leek of ze daar even over moest nadenken. 'Ja, eigenlijk wel. Laten we het erop houden dat ik hem nog steeds interessant vind. Hij is erg veranderd sinds ik hem heb leren kennen.'

Dat was nog zacht uitgedrukt. Mishani kende Reki nog niet zo lang, maar ze had verhalen gehoord over hoe hij als jongeling was geweest: schools, verlegen, gespeend van het vurige temperament van zijn oudere zus, de keizerin. Toen hij echter naar Jospa was teruggekeerd om na de dood van zijn vader de barakstitel te aanvaarden, was hij een ander mens. Harder, gedrevener, meedogenloos in het gebruik van zijn aangeboren intelligentie en sluwheid. In vier jaar tijd was hij er niet alleen in geslaagd om van bloed Tanatsua de machtigste woestijnfamilie te maken. Hij was er vandaag bovendien in geslaagd de andere hooggeplaatste families onder zijn vlag tezamen te brengen.

Mishani nam een slokje van haar wijn. 'Je bent vast ook trots op jezelf.'

'Ik slaag er inderdaad altijd weer in om op mijn pootjes terecht te komen, hè?' Asara glimlachte.

'Je hebt gehoord wat er in Juraka is gebeurd, neem ik aan?'

'Uiteraard.' De zuster bij de verhoging had het hun allebei verteld, nadat ze berichten had ontvangen van de zusters die erbij waren geweest toen de stad viel.

'Dit verdrag komt geen moment te vroeg,' zei Mishani. 'We kunnen ons nu geen tweedracht veroorloven.'

'Ik vind het wel erg optimistisch van je, Mishani, dat je denkt dat het westen iets zal hebben aan het verbond tussen de woestijnstammen,' zei Asara. 'Ze zullen jullie niet te hulp schieten.'

'Nee,' gaf ze toe. 'Maar als de wevers hun pijlen richten op het veroveren van de woestijn, houden ze ons minder scherp in de gaten. En nu dit verdrag ondertekend is en de woestijnbaraks de handen ineen hebben geslagen, zullen ze er misschien niet eens in slagen Tchom Rin te veroveren.'

'O, vroeg of laat lukt dat wel,' zei Asara. Ze plukte een glas van het zilveren dienblad waarmee een bediende net voorbijliep. 'Ze hebben de hele noordelijke helft van het werelddeel in handen, en ook het hele zuidwesten, op de woestijn na. Wij hebben de Zuidelijke Prefecturen nog – hoewel het weinig scheelt – en Tchom Rin. We zijn omsingeld, en al aan het begin van de oorlog zijn we in de verdediging gedrongen. Achter hun oorlogslinies hebben de wevers meer dan genoeg tijd om de plannetjes die ze bekokstoven ten uitvoer te brengen. Zoals die... feya-kori's.' Ze maakte een laatdunkend handgebaar.

'Ik deel jouw fatalistische houding niet,' zei Mishani. 'De positie van de wevers is niet zo sterk als zij lijkt. Hun plannen worden door hun eigen aard ondermijnd. In de gebieden onder hun bewind heerst hongersnood vanwege de invloed van de heksenstenen, en het grootste landbouwgebied is nog altijd in onze handen. De wevers hebben een leger te voeden, en hun leger bestaat uit carnivoren die grote hoeveelheden vlees nodig hebben. Zonder gewassen gaat het vee dood, en zonder vlees wankelt hun leger.'

'En jullie eigen gewassen dan?'

'We hebben genoeg voor de Prefecturen,' zei Mishani. 'Het feit dat we in een hoek zijn gedreven, heeft een voordeel: we hebben genoeg voedsel voor iedereen. Als we het hele land moesten bevoorraden, zouden we omkomen van de honger. En ik heb me laten vertellen dat de smet iets minder krachtig is geworden sinds de val van Utraxxa.'

'Is dat zo?' Asara klonk verrast. Het was een relatief nieuw bericht, en ze had het nog niet vernomen, omdat ze te druk bezig was geweest de onvermijdelijke aanslag op haar echtgenoot te verijdelen. 'Dat houdt in dat die kracht helemaal zou kunnen verdwijnen. Dat het land zich zou kunnen herstellen als de heksenstenen weg waren.'

'Inderdaad,' zei Mishani. 'Laten we het hopen.'

Mishani en Asara bleven naast elkaar staan toen de toespraak werd afgerond en de edelen en hun gevolg onderling gesprekken aanknoopten. De gebruikelijke intriges en machtsspelletjes leken achterwege te blijven, maar toch hing er op de binnenplaats een onmiskenbaar behoedzame sfeer. Asara zorgde ervoor dat de man die de nacht ervoor de huurmoordenaar op pad had gestuurd zag dat ze naar hem keek; ze staarde hem koeltjes aan tot hij zijn blik afwendde.

'Ga je terug naar het westen, nu het verdrag ondertekend is?' vroeg ze. Over haar schouder keek ze de kleine, tengere edelvrouw aan.

'Ik moet wel,' antwoordde Mishani. 'Ik ben al veel te lang weg. Er zijn hier genoeg anderen die mijn plaats kunnen innemen. Yugi heeft mij nodig om als zijn ogen en oren te dienen bij de hooggeplaatste families in de Prefecturen.' Ze had eigenlijk weinig zin om weg te gaan, al kon ze niet ontkennen dat ze soms behoorlijk last had van heimwee. De reis over de bergen zou echter gevaarlijk zijn, en haar herinneringen aan de heenreis waren niet plezierig.

'O, ik was het bijna vergeten,' zei Asara. 'Ik heb een cadeautje voor je. Wacht even.'

Ze glipte weg en kwam even later terug met een dun zwart boekje, waarin met goudfiligraan de titel was ingelegd, in de sierlijke pictogrammen van het Hoog-Saramyrees.

In de jaren die Mishani aan het hof in Axekami had doorgebracht had ze geleerd haar reacties te verbergen en niets op haar gezicht te laten doorschemeren, maar het zou onbeleefd zijn om haar vreugde om dit geschenk niet te tonen. Ze nam het met een brede glimlach van dankbaarheid van Asara aan.

'Het nieuwste meesterwerk van je moeder,' zei Asara. 'Ik dacht dat je het wel zou willen hebben. Dit is het eerste exemplaar dat in de stad is afgeleverd.'

'Hoe ben je eraan gekomen?' fluisterde Mishani, die haar vingertoppen over het filigraan liet glijden.

Asara lachte. 'Vreemd. We komen allerlei dingen te kort, omdat we er vanwege de oorlog niet aan kunnen komen, maar de boeken van Muraki tu Koli zijn gewoon overal verkrijgbaar.' Haar lach stierf weg, maar haar ogen glansden nog geamuseerd. 'Ik ken een koopman die kunst en literatuur smokkelt. Vermoedelijk steelt hij het merendeel ervan uit door de wevers overheerste gebieden, waar ze er weinig behoefte aan hebben. Ik heb hem gevraagd uit te kijken naar het werk van je moeder.'

Mishani keek op. 'Ik kan je niet genoeg bedanken, Asara,' zei ze. 'Zie het maar als een beloning voor wat je ons vandaag hebt helpen bereiken,' zei Asara. 'Een beloning die precies op het goede moment komt. Nu heb je tenminste iets te lezen tijdens je reis.'

Toen zag Asara iemand staan. Ze verontschuldigde zich en ging met hem praten, zodat Mishani alleen achterbleef met haar boek. Ze staarde er een hele tijd naar, zonder het open te slaan, en dacht aan haar moeder. Na een tijdje verliet ze onopvallend de binnenplaats en keerde terug naar haar vertrekken. Opeens had ze geen zin meer om feest te vieren.

Reki en Asara bedreven de liefde in hun slaapkamer van hun huis in Muia, slechts een paar voet van de plaats waar Asara de nacht ervoor een man had vermoord. Het zilveren schijnsel van de maan Iridima wierp glanzende strepen op haar bezwete rug toen ze hem naar vervulling reed, zachtjes mompelend en happend naar adem. Nadat ze allebei hun piek hadden bereikt, ging ze met haar gezicht vlak boven het zijne op zijn buik liggen. Speels draaide ze aan een lok van zijn haar.

'Het is ons gelukt...' zei ze zachtjes.

Met een lome glimlach knikte hij, zich koesterend in de gloed van zijn bevrediging. Door zijn borstkas heen voelde ze zijn hartslag, als een ritmisch accent op die van haar.

'Het is ons gelukt,' herhaalde hij. Hij duwde zich op zijn ellebogen omhoog om haar te kussen.

Toen hij zijn hoofd weer op het kussen legde, streek ze weer door zijn haar. Ze liet haar vingertoppen over de witte lok tussen het zwart glijden, en toen over zijn wang, waar een diep litteken van de zijkant van zijn linkeroog naar het puntje van zijn jukbeen liep.

'Ik ben dol op dat litteken.'

'Weet ik,' zei Reki grijnzend. 'Je kunt er niet van afblijven.'

'Ik vind het interessant,' zei ze als uitleg. 'Ik krijg nooit littekens.'

'Iedereen krijgt littekens,' antwoordde hij.

Ze ging er niet op door. Een hele tijd keek ze alleen maar naar hem, genietend van de warmte waar hun lichamen elkaar raakten. Hij was niet meer de jongen die ze jaren eerder in de keizerlijke vesting had verleid. Het verlies van zijn vader en zus en de verantwoordelijkheid die hij opeens op zich had moeten nemen, hadden de cocon van onvolwassenheid doen barsten en de man onthuld die erin schuilging. Toen hij zich niet meer in boeken kon verbergen voor de buitenwereld, niet meer gebukt ging onder de afkeuring van barak Goren en niet meer werd overschaduwd door de sprankelende keizerin Laranya, was hij gedwongen geweest er het beste van te maken, en hij had zichzelf en de rest van de wereld verrast. De jongen die door de meeste mensen als een zwakkeling was beschouwd, was lichamelijk nog steeds niet erg sterk. Hij had echter blijk gegeven van een sterkere wil dan ook maar iemand voor mogelijk had gehouden, en het vele lezen had hem geslepenheid en kennis opgeleverd. Zijn zelfvertrouwen was bovendien enorm gegroeid, niet in de laatste plaats dankzij de adembenemende vrouw die hem – tot zijn grote verbijstering – in al zijn beproevingen had bijgestaan en hem onvermoeibaar had gesteund. Hij was tot over zijn oren verliefd op haar. Hij kon niet anders.

Natuurlijk had hij er nog steeds geen idee van dat zij zijn zus Laranya had vermoord en daarmee bovendien de dood van zijn vader Goren had bewerkstelligd. Alleen Asara wist dat, en zij was zo verstandig om haar mond te houden.

Bloed Tanatsua was altijd al een van de machtigste families in Tchom Rin geweest, zelfs na de slachting in de Juwachapas die aan barak Goren het leven had gekost. De kleine voorwacht die was omgekomen had de familie nauwelijks verzwakt, want het grootste deel van het leger was nog in Jospa, niet in staat snel te reageren op het nieuws dat Laranya was gestorven. Onder Reki's scherpzinnige leiding had bloed Tanatsua in vier jaar tijd de macht in de woestijn gegrepen.

Dat was echter niet alleen aan hem te danken. De omstandigheden hadden in zijn voordeel gewerkt. De woestijn was een moeilijk gebied gebleken voor de wevers om te veroveren. De afwijkende roofdieren waaruit hun leger bestond waren niet gewend aan de uitgestrekte zandvlakten en daar dus sterk in het nadeel. Enkele maanden eerder was er echter een nieuw soort afwijkende opgedoken, een die voor de woestijn leek te zijn gemaakt, en al snel werden de gebieden bij de bergen een voor een vernietigd. Jospa, de zetel van bloed Tanatsua, lag diep in de woestijn en werd nog niet bedreigd, maar de andere families hadden opeens beseft hoeveel gevaar ze liepen. Dat had het plotselinge verlangen naar een verbond flink aangewakkerd. Bloed Tanatsua was niet zo verzwakt door de aanvallen als hun rivalen.

Dan was Asara er nog. Het was regelmatig voorgekomen dat een machtige tegenstander of een onoverkomelijk obstakel op Reki's weg naar de macht stilletjes en op mysterieuze wijze was verdwenen. In de woestijn was moord als politiek wapen iets acceptabeler dan in het westen – vandaar de vergaande beveiligingsmaatregelen – en Asara was de volmaakte sluipmoordenaar. Reki wist daar niets van; ze zorgde ervoor dat ze vaak weg was, zodat de gedachte niet bij hem zou opkomen dat die gelukstreffers wel erg vaak samenvielen met haar afwezigheid. Ook viel het hem niet op als er af en toe een bediende of een danseresje van hun landgoed verdween. Hij was zich op geen enkele wijze bewust van de aard van zijn vrouw; maar goed, daarin was hij niet bepaald de eerste.

'Reki...' prevelde Asara.

'Dat toontje ken ik,' zei hij.

Met een zucht liet ze zich van hem af glijden. Liggend op haar rug keek ze naar het plafond. Hij draaide zich op zijn zij, legde zijn hand op haar gladde buik en drukte zachtjes een kus in haar nek.

'Je gaat weer weg,' zei hij.

Ze maakte een zacht keelgeluidje om aan te geven dat hij het goed had geraden. 'Reki, deze keer zal het niet maar voor een week zijn, of zelfs maar een paar weken,' zei ze. Ze voelde de spanning in zijn vingers, die op haar huid lagen.

'Hoe lang?' vroeg hij kortaf.

'Dat weet ik niet,' antwoordde ze. Ze ging op haar zij liggen, met haar gezicht naar hem toe; zijn hand gleed naar haar heup. 'Reki, ik ga niet bij je weg. Niet echt. Ik kom weer terug.'

Asara kon merken dat het hem verdriet deed, hoewel hij het voor haar probeerde te verbergen. Dat vond ze naar, en ze was niet gewend aan schuldgevoel. Of ze het nu leuk vond of niet, deze man raakte haar, en dat was nog nooit gebeurd – behalve dan met Kaiku. Ze had niet kunnen zeggen of ze van hem hield – ze was vanbinnen te leeg en hol om dat gevoel te kunnen vinden – maar ze verachtte hem niet, en dat stond voor haar gelijk aan liefde, als je naging dat ze in het geheim bijna iedereen verachtte.

'Ik moet met Mishani naar de Zuidelijke Prefecturen. Naar Araka Jo,' zei ze.

'Waarom?' vroeg hij, en in dat ene woord lag alle pijn besloten die ze had veroorzaakt.

'Ik heb daar iets af te handelen.'

Dat was het soort botte antwoord dat hij inmiddels van haar gewend was. Haar verleden was voor hem verboden terrein. Ze had hem gedwongen dat te accepteren, voor ze met hem trouwde. Ze leek nauwelijks ouder dan hij, maar ze beschikte over een kennis en ervaring die haar leeftijd logenstrafte, en ze had hem verboden te vissen naar de herkomst ervan. Het was een noodzakelijke smet op hun relatie. Zelfs Asara zou misschien op een leugen kunnen worden betrapt als ze een waterdicht verleden voor dit nieuwe personage moest verzinnen en dat tijdens een jarenlange intieme relatie in stand moest houden. In werkelijkheid was ze haar negentigste oogst al gepasseerd, maar haar lichaam verouderde niet; het kon zichzelf telkens vernieuwen, zolang het maar met de levenskracht van anderen werd gevoed. Als ze dat toegaf, zou ze ook toegeven dat ze een afwijkende was, en dat zou alles tenietdoen wat ze met zoveel moeite had bereikt, als ze tenminste niet direct ter dood werd gebracht. Reki zweeg verbitterd. Na een korte stilte vond Asara dat ze hem iets meer moest bieden.

'Lang geleden heb ik een afspraak met iemand gemaakt. Het gaat om iets wat we allebei willen, Reki. Maar je moet me geloven als ik je zeg dat je niet mag weten wat het is, of hoe belangrijk het voor me is.' Ze streek met een volmaakt gemanicuurde nagel langs zijn arm. 'Je weet dat ik geheimen heb. Ik heb je gewaarschuwd dat mijn verleden op een dag wellicht gevolgen zou hebben voor het heden.' Ze verstrengelde haar vingers met de zijne en kneep erin. 'Toe,' fluisterde ze. 'Ik begrijp je frustratie. Maar laat me zonder boosheid gaan. Jij bent mijn grote liefde.'

Er stonden nu tranen in haar ogen, en meteen werden ook zijn ogen vochtig. Hij vond het vreselijk om haar te zien huilen. Dat wist Asara maar al te goed. Haar tranen waren vals en berekenend; ze wist dat hij erdoor zou smelten. Hij kuste haar, het gesnik ging over in gehijg, en ze kwamen met een zekere wanhoop samen, alsof hij het verdriet in zijn hart kon doven door het te doordrenken met haar hartstocht.

Tegen de tijd dat ze uitgeput naast elkaar lagen, had hij zich met zijn verdriet verzoend. Ze kon hem altijd naar haar pijpen doen dansen. Zijn hart behoorde aan haar toe, ook al vermoedde hij soms dat het omgekeerde niet het geval was.

⊚ 5 ⊚

Nuki's oog kwam in het oosten op. Nog altijd voer de schuit stroomafwaarts over de Kerryn naar Axekami. Schoepraderen deden het water kolken, aangedreven door het krakende, rammelende mechanisme diep in de gezwollen buik van het vaartuig. Uit de pijpen aan weerszijden kolkte dikke zwarte rook, die als een geolied doek uiteen leek te worden gescheurd voor hij vervloog. Ooit waren de raderen bediend door roergangers: gespierde, getaande mannen die benedendeks zwoegden als de schuit stroomopwaarts moest of als de stroming te zwak was. Hun tijd was echter voorbij; op veel schepen die de drie rivieren van Axekami bevoeren waren de roergangers vervangen door apparaten van koper en olie met zuigers en raderwerk.

Kaiku stond met het ochtendbriesje in haar haren op het voordek en keek vol afschuw naar het landschap dat voorbijgleed. Ze droeg niet langer de kledij van de Rode Orde; ze had eenvoudige, onflatteuze maar stevige reiskleren aangetrokken. Haar gezicht was schoon, niet beschilderd in de kleuren van de zusters. De zorgen van de voorgaande tien jaar hadden geen groeven in haar gezicht getrokken, maar ze lagen wel besloten in haar ogen. En haar ogen stonden nu erg somber.

De wereld was kleurloos geworden. De vlakte die zich aan beide kanten tot aan de horizon uitstrekte was niet stralend geelgroen, zoals ze zich herinnerde. Zelfs in het bleke licht van de dageraad kon ze zien dat er iets uit was weggetrokken, iets ondefinieerbaars wat met leven en groei te maken had. Nu zag ze er akelig uit, en de bomen die hier en daar in kleine groepjes bij elkaar stonden, boden een eenzame aanblik te midden van de doffe leegte. Zelfs de kleur van het water had in haar ogen een onaangename verandering ondergaan: ooit was het diepblauw, bijna paars geweest, maar nu leek het grijzer, alsof de kracht eruit verdwenen was. In vroeger tijden zouden er vogels om de schuit heen hebben gevlogen en op de tuigage hebben gezeten, in de ijdele hoop dat ze een vissersboot hadden gevonden. Nu was er nergens een vogel te bekennen.

Zo begint het, dacht ze. De trage dood van ons vaderland. En we hebben de kracht niet om het te voorkomen.

Ze keek naar het westen, over de rivier, en zag een wazige veeg aan de horizon. Meteen besefte ze wat dat moest zijn. Ze had de verhalen gehoord van hun spionnen, en van de vluchtelingen die via de door de wevers bezette gebieden de Prefecturen hadden weten te bereiken. Niets kon haar echter voorbereiden op de aanblik van het nieuwe Axekami.

De ooit zo schitterende stad was nu een dreigend ogend fort in de schaduw van een donkere sluier van rook. Op de hoge muren wemelde het van de kanonnen en ander oorlogstuig, dat Kaiku nog nooit had gezien. Bij de zuidoostelijke poort stond een enorme, logge wachttoren van metaal, die zowel de weg als de rivier domineerde. Om de hoofdstad heen stonden overal steigers en half voltooide gebouwen. Kaiku kon zich nog herinneren hoe opgewonden ze als kind was geweest toen ze deze stad zag, het wonder van hun beschaving, de bakermat van de wijsbegeerte, de kunst en de politiek. Ze vond het vreselijk om te zien hoe hij was veranderd, was verworden tot een afstotelijke vesting, gedrenkt in een donker miasma dat langzaam opsteeg en de lucht bezoedelde.

De krotten van de riviernomaden op de oevers vlak bij de stad waren verlaten; de hutten op palen waren leeg. De riviernomaden waren weg. Voorbij was de tijd dat ze zich op de oevers verdrongen om wantrouwig naar de passerende schepen te turen; voorbij was de tijd dat ze naaiden, kralen regen of het water op punterden om te vissen. De daken van de hutten stortten in, verpletterd onder de onstuitbare wanorde, en de steunbalken onder de rottende steigers zonken scheef weg in de modder. Het geratel en gebrul van het mechaniek in de passerende schuit stierf weg in de stilte.

'Wat is hier gebeurd?' prevelde Phaeca, die bij haar op het voorste dek was komen staan terwijl ze was opgegaan in haar gedachten.

Kaiku wierp haar metgezellin een vluchtige blik toe, maar gaf geen antwoord. Ze vond het altijd vreemd om Phaeca zonder de uitrusting van de Orde te zien. Misschien kwam het doordat ze niet gewend was haar met een onopgemaakt gezicht te zien, maar ze vond dat de schmink haar beter stond. Dan werden de juiste delen van haar gezicht benadrukt; zonder de kleuren zag ze er te mager uit en boette ze wat aan mysterie en karakter in. Toch maakte ze dat met haar natuurlijke gevoel voor stijl ruimschoots goed. Ze was opgegroeid in het Kanaaldistrict van Axekami, waardoor ze iets flamboyants over zich had waar Kaiku haar een beetje om benijdde. Haar kapsel was altijd een meesterwerk: haar dieprode lokken waren met een ingewikkelde verzameling versieringen opgestoken, met hier een lok, daar een golf of knotje, en weer ergens anders een krul. In vergelijking met Kaiku was ze extravagant uitgedost, hoewel ze vandaag voor relatief eenvoudige kleren had gekozen om te voorkomen dat ze in de stad al te zeer zou opvallen. Toch bevond ze zich nog altijd op die vage grens tussen elegantie en opzichtigheid die de mode van het Kanaaldistrict kenmerkte.

'Waar is Nomoru?' vroeg Kaiku afwezig.

Phaeca maakte een geluidje om aan te geven dat het haar weinig kon schelen. Voorspelbaar genoeg had Nomoru zich bij de zuster niet geliefd gemaakt tijdens de lange reis vanuit de Zuidelijke Prefecturen. Zelfs Phaeca, het toonbeeld van verdraagzaamheid, had een hekel gekregen aan de nooit aflatende onbeschoftheid van de verkenner.

'Wees op je hoede,' zei Kaiku. 'Misschien zijn de wevers naar ons op zoek. Laat je voorzichtigheid niet varen, tot we de stad weer uit zijn.' Ze keek opnieuw naar de grauwe wolk die uit de stad opsteeg, en haar maag keerde zich om. 'En gebruik je kana alleen als het niet anders kan, of om jezelf voor hen te verbergen. Anders worden ze erdoor aangetrokken.'

'Je bent zenuwachtig, Kaiku,' zei Phaeca glimlachend. 'Je hoeft me er niet aan te herinneren wat ik moet doen. Dat weet ik heel goed.' Kaiku wierp haar een verontschuldigende blik toe. Wat haar vermogen om mensen te doorzien betrof moest Phaeca alleen in Lucia haar meerdere erkennen; ze kon zich uitstekend in anderen verplaatsen. 'Natuurlijk ben ik zenuwachtig. Het zou dwaas zijn als dat niet zo was.'

'Niet dwazer dan je vrijwillig melden voor deze opdracht,' zei Phaeca droogjes. Kaiku kon niet genoeg humor oproepen om te lachen. Ze was te zeer terneergeslagen door de afgrijselijke aanblik van de vreemde stad die dreigend voor hen opdoemde.

De reusachtige stenen gebedsboog die boven de poort had gehangen op de plaats waar de Kerryn de stad binnenstroomde, was leeg; de zegeningen waren eraf gebeiteld. De brommende, rokende schuit bracht hen er langzaam naartoe. Kaiku durfde niet te denken aan wat ze achter die gladde muil zouden aantreffen, als ze er eenmaal door waren opgeslokt.

Als ze de keuze had gehad, zou ze geen voet op de schuit hebben gezet. De wegen werden echter streng bewaakt door de wevers, en het was op een drukke kade gemakkelijker om ongemerkt de stad binnen te glippen. Ze hadden hun paarden dan ook achtergelaten in een dorpje op de zuidelijke oever van de Kerryn en deze weg gekozen. Ze haatte elke tel die ze aan boord van dat schip met zijn mechanische hart moest doorbrengen. Het was een bedenksel van de wevers, en wevers maakten dingen zonder bij de gevolgen stil te staan. Ze keek met boze, bedroefde blik naar de vettige rook die uit de schuit opsteeg.

Maar zelfs zij zijn niet de echte vijand, hield Kaiku zichzelf voor. Ze zijn slechts de marionetten van hun machtige meester.

'Kaiku,' prevelde Phaeca plotseling op waarschuwende toon. 'Wevers.'

Kaiku had ze zelf ook al gevoeld toen ze met hun doelmatige, haaiachtige bewustzijn onder het oppervlak van de wereld glipten. Ze waren op jacht naar zusters, speurend naar verstoringen in het Weefsel die konden wijzen op de aanwezigheid van hun gevaarlijkste vijanden. De kans dat Kaiku en Phaeca opgemerkt zouden worden was klein, maar het was nooit verstandig om op het toeval te vertrouwen. De vermogens van de wevers waren de laatste tijd onvoorspelbaar. Met elke heksensteen die ze wekten, groeide hun macht, en ze hadden de Rode Orde al meer dan eens weten te verrassen. De feya-kori's waren slechts het meest recente voorbeeld.

Phaeca en Kaiku regen zichzelf in het Weefsel, waardoor ze opgingen in de achtergrond. Zo waren ze voor de ogen van de wevers net zo levenloos als de planken van het dek onder hun voeten. Die techniek was voor hen tweede natuur, en er was slechts een klein beetje concentratie en een minieme inspanning voor nodig, niet eens genoeg om hun ogen rood te kleuren, een neveneffect dat wel optrad als ze hun kana intensiever gebruikten. Ze bleven roerloos zij aan zij staan, tot de wevers blindelings over hen heen scheerden, en vervaagden omdat ze elders op zoek gingen.

De schuit gleed onder de onteerde boog door de stad binnen, en Kaiku voelde zich tot in het diepst van haar wezen gekwetst toen ze om zich heen keek.

Axekami was verpieterd. Ooit had de zon neergeschenen op overvolle wegen, tuinen, pleinen vol mozaïeken, glanzende tempelkoepels, imposante galerijen en badhuizen, maar nu sijpelde een zwak schijnsel door straten die Kaiku niet zou hebben herkend als die van Axekami, ook al was het patroon ervan nog hetzelfde. Er hing een donkere lijkwade over het tafereel, die werd veroorzaakt door iets anders dan de rook die Nuki's oog omhulde. Het was uit de gebouwen zelf afkomstig, van de dichtgetimmerde ramen en verkleurde muren: een sfeer van uitputting, berusting, verslagenheid. Het drukte als een groot gewicht op de schouders van de zusters.

De tempels waren verdwenen. Kaiku zocht ernaar, en naar andere herkenningspunten van lang geleden, maar waar ooit de opzichtigste, indrukwekkendste gebouwen hadden gestaan, bevonden zich nu vreemde, metalen bouwsels als de rugschilden van reusachtige schildpadden, gebochelde monsters waar aan alle kanten pijpen, reusachtige tandraderen en rook brakende uitlaten uitstaken. Toen ze rechts van zich haar blik omhoog liet gaan naar de keizerlijke vesting boven op de heuvel, zag ze dat de met goud ingelegde stenen gebedspoort, die ooit bij de ingang naar het keizerlijke kwartier had gestaan, was afgebroken. Zelfs de tempeltjes in de deuropeningen van de huizen aan de rivier waren verdwenen, en de windklokjes waren weggehaald. Zonder de religieuze snuisterijen die de gevels altijd hadden opgesierd, zagen de woningen er hol en verlaten uit.

Aan de linkerkant lag de eilandengroep die het Kanaaldistrict vormde. Het was nog maar een schim van zijn kleurige, levendige zelf. Kaiku hoorde Phaeca de lucht tussen haar tanden naar binnen zuigen toen ze zag hoe het met haar thuishaven gesteld was. De prachtige tempel van Panazu was vernield en aan de elementen overgelaten. De bordelen en rookhuizen waren leeg, en de paar mensen die over de smalle paden liepen of in boten tussen de versplinterde eilanden door punterden, liepen er slonzig bij en keken omlaag. De bizarre, grillige architectuur van de huizen was onveranderd, maar nu leek die eerder dwaas dan indrukwekkend, alsof een oude man nog een laatste, trieste poging doet zijn jeugd te herwinnen.

Kaiku hoorde de snik in Phaeca's stem toen ze prevelde: 'Ik denk dat ik me maar even ga omkleden. Zelfs dit gewaad is nog te feestelijk voor zo'n sombere stad.'

Kaiku knikte. Het was op zichzelf een wijs besluit, maar ze vermoedde dat het voor Phaeca vooral een excuus was om zich even terug te trekken en op adem te komen. Phaeca's gevoeligheid voor emoties was een tweesnijdend zwaard, en ongetwijfeld had de benauwende sfeer in de stad op haar veel meer invloed dan op Kaiku. Ze was meteen verdwenen.

'Kijk meteen waar Nomoru is,' riep Kaiku haar afwezig na, en Phaeca maakte een bevestigend geluidje voor ze verdween.

Tegen de tijd dat ze de kade bereikten, was de stank zo overweldigend dat de lucht domweg te ongezond was om in te ademen, en alleen al doordat ze er middenin stond, voelde Kaiku zich vies. Rond de pakhuizen was het druk op de straten. Onder luid gebrul van de voormannen werden schuiten en kleinere schepen uitgeladen; er reden krakende karren en brouwerswagens voorbij, getrokken door manxthwa's en volgeladen met kratten en tonnen, met netten eroverheen gespannen; kooplui ruzieden en dongen af; broodmagere katten schoten door de chaos heen, hopend op een verdwaalde rat. Maar hoe bedrijvig het ook was, er klonk nergens gelach of geplaag: het geschreeuw bleef beperkt tot aanwijzingen en bevelen, en de mannen werkten hardnekkig door, met hun aandacht uitsluitend gericht op wat ze deden. Met gebogen hoofden concentreerden ze zich op hun taken, alsof het bestaan een obstakel was dat ze dag in, dag uit moesten overwinnen. Ze probeerden slechts de dagen door te komen.

Nomoru voegde zich bij hen toen ze de schuit verlieten. Er moesten formaliteiten worden afgehandeld: het opvarendenregister moest met valse namen worden ondertekend, nagemaakte identificatiepapieren moesten worden getoond, ze werden gefouilleerd op wapens. Een officier van de Zwarte Garde vroeg wat ze kwamen doen, en somde een aantal regels en voorschriften op waaraan ze zich dienden te houden: samenscholingen van meer dan vijf mensen waren verboden, religieuze afbeeldingen of symbolen mochten niet openlijk worden getoond, de avondklok ging bij zonsondergang in. Phaeca en Kaiku luisterden beleefd, maar de helft van hun aandacht was erop gericht om zich te verbergen voor de wevers die vlakbij de kade in de gaten hielden. Nomoru keek verveeld.

Ze zochten hun contactpersoon op in het Armenkwartier, zoals afgesproken. Nomoru ging hun voor, want zij was opgegroeid te midden van de eeuwige bendeoorlogen die woedden in de wanordelijke, armoedige steegjes in dat deel van Axekami. Zelfs daar was de verandering in de stad duidelijk merkbaar. De omstandigheden waren er nog even erbarmelijk, maar de bewoners waren vroeger altijd boos geweest, snel op hun teentjes getrapt, agerend tegen hun lot in plaats van zich erbij neer te leggen, maar nu waren de steegjes verlaten en de deuren dicht. De paar mensen die ze zagen, waren mager en ondervoed. De hongersnood liet zich zelfs in de hoofdstad gelden, en zoals altijd waren de minderbedeelden de eersten die erdoor werden getroffen.

Het tafereel deed Kaiku denken aan Tsata, met zijn vreemde denkbeelden over haar samenleving, en ze vroeg zich af wat hij hiervan zou vinden. Ze voelde een steek van verdriet bij de herinnering aan hem. Hij was in de loop van de jaren bijna helemaal uit haar gedachten verdwenen, zo druk had ze het gehad met het leren van de gewoonten van de Rode Orde onder leiding van Cailin. Zijn invloed was echter blijvend gebleken, en vaak betrapte ze zichzelf erop dat ze bepaalde dingen vanuit zijn standpunt bekeek, om objectiever te blijven. Juist omdat niemand ooit vraagtekens had gezet bij hoe het keizerrijk in elkaar stak, waren ze in deze ellendige situatie beland: het ingesleten geloof dat de samenleving niet zonder de wevers kon, had het hun mogelijk gemaakt het keizerrijk los te wrikken uit de handen van degenen die het hadden opgebouwd. Tsata had haar geholpen dat in te zien, maar toen had hij haar verlaten; hij was teruggekeerd naar zijn vaderland om zijn volk te waarschuwen voor wat er in Saramyr gebeurde. Nu ze door het vervallen Armenkwartier liep, vroeg ze zich kortstondig af of hij ooit zou terugkomen.

Hun contactpersoon woonde op de eerste verdieping van een krakkemikkig gebouw, en ze moesten langs een wankele trap, provisorisch gestut met een steiger van kamakoriet, omhooglopen om bij zijn voordeur te komen. Tijdens de reis was Kaiku's onbehagen gegroeid. In de verte, in de griezelige, gedempte stilte, hoorde ze het gebrom en gerammel van een van de keverachtige bouwsels van de wevers. De lucht hier maakte ademhalen moeizaam en liet een smerige smaak op je tong achter. Als ze niet had geweten dat haar lichaam op subtiele wijze instinctief het gif neutraliseerde dat ze inademde, zou ze zich bezorgd hebben afgevraagd hoeveel schade het veroorzaakte. Goden, hoe moest het dan wel niet zijn om in dat miasma te léven?

Nomoru tikte tegen het belletje, en de deur werd geopend door een bleke, ziek uitziende man. Hij sperde even zijn ogen open toen hij de verkenner herkende. Na een ongemakkelijke stilte wisselden ze wachtwoorden uit en liet hij hen binnen. Hij nam hen mee naar een armoedige kamer met rafelige matten op de vloer. Achter halfopen schuifdeuren waren kasten vol samengeraapt aardewerk en beschadigde siervoorwerpen zichtbaar, en voor de gebogen ramen waren dunne sluiers gedrapeerd, zodat het uitzicht werd geblokkeerd en het in de kamer schemerig bleef. Een imposante man met een kaalgeschoren hoofd had een van de sluiers een stukje opzijgeschoven en tuurde omlaag naar de straat. Toen ze binnenkwamen, liet hij de sluier los en keerde zich naar hen om. Hij was lelijk. Zijn lippen waren dik, zijn neus plat, en in zijn voorhoofd was een permanente frons gegrift.

'Nomoru?' zei hij. 'Goden, ik had niet verwacht dat ik jou ooit zou terugzien. Je bent geen steek veranderd.'

Nomoru haalde haar schouders op, maar gaf geen antwoord.

Hij keek naar de zusters. 'Dan moeten jullie Kaiku en Phaeca zijn. Wie is wie?'

Ze stelden zich voor zoals het hoorde, ondanks zijn informele gedrag, en maakten de buiging die paste bij hun relatieve sociale status.

'Mooi,' zei hij. 'Ik neem aan dat jullie inmiddels ook weten wie ik ben. Juto en Garika. En dat is Lon, bij de deur. We zijn met meer, maar we zijn hier nooit met z'n allen. Voorlopig hebben jullie met mij en Lon te maken, en verder met niemand.'

Kaiku nam hem aandachtig op. Zijn accent en manieren gaven aan dat hij zijn hele leven in het Armenkwartier had doorgebracht. Zoals zoveel mensen hier, had hij geen achternaam, maar had hij de naam van zijn bende aangenomen. Het Laag-Saramyrese voorvoegsel 'en' betekende letterlijk 'behorend tot'. Zijn lichamelijke aanwezigheid was overweldigend. Gewoonlijk zou Kaiku zich daardoor niet bedreigd hebben gevoeld, niet nu ze een zuster van de Rode Orde was. Maar door de ontluisterende aanblik van het gevallen Axekami, gecombineerd met het feit dat ze haar kana binnen de muren ervan niet kon gebruiken, was ze zo gespannen als een veer.

Hij ging in kleermakerszit op een mat zitten zonder de anderen uit te nodigen hetzelfde te doen, maar Nomoru ging toch zitten, en de zusters volgden haar voorbeeld. Lon glipte onopvallend weg. De kamer was lukraak ingericht, zonder enige aandacht voor esthetiek. Daar was Kaiku met haar kenmerkende gewoonten van de hooggeborene een beetje verontwaardigd over, maar ze hield zichzelf voor dat ze niet zo pedant moest zijn. Als dit het ergste was wat haar tijdens haar verblijf in Axekami overkwam, zou ze zich door Shintu gezegend voelen.

'Terzake dan maar,' zei Juto. Hij wierp de zusters een vluchtige blik toe. 'Maar eerst het volgende: we weten allemaal wie jullie zijn en dat jullie bijzondere... gaven hebben.' Het deed Kaiku deugd te horen dat in zijn stem niet de gebruikelijke afschuw doorklonk als mensen het over haar afwijkende krachten hadden. 'Het lijkt me het beste als we daar niets hardop over zeggen. Plannetjes en samenzweringen komen en gaan, maar als mensen in de gaten krijgen wie jullie zijn, struikelen ze over hun eigen voeten in hun haast om jullie aan te geven bij de Zwarte Garde.' Hij zag dat Phaeca naar de deuropening keek. 'Lon weet het. Hem kun je vertrouwen. Maar hij is dan ook de enige.'

'Kennen jullie elkaar?' vroeg Phaeca, wijzend op Juto en Nomoru. Dat vroeg Kaiku zich ook al af sinds Juto voor het eerst zijn mond had opengedaan.

Juto grijnsde zijn grote, bruin uitgeslagen tanden bloot. 'Wij vergeten onze oude vrienden niet.'

'Hoorden jullie bij dezelfde bende?' vroeg Phaeca aan Nomoru. De verkenner schonk haar slechts een gemelijke blik als antwoord.

'Een tijdje geleden wel,' zei Juto. 'We hadden haar al opgegeven.' Zijn blik gleed even af naar Nomoru. 'Ik ben naar je op zoek gegaan. Tot aan de inkttekenaar die je als laatste onder handen heeft genomen, heb ik je weten te volgen. Hij zei dat je...'

'Juto!' viel ze hem opeens snauwend in de rede. 'Dat gaat hun niets aan!'

Even laaide er woede op in zijn ogen. Toen verscheen er een gevaarlijk kalme uitdrukking op zijn gezicht. 'Je bent al een hele tijd niet meer Nomoru en Garika,' zei hij met onmiskenbare dreiging in zijn stem. 'Pas op wat voor toon je tegen me aanslaat.'

Ze staarde hem slechts aan, met haar schouders uitdagend gekromd: een graatmager vrouwtje met haar dat in klittende pieken overeind stond, dat het opnam tegen iemand die twee keer zo groot was als zij. Ze gaven geen van beiden blijk van angst.

'Hoe gaat het in de stad?' vroeg Kaiku in een poging de patstelling te doorbreken. Het werkte beter dan ze had kunnen dromen, want Juto brulde het uit van het lachen en schudde zijn hoofd.

'Had je onderweg soms oogkleppen op?' vroeg hij ongelovig. 'De mensen zijn verslagen. De rijksvoogd heeft de stad stevig onder de duim en blijft drukken tot er niets over is dan stof en botten. We hebben nog geluk dat het grootste deel van het overgebleven voedsel in het noordwesten in Axekami terechtkomt, maar desondanks sterven er dagelijks honderden mensen van de honger. Het enige positieve wat ik over de hele toestand kan zeggen, is dat de edelen in elk geval niet alle voorraden voor zichzelf opeisen, zoals ongetwijfeld zou zijn gebeurd onder het gewéldige bewind van het keizerrijk.' Zijn bijtende sarcasme was overduidelijk. 'De arbeiders krijgen het eten. En de Zwarte Garde en het vervloekte afwijkende leger van de wevers, natuurlijk; dat spreekt vanzelf. Maar het Armenkwartier heeft het als vanouds te verduren, omdat sommigen van ons liever doodgaan dan te gaan werken in die godenvervloekte dingen die ze hebben gebouwd op de plaatsen waar vroeger tempels stonden.'

'En wat doen ze daar?' vroeg Phaeca. De zusters waren er nooit in geslaagd de functie van de weverbouwsels in de steden vast te stellen.

Juto trok minachtend zijn lip op. 'Geen idee. Elke arbeider kent alleen zijn eigen taak, en niemand lijkt te begrijpen waar al die taken bij elkaar toe dienen. Ze produceren op het oog niets. Dat maakt het allemaal zo vervloekt mysterieus.'

Hij kwam overeind en liep terug naar het raam om achter de sluier te kijken. Toen hij weer begon te praten, klonk zijn stem afgemeten. 'Dan is er nog die smerige mist. Oude mannen hoesten zich dood, moeders krijgen miskramen, de zieken worden niet beter en het kleinste sneetje raakt ontstoken. Wat zijn dat voor mensen, die een stad overnemen en vervolgens hun eigen waterbron vergiftigen? Dat is toch idioot?'

Die vraag leek niet tot iemand in het bijzonder gericht te zijn, dus zwegen ze. Hij draaide zich om en leunde met zijn armen over elkaar tegen de muur. 'Ze hebben de goden verboden,' ging hij verder. 'Allemaal. Ze hebben elke kans op rebellie gesaboteerd met hun verbod op samenscholingen en overleg. Iedereen denkt dat ze daarom de tempels hebben afgebroken. Maar hartbloed, het is niet logisch! Als je de mensen hun geloof laat houden, houd je ze kalm en ontmoedig je opstandig gedrag juist.' Hij krabde snuivend aan zijn oor. 'Sommigen beweren dat ze gewoon niet willen dat we nog hoop hebben. Dat geloof ik niet. Ik geloof dat ze de goden domweg haten. Of anders zijn ze er bang voor.'

'En heeft het gewerkt?' vroeg Kaiku. 'Denk je dat Axekami ertoe bewogen kan worden tegen de onderdrukkers in opstand te komen?'

Juto ging hoofdschuddend weer zitten. 'Als je met een leger op de poorten zou gaan staan bonken, zouden ze nog te bang zijn om je binnen te laten. Het is niet alleen een kwestie van geestdrift, hoewel daar ook niet veel meer van over is. Het probleem is dat we zwak en ziekelijk zijn. De Zwarte Garde is goed doorvoed en sterk, en elke maand worden het er meer omdat de een na de ander zich bij hen aansluit. Als ze hun gezin zien doodgaan, verdwijnen hun principes als mist in het licht van de ochtendzon. Dan zijn er de informanten en spionnen, die tot alles bereid zijn om aan eten te komen. De wevers lijken alles te weten, of dat nu komt door die vervloekte krachten van hen of door de mensen die hun ziel aan hen hebben verkocht. Een gerucht dat er een nieuwe leider is opgestaan heeft zich nog niet verspreid of er komt een gerucht dat die is omgekomen of verdwenen. En als klap op de vuurpijl zijn er nog de afwijkenden. De wevers hoeven maar met hun vingers te knippen en het wemelt op straat van die monsters.'

'En Lucia?' opperde Nomoru. 'Dan krijgen ze misschien peper in hun reet. Als Lucia komt.'

'Lucia?' vroeg Juto spottend. 'Ik zal niet ontkennen dat het volk blij zou zijn met iedereen die de plaats van de wevers inneemt, afwijkende of geen afwijkende, maar je hebt niets aan een legendarische figuur die er niet is. Ik geloof pas dat ze echt is als ik haar met eigen ogen zie, en zelfs dan zal ze een gouden wapenrusting moeten dragen terwijl de goden haar vanuit de hemel lof toezingen, voor ik me veilig genoeg voel om tegen de wevers in te gaan.' Hij klonk nu verbitterd. 'Denk je dat je met een leger zelfs maar in de buurt van Axekami kunt komen? Ik niet. De wevers zouden jullie verpletteren zodra je ten noorden van de Breuk kwam.'

Kaiku verwerkte de teleurstelling stoïcijns. Een dergelijk antwoord had ze wel verwacht. Je hoefde niet zo gevoelig te zijn als Phaeca om aan te voelen dat Yugi's vage hoop op een volksopstand op niets was gebaseerd; dat had Kaiku al geraden zodra ze de stad was binnengegaan. Ze geloofde ook niet dat hij serieus rekening had gehouden met die mogelijkheid.

'Maar genoeg over onze problemen,' zei Juto. Hij boog naar voren en schonk hun een glimlach die meer weg had van een grauw. 'Hoe staan jullie ervoor? Hoe verloopt de oorlog in het zuiden?'

'Verwarrend,' zei Kaiku. Ze duwde een haarlok achter haar oor. 'De situatie is nog min of meer hetzelfde als bijna twee weken geleden, toen we vertrokken. De wevers hebben Juraka bezet, maar ze hebben nog niet geprobeerd de rivier over te steken, en de feya-kori's lijken verdwenen te zijn.'

'Aha, nu komen we bij de kern van de zaak,' zei Juto. 'De feya-kori's.'

'Ze kwamen uit Axekami,' zei Phaeca. 'Weet jij waar precies?'

'Ik heb zo mijn vermoedens,' zei Juto. 'Maar ik heb gewacht op jullie komst, zodat we samen een kijkje kunnen gaan nemen.'

'Wanneer kunnen we ernaartoe?'

'Vanavond,' zei hij. 'Na de avondklok.'

Daar dacht Kaiku even over na. Toen verscheen er een lichte frons op haar voorhoofd. 'Wat doet de Zwarte Garde precies om de avondklok op te leggen?'

Juto grijnsde vuig. 'Ze laten de afwijkenden los.'

⊚ 6 ⊚

Rijksvoogd Avun tu Koli liep behoedzaam door de vertrekken van zijn huis. Ondanks Kakres herhaalde verzekeringen dat hem niets zou overkomen, voelde hij zich nooit ook maar enigszins op zijn gemak in de delen die de Weefheer tegenwoordig bewoonde. De bovenste verdiepingen van de keizerlijke vesting waren in een krankzinnigengesticht veranderd.

De grote, afgeplatte piramide stond boven aan een steile rotswand op de top van de hoogste heuvel in Axekami. Het was een architectonisch meesterwerk, nog steeds ongeëvenaard sinds de vierde bloedkeizer, Huira tu Lilira, meer dan duizend jaar eerder met de bouw ervan was begonnen. De complexe beeldhouwwerken van goud en brons die de trapsgewijs aflopende flanken bedekten, vervulden al een millennium lang bezoekers met ontzag over de detaillering en zeggingskracht, en de vier slanke torens die op de hoeken stonden en door middel van rijk bewerkte bruggen met de hoofdstructuur van de vesting waren verbonden, waren nog even indrukwekkend als in het begin.

Altijd hadden grote delen van de vesting leeggestaan, om de doodeenvoudige reden dat geen enkele hooggeplaatste familie zo groot was dat ze alle kamers van het reusachtige gebouw kon vullen, noch zo veel bedienden nodig had dat alle hoeken en gaten konden worden gevuld. Avun vroeg zich met een zekere afkeer af wat zijn voorouders ervan zouden vinden dat de nieuwe bewoners waren gearriveerd en de vesting eindelijk helemaal vol was.

De weg naar de Zonnekamer voerde hem door de ene na de andere schemerige kamer vol verdorvenheid en krankzinnigheid. Wevers zaten raaskallend en heen en weer wiegend in groepjes dicht bij elkaar; hun maskers glansden subtiel terwijl ze het extatische geluk van hun ongeziene wereld deelden. De muren waren besmeurd met bloed en uitwerpselen, of volgekalkt in een mysterieuze taal die geheel uit het onderbewustzijn van de schrijver leek te zijn voortgekomen. Abstracte wiskundige berekeningen en diagrammen, een mengeling van volslagen onzin en verbijsterend geniale inzichten, waren in marmeren zuilen van onschatbare waarde gekerfd, of over honderden jaren oude kunstwerken heen geschreven. Het van vliegen vergeven lichaam van een bediende, van wie de lippen en kaak waren opgevreten door een zwerfhond, lag midden in een kamer, omringd door vreemde beelden van klei die allemaal exact één voet hoog waren. Een brandschone, keurig opgeruimde badkamer werd bewaakt door een gestoorde wever, die dwangmatig de patronen in de houten vloer volgde met zijn blik en die iedereen die binnenkwam gillend aanviel.

Tussen al die verschrikkingen schuifelden en hinkten nog meer wevers, jongere mannen die nog niet ten prooi waren gevallen aan de onvermijdelijke krankzinnigheid. Dat waren Kakres vertrouwelingen en helpers, een verzameling bizarre figuren die te midden van de chaos op de bovenste verdiepingen hun eigen privédomeinen hadden. Hun ontaarde gewoonten openbaarden zich pas na het weven, als de traumatische ontwenningsverschijnselen hun persoonlijke manie aan de oppervlakte brachten. Hun voorkeuren waren gevarieerder en weerzinwekkender dan je je kon voorstellen.

De wevers hadden altijd zorgvuldig geheimgehouden hoezeer het gebruik van hun maskers hen schaadde, doordat ze de ergste slachtoffers weg hadden gestopt in hun kloosters in de bergen, maar hier was de onstuitbare en angstaanjagende erosie van hun verstand afschuwelijk duidelijk. In elk geval, dacht Avun, had de hongersnood ervoor gezorgd dat er meer dan genoeg slachtoffers waren voor de wevers die een voorkeur hadden voor verkrachting en moord. Zijn geschoolde bedienden probeerde hij zoveel mogelijk te sparen; hij leverde bij voorkeur boeren, of stedelingen die uit het Armenkwartier waren geplukt. Maar doordat ze dwars door dit gekkenhuis heen moesten om aan de grillen van de wevers te kunnen voldoen, vielen er desondanks veel slachtoffers. Kakres veiligheidsverordening gold kennelijk alleen voor Avun, wat betekende dat ieder ander zijn leven niet zeker was.

Ooit was de Zonnekamer mooi geweest. Het dak was een vaalgouden met groene koepel, met grote ramen die als bloemblaadjes omlaag liepen vanuit de flamboyante knop in het midden. Het was al een zeldzaamheid om in Saramyrese ramen glas aan te treffen, maar deze waren bovendien schitterende creaties in allerlei verschillende kleuren. In het verleden hadden de ontwerpen het licht van Nuki's oog gevangen en op het reusachtige ronde mozaïek op de vloer geworpen. Nu was het licht zwak, grauw en effen, en als hij zag waar het op viel, wenste Avun altijd dat het donker was.

Kakre had de Zonnekamer voor zichzelf opgeëist en versierd met de producten van zijn ambacht. Op de drie tribunes van hout en verguldsel, waar in het verre verleden raadsleden hadden gestaan om een spreker bij te staan, of om te kijken naar een voorstelling die op de vloer werd opgevoerd, gingen in het halfduister nu misvormde, verontrustende vormen schuil. Avun probeerde daar niet aan te denken. Dit was de plaats waar Kakre een deel van de afschuwwekkende kunst tentoonstelde die hij in zijn vertrekken, vele verdiepingen lager, had geschapen. Elk kunstwerk was bedekt met de huid van een man, vrouw of dier, van het lijf gesneden terwijl het slachtoffer nog leefde. Ze stonden als een soort publiek op de treden.

Ze waren anders neergezet sinds de laatste keer dat Avun er was geweest, en onbewust zocht hij naar de werken die hem het meest waren bijgebleven: de gebochelde figuur waarvan de linkerhelft was bedekt met de huid van een man en de rechterhelft met die van een vrouw; het gevleugelde wezen met veren van gelooide, leerachtige pezen; de krijsende man met de gapende mond waar een tweede gezicht door naar buiten tuurde. Er waren ook dieren en vogels, en andere niet-menselijke dingen, raamwerken bedekt met een lappendeken van huiden in allerlei tinten, die vreemde geometrische vormen hadden, of werken die zo afschuwelijk waren om naar te kijken dat je er geen naam aan kon verbinden. Er was zo veel marteling, pijn en angst in deze zaal vertegenwoordigd, dat zelfs een kille man als Avun er niet lang bij kon stilstaan. Het vage gekrijs van de gekwelde wevers in de aangrenzende vertrekken bracht hem alleen maar erger van zijn stuk.

Weefheer Kakre was er natuurlijk ook. Hij leek in een soort trance te zijn, want hij stond roerloos vlak bij het midden van het mozaïek op de vloer. Avun liep stilletjes op hem af, alert op elke plotselinge beweging. Hij had de laatste tijd gemerkt dat hij voorzichtig moest omgaan met de Weefheer. Kakre was de laatste maanden in geestelijk opzicht gevaarlijk snel afgetakeld, en Avun wist tegenwoordig nooit precies hoe zijn meester zou reageren.

Hij bestudeerde de gebochelde gestalte die voor hem stond. Zoals alle wevers was Kakre gekleed in een zwaar, gerafeld gewaad dat bestond uit slordig aan elkaar genaaide stukken stof en andere materialen – waaronder huiden en pelzen, in Kakres geval. Hij was omhangen met siervoorwerpen, zoals strengen knokkels, lokken haar en ander sinisters. De grote kap bedekte deels het strakke, gruwelijke lijkengezicht van zijn Ware Masker, dat nog afschuwwekkender trekken verborg. Avun had het ware gelaat van de Weefheer nog nooit gezien, en daar had hij ook geen behoefte aan.

'Kakre?' vroeg hij voorzichtig. De Weefheer schrok op. Toen keerde hij langzaam zijn dode gezicht naar de rijksvoogd toe.

'Je bent er,' piepte hij. Zijn stem had een enigszins gedesoriënteerde, dromerige klank. Avun vroeg zich af of hij Kakre soms per ongeluk bij het weven had gestoord.

'Je wilde me spreken,' zei Avun.

Kakre zweeg iets te lang, maar schudde toen zijn hoofd en wierp de beneveling af die hem had geplaagd. 'Inderdaad,' zei hij, krachtiger nu. 'De feya-kori's staan weer paraat. Wat adviseer je?'

Avun keek Kakre met zijn slaperige ogen aan. Zijn altijd ongeïnteresseerde gezicht verborg een ongewoon meedogenloze geest. Als je hem zo zag, zou je nooit hebben geloofd dat hij de belangrijkste niet-wever in Axekami was, met zijn uitgemergelde lijf en kalende hoofd, maar schijn bedriegt soms. Hij had slim gebruikgemaakt van de chaos rond de staatsgreep van de wevers, met als gevolg dat Koli de enige hooggeplaatste familie was die er beter van was geworden, in plaats van het onderspit te delven. In korte tijd had hij zich bovendien opgewerkt van machteloos boegbeeld voor de wevers – het menselijke gezicht van hun heerschappij – tot onmisbaar adviseur.

'Zila,' zei hij.

'Zila?' herhaalde Kakre. 'Waarom niet in de aanval gaan? Toeslaan in Saraku, in het hart van hun terrein?'

'Ze verwachten dat je zult doorstoten, zult proberen de Sasakobrug te veroveren en vanuit Juraka diep hun gebied in zult trekken. Dat zou ik niet doen. Laat hun weten dat we het hun langs het hele front moeilijk kunnen maken. Dan zullen ze gedwongen zijn hun leger op te splitsen, omdat ze niet zullen weten waar de volgende aanval plaatsvindt. Val Zila aan met de feya-kori's, verover de stad en versterk je positie.'

'Wat hebben we daaraan?' vroeg Kakre ongeduldig. 'Om ze stad voor stad terug te drijven?'

'Je kunt in een oorlog niet frontaal aanvallen, Kakre,' zei Avun. 'Ik zou toch denken dat je dat zelf inmiddels afdoende bewezen had. Weet je nog hoe het in het begin ging? Die eerste uitval nadat jullie Axekami hadden ingenomen? Jullie enige strategie was een zo groot mogelijk leger op je doelwit af te sturen, omdat jullie ervan uitgingen dat een onbegrensde numerieke overmacht genoeg was. Keer op keer werden jullie echter teruggedrongen door tien keer zo kleine troepenmachten. Omdat zij tactiek gebruikten. Omdat zij wisten hoe je een oorlog moet aanpakken.' Hij trok zijn wenkbrauwen op. 'Net als ik.'

Hij kon de haat voelen in de blik die Kakre hem door de in schaduw gehulde ooggaten van het masker toewierp. Het was noodzakelijk om de wevers er af en toe aan te herinneren hoe waardevol hij voor hen was, anders vergaten ze het misschien, maar het was een riskante aangelegenheid. Kakre werd snel boos, en dan waren de gevolgen voor Avun over het algemeen pijnlijk.

'Geef me details,' zei Kakre uiteindelijk, en het beklemmende gevoel in Avuns borst werd iets minder. Hij gaf uitleg, noemde uit het hoofd de locatie en sterkte van de verschillende legers op en sprak het plan met zijn meester door. Lang geleden zou hij misschien een steek van schuldgevoel hebben ervaren bij de gedachte dat hij zijn medemensen zo verried, maar die tijd was al lang voorbij.

In het begin was de oorlog heel anders verlopen dan de wevers wilden. Ze hadden zich voorgesteld dat het hele keizerrijk zou instorten, zodat ze hun gedesoriënteerde vijanden met hun enorme, suïcidale leger konden wegvagen. Ze hadden echter niet geweten van het bestaan van de zusters. Doordat de Rode Orde het gat had gevuld dat de wevers hadden opengelaten en de edelen tegen de invloed van de wevers had beschermd, waren de hooggeplaatste families in staat gebleken zeer effectieve tegenstand te bieden. Ze hadden al snel beseft dat hun vijanden geen kaas hadden gegeten van militaire strategieën en daar hun voordeel mee gedaan. De wevers mochten in de meerderheid zijn, de vaardige generaals van het keizerrijk, gepokt en gemazeld in de kunst van de oorlogvoering, lieten hen zwaar boeten voor elke mijl die ze wisten te winnen. In de loop van de tijd werd duidelijk dat zelfs de schier eindeloze legers van de wevers zulke grote verliezen niet konden verwerken en was het keizerrijk in de tegenaanval gegaan.

Op dat moment had Avun zijn diensten aangeboden. De wevers waren geen generaals: ze waren grillig, de meeste waren zogoed als maniakaal, en ze hadden geen interesse in geschiedenis, met als gevolg dat ze er niets van hadden geleerd. Avun was slim en sluw, en onder zijn leiding werd het leger van de wevers opeens een stuk effectiever. De tegenaanval van het keizerrijk werd afgeslagen en er ontstond een impasse.

Tegen die tijd waren de wevers hun voordeel echter al kwijt. De troepenmacht van het keizerrijk had zich teruggetrokken in de Zuidelijke Prefecturen en daar koppig standgehouden. De schade, veroorzaakt door de onkunde van de wevers en door het feit dat ze nu een reusachtig gebied bezet moesten houden, betekende dat de afwijkenden te zeer verspreid waren, en het zou nog jaren duren voor het fokprogramma op volle sterkte was. De tijd werkte zowel in hun voordeel als in hun nadeel; met elke heksensteen die werd opgegraven werden de wevers immers dan wel sterker, maar verspreidde de smet die de gewassen vernietigde zich ook sneller.

De wevers waren ongeduldig. Ze waren bang dat hun leger van de honger zou omkomen. Dat begreep Avun best. Wat hij echter niet begreep, was wat de wevers nu precies wilden. Overheersingsdrang kon hij begrijpen. De honger naar macht via de maskers en de heksenstenen, daar kon hij zich mee vereenzelvigen. Maar de heksenstenen waren de oorzaak van de smet. Dat was lang een goed bewaard geheim geweest, maar nu moest je blind zijn om het verband niet te zien. Wat hadden de wevers aan een vergiftigd land? Zelfs zij moesten eten.

Kakre zou geen antwoord geven op zijn vragen, dat wist Avun zeker. Hoe dan ook zou hij zelf als altijd proberen uit de situatie een slaatje te slaan, en zolang hij nog rijksvoogd was, had hij daarvoor genoeg speelruimte. De andere edelen mochten wat hem betrof de hopeloze strijd voeren tegen de onstuitbare vloed van de wevers. Avun had van verraad een kunst gemaakt, en het had hem veel opgeleverd. Als de tijd rijp was, zou hij ook de wevers verraden.

Voorlopig fluisterde hij Kakre echter nog advies in, leerde hem de beste manieren om de mensen te doden die hij ooit als bondgenoten had beschouwd, terwijl in de verte het geroep en gejammer klonk van de bewoners van het gekkenhuis om hem heen.

Hij trof zijn vrouw in haar vertrekken aan. Dat was nauwelijks een verrassing voor hem. Ze verliet ze zelden.

Muraki tu Koli was stilletjes, bleek, klein en tenger, een elegante geestverschijning met een stem die zelden tot boven een fluistering werd verheven. Haar lange zwarte haar, met een simpele scheiding in het midden, omlijstte haar gezicht. Ze droeg een geborduurd lila gewaad en zachte zwarte sloffen, omdat ze een hekel had aan het geklak van schoenen op de harde laxvloeren van de keizerlijke vesting. Haar ganzenveer kraste toen Avun binnenkwam, want ze bedekte een perkamentrol met verticale ketens van symbolen.

Ze leek Avun niet op te merken. Ook dat was nauwelijks een verrassing. Het grootste deel van haar tijd leefde ze in een fantasiewereld, en als ze daar was, leek het of de echte wereld niet bestond. Ooit, toen ze nog een min of meer normaal huwelijk hadden, had ze hem verteld dat ze niet wist wat haar handen deden als ze in zo'n roes verkeerde; ze zei dat ze een eigen wil leken te hebben en woorden op papier zetten alsof zij slechts een doorgeefluik was voor wat andere mensen wilden zeggen. Daar had hij nooit iets van begrepen. Toen had hij zich verwonderd over het talent van zijn vrouw. Nu maakte het hem woest. Ze gebruikte het als toevluchtsoord, en het kwam steeds vaker voor dat ze weigerde terug te komen.

'Gaat het goed?' vroeg hij, wijzend op wat ze schreef. Hij hoefde niet te vragen wat het was. Het was een boek over Nida-jan. Dat was het altijd.

Ze negeerde zijn vraag terwijl ze een regel afmaakte, legde haar ganzenveer neer en wierp hem van achter het gordijn van haar haren een vluchtige blik toe.

'Gaat het goed?' vroeg hij opnieuw.

Ze knikte, maar gaf verder geen antwoord.

Zuchtend ging hij vlak bij haar zitten. Haar schrijfkamer was klein, benauwd en verlicht met een lantaarn, zonder ramen naar buiten. Boven aan de muur zaten slechts enkele sierpanelen waar wat lucht door naar binnen kwam. Het liefst werkte ze in een zonnige, open ruimte. Aan deze kamer had ze een hekel, en ze vond het vreselijk om er te werken. Dat wist Avun, en zij wist dat hij dat wist. Ze gedroeg zich als een martelaar, uit protest omdat ze gedwongen werd in Axekami te blijven terwijl ze het liefst naar huis wilde, naar de Mataxabaai. Via zulke omwegen maakte ze hem duidelijk dat ze ontevreden was.

Avun keek haar een tijdje zwijgend aan. Ze beantwoordde zijn blik niet, maar staarde in het niets. 'Weet je zeker dat je niet liever een grotere kamer wilt?' vroeg hij uiteindelijk.

'Ik vind de lucht hier niet zo prettig,' antwoordde ze zacht. 'Is je bespreking met Kakre goed gegaan?'

Hij vertelde haar wat er was gezegd, blij dat ze iets hadden gevonden om over te praten. Muraki toonde gewoonlijk weinig interesse in wat hij deed, maar in elk geval konden ze het over politiek hebben. Of liever: hij kon zijn verhaal bij haar kwijt; ze zei nooit iets terug. Ze luisterde echter wel. Dat was beter dan niets.

Na een tijdje had hij het onderwerp uitgeput, en omdat hij het gevoel had dat het gesprek ongewoon goed verliep, begon hij ergens anders over.

'Dit kan zo niet doorgaan, Muraki,' zei hij. 'Waarom ben je zo ongelukkig?'

'Ik ben niet ongelukkig,' fluisterde ze.

'Je bent al zeker tien jaar ongelukkig!'

Ze zweeg. Twee keer achter elkaar tegen hem in gaan zou haar te veel worden, en het was hoe dan ook duidelijk dat ze loog. Hij wist precies waarom ze ongelukkig was, en daarom wilde hij een discussie uitlokken. Van confrontaties hield ze niet.

'Wat kan ik eraan doen?' vroeg hij uiteindelijk, toen hij besefte dat ze niet zou toehappen.

'Je kunt me naar de Mataxabaai laten gaan,' antwoordde ze. Eindelijk keek ze hem aan. Toen verbrak ze het oogcontact en keek ingespannen naar het papier dat voor haar lag, bang dat ze te ver was gegaan.

Avun was echter zo koelbloedig als een hagedis; hij werd niet zo snel boos. 'Je weet best dat dat niet kan,' zei hij. 'Daar zou je groot gevaar lopen. Je bent de vrouw van de rijksvoogd. Velen zouden de kans aangrijpen om je te vermoorden of ontvoeren, om je als pressiemiddel tegen me te gebruiken.'

'Zou je dan aan een dergelijke druk toegeven?' prevelde ze. 'Als ik gevangen werd genomen?'

'Natuurlijk. Je bent mijn vrouw.'

'Dat is zo,' zei ze. 'Maar liefde hebben we niet.' Opnieuw wierp ze hem een vluchtige blik toe. Haar gezicht ging grotendeels schuil achter haar haren. 'Zou je offers voor me brengen?'

'Natuurlijk,' zei hij opnieuw.

'Waarom?'

Hij keek haar bevreemd aan. Hij begreep niet waarom ze het zo moeilijk te begrijpen vond. 'Omdat je mijn vrouw bent,' herhaalde hij.

Muraki gaf het op. Ze wist al heel lang dat Avuns denkbeelden over het huwelijk en het vaderschap niets te maken hadden met romantische gevoelens. Ze waren om politieke redenen aan elkaar gekoppeld, zoals zoveel stellen in de hogere kringen van Saramyr. In het begin hadden ze zich wel enigszins tot elkaar aangetrokken gevoeld, maar daar was allang niets meer van over, en sindsdien waren ze praktisch vreemden voor elkaar.

Toch konden ze hun huwelijk niet laten ontbinden, zelfs niet nu het hof van het keizerrijk uiteen was gevallen en dergelijke politieke drijfveren zinloos waren geworden. Zij zou er nooit om vragen en hij zou het nooit toestaan. De schande zou onverteerbaar voor hem zijn, want het zou betekenen dat hij had gefaald. Daarom weigerde hij nog steeds Mishani uit bloed Koli te verstoten, hoewel hij haar lang geleden al had verdreven. Hij kon niet openlijk toegeven dat zijn eigenzinnige dochter zijn goede naam had aangetast, maar hij zou zich ook nooit met haar verzoenen.

'Ik ben druk bezig met schrijven,' zei ze na een tijdje. 'Laat me alsjeblieft mijn werk afmaken.'

Vermoeid en berustend gaf Avun gehoor aan haar verzoek. Hij stond op en liep naar de deuropening. Daar bleef hij staan en keek naar zijn vrouw, die haar ganzenveer alweer in de inkt doopte.

'Komt het dan ooit af?' vroeg hij.

Inmiddels was ze echter aan een nieuwe rij keurige schrifttekens begonnen, en ze gaf geen antwoord.

Meer dan zeshonderd mijl naar het noordoosten, hoog in het Tchamilgebergte, las Mishani de woorden die haar moeder had geschreven.

Ze zat beschut in de luwte van een rots, met een zware wollen mantel om zich heen. De wind blies haar haren voor haar gezicht. Ze had er voor de reis één lange vlecht van gemaakt, maar nu werd ze geplaagd door de paar hardnekkige, vederlichte lokken die waren losgeraakt. Ze stopte ze achter haar oren, maar ze raakten net zo snel weer los.

Asara stond vlakbij de manxthwa's te voeden, terwijl de anderen op jacht gingen. De dieren verdrongen elkaar en duwden met hun kop tegen haar lijf, bedelend om hun haverzakken. Tot haar verbazing hoorde Mishani Asara lachen om hun ongeduld, en toen ze een van hen speels een standje gaf, keek Mishani op uit haar boek. Een glimlach speelde om haar lippen. Door hun afhangende, aapachtige snuiten zagen de manxthwa's er droevig en wijs uit, maar in werkelijkheid waren ze dom en volgzaam. Ze staarden Asara niet-begrijpend aan en stootten haar toen weer aan.

De manxthwa's hadden hen van Muia over de rotsachtige paden van de woestijn naar de bergen gebracht. Ze waren zeven voet hoog bij de schoft, ongelooflijk sterk en onvermoeibaar. Hun ruige vacht was oranjerood en hun knieën knikten naar achteren. Sinds ze in Saramyr waren geïntroduceerd, waren ze in Tchom Rin uitgegroeid tot het populairste last- en rijdier. Met hun brede, gespleten, spatelvormige zwarte hoeven konden ze zich zowel op vlak als op oneffen terrein prima redden, en hun gewicht werd er zo goed door verspreid dat ze zelfs over zandduinen heen konden lopen; ze waren oorspronkelijk afkomstig uit de met sneeuw bedekte bergtoppen van de woeste poolgebieden, waar de grond zacht en verraderlijk was. Ze waren weliswaar traag, maar behendig genoeg om door smalle passen heen te kunnen. Zolang ze voldoende te eten kregen konden ze dagenlang doorlopen, en zelfs van extreme hitte hadden ze weinig last, ondanks hun dikke vacht.

Toen Asara alle dieren een haverzak had gegeven, ging ze naast Mishani in haar tas zitten rommelen. Ze droeg bont, want zelfs in Saramyr was het op deze hoogte koud in de winter. Al snel had ze een klein, rond kruidenbrood gevonden, dat ze doormidden brak. De helft bood ze aan Mishani aan. Mishani legde haar boek opzij en nam het brood met een bedankje aan. Kameraadschappelijk deelden ze de maaltijd, terwijl ze uitkeken over de harde, leigrijze hellingen naar Ariachtha, de berg die zich in het zuiden verhief en waarvan de top in wolken gehuld was.

'Wat ben je opgewekt,' merkte Mishani op.

'Geniet jij hier dan niet van?' antwoordde Asara grijnzend, hoewel ze heel goed wist dat Mishani het vreselijk vond. Ze was een telg uit een adellijke familie, en in tegenstelling tot Kaiku vond ze het niet prettig om het comfort waaraan ze was gewend op te geven.

'Ik kan leukere manieren bedenken om mijn tijd door te brengen. Maar jij lijkt blij te zijn met deze reis.'

Asara leunde achterover tegen de rots en nam een hap kruidenbrood. Er waren stukjes fruit in meegebakken, waardoor het een verfrissend zoet tussendoortje was. 'Ik heb te lang in de woestijn gezeten, denk ik,' zei ze. 'Ik heb af en toe behoefte aan een beetje gevaar. Als je negentig oogsten hebt meegemaakt, zoals ik, zul je begrijpen dat veel dingen die je vroeger spannend vond je opeens niet veel meer doen. Maar van gevaar krijg je nooit genoeg.'

Mishani wierp haar een bevreemde blik toe. Het was niets voor Asara om zo spraakzaam te zijn. Meestal zei ze helemaal niets over haar afwijkende gaven, zelfs niet tegen mensen als Mishani, die ervan op de hoogte waren. 'Ik hoop bij de goden dat mij negentig oogsten gegeven zullen zijn,' zei ze. 'Maar tot nu toe hebben we geluk gehad. Onze gidsen hebben ons uit de moeilijkheden weten te houden. Misschien lukt het ons wel de bergen over te steken zonder op iets onprettigs te stuiten.'

'Het Tchamilgebergte is erg uitgestrekt, en ik geloof niet dat hier zoveel afwijkenden zijn als de wevers ons willen doen geloven,' zei Asara. 'Maar ik bedoelde eigenlijk het gevaar dat ons op onze bestemming wacht.'

'Dat kan niet de enige reden zijn dat je ervoor hebt gekozen me te vergezellen,' zei Mishani. 'In de woestijn zijn er gevaren genoeg.'

Asara schonk haar een wrange glimlach. 'Het is inderdaad niet de enige reden,' zei ze, maar ze ging er verder niet op in. Mishani drong niet aan. Ze wist wel beter. Asara was erg goed in het bewaren van geheimen.

'Ben je blij met mijn geschenk?' vroeg ze zonder inleiding.

Mishani pakte haar boek op en bekeek het aan alle kanten. 'Het is vreemd...' zei ze.

'Vreemd?'

Mishani knikte. 'De boeken van mijn moeder... Heb je ze ooit gelezen?'

'Heel in het begin wel, een of twee,' zei Asara. 'Ze is erg getalenteerd.'

'Haar stijl is veranderd,' zei Mishani. 'Dat is me aan de laatste paar boeken opgevallen. Om te beginnen schrijft ze veel kortere verhalen en laat ze ze sneller drukken, zodat er nu volgens mij om de paar maanden een nieuw boek over Nida-jan verschijnt, in plaats van om de paar jaar, zoals vroeger. Maar dat is niet het enige...'

'Ik heb gehoord dat ze sinds jouw breuk met je vader melancholieker zijn geworden,' zei Asara. 'Weinigen twijfelen eraan dat ze haar verdriet uit om jouw afwezigheid.'

Mishani voelde opeens de tranen in haar ogen prikken, maar ze drong ze werktuiglijk terug. Ze was te zeer door haar opleiding aan het keizerlijke hof beïnvloed om te tonen wat voor effect Asara's opmerking op haar had.

'Het gaat niet zozeer om het onderwerp als wel om de inhoud,' legde Mishani uit. 'Nida-jan gebruikt de laatste tijd veel gedichten om uitdrukking te geven aan zijn verdriet tijdens de zoektocht naar zijn verloren zoon, maar de poëzie is lelijk en raakt soms kant noch wal. Het is nooit haar sterkste kant geweest, maar nu is het wel erg lomp.' Ze draaide het boek weer om, alsof ze een antwoord zou vinden als ze het vanuit een ander gezichtspunt bekeek. 'En het boek maakt een... afgeraffelde indruk. Vroeger besteedde ze er zeeën van tijd en aandacht aan, tot elke zin precies goed was. Nu is het veel slordiger, haastwerk.'

Asara kauwde bedachtzaam op haar kruidenbrood. 'Je denkt dat het een weerspiegeling is van haar gemoedstoestand,' stelde ze vast. 'Haar stijl werd droevig toen je wegging. Nu is hij weer veranderd, en je weet niet waarom.' Ze pakte een fles wijn, om hun botten te warmen, en schonk een beker vol voor Mishani, die hem dankbaar aannam.

'Ik ben bang dat er iets vreselijks met haar gebeurt,' gaf Mishani toe. 'En ze is heel ver weg.'

Asara maakte het zich weer gemakkelijk naast Mishani. 'Mag ik je advies geven?'

Mishani was niet gewend dat Asara zo vriendelijk was, maar ze zag geen reden om haar aanbod af te slaan.

'Neem het aan van iemand die al heel wat langer op deze wereld rondloopt dan jij,' zei Asara. 'Zoek niet altijd naar oorzaken en gevolgen. Ongetwijfeld zijn de woorden van je moeder inderdaad een afspiegeling van haar gevoelens, maar misschien niet op de manier die jij denkt. Vergeef me dat ik het zeg, maar je kunt haar niet helpen. Ze is de vrouw van de meest gevreesde man van Saramyr. Je kunt niets doen.'

'Dat betreur ik nu juist, dat ik niets kan doen,' antwoordde Mishani. 'Maar je hebt gelijk. Misschien maak ik me druk om niets.'

Asara wilde nog iets zeggen, maar op dat moment hoorden ze bovenwinds stemmen en het geschraap van laarzen. De bewakers en gidsen die samen met hen de bergen overstaken, waren teruggekeerd. 'Kop op,' zei Asara, terwijl ze opstond. 'Over een paar weken word je waarschijnlijk met je vrienden herenigd. Dat is toch iets om naar uit te kijken?' Toen liep ze weg, de mannen tegemoet.

Mishani keek haar na. Ze vertrouwde Asara absoluut niet en vroeg zich af wat ze in het westen te doen had, dat ze er zo graag naartoe wilde. Afgaand op wat ze van Asara's verleden wist, had ze het verontrustende vermoeden dat het iets met Kaiku te maken had.

◎ 7 ◎

De avondklok in Axekami werd ingeluid door een jammerende kreet uit de keizerlijke vesting, die door merg en been ging en iedereen bloednerveus maakte. Overal in de stad werd druk en grimmig gegist naar de herkomst ervan. Sommigen zeiden dat het de kreet was van een gekwelde geest die door de wevers in een van de torens was opgesloten; anderen zeiden dat het een duivels apparaat was waarmee de sluimerende afwijkenden werden gewekt, en bij de dageraad weer werden weggestuurd. Hoe dan ook, het leed geen twijfel dat het afgrijselijk was, zowel het geluid zelf als de herkomst ervan. Na de avondklok werd iedereen die op straat werd aangetroffen, gedood, met uitzondering van leden van de Zwarte Garde, wevers en nexussen. Je kon niet onderhandelen met de afwijkende roofdieren, en smeekbedes om genade hadden geen enkel effect. Ze vielen je aan zodra ze je zagen.

Juto trok de gespen van zijn laarzen stevig dicht en keek op naar de deuropening, waar de anderen stonden te wachten. Ze leken zenuwachtig. Zelfs Lon, en het was zijn idee, zijn inlichtingen waar ze die avond op afgingen. Nu wenste hij duidelijk dat hij zijn mond had gehouden, dacht Juto. Alleen Nomoru leek zich niets van de gespannen sfeer aan te trekken. Ze hing tegen een muur en controleerde het geweer dat ze had geleend. Af en toe wierp ze de groep als geheel een norse blik toe. De nieuwkomers hadden geen kans gezien om wapens de stad binnen te smokkelen, dus moesten ze het doen met wat ze kregen. Nomoru was daar duidelijk niet blij mee.

Juto kwam overeind en nam het zootje ongeregeld eens goed in ogenschouw. Goden, wat was hij blij dat hij hier goed voor betaald kreeg. Vaderlandslievendheid, bevrijding, revolutie: spelletjes voor dwazen. Er waren heel wat redenen te bedenken waarom mensen tot bepaalde dingen bereid waren, maar Juto had nog niets ontdekt wat hij zo motiverend vond als het geritsel van keizerlijke shirets. Anders had hij zich net zo lief verschanst om de storm uit te zitten. Maar hij had geld nodig om in deze zware tijden te overleven, en als er iets was waaraan de machthebbers van het oude keizerrijk geen gebrek hadden, was het geld. Als een van de best gesitueerde informanten in Axekami, kon hij een fors deel van die rijkdom opeisen. Het was jammer dat hij soms zijn leven op het spel moest zetten om aan het werk te kunnen blijven, maar het was nu eenmaal niet anders.

Ze wachtten tot het laatste licht van Nuki achter de horizon was verdwenen en de rookmantel van de stad voor een verstikkende duisternis in de straten zorgde. De stilte was griezelig. Er klonk geen enkele voetstap, er kraakte geen enkele wagen, er was geen enkele stem te horen. Axekami leek wel een graftombe.

Om de stilte te doorbreken, stelde Juto voor dat Lon de nieuwkomers bijpraatte over de nieuwste feiten. 'En doe niet zo vervloekt nerveus,' voegde hij eraan toe.

'Goed, goed,' mompelde Lon. Hij liet zijn blik over het gezelschap glijden. 'Jullie zijn allemaal op de hoogte van de inhoud van mijn bericht?'

'Anders waren we hier niet,' antwoordde Phaeca. 'Er was echter wel enige verwarring over de afzender. Meestal krijgen we onze informatie van Juto.'

Juto grijnsde, een gezichtsuitdrukking die er in combinatie met de eeuwige frons op zijn voorhoofd afschuwelijk uitzag. 'Lon wilde in dit geval erg graag de eer opstrijken,' zei hij. 'Hij wil er zeker van zijn dat ik niet vergeet wie al het werk heeft verricht, als het geld aankomt.'

'Ík heb ze gezien, niet jij,' protesteerde Lon in zijn ruwe, lelijke Laag-Saramyrese accent. Hij wendde zich tot de zusters, alsof hij steun zocht. 'En ik ben erachter gekomen waar ze wonen.'

'Waar ze wónen?' vroeg Kaiku met een blik op Juto.

Hij knikte. 'Daar gaan we vanavond naartoe. Naar de walmputten.'

Kaiku fronste haar voorhoofd bij het horen van dat vreemde woord.

'Je zult wel zien,' beloofde Juto lachend.

'Dus ze wonen daar, zei je?' vroeg Phaeca aan Lon.

'Ik heb ze gezien. Toen ze Axekami hadden verlaten en ik jullie dat bericht had gestuurd, zijn ze teruggekomen. Nadat ze in Juraka waren geweest.'

Kaiku vroeg niet hoe hij dat wist. 'En toen heb je ze gezien?'

'Ik was vlak bij de walmputten. Ze hebben een soort smerige mist om zich heen, die alles bedekt, zodat je niets kunt zien en zij zich ongemerkt kunnen verplaatsen. Die mist was nog erger dan wat we nu hebben en bedekte de hele stad. Maar ik was dichtbij genoeg; ik zag ze naar de putten gaan. De putten ín gaan.'

'In Juraka was er geen... smerige mist,' zei Phaeca tegen Kaiku.

Kaiku haalde haar schouders op. 'Daar zouden hun eigen soldaten in Juraka alleen maar last van hebben gehad. Misschien wilden ze juist dat we ze zagen. Zodat we zouden weten waarmee we te maken hadden.' Ze richtte haar aandacht weer op Juto. 'En daar gaan we naartoe? Naar die walmputten?'

'Tenzij je een ander voorstel hebt,' antwoordde Juto.

'We moeten wel heel dichtbij kunnen komen om vast te stellen of Lons inlichtingen kloppen.'

'Meisje, ik kan je zo dichtbij brengen dat je er zó in kunt springen als je er zin in hebt.'

Ze zei niets over zijn oneerbiedige toon. 'Zijn de feya-kori's nog tevoorschijn gekomen sinds je ze hebt zien terugkeren?' vroeg ze aan Lon.

Hij schudde zijn hoofd en hoestte reutelend in zijn vuist.

Juto leunde door het raam naar buiten om naar de straat te kijken. In de huizen brandden een paar lantaarns, maar er was niemand buiten. De schaduwen werden donkerder. 'Het is bijna tijd.' Hij draaide zich naar de anderen om en schonk hun opnieuw een valse grijns. 'Ik weet niet in welke goden je gelooft, maar ik zou maar snel een schietgebedje doen en hopen dat ze je in Axekami nog kunnen horen.'

Het was schrikbarend donker buiten. Nu het maanlicht werd buitengesloten door het miasma dat in de stad hing, en zonder straatlampen, kon je bijna geen hand voor ogen zien. Het weinige licht dat er was, was afkomstig van de kaarsen in de gebouwen van het Armenkwartier.

Juto nam hen mee naar het dak van het gebouw, dat vol lag met rommel en bakstenen, en bleef daar even staan om hun ogen de kans te geven aan het donker te wennen. Voor de zusters was dat overbodig; hun kana versterkte hun zicht, zonder dat ze daar bewust iets voor hoefden te doen, zodat ze net zo goed konden zien als een kat. Ze wachtten tot de anderen ook zover waren.

Achter het Armenkwartier was de heuvel bezaaid met speldenpuntjes van licht, en bovenop waren de gegroepeerde ramen van de keizerlijke vesting zichtbaar. Onder andere omstandigheden zou je je bij de aanblik misschien kunnen voorstellen dat je naar het oude Axekami stond te kijken, maar zelfs 's nachts was de invloed van de wevers merkbaar. De straten waren stil en donker, terwijl het er ooit had gewemeld van de mensen, badend in het licht van de lantaarns, en overal in de stad stonden de gebouwen van de wevers. Ze leken eilandjes van bedrijvigheid die hun eigen licht uitstraalden, een rood schijnsel dat door kieren en ontluchtingsgaten naar buiten kwam: de gloed van de vuurovens. Het leken wel zweren, die de gebouwen waarachter ze zich verscholen een woeste stralenkrans verleenden. De lucht smaakte naar metaal en bederf. De anderen leken er weinig last van te hebben, maar de zusters kregen er een claustrofobisch gevoel van. Ze voelden zich aan alle kanten belaagd door de dreigende verstikking.

'Ik maak me zorgen, Kaiku,' zei Phaeca zachtjes.

'Ik ook,' antwoordde Kaiku.

'Nee, ik bedoel... over hen.' Ze duidde met een hoofdknik de rest van de groep aan; zij en Kaiku stonden er een eindje vandaan.

'Juto en Lon?'

'En Nomoru.'

'Nomoru?' Dat verraste Kaiku. 'Hoezo?'

'Er speelt iets tussen hen. Iets wat ze ons niet willen vertellen.'

Kaiku was geneigd haar te geloven. Door Cailins lessen had ze maar weinig tijd met haar vrienden kunnen doorbrengen. Ze was echter wel meer met de andere zusters in aanraking gekomen, en zij en Phaeca pasten qua karakter goed bij elkaar. Doordat ze samen de beproevingen van hun leertijd bij de Rode Orde hadden doorstaan, hadden ze elkaar goed leren begrijpen, en Kaiku wist dat ze Phaeca's intuïtie maar beter niet kon negeren als het om mensen ging.

'Ze hebben vroeger bij dezelfde bende gezeten,' prevelde Kaiku. 'Het kan van alles zijn.'

'Ze zijn niet blij om Nomoru te zien.'

'Wie wel?' merkte Kaiku droogjes op.

'Maar Nomoru heeft zich als vrijwilliger gemeld...'

'En dat is helemaal niets voor haar.'

'Precies,' zei Phaeca. Ze tikte met haar vingertoppen tegen de muis van haar andere hand. 'Zij wisten niet dat ze zou komen, maar zij wist wel dat zij hier waren. Er is veel tussen hen gebeurd, zoveel is duidelijk. En Nomoru is degene die ervoor heeft gekozen om de hele geschiedenis weer op te rakelen.'

Met een zucht wreef Kaiku over haar nek. 'We moeten voorzichtig zijn.'

'Zijn jullie zover?' vroeg Juto, die op hen afkwam. 'We moeten maar eens gaan. Het zal ons het grootste deel van de nacht kosten.' Achter hem tilde Lon met Nomoru's hulp een plank op, die hij als een soort brug over het smalle steegje naar het dak van het aangrenzende gebouw legde.

Juto zag Kaiku kijken. Hij glimlachte. 'We blijven van de straten, tenzij we geen andere keus hebben. Je hebt toch geen hoogtevrees?'

Lon liep op een holletje over de plank en pakte hem aan de andere kant net stevig vast toen ze eraan kwamen lopen. Kaiku keek over de rand van het dak naar het donkere steegje in de diepte. Er verroerde zich niets.

'Schiet nou eens op,' siste Nomoru.

Kaiku keek haar minachtend aan en stapte op de plank. Die was dik en stevig, en zo breed dat ze er zonder nadenken overheen zou hebben gelopen als hij niet op een hoogte had gehangen van waaraf je al je botten zou breken. Met voorzichtige stapjes stak ze over en stapte langs Lon heen op het volgende dak, dat net zo plat was als het eerste. Ook de anderen staken zonder ongelukken over. Juto en Lon tilden samen de plank op en liepen naar de andere kant van het dak.

'Zie, dat viel toch best mee?' gromde Juto in het voorbijgaan. 'Als we hier in het Armenkwartier ergens goed in zijn, is het wel in improviseren.'

Zo gingen ze om de heuvel heen naar de westelijke flank. Juto had duidelijk grondige voorbereidingen getroffen. De meeste daken waren niet plat, en bedekt met ongelijke dakleien, maar hij had een route uitgestippeld waarbij er altijd minstens één aangrenzend dak of balkon was dat ze konden gebruiken. Het mocht een tijdrovende omweg zijn, voorzichtigheid was in dit geval belangrijker dan snelheid, en op zijn manier hoefden ze in elk geval het grootste deel van de reis geen voet aan de grond te zetten. De gebouwen van het Armenkwartier stonden zo dicht op elkaar dat ze vaak de plank niet eens nodig hadden, maar gewoon van het ene dak op het andere konden springen. Na een tijdje merkten de zusters ook andere mensen op, die hetzelfde deden als zij, en hen in de verte heimelijk passeerden.

Onderweg legde Juto uit dat deze manier van reizen zich na de instelling van de avondklok had ontwikkeld en overal in het Armenkwartier gebruikelijk was; het was de enige wijk in Axekami waar er genoeg platte daken waren om het haalbaar te maken.

'Het is een soort wapenstilstand,' prevelde hij toen ze stilletjes voortsnelden over alweer een donker, plat dak, deze keer bezaaid met vervallen krotten. Daar zaten mannen, die hen onverschillig nakeken. 'In deze gebouwen wonen mensen die me overdag zonder aarzelen de keel zouden afsnijden, maar 's nachts verlenen ze ons vrije doorgang, en onze bende doet dat voor hen ook. We mogen dan smerige klootzakken zijn, maar we laten ons door die door de goden vervloekte wevers niet opsluiten in ons eigen territorium. Over ons lijk.'

'Hadden we niet beter in het licht vast naar de walmputten kunnen gaan, of in elk geval ergens vlakbij, en van daaruit verder kunnen trekken?' vroeg Phaeca. 'Dan hadden we nu niet zo'n grote afstand hoeven afleggen.'

Nomoru lachte gnuivend. Juto's lippen trilden.

'Je kent het Armenkwartier duidelijk niet,' zei hij. 'Geloof me, dichterbij dan dat krot waar je ons aantrof kunnen leden van onze bende niet veilig komen. En zo ver is het niet naar de walmputten, het gaat alleen niet zo snel.'

Al gauw ging het nog minder snel, want de afwijkende roofdieren verschenen nu in groten getale. Steeds vaker verstijfde Juto alsof hij een signaal had opgevangen, en als ze dan naar de rand van hun dak of balkon kropen, zagen ze de donkere, soepele gestalte van een schelling over straat rennen en drong zijn zachte roep, als die van een duif, in hun oren. Na een tijdje besefte Kaiku dat het geklik en getik dat ze had toegeschreven aan de krakende planken van de huizen in werkelijkheid werd gemaakt door de mannen en vrouwen op de daken: ze stonden op de uitkijk, communiceerden in geheimtaal, waarschuwden elkaar als er afwijkenden in de buurt waren. Ze verwonderde zich erover dat zo'n gemêleerde, verdeelde groep mensen zo effectief de handen ineen kon slaan als ze met een gemeenschappelijke vijand werden geconfronteerd. Het deed haar denken aan de slag om de Gemeenschap, toen de bewoners van de Xaranabreuk zich hadden verenigd tegen het afwijkende leger. Misschien had Juto het mis. Misschien was er wel degelijk hoop voor een opstand, als de inwoners van het Armenkwartier bereid waren hun geschillen opzij te zetten en weerstand te bieden aan de nieuwe despoten. Uiteindelijk kwamen ze uit bij de brede, doorgaande weg die de westelijke grens van het Armenkwartier afbakende. Ze rustten op het dak uit, uitkijkend over de brede straat, een rivier vol diepe schaduwen die hen scheidde van de welvarender wijken aan de overkant. 'Dat was het gemakkelijke deel,' zei Juto, die op zijn hurken vlak bij hen kwam zitten. 'Vanaf hier moeten we over straat. We moeten snel zijn, en stil; en vuur je geweer niet af tenzij er absoluut geen andere mogelijkheid is, begrepen?'

'Is dat het, daar?' vroeg Phaeca. Ze keek naar het westen, waar een helse rode gloed de hemel bevlekte en uitlopers van de traag kolkende mist van onderen verlichtte.

'Ja,' zei Juto. 'We zijn er bijna. Maar als ook maar één afwijkende ons ziet, is het voorbij. Jullie weten alles over schellers, neem ik aan?'

'Sonar,' zei Nomoru. 'Daarmee "zien" ze als het te donker is voor hun ogen. Maar alleen naar voren. Achter zich zien ze niks.'

'We zullen voornamelijk met schellers te maken krijgen, maar er zijn ook skrendels, en die kun je moeilijk onderscheiden. Niet zo gevaarlijk, maar ze maken een hels kabaal als ze je zien. Misschien een paar ghauregs, maar die zien niet veel met zo weinig licht. Chicha's, feyns. Onder andere.'

Kaiku voelde een vreemde rilling van opwinding. Zij en Tsata hadden onder andere die wezens in de Xaranabreuk hun namen gegeven, en het was merkwaardig desoriënterend om ze hier, honderden mijlen verderop, uit de mond van een ander te horen. Even moest ze denken aan de Tkiurathische man met wie ze een tijdlang een primitief bestaan had geleid. Toch waren dat mooie tijden geweest.

Langs een reeks wankele ladders en balkons aan de noordzijde van het gebouw daalden ze af naar de grond, nadat ze hadden gecontroleerd of de weg vrij was. Zodra ze op de straat stond, voelde Kaiku dat haar polsslag versnelde. Opeens leken de daken een veilige haven, die ze slechts met tegenzin achter zich liet. Ze omklemde de loop van haar geweer, maar daar putte ze weinig troost uit; net als haar kana was het een wapen waarvan ze alleen in het uiterste geval gebruik kon maken, en dat zelfs dan waarschijnlijk eerder hun dood dan hun redding zou betekenen.

'Blijf hier,' siste Nomoru tegen de groep. 'Ik ga vast vooruit.'

Lon maakte een protesterend geluidje, maar voor hij iets kon zeggen, had Juto haar arm al vastgepakt. 'Mooi niet,' zei hij. 'We blijven bij elkaar.'

Ze schudde hem met een boze uitdrukking op haar gezicht en een felle glinstering in haar ogen van zich af. 'Ik ben verkenner,' snauwde ze. 'Wacht op mijn teken.' Voor hij nog een woord kon zeggen, schoot ze over de weg en verdween in een steegje, een zwarte veeg in het donker.

Lon vloekte gefrustreerd. Juto gebaarde naar de anderen dat ze met hun rug tegen de muur moesten gaan staan, en schoof naar de hoek van het gebouw, zodat hij beter kon zien of er iets naderde. Het geklik en getik van de wachters was hier minder goed te horen, maar Kaiku had nog steeds sterk de indruk dat Juto er met gespitste oren naar luisterde, in een poging vast te stellen waar er monsters door de straten slopen.

De tijd verstreek. Kaiku telde de slagen van haar bonzende hart. Ze keek een moment naar Phaeca, die haar bemoedigend toelachte en even haar hand vastpakte. Er bewoog van alles in het donker: ratten liepen haastig dicht langs de muren, een deel van een muur brokkelde schijnbaar uit zichzelf af en het stof viel met een zacht geroffel op de grond; een steen stuiterde van een dak af op straat, waardoor ze zich allemaal wezenloos schrokken.

'Genoeg,' zei Juto. 'Ze weet ons wel weer te vinden. We gaan. Het is te gevaarlijk om hier te blijven.'

Niemand maakte tegenwerpingen. Ze glipten het Armenkwartier uit en staken de straat over. Toen werden ze opgeslokt door de steegjes aan de overkant.

Lon liep nu doelbewust voorop. Ze haastten zich door de smalle straatjes die de grote wegen met elkaar verbonden, bleven op elke hoek even staan en zochten dekking bij de minste beweging. Hier waren meer verlichte ramen, maar de luiken zaten stevig dicht en er kwam slechts een zachte gloed doorheen die de nacht een beetje verdrong. Hier stond niemand op de uitkijk; na elke bocht konden ze opeens oog in oog komen te staan met de snavelachtige muil van een scheller. Af en toe bleven ze staan, gespitst op het kenmerkende gekoer dat de wezens voortbrachten en dat hen misschien net op tijd kon alarmeren, maar het kon hen niet waarschuwen voor andere afwijkenden, die zich geruislozer voortbewogen. Kaiku merkte dat haar handen beefden van de spanning.

'Terug! Terug!' fluisterde Lon opeens. Snel drukten ze zich met hun rug tegen de muur. Ze stonden midden in een lange, smalle laan tussen luxe woningen met kale, onopvallende gevels nu de gebruikelijke altaartjes en votieve versieringen waren weggehaald. Dode planten hingen in aardewerken potten, vergiftigd door de lucht.

Aan het eind van de steeg klonk een zacht gekoer. Lon keek geschrokken de andere kant op, maar de afstand was te groot om te kunnen ontkomen. Kaiku voelde haar maag omkeren en omklemde haar geweer zo stevig dat haar knokkels wit werden.

'Hier!' zei Juto kortaf. Ze kropen weg achter een stenen trap die omhoogleidde naar het portiek van een huis. Het was een erbarmelijk ontoereikende schuilplaats, want ze konden zich er met z'n vieren nauwelijks achter proppen. Toen zag Kaiku wat Juto van plan was. Er zat een rooster, waarmee een opening naar de kelder van het huis was afgedekt. Hij stond er verwoed aan te sjorren.

Phaeca zoog haar adem tussen haar tanden door naar binnen. Ze tuurde het steegje in, waar het soepele lijf van een scheller zich scherp aftekende tegen de lichtere straat. Hij bleef even staan en zwaaide zijn kop van links naar rechts, alsof hij probeerde te besluiten waar hij nu naartoe wilde. Het was een kwelling voor de zuster, te wachten tot hij een beslissing had genomen, en al die tijd bad ze tot alle goden dat hij de andere kant op zou gaan en hen met rust zou laten.

Als de goden haar echter al hoorden, waren ze haar die dag slechtgezind. Het monster keerde zich naar hen toe en liep het steegje in. 'Daar komt hij,' waarschuwde ze.

Lon vloekte. 'Haal dat rooster er nou af!' spoorde hij Juto aan, maar het enige wat dat hem opleverde, was een uiterst grove verwensing. Juto had zijn pogingen het rooster los te trekken opgegeven, en schudde het nu heen en weer, in een poging hem van zijn plek te wrikken. Hij maakte wel vorderingen, want het steen was zwak en broos, maar het rooster bleef stevig vastzitten.

'Hoe dichtbij is hij?' prevelde hij.

'Heel dichtbij,' antwoordde Phaeca.

'Maar hóé dichtbij?' siste hij.

'Weet ik veel!' zei ze. Ze was nooit goed geweest in afstanden schatten.

Kaiku maakte aanstalten om over het randje van een tree te kijken, maar Lon trok haar omlaag, en Phaeca ook. 'Straks ziet hij jullie nog!'

De kwelende roep die ze hoorden, was slechts het zachtste geluid uit het arsenaal van de scheller. Het kaatste terug van de voorwerpen om hem heen en werd opgevangen en geïnterpreteerd door de gevoelige klieren in zijn keel, volgens een principe dat vergelijkbaar was met dat van een vleermuis. De zusters hadden in het verleden enkele van de dieren levend gevangen en uitgebreid bestudeerd.

Juto had het rooster een beetje losgekregen, maar niet genoeg. Het gekweel van de scheller werd luider. Hij schudde nog eens stevig aan het rooster. Stukje bij beetje kwam het los uit het omringende steen, waar stof en piepkleine kiezeltjes uit vielen, maar hij kon het er nog steeds niet uit halen.

'Lieve goden, toe nou,' smeekte hij. De scheller had hen nu bijna bereikt, ze konden hem horen, zo duidelijk alsof hij pal naast hen stond...

Phaeca greep Juto's arm vast.

Doodstil bleven ze zitten, allemaal, als een groep op elkaar gepakte standbeelden. Een tel later verscheen de kop van de scheller met zijn langwerpige schedel die uitliep in een benen kam. De scherpe tanden in de onbeweeglijke bovenkaak waren ontbloot. Hij kwam langzaam dichterbij, zodat zijn geschubde, jachtluipaardachtige voorhand in het zicht kwam, en toen bleef hij zacht koerend staan om het laantje over de volle lengte te bestuderen.

Het wezen was hooguit een meter verwijderd van de plek waar ze bewegingloos in de schaduw van het trapje zaten. Ze konden zijn flanken zien rijzen en dalen, zijn sissende adem horen. Ze waren als verlamd: een oeroude, primitieve biologische reactie zorgde ervoor dat ze verstijfd bleven zitten, als een muis die een kat ziet. Het leek belachelijk dat het monster recht voor hun neus stond, maar hen nog niet had besprongen.

Het dier zag hen echter niet. Het was in het steegje zo donker dat hij hen niet kon onderscheiden zolang ze zich aan de rand van zijn blikveld bevonden, en zijn sonarsysteem had zo'n smal bereik dat hij hun aanwezigheid niet oppikte. Tenminste, zolang hij zijn kop niet draaide.

Nog steeds verroerde het monster zich niet. De uit de kluiten gewassen, sikkelvormige klauwen aan zijn voorpoten tikten zachtjes op het plaveisel. Hij werd geplaagd door een dierlijk instinct, het gevoel dat hij in de gaten werd gehouden, dat er andere wezens in de buurt waren.

Ga weg, spoorde Kaiku hem zwijgend aan. Ze waren zo dichtbij dat ze de glinsterende zwarte nexusworm kon zien die zich in zijn nek had ingegraven. Hartbloed, ga nou weg!

Ze kon voelen dat Lon zijn hand uitstak naar zijn dolk, tergend langzaam bewegend. Het liefst wilde ze tegen hem zeggen dat hij daarmee moest ophouden, maar ze durfde geen kik te geven, bang dat zelfs de beweging van haar lippen of één enkele ademtocht de stilte zou verstoren en het wezen zou alarmeren. Haar kana was in opperste staat van paraatheid, gespannen als een veer in haar binnenste, klaar om bij het minste of geringste los te barsten.

De scheller liep geruisloos verder.

Kaiku kon haar ogen nauwelijks geloven. Ze keken hem na toen hij door het laantje sloop, met zijn soepele lijf dat een dodelijk zelfvertrouwen uitstraalde en zijn staart die achter hem aan sleepte. In eerste instantie dacht ze dat het een list was, en dat bleef ze denken tot het moment dat de afwijkende aan het eind van de steeg afsloeg en uit het zicht verdween.

Zuchtend van opluchting ontspanden ze zich.

'Ik geloof dat we Shintu een jaar lang elke dag op onze blote knietjes moeten danken,' prevelde Phaeca, verwijzend naar de onbetrouwbare god van het fortuin.

Lon prevelde een mantra van scheldwoorden die zo smerig waren dat zelfs Kaiku zich er ongemakkelijk bij voelde.

Juto, zichtbaar aangeslagen, kwam overeind en gaf een schop tegen het rooster dat hij had geprobeerd los te wrikken. Het schoot los en viel in de kelder.

'Kom mee,' zei hij vol walging. 'Hoe eerder we uit dit godenvervloekte oord weg zijn, hoe sneller ik mijn geld krijg.'

Kort daarna bereikten ze de walmputten.

Nomoru was nog steeds niet terug, en onwillekeurig maakte Kaiku zich zorgen. Ze was niet erg op de norse verkenner gesteld; voor zover zij kon beoordelen, mocht niemand haar, hoewel ze met Yugi een soort stilzwijgende binding leek te hebben. Maar ze was wel aan haar gewend geraakt, zodanig dat ze zich druk maakte om haar welzijn. Phaeca was pragmatischer: ze hoopte alleen maar dat Nomoru niet was opgepakt of gedood en de vijand op hun aanwezigheid attent had gemaakt. De wevers leken zich echter rustig te houden; sterker nog, ze leken geheel afwezig, wat vreemd was, want toen Kaiku en haar metgezellen de stad waren binnengekomen, was het Weefsel met regelmatige tussenpozen doorzocht op de aanwezigheid van zusters, of andere verstoringen. Dat was echter al een hele poos niet gebeurd.

De walmputten waren iets schuin uitgegraven in de flank van de heuvel, en vanaf de plek waar zij zich aan de rand van het woningenkwartier schuilhielden, konden de indringers het hele afschuwelijke tafereel overzien. Een groot deel van de stad was met de grond gelijkgemaakt om ruimte te maken voor de putten, en om de randen ervan lagen nog steeds bergen puin: half afgebroken muren, versplinterde palen en metalen balken die waren opgestapeld of tegen elkaar gezet, zodat ze vreemde, verontrustende kunstwerken van vernietiging vormden.

Achter de kaalslag hield de chaos op, want de walmputten zelf waren met meedogenloze precisie gebouwd. Naast elkaar lagen twee groepen concentrische cirkels, omringd door een stalen muur. De cirkels liepen trapsgewijs af en leidden naar de gapende gaten in het midden, kolossale zwarte muilen waar dikke wolken olieachtige rook uit opstegen. Brede, gladde hellingen liepen van de gaten naar de buitenste randen van de putten. Overal langs de plateaus brandde de felle gloed van ovens, gevangen achter roosters en ontluchtingsgaten, die de putten bloedrood schilderde. Het licht glansde op een smerige wirwar van pijpen.

Even bleven ze in de schaduw van de huizen staan om het rommelige, braakliggende gebied te bekijken. De gloed van de walmputten verdrong de duisternis; als ze die open plek opliepen, zouden ze voor alle ogen zichtbaar zijn. Lon was nu zenuwachtiger dan ooit. Hij keek schichtig van links naar rechts en bewoog krampachtig zijn vingers, alsof hij een onzichtbaar instrument bespeelde. Keer op keer moest hij het hoesten onderdrukken, wat hem nu en dan een geërgerde blik van Juto opleverde.

'Dat redden we nooit,' mompelde Lon. Toen, zonder inleiding: 'Waar hangt dat kreng toch uit?'

Kaiku stoorde zich eraan dat hij een metgezel van haar beledigde, hoe weinig geliefd ze ook was; ze kon het niet laten passeren zonder zich afvallig en schuldig te voelen. 'Wees nou eens stil,' siste ze scherp. Hij wierp haar een boze blik toe, maar hield wel zijn mond.

'We redden het wel,' zei Juto als reactie op Lons eerste opmerking. 'De mist komt opzetten. We moeten gewoon nog even wachten.'

Juto had gelijk. De nevel leek inderdaad dikker te worden, alsof de smerige rooksluiers te zwaar werden om in de lucht te blijven hangen. De vieze smaak in Kaiku's mond, die ze al had sinds ze in de stad was aangekomen, werd scherper, een ongezonde, wrange smet.

'Die mist hadden we daarstraks ook goed kunnen gebruiken,' zei Juto met opgetrokken neus.

'Gebeurt dat hier vaak? Dat het zo mistig wordt?' vroeg Phaeca.

'Af en toe. Niet vaak. Kennelijk is Shintu ons vannacht echt goedgezind.'

De mist verspreidde zich snel door de straten, onttrok de walmputten aan het zicht en veranderde het braakliggende terrein in een nevelige rode zee met grote, schimmige vormen als de wrakken van vergane schepen. Op Juto's teken liepen ze haastig het verontrustende licht in en renden voorovergebogen naar een berg puin en roestige ijzeren balken. Uitglijdend over de losse steentjes zochten ze dekking, en Juto keek juist om zich heen om te zien of de kust veilig was voor de volgende etappe, toen Lon zijn arm vastgreep.

'We kunnen er niet naartoe,' zeurde hij.

'Hè?' vroeg Juto. 'Waarom niet?'

'De mist. Het zijn de demonen. Het zijn de demonen!'

Een uitdrukking van walging trok over Juto's gezicht. Lon keek ineengekrompen met schichtige blikken om zich heen.

'Doe niet zo raar,' snauwde Juto. 'Het is maar mist. Dat betekent niet dat de feya-kori's erachter zitten.'

'Het zijn de demonen!' riep Lon, maar zijn stem stierf weg tot een verstikt gefluister toen Juto hem bij de keel greep en dicht naar zich toe trok, zodat ze elkaar recht in de ogen keken.

'Het is maar mist,' zei Juto dreigend. Even hielden ze elkaars blik vast, maar toen wendde Lon zijn hoofd af. Juto liet hem los. 'Jij weet hoe we hier naar binnen moeten. In de benen, anders schiet ik je eigenhandig neer.'

Met die woorden verliet hij zijn schuilplaats, Lon met zich meesleurend. De zusters volgden hen op de hielen. Ze renden door het dichte rode miasma, verstopten zich, keken om zich heen, renden verder. Eén keer zag Phaeca een logge, donkere gestalte aan de rand van hun blikveld, een mistschim waarvan ze zeker wist dat het een ghaureg was, maar hij kwam niet terug, en ze moesten verder. Ze hadden geen keus. De omstandigheden waren ideaal om te infiltreren.

Uiteindelijk bereikten ze de muur van de walmputten. Hij doemde uit de rode mist voor hen op, en naarmate ze dichterbij kwamen, werden de details duidelijker. Het was een groteske mengeling van steen en metalen platen. Met Lon voorop liepen ze om de gekromde muur heen, scherp uitkijkend naar eventuele afwijkende wachtposten in de kolkende mist.

Opnieuw was het geluk echter aan hun zijde: ze bereikten ongezien Lons geheime ingang. Het was een vierkant gat in de muur, waar een plaat was losgeraakt of weggehaald, verborgen achter een berg puin en steunbalken. Lon bleef even stilstaan om Juto smekend aan te kijken.

'Het zijn de demonen,' fluisterde hij.

'Ga naar binnen!' snauwde Juto, en ze kropen door het gat de walm-putten in.

⊚ 8 ⊚

In de put was de smerige rook zo dik dat Kaiku grote moeite moest doen om niet te kokhalzen. Haar ogen traanden en werden bloeddoorlopen, en ze kreeg kippenvel van afschuw. Haar kana ontdeed haar lichaam van de onzuiverheden die ze inademde, en ze zweette ze letterlijk uit. Ze wilde niets liever dan weggaan, maar ze had een taak te verrichten. Ze kon nu niet meer terug.

De plateaus waren bedekt met een wirwar van reusachtige pijpen, of anders waren er wel diepe geulen in uitgegraven. Dat maakte het een stuk moeilijker om bij het midden te komen, maar het betekende ook dat ze zich goed konden verbergen, zolang ze gebukt liepen. Je kon toch nauwelijks tot aan het volgende plateau kijken, en de put zelf was slechts een felrood waas. Ze bleven rechts naast een van de hellingen die van de rand naar de rokende afgrond liep. Dat zou de makkelijkste route zijn geweest, maar daar hadden ze geen enkele beschutting. Bovendien vroegen ze zich af waarom hij zo glad en vrij van obstakels was, terwijl de rest van de walmputten overvol was.

Lon kende de weg, zo leek het, ook al was hij er niet erg op gebrand om hem te volgen. Hij leidde hen tussen brullende ovens door waar de zusters voor terugdeinsden; over metalen trappen waar hun voetstappen op galmden; langs traag ronddraaiende raderen die dreigend ratelden. Kaiku was al vaker zo dicht in de buurt van de machines van de wevers geweest, maar de herrie dreigde haar te overweldigen. Ze zou haar handen tegen haar oren hebben gedrukt om het lawaai buiten te sluiten, als ze had geloofd dat het zou helpen.

De mist leek steeds dichter te worden naarmate ze verder afdaalden, en daarmee bekroop haar langzaam maar zeker het gevoel dat er iets... oneigens was. De zusters wisselden een blik; ze hadden het allebei gevoeld. Lon had niet gelogen. Er waren hier inderdaad demonen. Kaiku en Phaeca beteugelden hun kana streng, maar toch was de aanwezigheid van de monsters in het Weefsel onmiskenbaar. Hoe dichter ze bij het midden van de put kwamen, hoe duidelijker die aanwezigheid werd: een reusachtige, infantiele boosaardigheid die het menselijke begrip ver te boven ging, broedend in de diepte. De feya-kori's.

'Ze zijn er,' zei Kaiku zachtjes.

'Zoals beloofd,' antwoordde Juto.

Phaeca was inmiddels minstens zo gespannen als Lon. Kaiku kon vanuit haar ooghoeken zien dat ze verschrikkelijk schrok, telkens als de kolkende mist de vorm van een vijand leek aan te nemen. Ze mocht dan misselijk zijn, en bang voor haar omgeving, Kaiku had meer ervaring met dit soort zaken dan Phaeca, en ze bleef een stuk rustiger.

'Kalm, Phaeca,' prevelde ze. 'Ik doe het zware werk wel. Jij hoeft me alleen maar te verbergen.'

'Goden, er klopt iets niet,' antwoordde Phaeca. In het vreemde licht zag haar hoekige gezicht er sinister uit. 'Er klopt iets niet.'

'Weet ik,' zei Kaiku. 'We doen gewoon wat we moeten doen en maken dan dat we wegkomen.'

Ze klommen een ladder af naar het laagste plateau, waar ze iets meer ruimte hadden. Er waren hier minder pijpen, alleen een paar grote, logge metalen bouwsels, en aan de andere kant van de vrij smalle metalen vloer was net een balustrade zichtbaar. Daarachter kolkten rode rookwolken in een woeste stroom omhoog. Het gebulder van de ovens rond de binnenste rand van de put was oorverdovend.

'Dichtbij genoeg zo?' riep Juto boven het kabaal uit.

Kaiku wierp hem een minachtende blik toe en weigerde antwoord te geven. Ze liep naar de balustrade, met de aarzelende Phaeca achter zich, en keek naar beneden. De rook prikte vreselijk in haar ogen. Ze knipperde met haar wimpers en draaide zich om naar Phaeca.

'Ben je zover?'

Phaeca knikte.

'Dan beginnen we.'

Samen glipten ze het Weefsel binnen, subtiel als naalden in een lap satijn.

Deze keer was er weinig te merken van de euforie die hen meestal beving wanneer ze het gouden maaswerk van de werkelijkheid betraden. In plaats daarvan werden de zusters overspoeld door een lelijke kilte, die van alle kanten kwam en de glanzende draden dof maakte waarmee hun omgeving was doorregen. De walmput was een zwarte afgrond van bezoedeling, een afgrijselijk kluwen van zuigende, kolkende vezels dat alles verhulde wat erin schuilging. Hier in het Weefsel was de aanwezigheid van de demonen nog angstaanjagender: immense, sluimerende monsters die vlak onder het oppervlak van hun blikveld schuilgingen.

Sluimerend, maar ze ontwaakten langzaam. Nu beseften de zusters dat het niet door hun nadering kwam dat ze zich steeds bewuster waren geworden van de feya-kori's. Nee, het kwam doordat de demonen wakker werden.

'O goden, Kaiku,' zei Phaeca hardop.

((Blijf bij me)), klonk het antwoord via het Weefsel, geformuleerd zonder woorden. *((We hebben nog tijd))*

Ondanks haar doodsangst hield Phaeca vol. Ze weefde de strengen om hen heen, zorgde ervoor dat ze opgingen in de schering en inslag, dempte de minieme trillingen die ze met hun aanwezigheid veroorzaakten. Kaiku zou haar kana moeten gebruiken als ze iets over de demonen te weten wilde komen, en hoewel ze er alles aan zou doen om het voorzichtig aan te pakken, zou ze toch wevers alarmeren. Het was Phaeca's taak om hen beiden zo goed mogelijk te vermommen.

Kaiku moest haar uiterste best doen om kalm te blijven te midden van het aanzwellende bewustzijn van de demonen. Een deel van haar hield zich bezig met de situatie waarin ze zich bevonden, terwijl ze haar kana de walmput instuurde. De feya-kori's konden niet weten dat ze er waren, want ze hadden hun kana nauwelijks gebruikt toen de mist kwam opzetten. Ze weigerde te geloven dat de wezens wakker werden van de aanwezigheid van de zusters. Ergens vermoedde ze dat het een valstrik was, dat de demonen wisten dat ze zouden komen, maar wie kon zo'n valstrik opzetten? Lon in elk geval niet, want die was duidelijk doodsbang, en Juto ook niet, want die verkeerde in net zulk groot gevaar als de anderen als de demonen tevoorschijn kwamen voor ze konden ontsnappen.

Nomoru?

Ze durfde er niet verder over na te denken. Voorzichtig dompelde ze haar bewustzijn onder in de vettige poel van de walmput. Die kleefde aan haar vast, streek langs haar heen, zodat ze zich bezoedeld voelde. Ze negeerde het ongemak en concentreerde zich op het interpreteren van de draden. Ze volgde er duizenden tegelijk, hield de grenzen van hun bewegingspatroon in de gaten, peuterde ze uit elkaar in een poging de samenstelling en het doel ervan vast te stellen. Achter zich kon ze de aanwezigheid van Phaeca voelen, die met de vaardigheid van een kunstenaar haar sporen uitwiste. In de diepte voelde ze iets reusachtigs in beweging komen, en ze bad dat het betekende dat de demon slechts even in zijn slaap mompelde.

De dikke rook in de walmput was doortrokken van metalen en gif. Kaiku volgde het spoor ervan, op zoek naar de bron. Ze glipte door ontluchtingsgaten, door donkere, kolkende pijpen en verspreidde zich door de stad. Phaeca zond haar een waarschuwende trilling toe die aangaf dat ze Kaiku niet meer kon verbergen als die haar kana zo wijd verbreidde. Kaiku trok zich terug en beperkte het aantal sporen dat ze volgde tot een stuk of tien. Opeens ergerde ze zich eraan dat ze door haar metgezel tot de orde was geroepen: ze had de geur te pakken, en in haar geest vormde zich een vermoeden dat ze dolgraag wilde bewijzen.

Ze volgde het spoor naar de fabrieken, de larveachtige gebouwen van de wevers waar mannen zwoegden, zonder precies te weten wat ze produceerden. Maar Kaiku begreep het nu. Ze produceerden de rook. Die werd door pijpen van de gebouwen naar de walmputten geleid en in een met stoom aangedreven netwerk van koppelingen, kleppen, ontluchtingsgaten, luchtsluizen en ovens gepompt, waar de rauwe vervuiling door middel van druk en warmte werd geraffineerd en geconcentreerd. En wat uiteindelijk in de walmputten terechtkwam, was geen gewone rook.

Het spul stolde.

De feya-kori's ontwaakten met een afschuwelijke schok. Kaiku voelde het Weefsel om zich heen samentrekken rond de walmputten, en alsof er een oog opening werd een reusachtige, onheilspellende geest onthuld, die de zusters overspoelde met een golf van vijandigheid. Kaiku liet alle voorzichtigheid varen en trok zich razendsnel terug. Het enige wat ze wilde, was ontsnappen aan de walmput voordat haar kana verstrikt raakte in de demon. Ze wist niet goed of ze haar hadden opgemerkt, want ze was minuscuul in hun ogen, maar hoe dan ook, het was duidelijk in welke richting ze bewogen. Ze moesten weg. De rook in de put pakte zich samen tot iets tastbaars, en de feya-kori's waren in aantocht.

Zij en Phaeca keerden op hetzelfde moment in hun lichaam terug. Voor de buitenwereld waren er misschien een paar tellen verstreken:

Juto en Lon stonden nog steeds verwachtingsvol naar hen te kijken. De zusters keerden zich met een ruk van de balustrade af, met grote, verschrikte ogen die rood waren van hun kana, en op dat moment werd er achter hen een kolossale arm van ranzig, stinkend slijm uit de walmput opgestoken. Kaiku zag de afschuw op de gezichten van de twee mannen, voelde de misselijkmakende druk van het onvermijdelijke toen de arm neerkwam...

Hij dreunde vele armlengtes rechts van hen op de rand van de walmput.

Kaiku had niet eens tijd om opgelucht te zijn over het feit dat de arm hen had gemist. De aandrang om te ontsnappen was overweldigend. Ze hoorde gesis toen het slijk van de demon op het metaal drupte en spatte, voelde de kracht van zijn aanwezigheid in de walmput. Hij klom eruit.

Juto en Lon hadden zich al omgedraaid om weg te rennen, maar op hetzelfde moment als de zusters bleven ze stokstijf staan. Iemand versperde hun de weg.

Nomoru.

Ze stond aan de voet van de ladder naar het volgende plateau met haar geweer tegen haar schouder. Ze richtte op Lon. Hoe mager en verfomfaaid ze er ook uitzag, haar van haat vervulde gezicht overtuigde hen ervan dat ze dit dreigement niet lichtvaardig moesten opvatten. Binnen een mum van tijd had Juto zijn eigen geweer geheven en op de verkenner gericht.

'Wat krijgen we nou?' vroeg hij op hoge toon.

'Nomoru!' riep Kaiku uit. 'We moeten hier weg!'

'Hij niet,' zei ze met een hoofdknikje naar Lon. 'De rest mag gaan.'

Achter hen steeg een afgrijselijk gekreun uit de krochten van de put op. De botte stomp van een arm werd samengedrukt toen het gewicht van het demonenlijf eraan kwam te hangen. Uit de tweede walmput, rechts van hen, kwam een galmend antwoord.

'Hartbloed, Nomoru, straks gaan we allemaal dood! Handel dit straks maar af!'

'Er komt toch geen straks,' zei ze met kille, kalme stem. Haar klittende haar wapperde in de opwaartse luchtstroming. 'Overal wevers en afwijkenden. Hij weet ervan.' Ze keek Lon met samengeknepen ogen aan. 'Hij heeft ons verraden. Zoals hij mij toentertijd heeft verraden.'

Kaiku kreeg het plotseling ijskoud. Lon wankelde toen zijn knieën opeens begonnen te knikken.

'Dacht je dat ik het niet meer wist?' schreeuwde Nomoru boven het geraas van de ovens uit. 'Dacht je dat ik te veel wortel had gerookt om het te beseffen? Jij hebt me aan hen gegeven!'

'Leg dat ding neer, Nomoru!' zei Juto met opeengeklemde kaken. 'Wat hij volgens jou ook heeft gedaan, als je dat geweer afvuurt, ben je dood voor hij de grond raakt.'

Nomoru sloeg geen acht op Juto. 'Je dacht zeker dat je me nooit meer zou zien, hè?' ging ze verder. 'Je had me niet terugverwacht. Dacht dat je me nu misschien zou kunnen lozen. En de anderen. Zelfs Juto.'

'Nomoru...' zei Juto waarschuwend.

'Ik heb de blokkade in mijn geweer gerepareerd,' zei ze tegen Lon. 'Als ik hem nu afvuur, ontploft hij niet in mijn gezicht. Wou ik je even vertellen.'

'Zo is het helemaal niet gegaan!' riep Lon angstig. 'Ze kwamen mij halen! Ik wist te ontkomen, maar jij was te ver heen. Je had te veel gerookt! Ik heb je helemaal niet aan hen verkocht.'

Phaeca maakte gillend een sprongetje van schrik toen een van de reusachtige armen van de feya-kori met een klap op het laagste plateau van de walmput terechtkwam. Door de rook heen konden ze de tweede demon zien, als een enorm silhouet dat uit de grond leek op te zwellen toen hij zijn logge lijf omhoogtilde. Aan de positie van de handstompen van de dichtstbijzijnde demon konden ze zien dat hij veel te dichtbij rechts van hen omhoogklauterde: onder aan de helling die, zo beseften ze veel te laat, de weg was die de feya-kori's gebruikten om de put in en uit te komen.

'Kom mee!' riep Phaeca boven het kabaal uit naar Kaiku. 'We moeten hier weg!'

'Niet zonder haar,' antwoordde Kaiku. Haar haren striemden in haar gezicht.

'Wat kan zij jou nou schelen?' riep Phaeca verbijsterd.

'Ze hoort bij ons,' zei Kaiku eenvoudig.

'Leg neer dat ding!' brulde Juto, terwijl Lon opnieuw aan Nomoru probeerde uit te leggen wat er die dag was gebeurd; als meisje was ze van straat geplukt en bij Weefheer Vyrrch afgeleverd, die ze dagenlang had weten te ontlopen, tot ze dankzij een gelukkig toeval uit de keizerlijke vesting wist te ontsnappen, tijdens de chaos rond de ontvoering van Lucia.

'Wil je bewijs?' vroeg ze aan Juto. 'Ik moest wachten tot ik bewijs had. Heb eens om me heen gekeken. Hier houden zich wevers schuil.

Wachtend op zijn teken. Hij heeft ons naar hen toe geleid.'

'Nee, nee!' jammerde Lon, die bijna in tranen was. 'Híj heeft jullie verraden! Híj was het!'

Hij wees naar Juto, wiens gezicht een afschuwelijk vertrokken masker van woede was. 'Godenvervloekt mormel dat je bent! Liegen om je eigen hachje te redden!'

'Hij liegt niet,' zei Phaeca.

'Wat weet jij er nou van, vervloekt weverwijf?' brulde Juto over zijn schouder.

'Je bent geen beste leugenaar. Ik kan het aan je ogen zien,' antwoordde ze. 'Hij vertelt de waarheid.'

Er steeg een oorverdovende, sombere kreun op uit de walmput, en het metaal krijste toen het het volle gewicht van de demon moest dragen. Nomoru had voor het eerst haar blik van Lon afgewend en keek nu naar Juto. Kaiku durfde niet weg te kijken, maar ze voelde de enorme gestalte van de feya-kori achter zich uit de walmput omhoogrijzen. Ze kon de afschuwelijke stank ruiken.

'Jij?' siste Nomoru.

Juto wikte en woog even, maar besefte toen dat het de moeite niet meer waard was om de schijn op te houden. 'Je dreigde verslaafd te raken, net als je moeder. Je was een blok aan mijn been. We konden je missen als kiespijn, en het kan nooit kwaad om vriendjes te blijven met de wevers.' Hij grijnsde. 'En aangezien je vriendinnen hun krachten niet kunnen gebruiken zonder zichzelf te verraden, en hun geweren al even nutteloos zijn als dat van jou tot voor kort, geloof ik dat ik in het voordeel ben.' Daarmee haalde hij de trekker over.

Kaiku handelde zonder nadenken. De tijd werd uitgerekt tot een stroperige, trage massa. Ze was al in het Weefsel voor het buskruit ontbrandde, flitste op Nomoru af voor de kogel de loop had verlaten en had hem opgevangen en verpulverd voor hij Nomoru raakte.

Ze redde het maar net. De kogel ontplofte een paar duimen bij Nomoru's gezicht vandaan, zodat er brandende stukjes ijzer en lood in haar gezicht striemden. De kogel die vanuit Nomoru's geweer op Lon was afgeschoten, ondervond geen enkele weerstand. Hij raakte de man midden in zijn voorhoofd en drong in een fontein van bloed door zijn achterhoofd weer naar buiten.

De tijd versnelde met een schok. Nomoru viel met wild maaiende armen tegen de ladder en bracht haar hand naar haar gezicht. Een van haar wangen zat onder de bloedstriemen. Lon viel op de grond.

Juto keek verbijsterd, niet in staat te begrijpen waarom zijn doelwit nog overeind stond. Toen begon het hem te dagen en draaide hij zich om naar de twee zusters.

Op dat moment klonk boven hen een dreigend gekreun. De zusters keken op en zagen de feya-kori. Die was half uit de put geklommen en torende rechts van hen hoog boven hen uit, een slijmerige massa die ruwweg de vorm had van een mensenlichaam, met als hoofd slechts een bobbel met daarin twee gele, sissende, brandende bollen als ogen. Die ogen waren nu op hen gericht.

'Goden,' fluisterde Phaeca. 'Wegwezen!'

Deze keer liet niemand zich dat een tweede keer zeggen. Juto duwde Nomoru uit de weg en klauterde langs de ladder omhoog. Nomoru ging woedend en gehaast in de achtervolging, en de zusters kwamen achter haar aan. Ze renden voorovergebogen om niet op te vallen in de doolhof van pijpen, ineenkrimpend onder de angstaanjagende blik van de demon. Nomoru gilde tegen Juto, die ver voor hen uit rende; zij was nog steeds op wraak belust en leek zich niets aan te trekken van het gevaar waarin ze allemaal verkeerden.

De feya-kori hees zijn achterlijf uit de walmput en doemde op uit de zuil van rode rook toen hij zijn veertig voet lange lijf rechtte. Zijn metgezel slaakte een kreet, en hij antwoordde. Toen zwaaide hij log en traag met zijn reusachtige arm, met de bedoeling de vier mensjes die voor hem wegvluchtten te verpletteren.

Ze voelden het aankomen, voelden dat de mist aan weerszijden van hen werd weggezogen toen de stomp op hen afkwam, en ze verspreidden zich. Nomoru dook onder een reusachtige drukkamer die eruitzag als een vat in een wieg; de zusters drukten zich met hun rug tegen een stel pijpen; Juto rende verder in een poging de slag te ontlopen. De hand dreunde tegen de grond; bijtend zuur spetterde over het plateau. Hij raakte ovens, die het begaven onder de druk en felle fonteinen van stoom en brandende sintels uitbraakten. Hij had echter slecht gemikt, want ze hadden zich verborgen en hij kon alleen maar raden waar ze zaten. Vlak bij Kaiku en Phaeca was het ijzer verbogen en gesmolten, maar zelf mankeerde hen niets.

Het Weefsel gonsde opeens overal, een en al bedrijvigheid. Nomoru had het bij het rechte eind: het was een valstrik. Er waren wevers, vlakbij. Phaeca en Kaiku hadden hen tot op dat moment niet opgemerkt, aangezien ze hun kana beteugelden en de wevers zich hadden verstopt. De zusters verweefden zich met hun omgeving in een poging onzichtbaar te worden voor de speurders, maar Kaiku's heftige gebruik van het Weefsel om Nomoru te redden had hen verraden, en ze zouden zich niet lang verborgen kunnen houden nu de wevers hun geur hadden opgepikt.

Toch werd alles overheerst door de kolossale, desoriënterende aanwezigheid van de feya-kori's, die het hele Weefsel verstoorde. Ze waren gewoon te groot om te negeren. Hun hele omgeving beïnvloedden ze, met een overweldigende kracht die zowel de wevers als de zusters in verwarring bracht.

De zusters durfden zich niet te verroeren. Ze konden voelen dat een van de feya-kori's naar hen zocht. Als een geërgerd kind dat zoekt naar mieren die hij kan vertrappen, liet hij zijn blik over de walmputten gaan. Kaiku's hart bonsde in haar keel van moordende spanning.

Toen zag ze Juto, ving een glimp van hem op tussen de verwrongen pijpen voor hen. Hij beklom net het volgende plateau, nog steeds op de vlucht voor de demon. En daar, boven aan de trap, zag Kaiku twee wevers, die hun maskers van links naar rechts draaiden, op zoek naar hun prooi. Als ze nog twijfels hadden gehad over Nomoru's verhaal, zouden die nu zijn weggenomen, want Juto rende recht op hen af, druk wenkend.

De feya-kori liep rechts langs hen heen, met logge passen die werden vergezeld door het gepiep en gekraak van metaal terwijl zijn voeten het materiaal van de walmputten plattrapten; hij had de vlakke helling verlaten en liep nu over de plateaus. Recht op Juto af.

Die keek verschrikt achterom, terwijl hij de laatste trap opklom zodat hij naast de wevers kon gaan staan. Hij dacht duidelijk dat hij daar veilig zou zijn. Dat had hij mis. De stomp van de feya-kori kwam in een fontein van slijk met een dreun op hem neer. Zowel Juto als de wevers veranderden in een brandende massa.

De doodskreet van de wevers rolde als een donderklap door het Weefsel. Kaiku en Phaeca maakten van de verwarring gebruik om zich dieper in te graven en de gefrustreerde geesten die naar hen zochten te mijden. De wevers waren aangeslagen door het verlies van hun twee broeders. Daar putte Kaiku kracht uit. Ze moest denken aan Lons reactie op de opkomende mist, en Juto's vreemde, misplaatste overtuiging dat het niets met de feya-kori's te maken had. Als ze dat optelde bij de manier waarop de wevers de valstrik hadden opgezet, kon ze maar één conclusie trekken. De man die hen had verraden noch de wevers die in hinderlaag hadden gelegen, wisten dat de demonen zich zouden vertonen.

Nog altijd durfden ze zich niet te bewegen. Ze konden voelen dat de feya-kori wachtte tot ze zich zouden vertonen. De wevers hadden hun aandacht nu op de demon gericht. Ze susten hem, bepraatten hem op een manier die Kaiku niet begreep. Na een aantal zenuwslopende tellen zagen de zusters dat hij zich omdraaide en weer op de helling klom. Kaiku waagde een blik tussen de pijpen achter zich en zag dat het monster zich terugtrok in de rode rook. De tweede demon was daarachter als een spookachtige vlek zichtbaar. Ze liepen over de helling naar de Keizersstraat, een brede weg die naar de westelijke poort liep. Geleidelijk werd de stank van hun aanwezigheid minder, net als hun hevige invloed op het Weefsel.

'We moeten gaan,' zei Kaiku. Als ze nu niet gebruikmaakten van de verwarring van de wevers, zou het te laat zijn.

Phaeca huiverde, en haar pupillen waren niet meer dan zwarte puntjes in haar rode irissen. Ze maakte een sprongetje van schrik toen Kaiku haar aanraakte, alsof ze uit een droom ontwaakte. Kaiku herhaalde wat ze had gezegd, en Phaeca knikte kort. Ze kwamen overeind en haastten zich naar de plaats waar Nomoru zich had verstopt, maar toen ze daar aankwamen, was ze nergens te bekennen. Wel was er een roestbruin patroon van bloedspatten te zien.

'Ze kan wel voor zichzelf zorgen,' prevelde Phaeca. Toen Kaiku aarzelde, greep haar metgezel haar stevig bij de hand. 'Ik meen het, Kaiku. Ze zitten achter óns aan. In haar eentje is ze veiliger.'

Kaiku besefte dat ze nog steeds hun geweren bij zich hadden. Ze gooide dat van haar weg. Ze durfde het toch niet te gebruiken na wat Juto had gezegd. Phaeca volgde haar voorbeeld.

De trap waar Juto langs omhoog was geklommen, was weggesmolten onder de aanraking van de demon, dus liepen ze een eindje langs de rand van het plateau, op zoek naar een andere opgang. Zonder gids ging het tergend traag, en vaak stuitten ze op punten waar het doodliep. Nu de demonen waren vertrokken, stortten de wevers zich met hernieuwde energie op de zoektocht. Maar de zusters waren een stuk moeilijker te vinden omdat ze niet meer op dezelfde plek stonden. De wevers waren echter niet het enige waarover ze zich zorgen moesten maken: toen het miasma even optrok, zagen ze op een hoger gelegen plateau de in het zwart gehulde gestalte van een nexus, wat betekende dat er ook afwijkenden op hen joegen.

De mist van de feya-kori's werkte echter in hun voordeel. De walm was weliswaar smerig, maar hield hen wel verborgen. Ze beklommen snel achter elkaar en zonder noemenswaardige incidenten de twee volgende plateaus, en hoe groter de afstand, hoe minder precies de tastzin van de wevers werd.

Kaiku wierp haar metgezel een zenuwachtige blik toe. In het rode licht, zonder haar make-up en gekleed in eenvoudige, sjofele kleren, was haar vriendin nauwelijks herkenbaar. Ook de uitdrukking van doodsangst op haar gezicht was nieuw. Hoe bang Kaiku ook was, ze was al eerder opgejaagd, en ze had het overleefd. Ook nu was ze vastbesloten niet te sterven. Voor Phaeca was dit echter allemaal nieuw, en haar grote inlevingsvermogen maakte haar mentaal kwetsbaar. De niet-aflatende verwachting dat ze een wever of een afwijkende tegen het lijf zouden lopen – wat in beide gevallen een gruwelijke dood zou betekenen – had haar naar het randje van een soort shocktoestand gedreven. Haar weefvermogens werden erdoor aangetast. Ze werd slordig en onhandig en wist zichzelf niet goed te vermommen.

Razendsnel greep Kaiku Phaeca vast en trok haar mee naar de opening tussen twee pijpen. Ze was maar net op tijd. Haar ogen waren beter dan die van de ghaureg, en ze had zijn silhouet in de mist gezien voor hij haar had opgemerkt. Kaiku drukte haar vriendin stevig tegen zich aan terwijl de reusachtige afwijkende langzaam op hen af sjokte en hen vervolgens voorbijliep, zodat ze slechts een korte glimp opvingen van zijn ruige, gespierde lijf en enorme kaken vol tanden. Phaeca zuchtte beverig, en Kaiku zag dat ze haar ogen stevig dicht had geknepen.

'We komen er wel uit,' fluisterde ze. 'Vertrouw op mij.'

Phaeca knikte moeizaam. Haar rode haar viel in slordige pieken voor haar gezicht. Kaiku streek het weg, niet overtuigd.

'Vertrouw op me,' zei ze opnieuw, met een glimlach deze keer, en ondanks haar angst geloofde ze echt wat ze zei. Ze zouden hier niet sterven. Daar zou ze persoonlijk voor zorgen, al moest ze het tegen elke wever in de wijde omtrek opnemen.

Ze trok Phaeca met zich mee, en ze glipten weg in de richting waar de ghaureg vandaan was gekomen. De lucht gonsde van de aanwezigheid van de wevers; de draden van het Weefsel zoemden door de trillingen die ze veroorzaakten. Ze zonden onderling vibraties heen en weer, waarmee ze een net uitwierpen dat de anderen konden opvangen en vasthouden, in de hoop dat de aanwezigheid van de zusters het patroon zou verstoren. Het was een techniek die Kaiku nog niet was tegengekomen: niet erg effectief, weliswaar, maar het betekende wel dat de wevers inmiddels manieren bedachten om samen te werken, en dat was een verontrustende ontwikkeling.

De zusters krompen ineen toen iets pal voor hen over het pad sprong, een schaduw die uit de mist opdoemde en er net zo snel weer in verdween. Ze verstijfden, maar het wezen kwam niet terug; het had hen niet opgemerkt. Vanaf dat moment was Phaeca een wrak, maar Kaiku dwong haar over weer een trap naar het volgende plateau. Ze waren hopeloos verdwaald. Hun enige baken was de fellere gloed in de mist die aangaf waar het midden van de walmput zich bevond. In de verte hoorden ze de klaaglijke roep van de feya-kori's.

Kaiku zegde een schietgebedje op voor Shintu – ze kon maar niet besluiten of hij die nacht wel of niet aan hun kant stond, maar gelet op wat ze over de god van het fortuin wist, waarschijnlijk soms wel en soms niet – en toen ze een tel later een hoek om rende, botste ze bijna tegen de buitenmuur van de put op.

Ze knipperde verrast met haar ogen.

'Het is de muur...' zei Phaeca met een zekere hoop in haar stem.

Kaiku gaf haar een kameraadschappelijk kneepje in haar arm. 'Zie je wel? Gewoon een beetje vertrouwen hebben.' Ze keek omhoog. De muur was hier maar een meter of drie hoog. Daar konden ze wel overheen klimmen. Dan hoefden ze ook geen tijd te verspillen met zoeken naar de ingang die Lon voor hen had gevonden.

'Geef me eens een pootje,' zei Kaiku. Phaeca keek om zich heen, maar zag alleen kolkende mist – die langzaam begon weg te trekken nu de demonen waren vertrokken – en de donkere vormen van de zoemende, tikkende weverapparaten. Ervan overtuigd dat er niets in de buurt was, maakte ze met haar handen een stijgbeugel waar Kaiku haar voet in kon zetten. Kaiku strekte haar armen uit naar de bovenkant van de muur, maar gilde het toen onverwacht uit. Phaeca schrok ervan, en haar vingers schoten los. Kaiku viel omlaag, kwam op haar hakken terecht en viel achterover. Ze krabbelde snel overeind, maar haar onderarmen zaten onder het bloed.

Phaeca was in alle staten. Opeens hadden alle wevers hun aandacht op hen gericht, aangetrokken door de gil.

'Nog een keer,' zei Kaiku met opeengeklemde kaken.

'Maar het is...'

'Nog een keer!'

Ze wist dat haar kreet hen had verraden, en als ze nu niet maakten dat ze wegkwamen, zouden ze het niet redden. Haastig verstrengelde Phaeca haar vingers weer, en Kaiku stortte zich op de muur voordat haar instinctieve zelfbehoudende impuls haar kon tegenhouden.

De scherpe, dunne vinnen boven op de muur sneden op tientallen verschillende plekken in haar armen, ook op plekken waar ze al sneeën had, en de tranen sprongen in haar ogen. Haar kana haastte zich om de schade te herstellen, roerde zich buiten haar wil; ze drong hem terug, want dan zouden de wevers een nog krachtiger baken hebben om zich op te richten. Ze tilde zichzelf omhoog, waardoor de piepkleine, vlijmscherpe mesjes nog dieper in haar vlees drongen en pijnlijke voren in haar huid trokken. Ze zette haar ene voet op de muur, hield haar lichaam bij de mesjes vandaan en ging toen in één schokkerige beweging staan. Haar armen waren vrij, maar de pijn was zo hevig dat ze bijna flauwviel.

'Kaiku!'

Phaeca's kreet bracht haar weer bij haar positieven. Ze wankelde, en de mesjes sneden door de zool van haar laars in haar hak. Kreunend bukte ze zich, met haar hand uitgestoken, en pas toen merkte ze het monster op dat van rechts op Phaeca af denderde. Het was een feyn, een afschuwelijke kruising tussen een beer en een hagedis, met van beide de lelijkste kenmerken. Phaeca's gezicht stond wanhopig, paniekerig, en zodra ze Kaiku zag bukken, sprong ze omhoog. Kaiku zette zich net op tijd schrap, terwijl het bloed door haar aderen gierde, ving Phaeca op en hees haar omhoog, over de muur heen. Phaeca's benen sleepten over de mesjes, dwars door haar broek heen, zodat de stof rood kleurde, maar toch slaagde ze erin ze op tijd op te trekken, zodat Kaiku haar aan de andere kant van de muur kon laten zakken.

Kaiku ving nog een laatste glimp op van het razende monster voor ze haar voet lostrok en op de grond sprong, naast Phaeca, die net overeind kwam en tranen in haar ogen had. Ze jammerde; Kaiku, die veel erger gewond was, zweeg. Samen strompelden ze door het verwoeste gebied naar de stad. De mist slokte hen op. Achter hen zochten de wevers verwoed maar vruchteloos verder; al snel lieten ze hen achter zich, als het gezoem van boze wespen.

Kaiku zou zich later niets herinneren van de weg terug naar het Armenkwartier met zijn veilige daken. Ze wist niet wat Phaeca zei tegen de mannen die ze daar aantroffen. Wel herinnerde ze zich grove gezichten en een lelijk dialect, vragen die haar angst aanjoegen; en toen smerig verband dat om haar armen en voeten werd gewikkeld. Meer dan repen stof waren het eigenlijk niet. Op een gegeven moment was haar kana duidelijk aan haar beheersing ontsnapt; ze kon voelen dat haar lichaam zichzelf rusteloos genas.

Ze verloor niet één keer het bewustzijn, niet echt, maar ze was wel even van de wereld, en toen ze er weer op terugkeerde, bevond ze zich in een kaal vertrek en kondigde zich buiten een grauwe dageraad aan. Haar hoofd rustte tegen de borst van Phaeca, die haar als een zuigeling vasthield. Haar armen brandden. Ze werd zich ervan bewust dat Phaeca weefde om de activiteit in Kaiku's lichaam te verhullen, veroorzaakt door de kracht die probeerde de schade aan zijn gastvrouw te herstellen. Ze voelde zich hol, alsof er in haar aderen een vacuüm was ontstaan waar haar bloed hoorde te stromen. Maar ze leefde nog.

'Kaiku?' Phaeca's stem leek zowel uit haar mond als dwars door haar borstbeen te komen.

'Ik ben er nog,' zei ze.

Even bleef het stil. 'Even leek het alsof je ging bezwijken.'

'Er is wel meer voor nodig om een zuster te doden,' antwoordde ze met een zwak gegrinnik dat te veel pijn deed om vol te houden. Omdat de bravoure zo prettig voelde, voegde ze eraan toe: 'Ik zei toch dat je op me moest vertrouwen.'

'Inderdaad,' zei Phaeca instemmend.

Kaiku slikte, wat moeizaam ging omdat haar keel erg droog was. 'Waar zijn we?'

'Dit gebouw behoort aan een bende toe. Ik weet niet hoe ze heten.'

'Zitten we gevangen?'

'Nee.'

'Zelfs niet... Hebben ze onze ogen gezien?'

'Natuurlijk,' zei Phaeca. 'Ze weten dat we afwijkenden zijn. Ik kon het onmogelijk voor hen verborgen houden.'

Kaiku ging langzaam rechtop zitten. Ze voelde zich licht in het hoofd. Phaeca stak haar hand uit om haar te helpen, maar die wuifde ze weg. Ze bleef rustig zitten, ademde een paar keer diep in en streek haar geelbruine haar naar achteren.

'Wat gaan ze doen? Wat heb je tegen hen gezegd?'

'Ik heb hun de waarheid verteld,' zei Phaeca eenvoudig. 'Wat ze gaan doen, is aan hen. Wij kunnen er op dit moment toch niets aan veranderen.'

Kaiku fronste haar wenkbrauwen. 'Wat ben je rustig.'

'Moet ik nog bang zijn voor mannen? Na wat we in de walmputten hebben gezien?' Phaeca trok een spottend gezicht. 'Ik denk dat ze al van onze aanwezigheid op de hoogte waren. Ik geloof dat ze mij geloofden. Hier in het Armenkwartier hebben ze wel grotere zorgen dan een paar afwijkenden. En nu we niet meer als zondebok worden gebruikt voor alles wat er met de wereld mis is, hebben deze mensen iets anders gevonden om hun haat op te richten.'

Kaiku keek om zich heen. Het rook muf in de kamer. De houten muren waren groen uitgeslagen van de schimmel en de steunbalken waren klam. In een hoek lagen een paar vuile kussens en voor de deuropening hing een zwaar gordijn. Er brandde geen lantaarn; kennelijk hadden ze de hele nacht in het donker gezeten.

Pas toen zag Kaiku het verband om de benen van haar vriendin, onder de bebloede flarden van haar broek. 'Geesten, Phaeca, jij bent ook gewond.' Zodra ze dat zei, wist ze weer wat er was gebeurd.

'Niet zo ernstig als jij,' antwoordde Phaeca. Er sprak iets uit haar ogen, een diepe dankbaarheid die ze niet in woorden kon uitdrukken. Ze wendde haar blik af. 'Daar maak ik me later wel druk om. Tot die tijd moet jij rusten.'

Kaiku liet haar schouders hangen, en Phaeca sloeg een arm om haar heen, zodat ze haar hoofd tegen haar aan kon vlijen. 'Ik ben moe,' prevelde Kaiku.

Toen hoorden ze voetstappen. Het gordijn werd opengeschoven. Kaiku maakte zich niet eens van Phaeca los, want daarvoor voelden haar spieren te zwaar aan. Er kwamen twee mannen binnen. De een was erg lang en had een volle baard, de ander had woest bruin haar en een doorploegd, pokdalig gezicht, en toen hij iets zei, zag Kaiku dat zijn tanden van koper waren.

'We hebben gepraat,' zei hij zonder enige inleiding.

Phaeca keek hem recht aan. 'En wat hebben jullie besloten?'

De man met de koperen tanden ging op zijn hurken voor hen zitten. 'We hebben besloten dat jullie eruitzien alsof jullie wel wat hulp kunnen gebruiken.'

⊚ 9 ⊚

Yugi tu Xamata, leider van de Libera Dramach, werd in zijn cel in Araka Jo wakker en zag dat Lucia bij het raam naar het meer stond te kijken. Door de amaxawortel leek zijn hoofd vol watten te zitten. Zijn waterpijp stond afgekoeld in de hoek, maar de scherpe geur hing nog in de lucht en getuigde ervan dat hij zich de vorige avond opnieuw te buiten was gegaan. Hij duwde zich een stukje omhoog op zijn slaapmat, zodat de deken van zijn blote schouders gleed. Het was in de winter koud op deze hoogte, en er zat geen glas in de ramen, maar hij had het die nacht warm genoeg gehad door de bedwelmende koorts die hem teisterde.

Hij knipperde met zijn ogen, fronste zijn wenkbrauwen en tuurde naar Lucia. Misschien speelde het ochtendlicht zijn ogen parten – of misschien gewoon zijn eigen brein – maar ze leek heel ijl: haar slanke lichaam doorzichtig, haar dunne wit-gouden gewaad een sluier. Yugi had Lucia's moeder nooit gekend, maar hij had zich laten vertellen dat ze met haar fijne, mooie gelaatstrekken en haar lichtblonde haar sprekend op Anais leek. Daarmee hielden de overeenkomsten echter op. Haar haren waren in een kort, jongensachtig kapsel geknipt, zodat het afschuwelijk doorgroefde en gerimpelde littekenweefsel in haar nek duidelijk zichtbaar was, en haar lichtblauwe ogen vertelden een verhaal dat niemand kon begrijpen. Ze was achttien oogsten oud, en het kind dat hij had zien opgroeien, was verdwenen, had plaatsgemaakt voor iets moois en oneigens.

Hij kuchte om de smaak van zijn avond vol uitspattingen uit zijn keel te krijgen. Toen Lucia niet reageerde, liet hij alle beleefdheid varen. 'Wat doe je hier, Lucia?'

Na een hele tijd draaide Lucia haar hoofd naar hem toe. 'Hmm?'

'Je staat in mijn kamer,' zei Yugi geduldig. 'Waarom sta je in mijn kamer?'

Even leek ze niet te weten waar hij het over had. Ze keek om zich heen naar de cel, alsof ze zich afvroeg hoe ze daar verzeild was geraakt: grote, verweerde witte steenblokken met eenvoudige wandtapijten ervoor, een rieten matje op de vloer, een tafeltje, een kist, hier en daar nog meer spulletjes. Toen schonk ze hem een glimlach zo onschuldig als die van een zuigeling.

'We willen je spreken.'

'Wie zijn "we"?'

'Cailin en ik.'

Met een zucht ging Yugi helemaal rechtop zitten. De dekens gleden af naar zijn middel. Zijn bovenlijf was bijna helemaal onbehaard, maar er liepen enkele lange littekens over zijn huid, van oude wonden. Hij was niet blij met de bewoordingen die Lucia gebruikte; ze wezen erop dat zij en Cailin samen hadden besloten hem bij zich te roepen. Het meisje had veel te veel ontzag voor Cailin, en dat was gevaarlijk. Hij wist hoe Cailin was.

'Waar gaat het over?'

'Nieuws uit Axekami,' zei ze. Verder ging ze er niet op in. 'We zitten bij het meer.'

Yugi besloot dat het geen zin had haar nog meer vragen te stellen. 'Ik kom jullie zo wel opzoeken.'

Lucia glimlachte weer naar hem en draaide zich om om weg te gaan. Toen ze dat deed, viel de waterpijp met een klap om, zodat er as en zwartgeblakerde stukjes wortel op de mat vielen. Yugi schrok ervan.

'Hij vindt het niet leuk dat je zijn kamer zo laat stinken,' zei Lucia, waarna ze langs het gordijn naar buiten liep.

Yugi stond op en kleedde zich aan. De kou verdreef de laatste restjes slaap. Geërgerd zette hij de waterpijp rechtop en ruimde de as op. Zo'n hevige uitbarsting van de geest had hij nog niet meegemaakt. Hij kon zijn aanwezigheid voelen, als een langwerpige, zwarte veeg aan de rand van zijn blikveld, maar hij wist dat hij niets zou zien als hij er recht naar keek. Het was iets vluchtigs dat je alleen vanuit je ooghoeken kon zien. Een zwakke geest, net als de honderden andere die zich in Araka Jo bevonden, klompen gestremde herinnering die door het heden spookten.

Voor zijn cel langs liep een promenade van dezelfde alomtegenwoordige witte steen waar het complex uit was opgetrokken. Aan de ene kant ervan zat een lange rij cellen, waaronder die van hem, met eenvoudige rechthoekige deuropeningen; aan de andere kant had je vrij uitzicht op de omgeving.

Het was een mooi tafereel om bij wakker te worden, dat moest hij toegeven, ook al werd zijn waardering een beetje afgestompt door de gevolgen van zijn wilde avond. De grond liep af naar een brede weg, ook weer van oude witte steen, en daarachter glooide het omhoog naar de plek waar de geschulpte leistenen daken van de tempels tussen de kartelige groene boomtoppen door schemerden. In de plooien van de bergflank lagen tientallen tempels verscholen, allemaal onderling verbonden door zandweggetjes of met leisteen bestrate paden die tussen de pijnbomen, kiji's en kamaka's door slingerden. Ze waren log en vierkant vergeleken met de moderne tempels, maar hun vorm verleende hun een primitief, peinzend soort ernst, en op de bas-reliëffriezen van de entablementen waren taferelen uit vergeten sagen en legendes afgebeeld.

Araka Jo was oeroud en gedeeltelijk vervallen. Van een aantal tempels waren alleen nog de contouren van de vertrekken zichtbaar, omringd door met mos bedekt puin. Het was geen plaats waar je nieuwe bewoners verwachtte, maar de voorbije jaren was dit de thuisbasis van de Libera Dramach geworden. Toch hadden ze nog steeds het gevoel dat ze indringers waren. De geesten lieten hen dat nooit vergeten.

Er stond een stenen kom bij zijn deuropening, en hij spatte koud water in zijn gezicht om helemaal wakker te worden. Toen hij klaar was, maakte hij de vuile reep stof los die om zijn voorhoofd zat en maakte zijn haren nat. Hij streek ze in slordige pieken naar achteren en bond de lap weer om zijn hoofd. Zoals gewoonlijk had hij hem om gehad toen hij sliep.

Toen hij daarmee klaar was, ging hij op zoek naar lathamri. Hoe vroeg het ook was, er waren al heel wat mensen op de been die over de wegen van het complex af en aan liepen, druk met hun eigen bezoekjes, boodschappen en zaken. Onderweg groette hij enkele mensen, voor wie hij werktuiglijk een masker van vrolijkheid opzette. Iedereen kende hem als de leider van de gemeenschap. In hun vorige schuilplaats, in de Gemeenschap, had de Libera Dramach in het geheim gewerkt, maar hier in Araka Jo waren ze in de openbaarheid getreden. Iedereen hier was bekend met Lucia en de organisatie die vanwege haar was opgericht. Als je in Araka Jo wilde wonen, moest je verbonden zijn met de Libera Dramach. Degenen die dat niet konden verteren, waren naar andere delen van de Zuidelijke Prefecturen getrokken.

Yugi verliet de hoofdweg en nam een zijweggetje dat werd geflankeerd door houten kraampjes. Het was maar een korte wandeling geweest, maar toch was hij al uitgeput. Het was geen lichamelijke vermoeidheid – hij was altijd kerngezond en fit geweest – maar een emotionele uitputting die als een loden last op zijn schouders drukte. Zijn glimlach voelde meer dan ooit gemaakt aan, omdat hij te vaak werd gedwongen hem te gebruiken. Zijn mensen wilden dat hij positief zou blijven, want aan hem lazen ze hun lot af. Hij kon het zich niet veroorloven om zwakte te tonen. Ze mochten niet te weten komen dat hij niet meer hun leider wilde zijn.

Tussen de kraampjes stonden rijen stenen beelden, vreemde, gehurkte gestalten die in de loop der eeuwen door wind en regen glad waren gepolijst. Met hun uitdrukkingsloze spleetogen staarden ze elkaar over het zijweggetje heen aan, boven de hoofden van de mensen die ertussendoor zwermden. Beschermende geesten? Niemand die het wist. Akara Jo was in de eerste jaren na de landing gebouwd, het product van een religieuze splintergroepering die van de nieuw verworven vrijheid gebruik had gemaakt om haar geloof te uiten. Het moest een grote groep vlijtige mensen zijn geweest, gezien het feit dat ze een tempelcomplex zo groot als het gemiddelde dorp hadden gebouwd. Misschien was het een toevluchtsoord geweest, een plek in de bergen waar mensen zich konden terugtrekken om te bidden en te mediteren. Het doel en de makers ervan waren echter reeds lang vergeten, en de tempels waren aan hun lot overgelaten. Het volk van Saramyr had geen interesse in ruïnes.

Yugi kocht een mok lathamri van een koopman en dronk hem leeg terwijl hij naar de standbeelden staarde. Angstaanjagend hoe snel het verleden soms werd vergeten. Hij vroeg zich af of de vroegere bewoners ook zo hard op het indrukwekkende bouwsel zouden hebben gezwoegd als ze hadden geweten dat enkele eeuwen later niemand nog zou weten waarom ze dat hadden gedaan; dat het niemand zelfs maar iets kon schelen.

Misschien zouden ze de ironie ervan hebben ingezien, dacht hij. Juist die zorgeloze onwetendheid over het verleden had ertoe geleid dat nu de toekomst van Saramyr werd bedreigd.

Het warme, bittere drankje zorgde ervoor dat hij wakker genoeg werd om Cailin en Lucia onder ogen te komen, dus gaf hij de mok met een muntstuk erin terug aan de koopman en vertrok. Het was een oude traditie: als het drankje niet helemaal werd opgedronken, werd de munt nat, dus was het niet meer dan beleefd om de beker helemaal leeg te drinken. Vreemd, dacht Yugi terwijl hij wegliep, dat tradities lang nadat de oorsprong ervan is vergeten nog blijven hangen, maar dat de lessen van de geschiedenis binnen één generatie konden worden vergeten.

Hij liep om het gebouw waarin zijn cel zich bevond naar het meer. Het was een heerlijk koele, frisse dag en de lucht voelde vochtig aan, hoewel er geen dauw op het gras lag. Ooit had zijn slaapverblijf gediend als woning voor de gelovigen die het complex hadden gebouwd. Her en der verspreid stonden een stuk of twintig van dergelijke panden, allemaal even wit en rechthoekig, slechts van elkaar te onderscheiden aan de hand van het steensnijwerk en de beelden op de hoeken. Vanbinnen waren ze spartaans en sober, want ze bestonden slechts uit gangen en cellen, met in het midden een atrium waar je kon koken en wassen, maar dat vond Yugi niet erg. Er waren dagen dat hij overwoog naar het dorp te verhuizen dat rond de lagere hellingen van het complex was gebouwd om alle mensen te kunnen huisvesten. Maar als hij dat deed, zou dat maar tot roddels leiden, en dit was niet het juiste moment voor vervelende geruchten. Alles wat hij deed was politiek gemotiveerd, of hij het leuk vond of niet. Kon hij maar van zo'n leven genieten, zoals Mishani.

Achter het gebouw liep een lange, grazige helling omlaag naar de oevers van het Xemitmeer. Een zandpad leidde naar een groot botenhuis, van waaruit vissers zich over het water verspreidden. Hier en daar stonden groepjes bomen, maar nooit genoeg om het fantastische uitzicht te belemmeren. Overal liepen mensen; sommige praatten met elkaar, andere waren ergens naar onderweg. Hier kon je gemakkelijk vergeten dat er hongersnood heerste, zelfs hier, in het hart van de Zuidelijke Prefecturen. Het leven ging gewoon door.

Yugi zag Cailin en Lucia en liep op hen af. Onderweg keek hij over het meer naar de horizon. Het Xemitmeer was kolossaal: vijfenveertig mijl breed en bijna tweehonderdvijftig mijl lang. Het was na het Azleameer het grootste water in het binnenland van Saramyr en lag ingesloten tussen twee bergketens.

Hij was één keer op de andere oever geweest, tijdens de aanval op Utraxxa. Dat was een van hun beroemdste overwinningen van de laatste vier jaar. Een oeroud weverfort, diep in het hart van de Zuidelijke Prefecturen. Hoewel het van de andere wevers was afgesneden toen de keizerlijke troepen hun positie in de regio hadden verstevigd, straalde het nog steeds zijn verderfelijke invloed op de aarde uit en bracht steeds meer afwijkende roofdieren voort, die de keizerlijke troepen van alle kanten belaagden. Omdat het klooster op een beschutte plaats in de bergen lag, had het de hooggeplaatste families, aangevoerd door barak Zahn, twee jaar gekost om ertoe door te dringen. De wevers hadden alles van waarde vernietigd, zelfs de heksensteen, maar in de ogen van het volk was het een grote triomf. Meer dan wat ook had die gebeurtenis de mannen en vrouwen van het keizerrijk de kracht geschonken om de eindeloze oorlog te blijven voeren. De wevers, die door het gewone volk generaties lang waren beschouwd als mysterieuze, ondoorgrondelijke wezens, bleken sterfelijk te zijn. Ze konden worden verslagen. Het gevecht kon worden gewonnen.

Ze hadden een nieuwe overwinning nodig in de orde van grootte van Utraxxa, dacht Yugi. Híj had die nodig.

Lucia en Cailin maakten al pratend rustig een wandelingetje. Het stak hem dat Cailin de enige was aan wie Lucia ooit echt aandacht leek te besteden. Bij de meeste andere mensen had ze een wanhopig makend afwezig air over zich. Yugi merkte meteen het vreemde gedrag van de wilde dieren om hem heen op: de raven die hun ogen niet van haar afwendden, de kat die haar onopvallend verder heuvelafwaarts volgde, de konijnen die van de ene schuilplaats naar de andere sprongen, maar altijd op gelijke hoogte met haar bleven. Natuurlijke vijanden, maar als Lucia in de buurt was, hadden ze geen oog voor elkaar.

Cailin zag hem komen, en ze bleven staan om hem de kans te geven hen in te halen. Ze was iets langer dan hij. Haar gezicht was beschilderd, zoals dat van alle zusters, en haar zwarte haar droeg ze in twee paardenstaarten. Ze had er een met edelstenen bedekte kam in gestoken, en op haar voorhoofd rustte een dun zilveren diadeem met een rode edelsteen erin. Haar doorzichtige zwarte gewaad en kraag van ravenveren verleenden haar een ietwat roofdierachtig uiterlijk, dat het air van koele superioriteit dat ze uitstraalde alleen maar versterkte. Yugi vroeg zich af of ze ook in bed zo arrogant zou blijven, of haar masker van ijzige kalmte zelfs niet zou verbrijzelen als ze in de greep van een orgasme verkeerde, maar hij verdrong die gedachte snel.

'Daggroet, Yugi,' zei Cailin. 'Heb je goed geslapen?'

Het was een beladen vraag. Yugi maakte een ontwijkend, nietszeggend geluidje. 'Lucia zei dat er nieuws was.'

'Kaiku heeft contact opgenomen.'

'Dan is ze dus veilig?' vroeg Yugi. Ze mochten dan van elkaar vervreemd zijn, maar hij had zich de afgelopen weken zorgen over haar gemaakt; pas nu, toen hij op het punt stond te vernemen hoe het met haar ging, besefte hij hoezeer.

'Ze is veilig,' zei Cailin. 'Hoewel het weinig had gescheeld of ze had het niet gehaald.'

'Waar is ze nu?'

'Over de Zan op weg naar Maza.'

'En de anderen?'

'Phaeca is bij haar. Nomoru is weg.'

'Hoe bedoel je, weg?'

'Ze is spoorloos verdwenen. Ze weten niet waar ze is.'

Yugi stak zijn hand op. 'Vertel me wat Kaiku je heeft verteld, Cailin. Van voor af aan.'

Cailin vertelde hem het verhaal over de verkenningstocht in de walmputten, over het verraad en hoe Nomoru dat had voorzien, en over hun ontsnapping uit de stad.

'Hebben ze echt hulp gekregen van een bende uit het Armenkwartier?' vroeg Yugi vol oprecht ongeloof.

'Ze hebben hen aan boord van een schuit gesmokkeld.'

'En wat wilden ze ervoor terug?'

'Niets, naar het schijnt.'

Yugi trok een lelijk gezicht. 'Goden, dan hebben ze geboft.'

'Misschien wel. Maar het volk van het Armenkwartier is niet dom. De zusters mogen dan afwijkenden zijn, zelfs wij zijn niet zo gehaat als de wevers. Alles verandert, Yugi. Ze weten dat wij aan hun kant staan.'

'Maar is dat ook zo?' vroeg Yugi sceptisch.

Cailin gaf geen antwoord. Yugi liet het erbij. Hij wierp Lucia, die uitkeek over het meer en geen woord van hun gesprek gehoord leek te hebben, een vluchtige blik toe.

'Mijn zusters zijn veel te weten gekomen in de walmput,' zei Cailin uiteindelijk. 'Het is erger dan we dachten.'

Yugi voelde de misselijkheid als een koude aal ronddraaien in zijn maag, een gevolg van zijn wilde avond. Het laatste wat hij op dit moment wilde horen, was slecht nieuws.

'De wevers hebben het oude riool aangepast en er een netwerk van leidingen van gemaakt. Dat gebruiken ze om het miasma dat in hun gebouwen wordt geproduceerd te vervoeren.'

'Naar de walmputten,' raadde Yugi. Hij krabde aan zijn ongeschoren wang. 'Waarom?'

'Omdat de feya-kori's daar zijn.'

'Omdat de feya-kori's daaruit bestaan,' verbeterde Lucia haar over haar schouder.

Yugi keek met een scheef hoofd naar Cailin, wachtend op uitleg.

'Ze zijn samengesteld uit het miasma van de wevers,' zei Cailin. 'Zonder zijn ze vormeloos. Ze hullen zich erin alsof het een mantel is, en stellen hun lichaam eruit samen. Toen we ze smetdemonen doopten, hadden we geen idee hoe dicht we bij de waarheid zaten.'

Yugi zag al snel een mogelijk voordeel. 'Verklaart dat waarom ze na de aanval op Juraka terugkeerden naar Axekami? Moesten ze... zich opnieuw voeden? Net als een walvis, die urenlang onder water kan blijven, maar uiteindelijk een keer boven moet komen om lucht te happen?'

'Precies,' antwoordde Cailin met opgetrokken wenkbrauwen. 'Een toepasselijke analogie.'

'Kan dat de reden zijn dat de wevers Axekami zo grondig vergiftigen?'

'Misschien,' was het voorzichtige antwoord. 'Maar laten we niet alles aan die ene onthulling proberen te verbinden. Er is nog veel wat we niet begrijpen.'

'Maar dit is toch hoopgevend?' vroeg Yugi. 'De feya-kori's hebben een beperking, een zwakte.'

'Je vergeet het totaalbeeld,' antwoordde Cailin. 'Axekami is niet de enige stad die door de wevers wordt verstikt. Ook in Tchamaska, Maxachta en Barask bevinden zich walmputten in uiteenlopende bouwstadia. Ten noorden van Axekami en in Hanzean in het westen worden er inmiddels ook enkele aangelegd.' De koude wind die over het meer kwam deed het gras golven en de boomblaadjes ritselen. 'Deze twee feya-kori's zijn nog maar het begin. Binnenkort hebben de wevers er meer. En we kunnen niets tegen ze beginnen.'

Yugi wreef zuchtend in zijn ogen. 'Goden, Cailin, erger kan het toch niet worden?'

'O, nou en of,' zei ze. 'Twee nachten geleden zijn de feya-kori's weer uit Axekami vertrokken.'

De versterkte stad Zila had al heel wat conflicten doorstaan. Sinds hij meer dan duizend jaar eerder was gebouwd, hadden zijn inwoners te maken gehad met aanvallen van de Ugati – de oorspronkelijke bewoners van het land –, van afvallige krijgsheren en van het keizerrijk zelf, maar hij stond nog steeds overeind, grimmig en donker op een steile heuvel ten zuiden van de rivier de Zan. Het was een strategische hoeksteen, van waaruit zowel de rivierarm werd gecontroleerd als de vijfendertig mijl brede strook land tussen de kust en de westelijke grens van het Xuwoud, een belangrijke doorgaande weg voor iedereen die van het welvarende noordwesten naar de vruchtbare Zuidelijke Prefecturen reisde. Nu was het een bastion dat de wevers de toegang tot de Grote Spijsroute ontzegde.

Barak Zahn keek achterom naar de stad, een kroon van steen, met de smalle, hoge vesting op de top van de heuvel als het middelpunt waar het oog door de schuine daken van de huizen naartoe werd geleid. Die muur was in de lange geschiedenis van Zila nog nooit door een vijand doorbroken. Zelfs niet toen de stad was ingenomen, toen Zahn zelf een van de indringers was geweest; ze waren over de muur heen geklommen, maar hadden er geen bres in geslagen. In die tijd had hij Zila rokend en gehavend achtergelaten. Nu was de stad er een stuk beter aan toe: de verwoeste huizen waren weer opgebouwd, de vesting was gerepareerd, de straten waren hersteld. Keizerlijke soldaten liepen achter de torentjes over de muur en de kanonnen waren gericht op de rivier. Maar de onoverwinnelijke uitstraling was verdwenen, de macht was tanende.

Zijn paard bewoog onrustig en hij richtte zijn aandacht weer op de rivierarm, waar vier reusachtige jonken aan hun ankers trokken. Er stond een stevige wind en het licht was scherp en helder: midwinter naderde, en hoewel het nog altijd warm was, was de zeewind soms erg schraal.

Zahn was een magere man met grijs haar en pokkenlittekens op zijn ongeschoren wangen. Hij droeg een brokaatjasje met de kraag omhoog. Met samengeknepen ogen keek hij uit over het water. Overal om hem heen en voor hem stonden honderden mannen te paard, gekleed in de kleuren van hun huis. De meesten behoorden tot zijn eigen bloed Ikati en droegen grijs met groen. Rechts van hem, gehuld in een bontmantel, zat het hoofd van bloed Irinima in het zadel, een mollige, grijze vrouw. Lucia's oudtante Oyo.

Er was een week verstreken sinds Kaiku en Phaeca uit Axekami waren ontsnapt, maar daar was Zahn niet van op de hoogte. Hij had echter wel vernomen dat de feya-kori's weer waren gesignaleerd. De Rode Orde was maar een kleine organisatie en kon niet overal aanwezig zijn, maar Cailin probeerde ervoor te zorgen dat er in elke nederzetting aan het front ten minste één zuster was. De waarschuwing was binnen een mum van tijd doorgegeven. Niet dat Zahn zich er erg druk om maakte: net als het afwijkende leger verplaatsten de feya-kori's zich zo snel dat niemand ze kon bijhouden, en het nieuws dat ze weer op pad waren kon van alles betekenen. Saramyr was een groot land. Wie weet wat ze van plan waren. En trouwens, hij had op het moment genoeg andere zorgen.

Te beginnen met de vrouw naast hem. Zelfs nu het keizerrijk met de grootste dreiging in zijn geschiedenis werd geconfronteerd, ging het politieke gekonkel gewoon door, zo leek het. Ze hadden zich zogenaamd verenigd tegen de wevers, maar het oude machtsspelletje van concessies, onderhandse afspraken en beloften bleef onveranderd. Oyo was ergerlijk vasthoudend en was hem zelfs nagereisd naar Zila, waar het grootste deel van zijn troepenmacht gelegerd was, samen met de manschappen van bloed Vinaxis. Haar eisen waren eenvoudig: ze wilde zijn dochter.

Zahn had best geweten dat hij zijn verwantschap met Lucia niet eeuwig verborgen zou kunnen houden. Ze bejegende hem met openlijke genegenheid, en dat in combinatie met geruchten over de onvruchtbaarheid van keizer Durun en Zahns hechte band met keizerin Anais was voor iedereen genoeg om tot de juiste conclusie te komen. Zodra hij had beseft dat het zinloos was om het nog langer te ontkennen, liet hij weten dat hij haar vader was, in de hoop dat het daarmee uit was. Bloed Erinima – de familie van Lucia's moeder – nam er echter geen genoegen mee. Ze trokken zijn bewering openlijk in twijfel. Ze wilden haar terug, zodat ze haar konden binden aan bloed Erinima, waar ze volgens hen thuishoorde.

Zahn wilde zich er niet mee bezighouden. Hij geloofde best dat hun trouw aan hun eigen familie oprecht was – hij had hen dan ook nooit bij Lucia vandaan proberen te houden – maar het was ook pijnlijk duidelijk dat ze vooruitdachten naar het eind van de oorlog. Als het keizerlijke leger namelijk wist te winnen, was Lucia verreweg de aannemelijkste kandidaat voor de troon, en dan wilde bloed Erinima delen in de macht. Zahns bewering maakte het allemaal een stuk ingewikkelder. Aangezien hij de enige overlevende ouder was, was Lucia immers in de eerste plaats wettelijk zijn kind en kon de familie van de overleden moeder geen aanspraak op haar maken. Als inderdaad kon worden bewezen dat hij haar vader was, althans.

Zahn was echter niet het grootste probleem. Dat was Lucia. Ze interesseerde zich niet voor dergelijke zaken. Ze wilde best met haar familie omgaan, maar weigerde het met hen over politiek te hebben. Zahn was haar vader; zo simpel was het. Wat de rest van de familie betrof: ze had bloed Ikati niet nodig, en bloed Erinima ook niet. De Libera Dramach bediende haar op haar wenken, en dat was een leger dat het zelfs tegen de machtigste huizen kon opnemen en bovendien onafhankelijk was. Het maakte haar niet uit of ze keizerin werd. Ze hoefde niet zo nodig een leider te zijn, of een boegbeeld, of iets in die richting. Wat ze dan wél wilde, was niet duidelijk. Dat vonden vrouwen als Oyo ontzettend frustrerend. Briesend zeiden ze dat het kind niet wist wat goed voor haar was en bij haar familie thuishoorde. Zahn kende zijn dochter echter, voor zover iemand haar kon kennen, en hij geloofde dat ze boven de smerige politieke spelletjes stond waar Oyo haar in wilde meesleuren. Hij hield van haar en liet haar haar eigen gang gaan. Zijn vaderschap weigerde hij echter op te geven, ondanks alle verleidelijke beloften en regelrechte dreigementen van bloed Erinima.

Het werd tijd dat hij zich ging bezighouden met een tweede, recentere zorg. Over de rivier gleed een roeiboot over de rivierarm naar de zuidelijke oever. Zahn spoorde zijn paard aan, reed tussen de rijen soldaten door en ging in draf de flauwe helling onder aan de heuvel af. Oyo keek hem met onvriendelijke blik na. Op bevel van een van de generaals reed een lijfwacht van een stuk of twintig soldaten achter hem aan. Ook kreeg hij gezelschap van een zuster, die met een uitdrukkingsloos gezicht als een schaduw onopvallend aan zijn zijde opdook. Ze reden door het leger heen naar een open stuk gras waar het water begon en bleven daar stilstaan.

De roeiboot had inmiddels de oever bereikt, en de nieuwkomers sleepten het vaartuig met z'n vieren uit het water. Zahn probeerde vast te stellen wie de leider was, maar dat was onbegonnen werk. Ze droegen allemaal eenvoudige kleren van hennep, hun haarkleur varieerde van blond tot zwart, en ze hadden allemaal dezelfde gelige huid, die van boven tot onder was bedekt met lichtgroene tatoeages als golvende tentakels. Tkiurathi's, afkomstig van het oerwoudcontinent Okhamba, zo hadden zijn adjudanten hem verteld. Wilden, zeiden ze.

De vraag was: wat deden die wilden in Saramyr?

Toen de boot stevig vastlag, kwam een van de mannen op Zahn af. Onbevreesd naderde hij het woud van soldaten. Zahn wierp een blik op de jonken. Ze waren van Saramyrese makelij. De goden mochten weten hoeveel Tkiurathi's er nog op zaten, maar hopelijk voor hen konden ze zwemmen; één teken van hem en de schepen zouden door de kanonnen van Zila aan duigen worden geschoten.

De vreemdeling bleef op een afstandje voor Zahn staan. Zijn rood-blonde haar was gladgestreken en met sap verstevigd. Aan weerszijden van zijn riem hingen Okhambaanse kntha's – 'slachthaken' in het Saramyrees – dubbele messen met een handvat op het punt waar de twee in tegengestelde richtingen gebogen lemmeten samenkwamen.

'Daggroet, geëerde barak,' zei de Tkiurathi in zogoed als foutloos Saramyrees. 'Ik ben Tsata.' Hij maakte een vage buiging van het soort dat wordt gebruikt door mannen die niet goed weten wat hun relatieve sociale status is. Zahn kon niet besluiten of het arrogantie of een vergissing was. De naam klonk hem echter vaag bekend in de oren.

'Ik ben barak Zahn tu Ikati,' zei hij.

Tsata nam hem nieuwsgierig op. 'O, ja? Dan hebben we een wederzijdse kennis. Kaiku tu Makaima.'

Zahns paard deed snuivend een paar passen opzij; hij leidde het dier ferm terug naar zijn plek. Nu wist hij waar hij de naam eerder had gehoord. Dit was de man die met de spion Saran naar het hart van Okhamba was gereisd om bewijs te verzamelen over de herkomst van de wevers, de man die Kaiku had geholpen een heksensteen in de Xaranabreuk te vernietigen. Hij keek naar de zuster, die rechts van hem stond.

'Kun je dat bevestigen?'

Haar irissen waren al rood. 'Daar ben ik nu mee bezig.'

Zahn keek de vreemdeling openlijk wantrouwend aan. 'Wat doe je hier, Tsata? Dit is geen goed moment om Saramyr te bezoeken.'

'We komen je onze hulp aanbieden,' zei Tsata. 'Duizend Tkiurathi's zijn bereid aan jullie zijde tegen de wevers te vechten.'

'Op die manier,' zei Zahn. 'En wat zouden jullie doen als we jullie hulp niet wilden aanvaarden?'

'Dan vechten we toch, of je dat wenst of niet,' antwoordde Tsata. 'We zijn gekomen om de wevers tegen te houden. Als we dat samen kunnen doen, prima. Zo niet, dan doen we het zelf.'

'Hij is wie hij beweert te zijn,' zei de zuster. 'Ik heb contact gehad met Kaiku tu Makaima.' Ze maakte de juiste vrouwelijke buiging voor Tsata. 'Ze brengt haar groeten over, geëerde vriend. De Rode Orde is blij dat je pad je weer naar onze kust heeft gebracht.'

Zahn voelde een steek van ergernis nu zijn gezag werd ondermijnd.

Zijn onvriendelijke houding boette enigszins aan zeggingskracht in nu Tsata de steun van de zusters bleek te hebben. De Rode Orde had zich altijd boven politieke trouw geplaatst; ze wisten dat ze onmisbaar waren en maakten er gebruik van. Hun uiterlijk mocht dan wat plezieriger ogen dan dat van de wevers, maar ze waren niet zo verschillend als ze graag zouden denken.

Hij liet zich van zijn paard glijden en gaf de teugels aan een soldaat die vlakbij stond. 'Ik ben duidelijk onhoffelijk geweest,' zei hij met een buiging. 'Welkom terug.'

'Het spijt me dat ik niet eerder kon komen, en niet meer mensen kon meenemen,' zei Tsata, die de verontschuldiging wegwuifde. 'Er zouden er nog tien keer zoveel zijn gekomen, als we genoeg schepen hadden gehad.'

'Ik wist niet dat de Tkiurathi's een zeevarend volk waren,' zei Zahn. Het was een opmerking die een vraag impliceerde.

Tsata glimlachte heimelijk. Typisch Saramyrees om zo indirect te zijn. 'De schepen zijn geleverd door bloed Mumaka, net als de bemanning.'

'Ik dacht dat die familie uit Saramyr was gevlucht toen de oorlog uitbrak.' Wat Zahn daarvan vond, was duidelijk aan zijn toon te horen.

'Inderdaad, naar Okhamba. Ze zijn met hun hele vloot weggevaren. Maar ze willen hun vaderland nog steeds helpen waar ze maar kunnen. Mishani tu Koli is bij me geweest voor ik wegging, om me te vragen het nieuws over Chien os Mumaka's dood aan zijn moeder over te brengen. Ik trof de familie nog net thuis, kort voor ze Hanzean zouden verlaten, op de vlucht voor het afwijkende leger dat zich door het noordwesten verspreidde. In ruil voor het nieuws lieten ze mij met hen meereizen naar Okhamba. Sindsdien heb ik contact gehouden met bloed Mumaka, en toen de tijd rijp was, boden ze hun hulp aan.'

'Vier schepen?' vroeg Zahn minachtend.

'De rest hadden ze nodig voor hun handel,' antwoordde Tsata. 'In de rest van de Nabije Wereld gaat het leven verder, ongeacht wat hier gebeurt. Ze zien niet in dat zij aan de beurt zijn als Saramyr valt. Maar mijn volk wel. Ik heb het hun laten zien.'

Zahn nam de Tkiurathi aandachtig op. Aan de ene kant was alle hulp welkom in deze moeilijke tijd, en was hij niet zo dwaas om een oprechte bondgenoot de deur te wijzen; aan de andere kant was het moeilijk te bevatten dat duizend mannen – tienduizend zelfs, als je

Tsata moest geloven – vrijwillig naar een ander continent zouden varen om te vechten voor een volk waarmee ze nauwelijks banden hadden.

'Onze gewoonten zijn anders dan die van jullie, barak Zahn,' zei Tsata met een ernstig gezicht. Hij had de gedachten van de ander geraden. 'We weigeren thuis te wachten tot wij aan de beurt zijn om te worden aangevallen. De wevers bedreigen de hele Nabije Wereld. We willen hen bij de bron tegenhouden, als dat mogelijk is.'

Zahn wilde net antwoord geven, toen de zuster haar hand op zijn arm legde. Ze keek naar het noorden, over de rivier. De horizon was wazig. Zahns blik ging naar de jonken: die leken een beetje spookachtig, vaag aan de randen. Het gaf hem het gevoel dat hij bijziend was. Hij knipperde met zijn ogen.

'Is het in deze contreien normaal dat de mist zo snel komt opzetten?' vroeg Tsata, terwijl alles om hen heen nevelig werd.

◎ 10 ◎

Meer dan duizend jaar hadden de muren van Zila de vijanden van
het keizerrijk tegengehouden. De feya-kori's liepen erdoorheen als
kinderen die een zandkasteel omverschopten.

Ze naderden onder dekking van de mist, maar niemand liet zich
daardoor misleiden. Kaiku had de zusters op de hoogte gebracht van
de methoden van de demonen, en de mist was te snel opgekomen en
rook te smerig om natuurlijk te kunnen zijn. Toch had de wetenschap dat ze eraan kwamen het allemaal alleen maar erger gemaakt:
de misselijkmakende onvermijdelijkheid van hun komst drukte als
een loden last op de harten van de verdedigers.

De soldaten waren al begonnen met voorbereidingen om de stad te
evacueren, toen de feya-kori's verschenen. Opeens doken ze op uit
het miasma, ongeveer honderd voet bij de muur vandaan, schijnbaar
uit het niets. Mannen brulden het uit toen de demonen dreigend op
hen afkwamen; door de steile helling aan de noordkant van de stad
leek het alsof ze uit een zee van mist in de diepte kwamen. Ze grepen de rand van de muur vast, lieten hun stompe armen in een regen van zwart slijk op het steen terechtkomen. De soldaten die zich
niet snel genoeg uit de voeten maakten, werden tot moes geslagen.
Toen zetten de demonen zich met een langgerekte kreun schrap, totdat een derde deel van de muur het in een lawine van lichamen, stenen en mortel begaf.

In de mist klonken alarmklokken; mannen worstelden om de kanonnen zo ver omlaag te richten dat ze de vijand konden raken. De feya-
kori's waren echter te dichtbij. Ze beukten, trokken en sloegen met
trage, loodzware bewegingen, en binnen een mum van tijd hadden

ze een groot deel van de muur vernield, terwijl ze zonder enig effect met kogels en pijlen werden bestookt.

Met logge passen liepen ze de stad binnen, dwars door gebouwen heen, alsof die van houtjes en papier waren gemaakt. De afwijkende roofdieren en de nexussen arriveerden kort daarna.

Tsata rende door de verwoeste straten die de demonen in hun kielzog hadden achtergelaten. Een tiental Tkiurathi's liep met hem mee, hun slachthaken in de aanslag, snel van links naar rechts kijkend, alert op een teken van de vijand. Achter zich hoorden ze de kreten van de feya-kori's, ijl gekreun dat door de snel dunner wordende mist hun oren bereikte. Ver voor zich uit hoorden ze het lawaai van strijdgewoel, waar de soldaten van het keizerrijk zich in het gat in de muur hadden opgesteld en in bloederige gevechten weerstand boden aan de afwijkende horden. Tsata hield zich noch met het een, noch met het ander bezig; zijn aandacht ging uit naar het gebied ertussenin, waar de demonen een rokend, zwartgeblakerd spoor van ingestorte huizen hadden achtergelaten, vol mannen, vrouwen en kinderen die vastzaten, verminkt of gek van angst.

Op zijn voorstel verspreidden de Tkiurathi's zich; ze vormden groepjes van twee of drie en liepen haastig verschillende richtingen uit. Ze liepen de smalle spaakwegen en verbindingssteegjes van de stad in, weg van de strook van vernietiging – waar niets meer in leven was en de geplaveide wegen waren veranderd in een gesmolten moeras – naar de randen, waar nog mensen waren die hulp nodig hadden.

Tsata proefde gal; de lucht was hier giftig. De aanblik van de feya-kori's brandde nog steeds in zijn geestesoog. Tijdens de maand die het hem had gekost om vanuit zijn land de zee over te steken, was hij steeds opgetogener geworden bij het vooruitzicht terug te keren naar Saramyr. Vier jaar had hij nodig gehad om zijn volk bijeen te brengen, op te sporen en over te halen hem te steunen; vier jaar waarin hij door het hart van het oerwoud had gezworven, onvermoeibaar diplomatieke gesprekken had gevoerd en mannen en vrouwen had samengebracht die verspreid over een vrijwel onbegaanbaar gebied van honderden mijlen woonden. Hij was er weliswaar niet in geslaagd meer dan vier schepen te bemachtigen, maar die konden zo vaak als nodig was heen en weer reizen om alle Tkiurathi's naar Saramyr te vervoeren.

Hij was hier nog geen halve dag, en nu al had hij gezien hoezeer de situatie in zijn afwezigheid was verslechterd. Nu wenste hij dat hij naar zijn hart had geluisterd in plaats van naar zijn verstand en eerder was teruggekeerd.

Hij klauterde over een berg puin, de stoffige overblijfselen van een gebouw dat dwars over de weg was ingestort, naar de plaats waar twee vrouwen een balk probeerden op te tillen om de man die eronder lag te bevrijden. Hij gunde hun geen tijd om op zijn verschijning te reageren, toe te geven aan de kortstondige angst en onzekerheid die in hen oplaaiden toen ze hem zagen. Hij greep de balk en zette zich schrap, en na een korte aarzeling hielpen de vrouwen hem. Twee andere Tkiurathi's voegden zich bij hen. De balk kwam in beweging en de man kroop eronderuit, buiten zinnen van pijn omdat zijn geschoeide voet was verbrijzeld. Met de hulp van een van de vrouwen ging hij op één been staan.

'Zoek een kruk en maak dat jullie hier wegkomen,' zei Tsata tegen hen. 'Door de zuidpoort.' Toen blafte hij in de Okhambaanse keelklanken een paar woorden tegen zijn metgezellen en renden ze verder.

De mist was vervaagd tot een fijne nevel, die onder het scherpe schijnsel van de winterzon snel oploste. De demonen lieten hun verhullende mantel varen; ze hadden hem niet meer nodig. Een van hen had de vesting bereikt, het hoogste punt en het middelpunt van de stad, de as van Zila met zijn wielachtige indeling. Aan de brandende, vernielde gebouwen was te zien welk pad het wezen had gekozen van de bres in de noordelijke muur naar de vesting, waar hij nu gaten in het metselwerk sloeg. De tweede demon had een spoor van vernielingen naar de westelijke muur getrokken.

Tsata hoopte dat de schepen hadden weten te ontkomen. De Tkiurathi's hadden nauwelijks genoeg tijd gehad om hun gezamenlijke bezittingen bij elkaar te rapen en naar de oever te zwemmen, en de laatste keer dat hij de jonken had gezien, waren ze op de rivierarm gekeerd en hadden ze hun boegsprieten naar de open zee gericht. Een paar Tkiurathische mannen waren aan boord gebleven, bij de bemanning. Zij zouden teruggaan om de anderen te vertellen wat ze vandaag hadden gezien. Waar de wevers toe in staat waren.

Voor de Tkiurathi's die in Saramyr waren gebleven, had de bescherming van hun pasj nu de eerste prioriteit. Okhambanen dachten niet zoals de Saramyriërs. Persoonlijk bezit bestond niet in hun samenleving. Die had zich ontwikkeld rond een groepsdynamiek die heel simpel gesteld inhield dat de behoeften van het individu ondergeschikt waren aan die van de velen. Met het woord 'pasj' duidden zij de 'velen' aan waarvan zij op dat moment deel uitmaakten. Het was een uiterst rekbaar en gelaagd begrip dat een hele reeks elkaar overlappende prioriteiten kon behelzen, op grond waarvan de Okhambanen – onder wie de Tkiurathi's – bepaalden wat in een bepaalde situatie het belangrijkst was. Op dat moment rekenden zij de inwoners van Zila tot hun pasj, dus waren ze zonder aarzeling de stad binnengegaan om te helpen met de evacuatie, waar mogelijk levens te redden, zonder acht te slaan op het risico dat ze zelf liepen. Een kreet om hulp leidde hen naar een pleintje dat aan één kant bezaaid lag met puin. De gevels van de gebouwen waren losgeraakt, zodat de kamers aan die kant van de huizen allemaal een muur misten. Op de begane grond van een schoenmakerij brandde iets; er kwam rook onder de brokstukken vandaan waarmee de stoep bezaaid was. Een oude man met een baard was hard aan het werk om de stenen weg te ruimen. Hij zag Tsata en zijn metgezellen, keek hen even onzeker aan, maar sprak hen toen aan.

'Er ligt iemand onder!'

Ze hielpen hem, tilden de zware, ongelijke stenen op en wierpen ze weg. Onder het puin klonk verwoed geklop.

Tsata's overlevingsinstinct, aangescherpt door het zware leven in het oerwoud, dwong hem nu en dan om zich heen te kijken terwijl hij werkte. Zonder erbij na te hoeven denken, wist hij waar de feya-kori's zich bevonden. Dat kon hij horen aan hun treurige, slaperige stemmen. Ze waren te ver weg om een bedreiging te vormen. Aan de cadans en de klankkleur van het strijdrumoer in het noorden kon hij horen dat het leger van het keizerrijk nog altijd standhield. Er liepen echter afwijkende roofdieren door de stad, die door de bres in de muur waren geglipt voor die was gebarricadeerd. Hij had een of twee dode monsters gezien, en de sporen van wat de overleveden hadden aangericht.

Ze hadden net de hoek van een valluik vrijgemaakt, waar de rook onder vandaan kwam, toen er op het plein iets bewoog.

De drie Tkiurathi's stonden met hun slachthaken in de aanslag klaar voordat de twee ghauregs hen zelfs maar opmerkten. Ze renden weg van de beschutting van het gebouw, het plein op, om de aandacht van de monsters te trekken en hen bij de oude man vandaan te lokken. De afwijkenden snoven toen ze hun prooi in het zicht kregen en gromden rommelend. Een van hen brulde uitdagend, schuddend met zijn kop zodat zijn grijze, ruige vacht heen en weer zwiepte. Toen rukten ze langzaam getweeën op.

Tsata liep om het plein heen, met zijn blik strak op de roofdieren gericht. Zijn metgezellen liepen geruisloos ieder een andere kant op, over het met brokstukken bezaaide plaveisel. Hij had geen samenhangende gedachten meer; die hadden plaatsgemaakt voor het snelle, werktuiglijke reactievermogen van de geboren jager. De ghauregs klapten als krokodillen met hun kaken, op hun hoede voor hun tegenstanders. Hun muilen waren besmeurd met bloed.

Er klonk gebons tegen het valluik, luider en veel dwingender nu het geluid niet meer door al dat puin werd gedempt, en de ghauregs wendden hun koppen met een ruk in de richting van de oude man die er op zijn hurken naast zat. Die verbleekte.

De drie Tkiurathi's kwamen als één man in beweging en maakten van de korte afleiding gebruik om de afstand tussen hen en de roofdieren te overbruggen. Hun schoenen van dierenhuid waren zo zacht, hun tred zo licht, dat de ghauregs hen niet hoorden aankomen. Toen ze zich weer omdraaiden, hadden ze nauwelijks genoeg tijd om op de aanval te reageren.

Tsata zag op tijd dat een van de monsters naar hem uithaalde, en bukte. Met alle kracht die hij kon opbrengen, ramde hij een van zijn slachthaken tussen de ribben van de ghaureg. Het lemmet drong diep in het vlees van het wezen, maar zijn spieren waren te taai om zomaar door te snijden, en het mes werd uit Tsata's handen gewrongen toen hij doorrende. De ghaureg miste hem ruim, brullend van de pijn, en een andere Tkiurathi kapte met een felle neerwaartse haal zijn hand bij de pols af. Hij was echter te gretig geweest bij het zien van dat uitnodigende doelwit. De andere hand van de ghaureg merkte hij pas op toen die met verpletterende kracht om zijn onderbeen werd geslagen. Hij haalde uit naar de muil van het beest en raakte diens lip, maar het lemmet raakte bot en ketste af. De ghaureg slingerde hem aan zijn been weg, met zo'n grote kracht dat zijn botten braken. Wild maaiend met zijn armen vloog hij door de lucht. Hij belandde op een berg puin, maar nog voor hij de grond raakte, had Tsata zijn tweede aanval al ingezet. Terwijl hij met de ene vijand bezig was, had de ghaureg geen tijd om zich met de andere bezig te houden, en Tsata dreef met al zijn kracht zijn tweede slachthaak in de rug van het wezen.

Deze keer had hij echt iets geraakt. Zijn vijand zette stuiptrekkend nog een paar stappen terwijl hij naar het mes in zijn rug tastte, maar daar kon hij niet bij. Toen zeeg hij op de grond. Bij zijn laatste rochelende adem sijpelde er bloed over zijn ondertanden.

Terwijl hij de eerste ghaureg uitschakelde, had Tsata ook de tweede in de gaten gehouden. Die was nog in gevecht verwikkeld met de overgebleven Tkiurathi. Hij gunde zichzelf niet de tijd om naar zijn gevallen kameraad te kijken, maar liep voorzichtig op het lichaam van de ghaureg af, klaar om weg te springen als hij ook maar een beetje bewoog. Hij wrikte zijn wapens los en schoot zijn belegerde verwant te hulp.

De man – zijn naam was Heth – pakte het tactisch aan. In plaats van het in zijn eentje tegen een sterkere vijand op te nemen, had hij hem bij de anderen weggelokt, zodat die genoeg tijd hadden om de eerste ghaureg af te maken. Nu zag hij Tsata aankomen en sloeg de balans in zijn voordeel door. Hij ging in de aanval, dook laag op zijn vijand af en haalde uit naar diens knieën. Hij had slecht gemikt en raakte een kuit, maar het was genoeg om een rode vloed te veroorzaken, die de grijze vacht doorweekte. Heth trok zich razendsnel terug, voor het monster kon terugslaan, en op dat moment sprong Tsata van achter op het monster af om hem een diepe wond in de achterkant van zijn bovenarm toe te brengen, voor hij uit de weg sprong. Woedend en met klappende kaken draaide de ghaureg zich naar hem om, en weer wist Heth hem te verwonden, deze keer in zijn dij.

Zo bestookten ze het monster een tijdje, de ene na de andere wond toebrengend, en telkens weer wisten ze aan zijn greep te ontsnappen. Eindelijk, toen de vacht van de ghaureg doordrenkt was en hij traag begon te worden door het bloedverlies, wist Heth van een slordige uitval gebruik te maken om een mes in zijn keel te rammen. Zonder een kik te geven sloeg hij tegen de grond.

Tsata wisselde buiten adem een glimlach met Heth. 'We moeten snel zijn,' zei hij in hun moedertaal. 'Misschien komen er nog meer.'

Ze staken hun wapens terug in hun riemen. Heth ging bij hun metgezel kijken, die begon te gillen nu de eerste schrik voorbij was. Tsata liep naar het valluik. De rook kwam er nu in dikke wolken onder vandaan. Het geklop was opgehouden en de oude man had zich allang uit de voeten gemaakt. Tsata ruimde het laatste puin weg en trok het valluik naar zich toe open, zodat het zich tussen hem en de ingang bevond. De vlammen laaiden even hoog op, maar trokken zich snel weer terug. Het gebulder ging over in een zacht, verraderlijk geknetter.

Tsata ademde diep in, hield zijn adem vast en keek in het gat. Zijn ogen begonnen meteen te tranen: de rook was ondraaglijk heet. Niet in staat iets te zien, stak hij blindelings zijn hand naar binnen. Hij moest er maar op vertrouwen dat zijn zintuigen hem zouden vertellen wanneer hij te dicht bij het vuur kwam. Onder zijn hand voelde hij stof en spieren. Naarstig zocht hij naar houvast op vermoedelijk de bovenarm van de persoon die op het luik had geklopt, en hees hem omhoog.

Hoewel de man verrassend licht was, had Tsata moeite met het dode gewicht. Hij sleepte de slappe gestalte een eindje over het puin weg en legde hem neer, maar het was al snel duidelijk dat hij te laat was.

Tsata bleef even naar hem staan kijken. Zijn huid was wit en zijn gelaatstrekken waren minimaal, bijna rudimentair. Er zaten smalle kieuwen in zijn hals en in zijn glazige, bolle ogen zaten kruisvormige irissen. Een afwijkende.

Hij had zich in de stad verborgen gehouden; misschien had de schoenmaker hem onderdak geboden. Tsata had gehoord dat afwijkenden niet meer zonder pardon werden geëxecuteerd, zoals voor het uitbreken van de burgeroorlog. De prioriteiten waren verschoven, en nu zowel de Rode Orde als Lucia zich aan de zijde van het volk had geschaard, werd het als ongepast beschouwd om dat soort moorden nog langer toe te staan. De vooroordelen konden echter niet zo gemakkelijk worden uitgeroeid. Het was inmiddels weliswaar tegen de wet om afwijkenden te vermoorden, ze werden over het algemeen nog altijd verafschuwd en waren nog altijd gedwongen zich te verbergen of hun toevlucht te zoeken in hun eigen afgelegen woongemeenschappen. Mensen zoals de zusters van de Rode Orde hadden geluk: zij zagen er op het oog normaal uit. Deze man niet; hij zou als een monster zijn behandeld.

Bij die gedachte kneep Tsata vol afkeer zijn ogen samen. Er heerste ontzettend veel haat in dit eens zo mooie land. Hij vroeg zich af of deze man een familie had gehad, want hier in Saramyr was paarbinding en exclusieve zeggenschap over nakomelingen gebruikelijk. Dat kende Tsata van huis uit niet. Hij wierp een vluchtige blik op het luik, waar de vlammen nu langs de randen likten. Hij besloot dat hij het liever niet wilde weten.

Barak Zahn zat op zijn paard vlak bij de zuidpoort van Zila en hield toezicht op de ongeordende menigte stedelingen die renden voor hun leven. Hij werd geflankeerd door een aantal lijfwachten, en vlakbij werkte een groep soldaten van bloed Vinaxis keihard om de mensenmassa de goede kant op te leiden en de rust te bewaren. Het risico bestond dat ze als geschrokken dieren op hol zouden slaan. Er klonk overal een verschrikkelijk kabaal, en het laatste restje stank van de verhullende mist van de feya-kori's vermengde zich met de besmettelijke geur van angst.

Hij keek naar de top van de heuvel, waar een van de demonen de vesting inmiddels bijna helemaal met de grond gelijk had gemaakt. De andere liep doelloos rond en sloeg met trage, systematische klappen huizen, winkels en pakhuizen tot puin. Het geluid van vallende steen en de kreten van de demonen rolden over de stad.

Zahns bloed kookte: zijn eigen machteloosheid maakte hem woest. Goden, het druiste recht tegen zijn gevoel in om zo'n strategische voorpost op te geven. Hij had overal langs de oever van de rivier en op de muren manschappen opgesteld, maar die boden slechts zo veel weerstand als nodig was om zoveel mogelijk mensen te evacueren, door de afwijkenden zo lang mogelijk buiten de stad te houden. Vanaf het moment dat de feya-kori's waren gekomen, was de strijd hopeloos geweest. Ze konden domweg niets tegen ze uitrichten. Zo zou het ook zijn bij de volgende stad die ze aanvielen, en die daarna, tot de Zuidelijke Prefecturen waren gevallen en de wevers al het land hadden opgeslokt.

Ondanks de roemloze nederlaag waren er echter toch positieve aspecten die hij aan zijn bondgenoten kon melden. Langs de rivier in het oosten en in het westen wisten ze de afwijkenden relatief gemakkelijk op afstand te houden. Zodra de feya-kori's een bres in de muur hadden geslagen, hadden de afwijkenden ten noorden van de stad over het water moeten toestromen; dat was waarschijnlijk het aanvalsplan geweest. De feya-kori's waren nadat ze de muur hadden doorbroken echter meteen aan het vernielen geslagen, en de keizerlijke troepen waren snel genoeg geweest om achter hen de bres te dichten. Als de demonen over enig tactisch denkvermogen hadden beschikt, zouden ze een groter gat hebben gemaakt, of er in elk geval even bij zijn blijven staan tot er genoeg afwijkenden binnen waren gedrongen om het gat open te kunnen houden. Zahn betwijfelde of de wevers echt veel controle over hun vreselijke schepsels konden uitoefenen, en dat was in elk geval een waardevol gegeven.

Hij keek omhoog naar de gierkraaien die hoog in de lucht cirkelden, buiten het bereik van de geweren. Zoals altijd waren de nexussen vlakbij, verborgen en beschermd, en stuurden zij de strijd van een afstand aan. De gierkraaien fungeerden als hun ogen; de afwijkende roofdieren waren hun marionetten. Als ze de nexussen konden bereiken, konden ze chaos onder de dieren veroorzaken, maar de nexussen hadden geleerd zich verspreid op te stellen sinds Zahn tijdens de slag om de Gemeenschap, jaren geleden, een bloedbad onder hen had aangericht. En zelfs als ze erin slaagden, als ze elke afwijkende die hiernaartoe was gekomen wisten te doden, konden ze de strijd nog niet winnen. Ze stuitten telkens weer op dat ene onweerlegbare feit: ze hadden geen wapen tegen de smetdemonen.

Een ruiter hield vlak voor hem zijn paard in: een knappe jongeman met een volle bos bruin haar, gekleed in de kleuren van bloed Ikati. 'Is er nog nieuws over onze bondgenoten?' vroeg Zahn. Hij wist wie deze man was. Hij had hem de stad ingestuurd om een oogje op de Tkiurathi's te houden. Hij had het niet prettig gevonden om hen zomaar hun schepen te laten verlaten, maar in de chaos na het opkomen van de demonische mist kon hij ook geen mensen missen om hen tegen te houden. Nu liepen ze vrij door de stad rond, en hoewel ze op het moment eerder een aanwinst dan een belemmering leken te zijn, had de ervaring hem geleerd dat hij dergelijke ogenschijnlijke onbaatzuchtigheid diende te wantrouwen.

Het verslag van de jongeman wierp echter geen nieuw licht op de zaak. De Tkiurathi's deden inderdaad hun best om de terugtrekking snel en ordelijk te laten verlopen: ze redden de gewonden, hielpen de achterblijvers, spoorden de afwijkenden op die door de straten zwierven. Sommigen hadden daarbij zelfs het leven gelaten. Was het dan misschien een list om zijn vertrouwen te winnen?

De jongeman was bijna klaar met zijn verslag, maar Zahn luisterde eigenlijk al niet meer. Hij keek naar de feya-kori die ziedend boven de leistenen daken van de stad uittorende, piekerend over dat vreemde volk van het oerwoudcontinent. Dat was waarschijnlijk zijn redding.

Een fractie voor er een steekvlam uit de loop kwam, zag hij de schutter achter een raam op de bovenste verdieping van een krakkemikkig huis, omdat hij toevallig die kant op keek. Dat gaf hem een heel klein beetje extra tijd, het verschil tussen een kogel door zijn hart en een door zijn schouder. Door de klap van de inslag werd hij uit zijn zadel geworpen, en met zijn ene voet nog klem in de stijgbeugel klapte hij tegen de grond. Zijn paard hinnikte en steigerde wild, waardoor hij een eindje over het plaveisel werd meegesleurd. De hoeven van het paard klepperden toen het dier achterwaarts weer over hem heen stapte. De klap had hem verdoofd; alles om hem heen leek ver weg, traag en onwerkelijk. Hij was zich er vaag van bewust dat iemand een uitval naar hem deed: de jonge boodschapper, met een mes in zijn hand; maar toen was de hand van de boodschapper er opeens niet meer, en kort daarna ook zijn hoofd niet, toen de zwaarden van Zahns lijfwachten hem doorkliefden. Na weer een haal was ook de stijgbeugel die Zahn nog aan zijn paard ketende doorgesneden. Opeens kon hij de hemel weer zien. Het paard danste schoppend met zijn benen weg. Iemand schoot het dood.

Er stonden mannen om hem heen, en er klonken boze kreten toen anderen naar het gebouw reden om de sluipschutter te verjagen. Maar de man was waarschijnlijk al dood; de kans was groot dat hij zichzelf van het leven had beroofd. Hij zou niemand kunnen vertellen wie hem had gestuurd, en de boodschapper die moest ingrijpen als hij zou falen, maar Zahn wist het wel. Natuurlijk wist hij het. Terwijl hij bleek en hijgend op de grond lag, omringd door mannen die hem in de ogen keken en onsamenhangend tegen hem praatten, vervloekte hij Oyo tu Erinima, die haar achternichtje terug wilde.

◎ 11 ◎

Kaiku spon en borduurde, luste en knoopte op duizenden fronten tegelijk terwijl ze door de doolhof van het Weefsel schoot. Haar tegenstander was net zo snel als zij, sneller zelfs – blokkeerde haar, verwarde haar, wurmde zich door haar defensieve stiksels heen – maar Kaiku weigerde het op te geven, liet zich geen moment uit haar concentratie halen. Tegenover elke overwinning die haar tegenstander behaalde, stond een nederlaag. Knopen rafelden, netten werden gespannen, valstrikken werden uitgezet en ontweken; het was een razendsnelle strijd, alsof een leger van piepkleine spinnetjes oorlog voerde in een web dat zo complex was dat het het voorstellingsvermogen te boven ging.

Kaiku gebruikte elk trucje dat ze kende, en zelfs een paar die ze ter plekke verzon. Zinkputten die van draden een onoplosbaar kluwen maakten, halve kruissteken in een eindeloze, verwarrende veelheid van mogelijke paden over het strijdperk, die uiteindelijk echter nergens naartoe leidden. Ze beroerde de strengen alsof het de snaren van een harp waren en voegde er andere trillingen aan toe, om een patroon van verstoring te creëren dat haar bewegingen verhulde. Soms hadden haar kunstgrepen effect, soms niet, maar dat gold ook voor de inspanningen van haar tegenstander. Zelfs in de wereld van de menselijke zintuigen woedde de strijd al een hele poos. In het Weefsel leek het alsof hij al jaren gaande was, en nog altijd verzwakten of wankelden de strijders niet. Ze waren aan elkaar gewaagd. Het was een patstelling.

Eindelijk trok Kaiku's tegenstander zich terug. Ze deed hetzelfde. Daar hingen ze, lichaamloos, doodmoe en behoedzaam, als bebloe-

125

de, in het nauw gedreven tijgers. Aan de randen van haar waarnemingsveld voelde ze de kolossale wezens die door deze glinsterende wereld zwierven, glijdend en schuivend, immer ongrijpbaar, onbereikbaar. Ze riepen elkaar aan in hun eigen taal, een fel getik en geratel dat door het Weefsel heen en weer schoot. Kaiku wist dat haar zintuigen de geluiden interpreteerden om ze voor haar menselijke geest begrijpelijk te maken, want in dit oord was er helemaal geen geluid, maar toch was het griezelig en betoverend om te horen. De kolossen spraken tegenwoordig veel vaker met elkaar.

Op het afgesproken teken trok ze haar kana terug, als de tentakel van een anemoon, en opende haar ogen. Ze zat op haar knieën op een rieten mat midden in een met houten schotten beklede kamer. Boven haar hoofd hing een papieren lantaarn. Die wierp grillige schaduwen in de koele schemering en verlichtte deels de houtskoolschetsen aan de muren en de tafeltjes met hun vazen vol donkere bloesems. Een wierookbrandertje verspreidde de geur van kamanoten, bitter, fruitig en rokerig tegelijk. Tegenover Kaiku zat Cailin, die haar met haar dieprode ogen goedkeurend opnam. Ze hijgden allebei en hun huid glansde van het zweet in het schijnsel van de lantaarn. Beiden droegen ze de gewaden en de schmink van de Orde. Cailin glimlachte. 'Gefeliciteerd,' zei ze.

Kaiku kon een korte lach van opgetogenheid niet onderdrukken. Dit was de eerste keer dat ze tegen haar lerares had standgehouden. Ze had het opgenomen tegen de machtigste zuster ter wereld, de Eerste van de Rode Orde, en was niet verslagen. Het was een fantastisch gevoel.

Cailin stond op, en Kaiku volgde haar voorbeeld. 'Laten we een eindje gaan lopen,' zei ze.

Kaiku stond een beetje onvast op haar benen, maar ze gehoorzaamde, nog nagenietend van haar prestatie. Ze liepen door het gebouw waarin alle zusters waren gehuisvest die in het dorp bij Araka Jo woonden, het nachtelijke duister in.

Het dorp was een beetje rommelig en bouwvallig, net als het dorp in de Gemeenschap waar veel inwoners hiervoor hadden gewoond. De Libera Dramach had Araka Jo voor zich opgeëist nadat ze uit de Xaranabreuk was verdreven, aangezien niemand anders er aanspraak op leek te willen maken. De edelen en hooggeplaatste families, die gewend waren aan luxe, hadden zich teruggetrokken in steden als Machita en Saraku, dat de onofficiële hoofdstad van de keizerlijke gebieden was geworden terwijl de oorlog voortwoedde.

Over zandpaden liepen ze tussen de huizen op hun houten palen door. Er brandden lampen op de donkere veranda's, en op de stenen en metalen altaartjes flakkerden kaarsen. In de struiken zaten tsjirpende chikkikii; bergknaagdieren riepen zangerig naar elkaar terwijl ze snel van de ene schaduw naar de andere renden. Aurus, groot en dreigend, hing vol en hoog aan de oostelijke hemel.

Een hele tijd zeiden ze niets, behalve als een dorpeling hen begroette. De zusters werden hier met vriendelijkheid bejegend, en Kaiku genoot van de aandacht. Uiteindelijk werden de huizen schaarser, verdrongen de bomen zich langs de paden en stierven de zachte geluiden van het dorp achter hen weg. Nu hoorden ze alleen nog de wilde, maar merkwaardig rustgevende geluiden van de nacht.

'Je hebt me voor een grote uitdaging gesteld, Kaiku,' zei Cailin, die haar nu eindelijk aankeek. 'Ik hoop dat je nu begrijpt waarom ik bleef volhouden.'

'Je had gelijk,' zei Kaiku. Dat moest ze in elk geval toegeven. 'Het heeft lang geduurd voor ik het begreep, maar je had gelijk.'

De langere vrouw glimlachte toegeeflijk. 'Je hebt geen idee hoe moeilijk het was om je te laten gaan, wetend hoeveel talent je had. Toe te zien hoe je je in het ene na het andere avontuur stortte, terwijl je er nauwelijks enig benul van had waar je toe in staat was. De goden verhoeden dat ik ooit kinderen krijg, als ze me net zoveel kopzorgen opleveren als jij.'

Kaiku lachte zachtjes. 'Koppigheid is inderdaad een van mijn minder goede eigenschappen.'

Zwijgend liepen ze verder.

'Zou je dat willen?' vroeg Kaiku. 'Kinderen krijgen, bedoel ik?'

'Niemand van ons zou daaraan moeten beginnen,' antwoordde Cailin. 'Nu nog niet, althans.'

'Niemand van ons? Van de Rode Orde, bedoel je?'

'We weten niet wat er dan gebeurt. We durven er niet eens bij stil te staan wat dat zou betekenen.'

'Maar er is toch wel iemand die het heeft geprobeerd? Of die het per ongeluk is overkomen?'

'Niemand heeft het geprobeerd. Er hebben zich natuurlijk wel ongelukjes voorgedaan, maar die zijn afgehandeld.' Toen ze de uitdrukking op Kaiku's gezicht zag, voegde ze eraan toe: 'Ze hebben er zelf voor gekozen. Ze wisten dat de tijd nog niet rijp was.'

Kaiku vond het maar niets. Ze had nog maar zelden over kinderen nagedacht – ze vond dat ze het moederinstinct ontbeerde – maar ze zou niet toestaan dat haar de keuze werd afgenomen. Cailin voelde dat aan en deed haar best het uit te leggen.

'We houden het al lang vol met de Rode Orde, Kaiku. We zijn niet met veel, maar we vormen een hechte groep. Hechter misschien dan elke andere groepering in Saramyr. De edelen blijven onderling kibbelen, zelfs nu ze met hongersnood en vernietiging worden geconfronteerd. Kijk maar wat er met barak Zahn is gebeurd. De Rode Orde daarentegen is nog steeds een geheel, en dat komt doordat we onszelf vooropstellen.'

'Dan zijn we misschien wel het meest egoïstisch van allemaal,' prevelde Kaiku.

'Dat heeft die Tkiurathische vriend van je je aangepraat,' snauwde Cailin. De vriendelijkheid was nu verdwenen. 'Moet ik je eraan herinneren dat we nog geen tien jaar geleden stuk voor stuk zouden zijn vermoord als we te koop hadden gelopen met onze gaven? Dat de meesten van ons zijn omgekomen doordat we levend verbrandden, of zelfmoord pleegden omdat we niet konden leven met de schande? In de gebieden van de wevers gaat het nog steeds zo, Kaiku. Nog steeds zijn daar kinderen die sterven omdat hun kana zich manifesteert, en we kunnen slechts een enkeling redden. Als we niet zo egoïstisch waren geweest, zou jij er niet meer zijn, en ik ook niet, en dan hadden de wevers dit land allang in handen gekregen.'

Kaiku verviel in boos stilzwijgen. Daar kon ze niets tegen inbrengen, maar de toon die Cailin aansloeg, maakte haar woest. Dat ze over Tsata was begonnen, had het alleen maar erger gemaakt; het deed haar denken aan het verslag dat hen vanuit Zila had bereikt. Daarin werd alleen vermeld dat de stad was vernietigd en dat de Tkiurathi's waren aangekomen, maar niet of Tsata het had overleefd. Ondanks haar zorgvuldig kalme gezicht was ze buiten zinnen van bezorgdheid.

'Wij zijn een ras apart,' ging Cailin op mildere toon verder. Ze legde haar hand op Kaiku's schouder om haar staande te houden. 'De eerste stap in een nieuwe ontwikkeling van de mensheid. Het is onze plicht om te overleven, en ons doel te bewaken: een wereld creëren waarin we kunnen leven. Daarom hebben we het tegen de wevers opgenomen. Als die dreiging verdwenen is, als de situatie weer stabiel is en wij ons plekje in dit land hebben gevonden, zullen er misschien kinderen komen. Maar voorlopig zijn er te veel onzekerheden, Kaiku.' Zuchtend boog ze het hoofd en sloot haar beschilderde ogen. 'Kijk maar hoe gevaarlijk we zijn. Als de Rode Orde er niet was geweest, zouden we niet eens kunnen omgaan met de gave waarmee we zijn geboren. Stel dat onze kinderen over nog grotere krachten beschikken? Stel dat die krachten zich al vanaf de geboorte manifesteren, in plaats van vanaf het moment dat ze volwassen beginnen te worden? Stel je een kind voor dat in een vlaag van woede een heel dorp kan uitroeien. Wat doen we met zo'n schepsel? Het doden? Zouden we dat kunnen? En wat zou de moeder daarvan vinden?'

Kaiku weigerde haar recht aan te kijken. Ze weigerde toe te geven, hoewel ze de redelijkheid van het argument wel inzag. Maar ze zou zich in een dergelijke kwestie nooit de beslissing uit handen laten nemen, zelfs niet door Cailin.

'Voorlopig hebben we genoeg problemen die we het hoofd moeten bieden,' zei Cailin. 'Nu zijn we verenigd en hebben we een gezamenlijk doel voor ogen, en niets kan dat in gevaar brengen.'

'Genoeg!' antwoordde Kaiku bruusk. 'Je bent duidelijk genoeg geweest. Ik wil het er niet meer over hebben.'

De triomfantelijke gloed van de strijd was verdwenen. Nu was ze vooral lichtgeraakt. Ze liep verder, zonder zich erom te bekommeren of Cailin haar volgde, maar de Eerste voegde zich al na een paar passen weer bij haar.

'Ik wil je iets laten zien,' zei ze.

'O, ja?'

'Ik vind dat je het hebt verdiend.'

Dat wekte Kaiku's interesse. Ze streek haar haren uit haar gezicht en keek Cailin verwachtingsvol aan.

'Niet hier,' zei ze. 'Kom mee.'

Ze liepen een eindje verder. Het pad dat ze volgden, maakte een bocht en liep toen omhoog. Kaiku wist waar ze naartoe gingen: een afgelegen gebouwtje dat in het verleden waarschijnlijk als tempel dienst had gedaan, verborgen tussen de bomen op een piepkleine, zanderige open plek. Bij de doorgang naar de open plek stond een leeg stenen vont, en daarachter bevond zich een heuvelvormig bouwsel met op de vier punten van het kompas verzegelde deuren. Het dak was een kegel van concentrische, taps toelopende schijven met een gouden bol erbovenop. Aan de voet ervan waren schrifttekens gekerfd, in zo'n oud dialect van het Hoog-Saramyrees dat Kaiku er niets van begreep.

'Dit?' vroeg Kaiku. Ze had zich vaak afgevraagd wat er binnen te zien zou zijn. Er ging een zekere alertheid van uit.

'Nee,' antwoordde Cailin. 'Ik wilde slechts zeker weten dat we alleen waren. Ik zou graag willen dat wat ik je laat zien onder ons blijft. Er zijn maar heel weinig mensen die ervan op de hoogte zijn.'

'Nog meer geheimen?' vroeg Kaiku vermoeid. Ze had moeite met leugens en bedrog; ze druisten tegen haar karakter in.

'Het is goed om altijd iets te hebben waarmee je je vijanden kunt verrassen,' zei Cailin. 'Kijk maar naar de wevers. Ze moeten eeuwen hebben besteed aan het ontwikkelen van hun vaardigheden, en nog steeds hebben we geen flauw idee wat ze allemaal voor ons verborgen houden.'

'Wij zijn de wevers niet,' antwoordde Kaiku.

'Doe niet zo weerbarstig, Kaiku.' Cailins fluweelzachte stem kreeg weer een ijzige ondertoon. 'Ik vraag je dit geheim te houden. Zelfs voor Phaeca. Het is een kleine gunst, maar ik hecht er veel belang aan. Begrijpen we elkaar?'

'Ik begrijp het,' zei Kaiku, maar het was geen instemming, hoewel ze het diplomatiek verpakte.

'Kijk dan goed.' Cailin sloot haar ogen en ademde langzaam en diep in.

Kaiku voelde het Weefsel in beroering komen, alsof er minieme stromingen door het ongeziene rijk trokken. Haar zintuigen waren enorm ontwikkeld sinds ze zich op haar studie had toegelegd, en nu was ze zich zelfs als ze niet actief weefde altijd van het Weefsel bewust. Net als haar zusters kon ze een afwijkende meteen herkennen. Ook kon ze de sporen oppikken die geesten achterlieten, en de sfeer die om bepaalde vreemde plaatsen hing, dingen die de meeste mensen slechts als een vaag, intuïtief gevoel van onbehagen ervoeren, als ze er al iets van merkten. Als ze zich een beetje meer inspande, kon ze de banden tussen familieleden, vrienden en zelfs vijanden bespeuren, door de fysieke en emotionele uitwisselingen tussen hun lichamen in kaart te brengen.

Cailin had haar, Tane, Asara en Mishani ooit verteld dat ze een vervlochten pad bewandelden, dat het hun lot was dat ze telkens weer naar elkaar toe werden getrokken, hoe ver ze ook uit elkaar waren. Toen had Kaiku haar gevraagd hoe ze dat wist; nu kende ze het antwoord. Cailin had die onbreekbare banden gezien: Kaiku's vriendschap met Mishani, Tanes liefde voor Kaiku, en de connectie die tussen haar en Asara was ontstaan toen ze een ademtocht hadden gedeeld. Toch had Cailin kennelijk niet alles geweten. Tane was omgekomen, iets wat zelfs de snoeverige zusters met hun gaven niet konden voorspellen.

Opeens verdween Cailin voor haar ogen.

Kaiku knipperde met haar wimpers. Het leek alsof er een wolk voor de maan langs was getrokken, waardoor de magere gestalte van de Eerste even in duisternis werd gehuld, en toen de schaduw wegtrok, was ze weg.

En toch... en toch was ze niet echt weg. Kaiku voelde haar nog steeds, de indruk die ze op het Weefsel achterliet. Haar ogen konden haar alleen niet waarnemen.

Ze glipte zelf het Weefsel binnen, en daar was Cailin, met om zich heen een soort stralenkrans van ontelbaar veel lichtstrengen.

((Hoe kan dat?)) Ze was verbluft, overstelpt door verwondering.

((Dat is nog niet alles. Raak me eens aan))

Dat deed Kaiku. Langzaam stak ze haar hand naar de Eerste uit, afgaand op haar indruk in het Weefsel om te bepalen waar ze stond. Ze wilde haar hand op Cailins schouder leggen, maar waar ze spieren en botten had verwacht, vond ze niets. Scherp zoog ze haar adem in, verrast. Ze probeerde het opnieuw, en weer faalde ze. Haar arm ging dwars door de plaats heen waar Cailins lichaam hoorde te zijn, en afgezien van een vage indruk dat de lucht waar haar vingers doorheen gingen wat dikker was, voelde ze niets.

((Onmogelijk...)) Zodra ze de gedachte had uitgezonden, voelde Kaiku zich dwaas, maar ze kon geen andere manier bedenken om haar gevoel uit te drukken. Cailin bevond zich in het Weefsel, en verder nergens. Haar tastbare lichaam was... weg.

((Wij hebben talenten die jij nog maar nauwelijks hebt aangeboord, Kaiku)) Cailins boodschap ging niet met woorden gepaard, maar bereikte Kaiku in een flits van semantische indrukken. *((Nieuwe bewerkingstechnieken waar we tientallen jaren lang in het geheim hard aan hebben gewerkt. Je bent klaar om de diepste mysteries van de Rode Orde te leren kennen))*

Plotseling trok het Weefsel krom: het boog naar binnen en verdichtte zich tot iets tastbaars dat maar heel even bleef bestaan voor het Weefsel weer terugsprong, en daar was een kolossale massa, waarbij alles in het niet viel.

Zijn aanwezigheid was al genoeg om hen volledig te overrompelen. Afstand had in het Weefsel geen betekenis, hoewel de menselijke geest alles wel in dergelijke termen interpreteerde. Maar tot op dat moment waren de kolossen heel, heel ver weg geweest, onpeilbaar afstandelijk. Nu kwam een ervan echter zo dichtbij dat zijn boeggolf het bewustzijn van de zusters bijna wegvaagde en hen diep in verwarring bracht. Het kostte hun grote inspanning om zich te herstellen, maar het wezen was nu roerloos en de rust keerde weer.

De omvang, de invloed van de kolos op het Weefsel was onmetelijk. De zusters waren in vergelijking niet meer dan stofdeeltjes; hij overheerste de wereld van de gouden draden volledig. Het was een witte leegte, een scheur die zo fel was dat het brandde aan je ogen. Hij had geen vorm, want hij leek allerlei verschillende vormen tegelijkertijd te hebben. Omdat de menselijke geest daar niet mee kon omgaan, gaven de zusters zelf een vorm aan de aanwezigheid, zodat ze hem veilig konden waarnemen. Hij was reusachtig, glad en gestroomlijnd en leek qua uiterlijk een beetje op een walvis, maar aan de andere kant was hij zo anders dan de dieren die ze kenden, dat ze hem nergens mee konden vergelijken, en zij waren als plankton op zijn flanken.

Ze bekeken het wezen vol doodsangst en durfden niets te doen, behalve roerloos blijven hangen, terwijl hun Weefselzintuigen worstelden om te verwerken wat er gebeurde.

De kolos keek ook naar hen. Ze voelden zijn aandacht langs hen heen strijken, als de boeg van een reusachtig, donker schip dat langsvaart: een verpletterende kracht die hen op een haar na raakte. Met het gewicht van die blik kon hij hen verpletteren. Kaiku had ooit de Kinderen van de Manen ontmoet, geesten die zo oud waren dat de mens ze niet kon bevatten, maar vergeleken met dit wezen waren zij inderdaad slechts kinderen. Dit wezen was zo veel machtiger dan die geesten dat je er niet bij kon stilstaan zonder volkomen krankzinnig te worden.

Even gebeurde er niets, en toen vouwde het Weefsel zich zonder waarschuwing als een bloem samen tot een oneindig dichte knop, om daarna weer open te springen. De kolos was verdwenen, maar de galm van zijn vertrek was als het luiden van een enorme klok.

Samen verlieten Kaiku en Cailin het Weefsel. Cailin was weer zichtbaar. Een hele tijd bleven ze staan luisteren naar de banale geluiden van de nacht, zwaar ademend, zich bewust van de aanraking van de wind op hun gezicht en in hun haren.

Onder het oppervlak van de werkelijkheid schoten de vragen heen en weer. De andere zusters hadden de aanwezigheid van de kolos ook gevoeld. Cailin en Kaiku konden echter geen van beiden antwoord geven. Ze staarden elkaar zwijgend aan. Woorden schoten tekort.

Een paar dagen later arriveerde Mishani in Araka Jo.

Ze trof Kaiku aan bij een meertje iets ten oosten van het tempel-complex. Ze stond aan de rand van een houten observatiesteiger naar het bed van leliebladeren en drijvende rood-witte bloemen te kijken. Het meer was omringd met kamakabomen, met blaadjes die in lange, lome strengen boven het water hingen. Nuki's oog had die kenmerkende winterse scherpte; onder zijn blik was het aangenaam warm, maar waar het licht door de schaduwen werd tegengehouden, was het frisjes.

Kaiku droeg niet de kledij van de Orde. Ze had een dik gewaad aangetrokken, paars, blauw en lavendelkleurig, met een groene sjerp eromheen. Mishani, die gewend was aan de jongensachtige trekjes van haar beste vriendin, vond dat een onverwacht vrouwelijke kledingkeuze. Mishani bleef aan het eind van de steiger een tijdje naar haar staan kijken, gewoon genietend van de aanblik van Kaiku terwijl ze in gedachten verzonken was.

'Ik weet dat je er bent, Mishani,' zei ze op geamuseerde toon. 'Je kunt me nu niet meer besluipen. Die tijd is voorbij.'

Mishani lachte. Kaiku draaide zich om om haar te omhelzen.

'Goden, wat ben ik blij je veilig terug te zien,' prevelde ze.

Hun gesprek duurde lang, want ze hadden elkaar veel te vertellen. Het was meer dan een jaar geleden dat ze elkaar voor het laatst hadden gezien, vlak voor Mishani naar Tchom Rin vertrok. Kaiku had het vooral over haar opleiding, want ze had niet zulke lange reizen afgelegd als haar vriendin. Mishani praatte het meest; Kaiku wilde dolgraag alles horen over de woestijnsteden.

'En moet je jou nu eens zien!' zei Kaiku, plukkend aan Mishani's mouw. 'Je lijkt zelf wel een edelvrouw uit de woestijn!'

'Ik moet toegeven dat de mode daar me wel bevalt,' zei Mishani grijnzend. Toen werd ze ernstig en zei: 'Ik moet je iets vertellen, Kaiku. Asara is hier.'

Kaiku's vrolijkheid doofde als een flakkerend kaarsje uit. 'Asara?' Heel even was ze terug in de Gemeenschap, waar ze een man genaamd Saran Ycthys Marul had verleid, niet wetende dat het Asara was die een andere vorm had aangenomen. Het verraad deed haar nog steeds pijn. Toen keerde haar glimlach terug, hoewel hij nu een beetje geforceerd aandeed. 'Zij kan wel wachten. Kom, dan gaan we een stukje wandelen.'

Ze liepen over een smal paadje om het meer heen, een zandpad dat bezaaid was met versleten stenen die in de loop van de eeuwen voor het grootste deel in de aarde waren weggezonken. Raven en gaaien hupten door het kreupelhout of vlogen verschrikt klapperend met hun vleugels op, blaadjes en twijgjes opwerpend. De meeste bomen en planten in Saramyr waren bladhoudend, maar de mensen hadden nog een soort gemeenschappelijke herinnering aan de tijd waarin hun voorouders door het gematigde Quraal hadden rondgetrokken, en zelfs nu, meer dan duizend jaar nadat de Saramyriërs in dit land waren aangekomen, voelde de winter een beetje merkwaardig aan. Alsof er iets moest gebeuren wat niet gebeurde. Het grootste deel van de bomen werd nooit kaal, en dat ging tegen die oeroude intuïtie in.

Kaiku was blij dat ze weer bij haar vriendin kon zijn. Er heerste tussen hen een vertrouwdheid die ze met niemand anders in haar leven deelde. Zoals altijd was ze verbaasd dat ze dat gevoel zo gemakkelijk kon loslaten, dat ze kon vergeten hoe het was als ze samen waren. Tegelijk wist ze dat ze het, als ze weer gescheiden werden, net zo snel weer zou vergeten.

Onder het lopen vertelde Mishani Kaiku over de terugreis door de bergen.

'Ik had de indruk dat het in de bergen wemelde van de afwijkenden, maar we hebben er slechts een paar gezien, en dan nog op grote afstand,' zei ze. 'Zelfs toen we de vlakte bereikten en we de Zuidelijke Handelsweg moesten oversteken en in het noorden om de moerassen heen moesten trekken, zijn we geen obstakels tegengekomen. Ik dacht dat ik geluk had toen ik op de heenweg naar de woestijn niet op problemen stuitte, maar nu begin ik het gevoel te krijgen dat het niets met geluk te maken had.'

'Onze verkenners vertellen ons hetzelfde,' zei Kaiku instemmend. 'De troepenmacht van de wevers concentreert zich rond de steden, waardoor er veel minder afwijkenden over het platteland rondzwerven. Er is al geopperd dat zelfs zij niet genoeg manschappen hebben om het hele gebied te bezetten. In de eerste maanden van de oorlog, voor ze leerden hun aanvallen tactisch aan te pakken, liepen hun verliezen in de honderdduizenden. Misschien kunnen ze niet genoeg nieuwe afwijkenden fokken of vangen – of welke methode ze ook gebruiken om hun legers aan te vullen – om het tekort op te vangen.'

'Daar kunnen we in elk geval hoop uit putten.'

Er viel een stilte waarin alleen de zachte tred van hun voeten en het geruis van de blaadjes hoorbaar waren, en die duurde lang genoeg om een nieuw onderwerp uit te lokken.

'Ik heb het nieuwe boek van je moeder gelezen,' zei Kaiku.

'Ik ook. Meerdere keren zelfs.'

'Er is iets vreemds aan. En dan met name die laatste regels.'

Mishani knikte bedroefd. 'De woorden die Nida-jan spreekt tot de stervende man? Dat is het eerste couplet van een wiegeliedje dat ze vroeger altijd voor me zong. Ze heeft het zelf bedacht. Wij waren de enigen die het helemaal kenden.'

'Ik ken het ook,' zei Kaiku. 'Je hebt het een keer voor me gezongen, toen je me vertelde dat je had ontdekt dat Chien voor je moeder werkte.'

'Weet je dat nog?' vroeg Mishani verrast. Ze had al een hele tijd niet meer aan de onfortuinlijke koopman gedacht. Hij was tijdens de belegering van Zila door de huurmoordenaars van haar vader vergiftigd, maar niet voordat Mishani had ontdekt dat haar moeder hem in het geheim opdracht had gegeven haar tegen diezelfde huurmoordenaars te beschermen.

Kaiku's lippen trilden. 'Ze is een begenadigd schrijfster. Haar woorden blijven hangen.' Ze schopte tegen een tak die op hun pad lag. 'Toen ik die regels had gelezen, kon ik het gevoel niet van me afzetten dat ze er iets mee wilde zeggen.'

'Dat is wel duidelijk,' zei Mishani.

'Daarom ben ik ook haar eerdere boeken gaan lezen. Alles wat er is uitgekomen sinds haar schrijfstijl is veranderd, sinds je vader rijksvoogd is geworden. Ik probeerde inzicht te krijgen in haar bedoelingen, in wat ze duidelijk wilde maken.'

'En ben je tot een conclusie gekomen?' Dit fascineerde Mishani, dat haar vriendin in precies dezelfde richting dacht als zijzelf.

Kaiku haalde haar schouders op. 'Niets, maar ik weet zeker dat er iets in besloten ligt. De antwoorden blijven onbereikbaar.'

Mishani voelde een steek van teleurstelling. Ze had gehoopt dat haar vriendin misschien uitsluitsel zou kunnen geven.

'Tsata is terug,' zei Kaiku zonder enige inleiding.

'Hier?'

'In Saramyr. Hij komt met een groep Tkiurathi's naar Araka Jo.' Kaiku had de zuster die bij de aanval aanwezig was geweest opgedragen uit te zoeken of Tsata het had overleefd. Er waren enkele dagen overheen gegaan; de Tkiurathi's hadden zich een tijdje eerder van het leger afgescheiden, en de zuster had meer te doen. Iemand zoeken die zich een man kon herinneren die er in haar ogen precies hetzelfde uitzag als zijn landgenoten, was geen eenvoudige opgave. Die ochtend was het antwoord echter gekomen.

Kaiku was bijna duizelig geworden van opluchting; pas toen de spanning uit haar wegvloeide, besefte ze hoe bang ze was geweest.

'Het zijn werkelijk vreemde tijden,' zei Mishani. Ze keek op naar Kaiku, die enkele duimen langer was.

'Sla dat toontje niet aan!' zei Kaiku lachend. 'Ik weet waar je op zinspeelt.'

'Hij is een oceaan overgestoken om bij je terug te komen, Kaiku,' zei Mishani.

'Hij is een oceaan overgestoken om tegen de wevers te strijden,' antwoordde ze. 'Je weet hoe zijn volk is. Voor hem was het de enige logische reactie.'

'Ik weet helemaal niet hoe zijn volk is,' zei Mishani. 'Ik heb er grote moeite mee hun gewoonten te begrijpen. Jij lijkt dat een stuk makkelijker te vinden.'

Kaiku trok een vinnig pruilmondje naar haar vriendin. 'Misschien moet ik dan maar ambassadeur worden in jouw plaats.'

'Jij? Ha! Daar zou binnen een dag oorlog van komen.'

En zo ging het door. Samen wandelden ze door het felle licht van de winterse dag langs het meer, en in elkaars gezelschap konden ze even hun zorgen vergeten. Voor hen allebei waren dergelijke momenten veel te zeldzaam.

In de keizerlijke vesting van Axekami werd het avondeten opgediend. Rijksvoogd Avun tu Koli ging op zijn knieën tegenover zijn vrouw aan het vierkante, rood-zwart gelakte tafeltje zitten. Tussen hen in stonden vier geweven manden waar de stoom vanaf sloeg, respectievelijk gevuld met zeevruchten, zoutrijst, knoedels en groente. Ook stonden er kommetjes met soepen en sauzen, en hoge glazen met oranjegele wijn. De bedienden controleerden of alles naar wens was en trokken zich toen terug achter het gordijn in de deuropening, hun meneer en mevrouw alleen achterlatend.

Een tijdje bleven ze zwijgend zitten. De kamer was niet zo groot, maar toch leek hij wel een holle grot; hun ademhaling en de geluidjes van hun kleinste bewegingen werden door de lege ruimte versterkt. Het was nog niet zo laat dat er lantaarns nodig waren, maar de rookwolk die boven de stad hing verstikte het zonlicht dat door de drie muurhoge gewelfde ramen in de westelijke muur naar binnen kwam, zodat er slechts een grauw schemerlicht overbleef. In de nissen stonden vazen en beeldhouwwerken, maar de centrale ruimte was vrijgelaten, en daar zaten zij met z'n tweeën, geknield op hun matten met de tafel vol eten tussen hen in.

'Wil je niet eten?' vroeg Avun uiteindelijk.

Het duurde even voor Muraki reageerde. Toen deed ze het vinger-bestek om. Avun volgde haar voorbeeld, en ze schepten eten uit de manden op hun bord.

'Ging het schrijven goed vandaag?' vroeg hij.

'Goed genoeg,' antwoordde ze zachtjes, met een onuitgesproken beschuldiging in haar stem.

'Ik vond dat je maar eens uit die kamer weg moest,' zei Avun. 'Het is niet goed voor je gezondheid om je zo op te sluiten.'

Muraki wierp hem van achter het gordijn van haar haren een vluchtige blik toe en keek toen nadrukkelijk over zijn schouder door het raam naar buiten. Het is altijd nog gezonder dan die lucht inademen, zei ze met haar ogen.

'In dat geval spijt het me dat ik je heb gestoord,' zei hij terwijl hij met zijn vrije duim en wijsvinger een kommetje pakte om een donkere saus over zijn zeevruchten te gieten. 'Ik wilde graag samen met mijn vrouw de maaltijd nuttigen.'

Daar gaf ze geen antwoord op. In plaats daarvan concentreerde ze zich op het eten. Met de mesjes en vorkjes aan de zilveren vinger-hoedjes, die ze aan de middelvinger en ringvinger van haar beide handen droeg, sneed ze kleine hapjes af en bracht ze naar haar mond.

'De feya-kori's komen binnenkort terug uit Zila,' zei Avun. Hij moest iets zeggen om de muur van stilte te doorbreken die zijn vrouw had opgetrokken. Toen ze niet reageerde, praatte hij verder: 'De soldaten van het keizerrijk zijn zonder noemenswaardig verzet verdreven. De wevers zijn tevreden over hun nieuwe schepsels. Er zullen er snel meer bij komen, denk ik.'

Weer werd de stilte pijnlijk, maar Avun had genoeg gegeven om iets terug te mogen verwachten. Uiteindelijk vroeg Muraki: 'Hoe snel?'

'Het is een kwestie van weken. Helemaal zeker is het niet.'

'En dan?'

'Dan veroveren we de Zuidelijke Prefecturen, waarna we ons op Tchom Rin zullen richten.'

'En worden die steden dan net zo als Axekami?'

'Ik kan geen reden bedenken waarom de wevers dat zouden willen,' antwoordde Avun. 'Als ze het continent eenmaal hebben veroverd, worden de feya-kori's overbodig. Dan is dit miasma ook niet meer nodig.'

'Zullen ze ons nog nodig hebben, denk je?' vroeg ze zachtjes. 'Als ze het continent eenmaal aan zich hebben onderworpen?'

Avun glimlachte vriendelijk. 'Ik ben geen dwaas, Muraki. Ik geloof niet dat ze me uit dankbaarheid rijksvoogd zouden laten blijven. Toch zal ik nog steeds onmisbaar voor hen zijn. Het volk heeft een leider met een menselijk gezicht nodig. Een masker zullen ze nooit vertrouwen.'

'Zullen ze jou dan wel vertrouwen?'

'Ja, want ik zal hun de blauwe hemel teruggeven,' zei Avun. Hij nam een slokje wijn. 'Ik wil net zomin onder deze wolk leven als jij. Het is gewoon tegennatuurlijk. Maar hoe sneller we ons van onze tegenstanders ontdoen, des te eerder kunnen we de feya-kori's missen en de walmputten afbreken.'

'En de tempels?'

Even wist Avun niet wat hij daarop moest antwoorden. Zijn vrouw had er een uitgesproken talent voor om zijn gevoeligste plekjes te raken, op zo'n onderdanige toon dat hij er geen aanstoot aan kon nemen. 'De tempels zullen niet heropgebouwd worden. De wevers hebben niets op met onze goden.'

Muraki's stilzwijgen sprak boekdelen. Ze wist dat hij diep in de nacht nog steeds bad, in de leeggeroofde tempel van Ocha op het dak van de vesting. De koepel was nog net zo schitterend als altijd, maar de standbeelden van de goden die eromheen hadden gestaan waren verdwenen, en de altaren waren gesloopt. De tempel zag er afschuwelijk verminkt uit, en Muraki wilde er niet eens bij in de buurt komen. Maar Avun wel.

Muraki vroeg zich af hoe hij zijn daden voor zichzelf kon goedpraten: hij was niet zo'n godvruchtig mens, maar weigerde zijn goden in de steek te laten, ook al was hij wel bereid hun tempels te laten slopen. Verwachtte hij vergiffenis? Ze kon geen godheid bedenken die zo mild zou zijn hem die te schenken, na alle misdaden die hij tegen het Gouden Rijk had begaan.

Uiteindelijk besloot Avun de kwestie te omzeilen door terug te keren op een eerder onderwerp. 'Uiteindelijk zal de wereld weer net zo zijn als vroeger. De smet kan een halt worden toegeroepen zodra de Rode Orde omver is geworpen, want dan hebben de wevers niet meer zoveel heksenstenen nodig. Het miasma zal verdwijnen. En het volk zal zich weer verenigen.'

'Zeggen de wevers dat? Dat heb ik nog niet eerder gehoord.'

'Ik heb vanochtend met Kakre gesproken. Ik heb hem ertoe overgehaald zijn toekomstplannen te onthullen.' Avun leek trots op zichzelf, en ze geloofde zonder meer dat het een dappere daad was geweest. Ze wist wat er in het verleden met hem was gebeurd als hij zich het ongenoegen van Kakre op de hals had gehaald.

'Waarom?' vroeg ze verwonderd. 'Waarom heb je het gedaan? Tot nu toe wist je niets, en daar was je tevreden mee.'

Hij keek haar strak aan. 'Omdat de lucht hier mijn vrouw niet aanstaat,' zei hij. 'En ik haar wilde kunnen vertellen dat hij op een dag weer zuiver zou zijn.'

Heel even keek Muraki hem aan, maar toen richtte ze haar blik weer op haar bord. Alleen daarmee verried ze dat haar hart even oversloeg. Een hele tijd zei ze niets.

'Geloof je hen?'

'Het is de enige logische verklaring. Het alternatief is het land nog verder vergiftigen. Als ze dat doen, betekent het de dood voor hun eigen mensen, hun eigen leger. Er is niet genoeg voedsel, en de hongersnood zal alleen maar erger worden.'

'Of misschien weten we gewoon niet wat de wevers uiteindelijk van plan zijn,' fluisterde ze heel zachtjes, doodsbang om hem tegen te spreken. 'Misschien is Kakre gewoon krankzinnig.'

Avun knikte. 'Hij is inderdaad krankzinnig.'

Muraki keek hem verrast aan.

'Ik heb zijn verval scherp in de gaten gehouden,' zei Avun. 'Sinds hij de feya-kori's heeft gewekt, gaat het snel bergafwaarts met hem. Ik denk dat het een enorme aanslag op hem heeft gepleegd om ze te beheersen. Zijn mentale toestand holt achteruit.' Hij nam een hap van een knoedel, kauwde erop en slikte hem door, alsof hij gewoon over koetjes en kalfjes praatte in plaats van over iets waarvoor hij kon worden terechtgesteld. 'Ik vermoed dat hij me niets over de langetermijnplannen van de wevers zou hebben verteld als hij niet zo verward was geweest.'

'Maar als de Weefheer gek is,' zei Muraki, 'wie geeft dan leiding aan de wevers?'

'Dat,' zei Avun, terwijl hij het glas hief, 'is de grote vraag.'

◎ 12 ◎

De uitgestrekte woestijnstad Izanzai nam een oneffen plateau in beslag dat hoog boven de stoffige vlakte uitstak. Het was een woud van donkere pieken en gebouwen, die zich tot aan de rand van de zandkleurige klippen verdrongen. Torens zo dun als naalden prikten in de bleekblauwe hemel; bolvormige tempels liepen uit in elegante spitsen; bruggen verhieven zich boven de door hitte geteisterde, beschaduwde straten. Aan de zuidelijke rand bevond zich een kolossale helling van aarde, de enige weg omhoog naar het plateau, die het gevolg was van jarenlang zwoegen en veel levens had gekost. Vanuit Izanzai kon je tot ver in de omtrek kijken. In het zuiden en oosten werden de vlakten langzaam maar zeker opgeslokt door de woestijn, en heel in de verte waren de uitlopers zichtbaar van de enorme duinen die een bobbelige lijn door het midden van Tchom Rin trokken. In het noorden en westen was het landschap nog onherbergzamer: droge vlakten en tafellanden, besmeurd met brede vegen modderig geel en diepbruin. Daarachter liep het opeens steil omhoog naar het omvangrijke Tchamilgebergte, dat de grens met het overige deel van Saramyr vormde. De bergen doemden grijs en somber op aan de horizon, met hun levenloze, door wervelstormen geteisterde flanken, ontelbare pieken die zich in een lange rij tot in het niets uitstrekten.

Aan de voet ervan vochten en stierven soldaten.

Barak Reki tu Tanatsua zat op een manxthwa aan de rand van een tafelberg te kijken naar de strijd. De warme wind streek door zijn haar en kleren en deed de vacht van zijn rijdier golven. Met samengeknepen ogen bestudeerde hij de formaties en bewegingen van beide partijen, rekende en bedacht strategieën. Het gevecht was zogoed als voorbij en het woestijnvolk was aan de winnende hand, maar hij zou pas rusten als de vijand tot op het laatste monster was uitgeroeid. Links en rechts van hem, ook op manxthwa's, zaten een zuster van de Rode Orde en Jikiel, de spionnenmeester. De rest van zijn lijfwacht stond op een afstandje om hem heen, scherp en alert, hoewel ze ver van elk gevaar verwijderd waren.

Er waren meer klembekken dan ze ooit eerder hadden gezien. Als de monsters alleen de legers van de Izanzaise families tegenover zich hadden gehad, zouden ze die hebben verpletterd. Het verbond tussen de baraks had echter alles veranderd, en nu de oude vetes even vergeten waren, kon Reki een veel grotere troepenmacht op de been brengen om de stad te verdedigen. De samenwerking was geen dag te vroeg begonnen, zo leek het.

De strijd had echter veel slachtoffers geëist. Die vervloekte afwijkende monsters waren moeilijk te doden, en meestal schakelden ze wel een paar soldaten uit voor ze aan hun eind kwamen. In tegenstelling tot de meeste andere roofdiersoorten die de wevers tot nu toe hadden ingezet, hadden ze weinig voedsel en water nodig en waren ze zogoed als immuun voor de hitte. Ze konden op verraderlijk zand even goed uit de voeten als op harde rotsgrond, en hun dodelijke natuurlijke bepantsering betekende dat de manische man-tot-mangevechten die onder de woestijnstrijders gebruikelijk waren, in feite neerkwamen op zelfmoord. Er sneuvelden te veel soldaten, die ten prooi vielen aan de berenklemachtige kaken waaraan de monsters hun naam te danken hadden. Goden, als hij niet had geweten dat het onmogelijk was, zou hij hebben gedacht dat de wevers deze diersoort speciaal voor dit doel hadden ontwikkeld: om de woestijn te veroveren.

Het wás toch onmogelijk?

'Uw manschappen in de bergen hebben enkele nexussen weten op te sporen,' prevelde de zuster opeens. Ze gaf de informatie door die ze van haar metgezellen in het hart van de strijd had ontvangen.

Reki maakte een bevestigend geluidje. Dat had hij zelf ook al geraden. Een deel van de schuifelende monsters op de vlakte was opeens in razernij ontstoken, een duidelijk teken dat hun meesters de dood hadden gevonden. Nu ze niet meer door de nexussen werden beheerst, vertoonden ze hun gebruikelijke dierlijke gedrag, en dieren vonden het over het algemeen niet prettig om midden in een grote, hevige strijd verzeild te raken.

'Het lijkt erop dat de overwinning vandaag aan ons is,' merkte Jikiel op.

Reki keek zijn spionnenmeester schuin aan. 'Vandaag wel,' zei hij. 'Maar hoeveel slagen kunnen we nog winnen?'

Jikiel knikte ernstig. Hij was oud en kaal, bruin en gerimpeld als een walnoot, met een dunne zwarte baard en een snor, die in drie dunne koorden tot op zijn borst hing. Hij droeg een beige gewaad met om zijn middel een nakata, het zwaard met een gebogen punt dat alle krijgers van Tchom Rin droegen. 'Misschien moeten we iets tegen de bron ondernemen,' opperde hij.

'Dat dacht ik ook net,' zei Reki. 'Elke keer komen ze met meer. We zijn gedwongen onze troepen te spreiden, want de grens langs de bergen is uitgestrekt. Door de baraks bijeen te brengen hebben we uitstel van executie verkregen, maar meer ook niet. Uiteindelijk zullen ze ons verslaan.'

'Wat beveelt u, mijn barak?'

'Verzamel zoveel mannen als je nodig hebt. Stuur ze de bergen in. Ik wil weten waar die monsters vandaan komen.'

'Zoals u wenst.'

Ze bleven nog even naar de strijd staan kijken. De nexussen sneuvelden een voor een, en daarmee hun troepenmacht, die verviel in wanorde en door het woestijnvolk werd afgeschoten. De manxthwa's bromden en schuifelden onrustig heen en weer, schrapend met hun hoeven. Af en toe deed de zuster verslag.

Reki's gedachten waren nog steeds deels bij het strijdperk, maar een ander deel was afgedwaald naar zijn vrouw. Zo was het altijd. Ze was al meer dan een maand weg, maar het verdriet over de scheiding was nog niet verminderd. Hij hunkerde nog altijd naar haar. En hij was nog steeds gekwetst door de manier waarop ze was weggegaan: zonder uitleg, met alleen een paar raadselachtige hintjes en veel emotionele chantage. Woest was hij op zichzelf, omdat hij haar had laten gaan zonder een verklaring te eisen. Hij vroeg zich af wat ze nu deed, wat er zo belangrijk kon zijn dat ze er zevenhonderd mijl voor naar het westen moest reizen. Sinds haar vertrek had hij zichzelf gekweld met allerlei denkbare en ondenkbare scenario's, maar hoe kon hij uiteindelijk raden wat er aan de hand was? Hoeveel wist hij nu eigenlijk over Asara's verleden? Ze was een mysterie voor hem, al zolang hij haar kende.

Aan de andere kant: wat had hij te vrezen? Was er ook maar iets wat hij haar niet zou kunnen vergeven, waardoor hij niet meer van haar zou houden? Dat kon hij niet geloven. Bovendien kon hij de kwelling te moeten denken aan al die scenario's niet verdragen, als hij voor zekerheden kon zorgen die hij kon verwerken en vergeten. Hij draaide zich een stukje om, zodat de zuster hem niet kon horen. 'Jikiel?' prevelde hij.

'Mijn barak?'

'Trek de achtergrond van mijn vrouw na.' Voor zijn gevoel was het het ultieme verraad, en even overwoog hij zijn woorden terug te nemen, maar het was een risico dat hij maar moest nemen. Als Asara geen vertrouwen had in hun liefde, moest hij het heft in eigen hand nemen. 'Zorg dat je alles over haar te weten komt. En ik bedoel alles.'

Er speelde een glimlach om Jikiels lippen. 'Ik was bang dat u het nooit zou vragen.'

Asara kwam in de kleine uurtjes naar Cailin toe, in het huis van de Rode Orde bij Araka Jo. Cailin zat met een kop bittere thee in haar handen tussen de schuifpanelen door naar de uilen in de donkere bomen te kijken.

'Asara,' zei ze poeslief. 'Het was ook maar een kwestie van tijd.'

Asara was al binnen; zonder een geluid te maken, was ze tussen de gordijnen door geglipt. 'Waarom denk je anders dat ik zo ver zou reizen, behalve om jou te spreken?'

Cailin zette het breekbare kopje weg waaruit ze had gedronken, stond op en draaide zich om naar haar bezoeker. 'Om Kaiku misschien? Je hebt nooit lang bij haar vandaan kunnen blijven.'

Asara hapte niet toe. 'Ik heb Kaiku's leven gered omdat jij me dat had gevraagd,' zei ze kalm. 'Sindsdien moet ik daarvoor boeten. Daar verwacht ik wel enige dankbaarheid voor.'

'Ach, dankbaarheid,' zei Cailin. 'Waarom ben ik je dankbaarheid verschuldigd, Asara? Je hebt gedaan wat ik je heb opgedragen. Als onze overeenkomst ten einde is, zul je je beloning krijgen.'

Asara liep een eindje verder de kamer in. Het was donker en er was geen licht, afgezien van de witte gloed van de twee grote manen. Daar stond ze, in de schaduw, met haar kin arrogant geheven. Ze droeg een wit gewaad met een broche op de schouder, en elegante sieraden om haar polsen en in haar haren. Van top tot teen een woestijnbarakesse.

'Alles is nu anders,' zei ze. 'Ik ben niet meer dezelfde vrouw als vroeger.'

143

'Denk je nu werkelijk dat je bent veranderd?' vroeg Cailin ongelovig. 'Hoeveel je aan de buitenkant ook verandert, Asara, vanbinnen ben je nog even hol en leeg als vroeger.'

'Vooral mijn situatie is veranderd.' Er lag nu een giftige ondertoon in haar stem. 'Zoals je heel goed weet.'

Ze keken elkaar van weerskanten van de kamer aan. Het was dezelfde ruimte waar Kaiku en Cailin enkele avonden eerder hadden geweven, op de tweede verdieping van het huis van de Rode Orde. De vazen waren nu leeg en het wierookbrandertje was koud. De houtskoolschetsen aan de met hout betimmerde muren leken te kronkelen in het donker.

'Ik moet je feliciteren,' zei Cailin na een lange stilte. 'Door de erfbarak te verleiden heb je blijk gegeven van een zeer scherpe vooruitziende blik. Wat zul je een verdriet hebben gehad toen zowel zijn zus als zijn vader omkwam, zodat hij het hoofd van de familie kon worden.'

'Zijn zus kon niet aan het hoofd van de familie komen, want ze was gehuwd met de keizer,' antwoordde Asara vlak. 'Haar overlijden heeft jou meer opgeleverd dan mij. Jij wilde dat de staatsgreep van de wevers zou slagen, jij wilde dat ze het land zouden overnemen. En nu is je wens uitgekomen.'

'En jij had zeker niets met haar dood te maken?'

'Misschien wel, misschien niet,' antwoordde Asara. 'In het eerste geval bevestigt het slechts dat ik meer voor je heb gedaan dan iemand van een mens mag verlangen, en er niets voor terug heb gekregen.'

'Zo zit onze afspraak in elkaar, Asara. Je krijgt je volledige beloning, zodra de tijd rijp is.'

'Dan verander ik onze afspraak.'

Cailin trok haar wenkbrauwen op. 'O, ja? Wat amusant.'

'Ik ben nu de echtgenote van een barak, Cailin,' zei Asara stekelig. 'Ik heb de machtigste man van de woestijn om mijn vinger gewonden. Je kunt me niet meer zo gemakkelijk terzijde schuiven als vroeger.'

Cailins rood-zwarte lippen waren vertrokken in een spottende grijns. 'Aha. En omdat je toevallig een onervaren jongetje tot een huwelijk hebt weten te verleiden, denk je dat je hem als pressiemiddel tegen me kunt gebruiken? Ik had meer van je verwacht, Asara.'

'Ik ben al meer dan tien jaar in jouw ban, Cailin,' snauwde Asara. Een plotselinge woede laaide in haar op. 'Gebonden door jouw beloften. Je besefte wat ik nodig had – de goden mogen weten hoe, dankzij die smerige kana-spelletjes van je, ongetwijfeld – en sinds-dien heb je me alleen maar uitgebuit. En al die tijd jaag ik al achter een droom aan waarvan ik niet eens zeker weet dat je hem kunt ver-vullen! Nu heb ik macht in de woestijn en kan ik Tchom Rin tegen jou en je soortgenoten opzetten. Ik weet waarnaar jíj verlangt, en ik kan het je een stuk moeilijker maken als je me niet meteen geeft wat ik wil hebben!'

'Genoeg!' snauwde Cailin. 'Wat is tien, twintig, vijftig jaar voor men-sen als jij en ik? De jaren hebben geen vat op ons, Asara. Onze tijd is niet beperkt, zoals die van anderen. Betracht toch wat geduld.'

'Ik ben geduldig genoeg geweest,' was het antwoord. 'Maar er is een punt waarop geduld verandert in dwaasheid. Moet ik nog tien jaar je slaaf zijn, en nog tien, tot je eindelijk besluit me vrij te laten? En kun je me zelfs dan wel geven wat je hebt beloofd? Zou je het echt doen? Het woord van één vrouw is wel een heel dun draadje om zo'n gewicht aan te verbinden. En in de jaren dat ik je nu ken, heb je je niet bepaald het toonbeeld van betrouwbaarheid betoond.'

Cailin lachte, een helder, hoog geluid. 'Arme Asara,' zei ze. 'Arme, moordlustige Asara.' Haar lach stierf weg en haar gezicht werd duis-ter. 'Zoek je medelijden? Dat zul je van mij niet krijgen. De doel-stelling van de Rode Orde is net zo goed in jouw belang...'

'Dat waag ik te betwijfelen,' viel Asara haar in de rede.

'...en met hoeveel tegenzin ook, zolang je aan onze zijde vecht, vecht je voor jezelf. Wij zullen een wereld creëren waarin afwijkenden zon-der angst kunnen leven. En daarbij zul jij ons helpen, of je wilt of niet.'

'Je draait om de hete brij heen,' zei Asara, die met boze passen dich-terbij kwam. 'Geef me wat ik wil.'

'En jou ontslaan van je verplichting jegens mij? Dat denk ik niet. Je mag dan je fouten hebben, maar je bent een zeer nuttige bondgenoot.'

'Geef me wat ik wil!' gilde Asara.

'Of anders?' schreeuwde Cailin. 'Wat doe je dan, Asara? Denk je echt dat je de woestijn tegen ons kunt opzetten? Denk je echt dat je ons kunt tegenhouden? Zelfs met de beste wil van de wereld zou je de Rode Orde hooguit een muggenbeet kunnen toebrengen. We kunnen je wel duizend keer doden voor je zelfs maar bij je geliefde barak te-rug bent. En zelfs Reki is niet zo dwaas dat hij de macht zal weige-ren die wij hem verlenen, nu de wevers Tchom Rin proberen binnen te dringen. Je kunt slecht bluffen, Asara, en ik heb genoeg van je.'

'Dan is het nu afgelopen!' zei Asara. 'Het is afgelopen. Als je niet kunt bewijzen dat je kunt doen wat je hebt beloofd, dan...'

Cailin sneed haar keel door.

Het was een snel, laatdunkend handgebaar, een geërgerde zwiep met haar vingers. Ze raakte de andere vrouw niet eens aan, daarvoor stonden ze te ver uit elkaar. Maar Asara's hals werd van links naar rechts opengehaald, in een rode snee zo scherp alsof Cailin met een zwaard had toegeslagen.

Asara wankelde met wijd opengesperde ogen achteruit. Er ontsnapte een rochelend geluid aan haar borst en het bloed gutste over het voorpand van haar gewaad, dat in het maanlicht glanzend zwart leek te worden. Cailin keek met vuurrode ogen emotieloos toe.

Asara probeerde geluid uit te brengen, maar dat lukte niet. Ze probeerde adem te halen, maar er kwam geen zuchtje lucht door haar afgesneden luchtpijp. Ze werd overspoeld door paniek, een doodsangst die ze nog nooit had ervaren: ze ging dood, zonder dat haar wens was uitgekomen, en als ze er niet meer was, zou het zijn alsof ze nooit had bestaan. Haar benen werden slap; haar spieren leken wel van lood. Met haar hand tegen haar keel gedrukt liet ze zich op haar knieën zakken. Met haar andere hand probeerde ze zichzelf te ondersteunen, maar haar gespreide vingers gleden weg in haar eigen bloed. Ze werd licht in het hoofd. Al dat bloed, al dat bloed, en ze kon het met geen mogelijkheid stelpen.

Niet zo, dacht ze met de droesem van haar bewustzijn. Niet zo.

Cailin maakte met twee vingers een wuivend gebaar, en Asara's keel hechtte zichzelf: het weefsel werd van links naar rechts naadloos samengevoegd, alsof er een rits werd dichtgetrokken. Broodnodige voedingsstoffen stroomden van haar hart naar haar hersenen, en ze nam een diepe, hortende ademteug. Nooit had ze zoiets goddelijks gevoeld als de opluchting die ze nu ervoer, of zoiets puurs als de haat die ze koesterde voor degene die haar zo had verwond. Nog steeds snakkend naar adem, met een gewaad dat zwart en doorweekt was, hief ze haar hoofd en doorboorde Cailin met een blik vol pure kwaadaardigheid.

De Eerste van de Rode Orde keek kil op haar neer. 'Tevreden?' vroeg ze. Toen liep ze de kamer uit en liet Asara op haar knieën in een plas van haar eigen bloed achter.

Ongeveer drie mijl ten noordoosten van Araka Jo, diep in de beboste bergen, lag de open plek van een ipi.

Daar was het onnatuurlijk stil en sereen, in dat grotachtige heiligdom met een overhuiving van verstrengelde takken en blaadjes, waar de heldere, scheve stralen van de winterzon tussendoor vielen. Zacht glooiende heuveltjes en oneffenheden koesterden waterpoelen zo roerloos en transparant als glas; gladde rotsen, zo wit als gebleekte beenderen, waren half in de aarde begraven. Midden op de open plek stond de ipi zelf: een kolossale boom met een bast zo zwart als houtskool, gerimpeld en knoestig van ouderdom. Zijn bovenste takken waren vervlochten met de overhuiving, maar de lagere takken strekten zich als kromme armen boven het gras uit, met ruige vingers vol dennennaalden.

Lucia zat op haar knieën en met het hoofd gebogen aan de voet van de boom, gekleed in een donkergroen gewaad met een riem om haar middel. Ze mediteerde, communiceerde met de geest van de open plek. Het was voor haar tegenwoordig niet moeilijk meer met een ipi te praten. Haar vermogens waren in een schrikbarend tempo gegroeid sinds ze in de Xaranabreuk uit de tempel van Alskain Mar was teruggekomen, en behalve de alleroudsten stonden alle geesten nu voor haar open. Met elke pas die ze in de wereld der geesten zette, raakte ze er echter weer een verder verwijderd van de mensenwereld, en ze ging met de dag meer op een geest lijken.

Kaiku keek naar haar vanaf de rand van de open plek. Ergens tussen de bomen, uit het zicht, stonden haar lijfwachten van de Libera Dramach. Maar op deze plek, in de serene aanwezigheid van de ipi, had Lucia net zo goed alleen op de wereld kunnen zijn. En in zekere zin was dat ook zo. Er was immers geen tweede Lucia, niemand die zich kon voorstellen hoe het was om te zijn zoals zij, in het schemergebied tussen twee werelden waar ze niet meer thuishoorde.

Het deed Kaiku pijn om te zien hoe geïsoleerd ze was. Mishani's bezoek had haar doen denken aan Yugi's giftige opmerkingen, aan zijn beschuldiging dat ze haar vrienden had verwaarloosd terwijl ze zich in de lessen van de Rode Orde onderdompelde. Ooit was Lucia als een zusje voor Kaiku geweest, maar nu was ze daar niet meer zo zeker van.

Uiteindelijk hief Lucia het hoofd en stond op. Op blote voeten liep ze voorzichtig tussen de grasheuveltjes door, pakte haar schoenen, die ze aan de rand van de open plek had laten liggen, en kwam bij Kaiku staan.

'Daggroet,' zei ze met een gelukzalige glimlach, waarna ze impulsief haar armen om Kaiku heen sloeg. Een beetje verbaasd beantwoordde Kaiku haar omhelzing.

'Goden, je bent al net zo lang als ik,' zei ze.

'Ik groei als onkruid,' zei Lucia lachend. 'Het is al veel te lang geleden dat je me bent komen opzoeken, Kaiku.'

'Dat weet ik,' prevelde Kaiku. 'Dat weet ik.'

Lucia trok haar schoenen aan, en samen gingen ze op weg terug naar Araka Jo. Kaiku stuurde de lijfwachten vooruit: hun beschermeling was bij haar veiliger dan bij twintig gewapende mannen, en zelfs zonder de kledij en de schmink van de Orde herkenden ze haar meteen. Rustig kuierden zij en Lucia over de smalle bospaadjes. Lucia babbelde er vrolijk op los. Ze was in een ongewoon uitgelaten stemming, heel anders dan de dromerige, afwezige toestand die Kaiku van haar was gaan verwachten.

'De smet wordt minder,' zei Lucia zonder enige inleiding, midden in het verhaal dat ze aan Kaiku aan het vertellen was over wat ze die dag had gedaan.

'O, ja?'

'De ipi kan het voelen. Sinds de heksensteen onder Utraxxa is gebarsten. Het land herstelt zich hier, langzaam maar zeker.' Onder het praten keek ze naar een vogel die, snel als een speer, tussen de boomtoppen door vloog. 'Het is nog niet onomkeerbaar. Nog niet.'

'Maar dat is fantastisch nieuws!' riep Kaiku uit. Lucia schonk haar een zijdelingse grijns. 'Geen wonder dat je vandaag zo opgewekt bent.'

'Het is inderdaad fantastisch nieuws,' zei ze instemmend. 'En ik heb gehoord dat jij ook nieuws hebt.'

Kaiku knikte. 'Ik weet alleen niet of het goed of slecht nieuws is.' Ze vertelde Lucia over de ontmoeting die zij en Cailin met de kolos hadden gehad. De Weefselwalvis, zoals Cailin hem was gaan noemen.

'Ik ben bang voor ze,' gaf ze toe. 'Al veel te lang hebben wij ze genegeerd, zoals zij ons hebben genegeerd, omdat we ervan uitgingen dat ze altijd buiten ons bereik zouden blijven. Maar ik geloof dat ze ons nu in de gaten houden. Ze hebben opgemerkt wat al die tijd aan hun aandacht is ontsnapt. Ons gepruts met het Weefsel trekt wezens aan met een vermogen tot vernietiging waar dat van de wevers bij verbleekt.'

'Maar wat zijn het?' vroeg Lucia.

'Misschien zijn het de goden wel,' was het antwoord.

Daar had Lucia niets op te zeggen, maar het bracht haar wel tot bedaren. Zwijgend liepen ze een tijdje verder door het zongevlekte bos.

Boven hen hupte een raaf van tak naar tak.

'Lucia, het spijt me verschrikkelijk,' zei Kaiku na een hele poos. 'Ik heb je lang verwaarloosd. Ik was zo druk bezig te leren om te gaan met wat ik heb dat ik... vergat wat ik had.'

Lucia pakte haar hand vast. Dat was een gebaar van de oude Lucia, het kind, voor ze tot een jonge vrouw uitgroeide.

'Het komt door de oorlog,' zei ze. 'Je hoeft je niet te verontschuldigen, Kaiku. Wat heb je aan een wapen dat niet geslepen is?'

Kaiku schrok van haar fatalistische toon. 'Lucia, nee! We zijn meer dan alleen wapens. Ik heb je misschien niet veel geleerd, maar dat toch hopelijk wel.'

'Geloof je dan echt dat we een keuze hebben? Dat we dit alles nu zomaar de rug kunnen toekeren?' Met een droevige glimlach liet ze Kaiku's hand los. 'Ik niet. En jij ook niet, daar geloof ik niets van.'

'Die keuze heb je wel degelijk, Lucia!' zei ze stellig.

'O, ja?' Lucia lachte opnieuw, maar deze keer klonk ze verbitterd, en dat bezorgde Kaiku een ongemakkelijk gevoel. 'Als ik had willen ontkomen aan de verwachtingen die de hele wereld over me koestert, had ik dat een hele tijd geleden al moeten doen. Voor de Libera Dramach weer overeind krabbelde, voor de slag om de Gemeenschap, zelfs. Nu zijn er te veel mensen uit mijn naam gestorven. Ik kan niet meer terug. Die tijd is voorbij.' Met troebele ogen keek ze uit over het pad. Ze luisterde naar het geruis van het bos. 'Ik ben geworden wat zij wilden. Ik ben hun brug met de geesten, maar of we daar iets aan zullen hebben... Een wapen, dat ben ik, en aan een wapen heb je niets als je het niet hanteert. Ik kan niet meer zo lang nutteloos blijven.'

'Lucia...' begon Kaiku, maar ze werd in de rede gevallen.

'Denk je dat ik het niet weet, van de feya-kori's? Dat we ons niet tegen ze kunnen verdedigen, ons nergens mee kunnen verweren? Hoe lang zal het nog duren voor jullie een beroep op mij doen? Jullie laatste kans? Jullie enige hoop?' Inmiddels stonden ze stil, en Lucia keek Kaiku fel aan. 'Weet je hoe dat is, Kaiku? Je leven te leiden, wetend dat je keuzes met de dag beperkter worden, dat je uiteindelijk een belofte moet nakomen die je nooit hebt gedaan? Ze beschouwen mij als hun redder in nood, maar ik weet helemaal niet hoe ik mensen moet redden!'

'Dat hoef je ook niet,' zei Kaiku. 'Luister naar me. Dat hoef je ook niet.'

Lucia wendde haar blik af, niet in het minst overtuigd.

'In mijn leven heb ik mensen gekend die zo egoïstisch waren dat ze alles en iedereen zouden opofferen om te krijgen wat ze hebben willen,' zei Kaiku met haar hand op Lucia's arm. 'En ik heb een man gekend die zo onbaatzuchtig was dat hij bereid was zijn leven op te offeren om anderen te redden. Ik geloof dat het juiste pad ergens in het midden ligt. Ik heb het je al eens eerder gezegd, Lucia: je moet een beetje egoïstischer worden. Denk ook eens aan jezelf.'

'Zelfs ten koste van dit land en iedereen die er leeft?' vroeg Lucia spottend.

'Ja,' zei Kaiku. 'Want je denkt misschien wel dat het lot van de hele wereld van jou afhangt, maar dat is niet zo.'

Lucia weigerde haar recht aan te kijken. 'Ik ben bang, Kaiku,' fluisterde ze.

'Weet ik toch.'

'Nee, je weet het niet,' zei ze, en op haar gezicht lag zoiets indringends te lezen dat Kaiku er bang van werd. 'Ik ben aan het veranderen.'

'Aan het veranderen? Hoe bedoel je?'

Lucia wendde zich af en staarde naar het bos. Kaiku's blik viel op de littekens van de brandwonden onder aan haar nek. Het leek erop dat de steek van schuldgevoel die haar altijd trof als ze ernaar keek, nooit zou weggaan.

'Ik besef best dat ik soms afwezig ben... meestal zelfs,' zei ze. 'Ik besef best hoe moeilijk het is om met mij te praten. Ik neem het je niet kwalijk dat je me niet zo vaak komt opzoeken.' Ze stak haar hand op om Kaiku's tegenwerpingen in de kiem te smoren. 'Zo is het nu eenmaal, Kaiku. Ik kan me nergens meer op concentreren. Overal waar ik ga, hoor ik stemmen. De adem van de wind, het gemompel van de aarde, de vogels, de bomen, de stenen. Ik weet niet wat stilte is.' Ze draaide haar hoofd om, keek over haar schouder naar Kaiku. Er biggelde een traan over haar wangen. 'Ik kan ze niet buitensluiten,' fluisterde ze.

Kaiku kreeg een brok in haar keel.

'Ik word net zoals zij,' zei Lucia, met een klein, angstig stemmetje waar de hopeloosheid van afdroop. 'Ik vergeet van alles. Hoe ik om mensen moet geven. Als ik denk aan Zaelis, aan Flen, aan mijn moeder... Dan voel ik niets. Allemaal zijn ze om mij gestorven, en toch kan ik me vaak niet eens meer herinneren hoe ze eruitzagen.' Haar lip begon te trillen, haar gezicht vertrok, en opeens rende ze in Kaiku's armen en omklemde haar zo stevig dat het pijn deed. 'Ik voel me zo eenzaam,' zei ze. Toen begon ze pas echt te huilen.

Kaiku's maag en hart trokken zich samen van verdriet, zodat ook bij haar de tranen in de ogen sprongen. Ze wilde op de een of andere manier tot Lucia doordringen, iets doen om het beter te maken, maar ze was net zo hulpeloos als ieder ander. Het enige wat ze kon doen, was voor Lucia klaarstaan, en daarin was ze de afgelopen jaren ernstig tekortgeschoten.

Terwijl ze dicht tegen elkaar aan op het smalle bospad stonden, begonnen de blaadjes te vallen. Eerst een, toen twee, toen opeens met tientallen tegelijk; ze dwarrelden van de groene bomen omlaag op hun schouders en rond hun voeten. Lucia weende, en de bomen wierpen uit medeleven hun blad af.

◎ 13 ◎

Op een ochtend niet lang daarna arriveerden de Tkiurathi's op een helling ten zuiden van Araka Jo. Tegen de tijd dat iemand hen opmerkte, hadden ze al kookvuren aangelegd en schuilhutten van dierenhuiden opgezet, en lagen ze met tientallen tegelijk als katten op de boomtakken te slapen. Zomaar opeens was er een dorp van joerten en hangmatten van gevlochten hennep tussen de bomen uit de grond geschoten. Als je niet beter wist, zou je denken dat ze er al weken woonden.

Tsata zat in de holte van een tak, met zijn rug tegen de stam, en liet één been bungelen. Hij zat met een wetsteen loom zijn slachthaken te slijpen, ver weg met zijn gedachten. Vanaf zijn gezichtspunt, aan de noordkant van het dorp, kon hij het zandpad zien dat naar Araka Jo liep. In eerste instantie geloofde hij dat hij die plek per ongeluk had gekozen, maar uiteindelijk besloot hij dat hij zichzelf voor de gek hield. Hij wilde het pad in de gaten houden. Voor het geval Kaiku naar hem toe kwam.

Een Tkiurathische vrouw op de grond riep iets tegen hem. Ze hief haar mes, en hij wierp haar de wetsteen toe, die ze met een dankbare grijns uit de lucht plukte. Toen liep ze terug naar het hart van het dorp.

Tsata bevestigde zijn slachthaak weer aan de haak aan zijn riem en keek ontspannen naar de bedrijvigheid om hem heen. Het was spannend om weer in Saramyr te zijn, en deze keer was het nog fijner. Nu was hij immers niet alleen, maar omringd door zijn eigen volk. De vreemde dingen aan dit land accepteerden ze zonder morren. Ze waren broeders en zusters, veilig binnen hun pasj, getroost door de wetenschap dat ze elkaar hadden. Tsata betrapte zichzelf erop dat hij glimlachte.

Aan de voet van de bomen waren traditionele driezijdige joerten opgezet, repka's genaamd. Dat waren gemeenschapsruimtes waar men samen kon wonen en slapen, met afgeschuinde, tunnelachtige armen die aan een grote centrale ruimte vastzaten. In die middelste tent zat een rookgat waar kringeltjes rook door naar buiten kwamen. Buiten waren er nog meer vuren aangelegd: de jagers hadden al wat plaatselijk wild geschoten, en Tsata had het druk gehad met aangeven wat allemaal veilig was om te eten. Binnen de pasj stond hij bekend als de deskundige waar het Saramyr betrof; hij was er immers al eerder geweest en had zich lang daarvoor de taal en de gewoonten eigen gemaakt.

Onder de Tkiurathi's was het gebruikelijk dat iedereen van elkaar leerde, dat mensen de unieke kennis of talenten waarover ze beschikten met de anderen deelden. Van zo iemand had Tsata Saramyrecs geleerd: een man die hier jarenlang had gewoond en gereisd voor hij was teruggekeerd naar zijn vaderland. Tsata had aanleg voor talen – hij sprak in die tijd al behoorlijk goed Quralees, de lingua franca van de handelsnederzettingen die verspreid langs de Okhambaanse kust lagen – en had met verbijstering en fascinatie naar verhalen over Saramyr geluisterd. Hij legde zich toe op het leren van het Saramyrees met een toewijding waar zelfs zijn leraar van onder de indruk was geweest, en binnen een paar jaar beheerste hij de taal zo goed als je van een buitenlander mocht verwachten. De maanden die hij in Saramyr had doorgebracht hadden zijn kennis enorm aangescherpt. Toch had hij nog steeds moeite met de vele aanspreekvormen en stembuigingen, de kleine subtiliteiten van het Hoog-Saramyrees die alleen moedertaalsprekers volmaakt beheersten.

Toen hij zijn blik afwendde van het dorp en weer naar het pad keek, stond Kaiku daar. Ze stond hem met een ondeugende, verwijtende uitdrukking op haar gezicht aan te kijken.

'Kom je naar beneden, of moet ik boven komen?' riep ze.

Hij lachte; hij kende haar goed genoeg om te weten dat ze niet blufte. Met een aapachtige souplesse liet hij zich van de tien voet hoge tak glijden en slingerde naar de grond. Even weifelden ze toen ze tegenover elkaar stonden, terwijl ze probeerden te besluiten of ze elkaar volgens hun eigen gebruiken of die van de vreemdeling moesten begroeten. Maar opeens ging Kaiku op haar tenen staan, drukte een kus op zijn voorhoofd en omhelsde hem. Dat was een aangename verrassing voor Tsata: het was een ongebruikelijk gebaar voor een Saramyriër, waar heel veel intimiteit uit sprak.

'Welkom terug,' zei ze.

'Het is fijn om terug te zijn,' zei hij. 'Hadden we overal maar zo'n warm onthaal gekregen.'

'De feya-kori's,' prevelde Kaiku knikkend. 'Ik vrees dat je op een slecht moment bent aangekomen.'

'Of misschien precies op het juiste moment,' zei hij. 'Naar ik heb begrepen, hebben jullie nog nooit zulke duistere tijden gekend. En het is niet meer nodig om mijn volk ervan te overtuigen dat ook wij worden bedreigd; de mannen die nu terugkeren naar Okhamba zullen het nieuws verspreiden. Op de dag dat we aankwamen hebben vijfenzeventig van ons het leven gelaten, maar de rest zal des te harder vechten om hun opoffering te eren.' Opeens klaarde zijn gezicht op. 'Maar over zulke dingen kunnen we het een andere keer hebben. Ik zal je ons nieuwe thuis laten zien. En jij moet me vertellen wat er tijdens mijn afwezigheid allemaal is gebeurd.'

Het leek alsof ze nooit uit elkaar waren geweest. Ze vervielen heel gemakkelijk weer in de gespreksritmes die ze hadden ontwikkeld tijdens hun lange gezamenlijke verblijf in de Xaranabreuk, waar ze samen hadden gewoond en gejaagd in het verwoeste landschap.

Hij praatte over de vele obstakels waarmee hij was geconfronteerd tijdens zijn missie om zijn volk op de hoogte te brengen van het gevaar dat de wevers vormden. Kaiku sprak over haar toetreding tot de Rode Orde en haar opleiding. Ze vertelde hem ook over Lucia en Mishani; hij had hen even gezien, voor hij uit de Gemeenschap was weggegaan, maar kende hen vooral uit de verhalen van Kaiku. En ze sprak over haar angst om Lucia, de Weefselwalvissen en de benarde toestand waarin de veelgeplaagde troepen van het keizerrijk zich bevonden.

Onder het praten dwaalden ze door het dorp. Kaiku had ervoor gekozen reiskleding aan te trekken voor haar bezoek aan de Tkiurathi's in plaats van de uitdossing van de Rode Orde, want ze wilde niet bedreigend overkomen. Nu was ze er blij om. Te midden van de informele Tkiurathi's zou ze zich met haar gezichtsschmink opgelaten hebben gevoeld.

De mensen waren slank en gespierd, hun huid was taai en hun handen waren getekend door hun harde bestaan. Ze betrapte zichzelf er vaak op dat ze hen niet alleen van elkaar onderscheidde aan de hand van hun gelaat, maar ook van hun unieke tatoeages; in eerste instantie viel het dan ook niet mee daardoorheen te kijken, zo'n grote bijdrage leverden ze aan hun uiterlijk. De vrouwen waren sterk gebouwd en hadden naar Saramyrese normen een uitgesproken onvrouwelijk figuur, waar weinig zachtheid uit sprak. Toch bespeurde Kaiku een soort wilde schoonheid in hen die haar erg aansprak. Ze zaten tussen de mannen, als gelijken, droegen hun lange haar in een staart met een koord erom, of los, en droegen mouwloze hemden van hennep of dierenhuid en broeken van hetzelfde materiaal.

Tsata ging samen met haar bij een van de kampvuren zitten die in de openlucht waren aangelegd, bij een stuk of tien andere Tkiurathi's, die al zaten te eten. De mannen aan weerszijden van hen gaven hun kommen en goten daar uit hun eigen kommen een deel van hun eten in. Dat was een typisch Okhambaans gebaar, het delen van voedsel. Kaiku wist niet hoe ze moest reageren, want ze kon niets teruggeven, maar Tsata gebaarde dat ze zich geen zorgen moest maken: er werd geen tegenprestatie van haar verwacht. Hij schepte hun kommen verder vol met stoofpot uit een ketel die boven het vuur hing. Het was het vlees van een inheems dier, vermengd met groente en onbekende specerijen: het rook heerlijk, zij het minder verfijnd dan Saramyrese gerechten. Dit had een veel sterkere smaak. Nog voor hij klaar was met opscheppen, hadden de anderen in de kring hun al stukken brood toegestopt die ze van hun eigen hompen hadden afgescheurd. Kaiku bedankte hen toch, hoewel ze hun taal bijna niet sprak.

'Je hoeft hen niet te bedanken,' zei Tsata. 'Als dank deel je jouw eten met hen, als jij iets hebt en zij honger hebben.'

'Weet ik,' zei ze. 'Maar het valt niet mee zulke ingesleten gewoonten los te laten. Ik zou het ook vreemd vinden als iemand van jullie bij mij aan de deur zou komen vragen om een slaapplaats.'

'Zo werkt het niet helemaal,' zei hij lachend. 'Maar ik voorzie de komende tijd veel misverstanden tussen jouw volk en het mijne.'

Een van de vrouwen, die Kaiku aandachtig had zitten opnemen, zei iets tegen haar in haar eigen ruwe dialect vol keelklanken. Kaiku keek Tsata onzeker aan.

'Ze zegt dat jouw taal erg mooi is,' vertaalde hij. 'Als het gezang van vogels.'

'Moet ik haar daarvoor bedanken?'

Hij glimlachte. 'Ja. Ghohkri.'

Dat zei Kaiku tegen de vrouw, en per ongeluk sprak ze het woord perfect uit, wat haar een goedkeurend gemompel opleverde. Aangemoedigd door haar reactie begonnen ook de anderen vragen te stellen en opmerkingen te maken, die Tsata in rap tempo voor haar vertaalde. Al snel werd Kaiku bij het gesprek betrokken. Tsata gaf haar mompelend een vlotte samenvatting van wat de mensen om het vuur in het Okhambaans tegen elkaar zeiden. Af en toe maakte ze zelf ook een opmerking, die altijd gevolgd werd door een ongemakkelijk moment vol onbegrip, tot Tsata het in het Okhambaans herhaalde. Haar gesprekspartners waren echter beleefd en geduldig, en Kaiku begon er lol in te krijgen. Ze vonden haar duidelijk mateloos fascinerend, en zelfs de versleten reiskleren die ze droeg, waren in hun ogen ongelooflijk exotisch.

'Goden, ze zouden het Kanaaldistrict in Axekami eens moeten zien,' merkte Kaiku tegen Tsata op, maar toen herinnerde ze zich dat Axekami niet meer zo was als vroeger. Dat maakte haar een beetje droevig.

Uiteindelijk verlieten ze de kring en wandelden door de rest van het kamp. Overal waar Kaiku keek zag ze iets bijzonders: de makelij van Tkiurathische werktuigen, de geur van hun vreemde gerechten en hun gevaarlijk ogende gewoonte om in een boom te slapen.

'Dat is een oud instinct,' legde Tsata uit. 'Er loopt op de grond van alles rond wat ons tussen de takken niet kan bereiken. Sommige mensen slapen zo nog steeds het liefst, zelfs in zo'n veilig bos als dit. De anderen slapen in de repka's.'

'Geen enkel bos is nog echt veilig,' zei Kaiku. 'De dieren zijn langzamerhand steeds agressiever geworden sinds de smet zich over ons land heeft verspreid.'

'In het oerwoud waar wij vandaan komen, zou een Saramyrees dier het nog geen nacht volhouden,' zei Tsata. 'Wij zijn aan gevaarlijker roofdieren gewend dan beren en wolven. Ik betwijfel of jullie hier iets hebben waar wij ons echt zorgen over zouden maken.'

'Ah,' zei Kaiku. 'Maar wíj hebben afwijkenden.'

'Ja,' zei Tsata, die tijdens zijn laatste verblijf veel ervaring had opgedaan met het jagen op dergelijke wezens. 'Vertel me daar eens iets over. Ik heb begrepen dat er nogal wat veranderd is.'

Kaiku vertelde hem over de klembekken in de woestijn, en over andere nieuwe rassen die ze hadden ontdekt en benoemd. Niemand wist zeker of die nieuwe diersoorten echt nieuw waren of in het verleden gewoon niet zo vaak waren waargenomen. In elk geval kwamen er nog regelmatig meldingen over afwijkenden die niemand herkende, te midden van de gebruikelijke ghauregs, schellers en furiën.

Toen vertelde Tsata haar over de afwijkende man die hij in Zila had geprobeerd te redden, en daarmee nam het gesprek een nieuwe wending.

'Natuurlijk haten ze ons nog steeds,' zei Kaiku terwijl ze langs de rand van het dorp liepen. 'Mensen zijn altijd bang voor alles wat anders of onbekend is. De ontwikkelingen voltrekken zich in elk gebied in een ander tempo. Afwijkenden met een angstaanjagend uiterlijk worden erger veracht dan degenen die er "normaal" uitzien. Ik geloof dat de meeste mensen Lucia niet eens meer als een afwijkende beschouwen: ze hebben haar verheven tot iets anders, een schimmige reddende engel die in hun straatje past, en de hooggeplaatste families lijken dat vuurtje maar al te graag te willen aanwakkeren. Ze hebben een boegbeeld nodig, en als ze het keizerrijk alleen terug kunnen krijgen als ze daarna Lucia op de troon zetten, dan moet dat maar. In elk geval is ze van adel. Bovendien wordt ze gesteund door bloed Ikati en bloed Erinima, en door de Libera Dramach. Samen vormen ze verreweg het machtigste bondgenootschap, en niemand durft hun een strobreed in de weg te leggen.'

'En de Rode Orde?' vroeg Tsata.

Heel even was haar frustratie van haar gezicht af te lezen. 'De hooggeplaatste families zijn niet blij met ons, ook al hebben we hen van de vernietiging gered, ook al zijn wij degenen die hen tegen de wevers beschermen, zodat die niet simpelweg vanuit Axekami in hun gedachten kunnen doordringen om hen te doden.' Ze snoof. 'De Rode Orde wordt gewantrouwd, alsof wij gewoon een soort wevers zijn.'

'Zijn jullie dat dan niet?'

Ze zou niet verbaasd moeten zijn. Hij was altijd zo bot. 'Nee!' zei ze. 'De wevers hebben eeuwenlang afwijkenden vermoord om het bewijs van hun eigen misdaden te verdoezelen. Er vallen nog steeds zo veel mensen ten prooi aan hun ontwenningsmanie dat ik er niet eens bij stil durf te staan. En ze hebben het land van ons afgepakt.'

'Zoals jouw volk het van de Ugati heeft afgepakt,' hielp Tsata haar herinneren. 'Ik weet best dat de zusters niet zo verderfelijk en wreed zijn als de wevers, maar jullie willen binnen het keizerrijk wel dezelfde rol vervullen als zij. Zullen jullie uiteindelijk tevreden zijn met een ondergeschikte positie? De wevers werden het snel beu.'

'De wevers waren nooit van zins zich daarmee tevreden te stellen. Ze zijn vanaf het begin van plan geweest de macht te grijpen, of ze het zelf wisten of niet. De god die aan de touwtjes trekt, eiste het van hen. Alleen zo konden ze bij de heksenstenen komen.'

'Je hebt geen antwoord gegeven op mijn vraag,' zei hij zachtjes, bestraffend.

'Ik weet het antwoord niet,' antwoordde ze. 'Zelf ben ik niet van plan me in dienst te stellen van de hooggeplaatste families als dit allemaal achter de rug is, maar ik weet niet wat voor plannen Cailin heeft. Ik moet een eed vervullen, en daarvoor moeten de wevers worden uitgeroeid. Als ik daarin slaag, zal ik als een tevreden mens sterven.'

'Je moet stilstaan bij de gevolgen van wat je doet, Kaiku,' zei Tsata. Zijn toon maakte echter duidelijk dat het als algemeen advies was bedoeld, dat niet alleen betrekking had op de zusters. 'Je moet vooruitkijken.'

'Wat heeft dat voor zin?' vroeg ze. 'Er is geen alternatief. We kunnen slechts één pad volgen. De Rode Orde wil het volk helpen dat doel te bereiken.'

'Dit land heeft zich al een keer gebrand omdat het zijn vertrouwen heeft gesteld in machtiger wezens,' zei Tsata. 'Het is niet meer dan begrijpelijk dat ze op hun hoede zijn voor jullie.'

Ze ging er niet verder op in. Tsata zette overal vraagtekens bij, en daar bewonderde ze hem om; hij dwong haar tot zelfreflectie, tot het bestuderen van haar eigen keuzes en meningen. Maar hij was ook erg vasthoudend, en ze wilde nu geen ruzie. Daarom stuurde ze het gesprek in een andere richting. Nu ze werd omringd door Tkiurathi's, werd ze benieuwd naar Tsata's jeugd, dus stelde ze hem daar vragen over. Even vroeg ze zich af waarom ze dat niet eerder had gedaan, maar ze had het nooit gedurfd, bang dat ze hem zou dwingen iets te onthullen wat hij geheim wilde houden. Okhambanen waren immers altijd en eeuwig wellevend, maar ze vonden het niet prettig als er misbruik werd gemaakt van hun vrijgevigheid. Hij gaf echter heel openhartig antwoord.

'We hebben geen ouders in Okhamba.' Hij zag de brede glimlach op haar gezicht en verbeterde zichzelf. 'Ik bedoel dat we geen verantwoordelijkheid toewijzen aan onze verwekkers. De kinderen worden allemaal op dezelfde manier opgevoed, als deel van de pasj waartoe ze behoren. Iedereen helpt mee. Ik weet niet wie mijn ouders waren, hoewel ik wel een vermoeden had. De biologische band wordt ontmoedigd. Die zou maar tot voortrekkerij en rivaliteit leiden.'

Ze praatten ook over goden en voorouders. Kaiku had al ontdekt dat de Okhambanen geen goden vereerden, maar een vorm van voorouderverering hadden die vergelijkbaar was met die van de Saramyriërs, zij het veel extremer. Waar Saramyr alle voorouders eerde en respecteerde, waren de Okhambanen daar veel meedogenlozer in. Degenen die grootse dingen hadden bereikt, werden als helden behandeld; er werden verhalen en legendes over hen verteld, zodat hun daden konden worden overgeleverd als inspiratiebron voor de jongere generatie. Degenen die niets hadden bereikt, werden vergeten, en hun naam werd niet hardop uitgesproken. Okhambanen geloofden dat je kracht, moed, inventiviteit, intelligentie en inspiratie uit jezelf kwamen, dat ze zelf verantwoordelijk waren voor alles wat ze deden en dat er geen goden waren die je tevreden moest stellen of de schuld kon geven als er iets misging. Tsata beschouwde goden als een soort buffer tegen de brute, rauwe realiteit van het bestaan.

Kaiku daarentegen kon er met haar verstand niet bij dat een heel continent, bewoond door miljoenen mensen, niet begreep wat elke Saramyriër duidelijk kon zien: dat de goden overal waren, dat hun invloed overal voelbaar was; ze waren dan soms wellicht wat grillig en angstaanjagend, maar ze waren er, hoe dan ook.

'Maar Quraal kent andere goden,' had hij op een keer gezegd. 'Jullie kunnen toch niet allebei gelijk hebben?'

'Misschien zijn het gewoon verschillende kenmerken die aan dezelfde wezens worden toegeschreven,' had Kaiku geantwoord. 'We geven onze goden gezichten die onszelf aanstaan.'

'Aan wiens kant zouden ze zich dan scharen als er oorlog uitbrak tussen Quraal en Saramyr?' had hij tegengeworpen. 'Hoe weet je nu wie er gelijk heeft als je niet weet wat ze willen?'

Kaiku kon echter alleen maar bedenken hoe leeg haar leven zou zijn als ze zou geloven dat er niet meer was dan de wereld die ze kon zien. Ze wist beter. Ze had de Kinderen van de Manen in de ogen gekeken. Met zijn meedogenloos praktische inslag en realisme liet Tsata geen enkele ruimte voor de geesten die zowel zijn land als het hare bevolkten.

'Geesten zijn onverklaarbare wezens,' had hij gezegd, 'maar we aanbidden ze niet en vragen ook niet om hun vergiffenis.'

'Maar als je geesten niet kunt verklaren,' had Kaiku geantwoord, 'wat kun je dan nog meer niet verklaren?'

'Stel nou dat jullie goden ook maar geesten zijn, alleen veel machtigere?'

Zo was het doorgegaan. Dat liep echter uit op een debat dat ze niet opnieuw wilde oprakelen, dus vermeed ze de discussie. Ze praatte slechts over haar eigen geloof, hoop en angst, en opnieuw verraste het haar hoe gemakkelijk het ging. Ze was meestal erg op haar hoede, maar bij deze man kostte het haar opmerkelijk weinig moeite om haar terughoudendheid te laten varen. Hij was zo eerlijk dat ze hem niet tot misleiding in staat achtte, en misleiding vreesde ze het meest van allemaal: ze had in haar leven al te vaak het deksel op haar neus gekregen. Ze ging zo in het gesprek op dat ze niet eens zag dat Nuki's oog in het westen al achter de bomen wegzakte. Toen ze het eindelijk opmerkte, greep ze geschrokken Tsata's arm vast.

'Hartbloed, Tsata! Het is al laat. Ik vergeet bijna de andere reden dat ik je kwam opzoeken. Ga je met me mee terug naar Araka Jo? Yugi belegt vanavond een vergadering en hij heeft gevraagd of jij ook wilde komen.'

'Ik zal erbij zijn,' zei hij. 'Mag ik een paar mensen meebrengen?' Toen hij Kaiku's verwarde frons zag, zei hij: 'Ik ben niet echt hun leider, eerder hun... aangewezen vertegenwoordiger. Er moeten ook anderen komen, om te luisteren en te beslissen. Ik zal het aantal beperken. Er zullen er drie komen, mijzelf meegerekend. Is dat aanvaardbaar?'

'Drie. Goed,' zei Kaiku. 'We beginnen bij zonsondergang.'

De bijeenkomst vond plaats in de rechthoekige centrale zaal van de grootste tempel in het complex. Ze zaten onder de blote hemel, want het ooit zo schitterende dak was onder het gewicht van de eeuwen bezweken. Terwijl het licht van Nuki de hemel koper en goud schilderde, keek Iridima, die vroeg was opgekomen, vanuit de hoogte in de zaal. De tempel was van hetzelfde witte steen gebouwd als de rest van het complex, en uit dat steen was een dozijn reusachtige afgodsbeelden gehouwen die langs de muren stonden: vier aan de beide lange zijden en een in elke hoek. Voor het instortte, had het dak de beelden eeuwenlang tegen de tand des tijds beschermd, en ze waren beter bewaard gebleven dan de meeste andere: verontrustende, indrukwekkende wezens die iets in het onderbewustzijn van de toeschouwer aanspraken; een oeroude, lang vergeten herinnering waarvan in de diepste krochten van de geest nog slechts een rooksluier over was. Hun ogen, met een horizontale spleet, waren allemaal bol, en er sprak een duistere honger uit. Hun lichamen waren samengesteld uit delen van zoogdieren, reptielen en vogels.

Er waren nieuwe haken aan de muren gemonteerd, waar nu lantaarns aan hingen. Midden op de verder onopvallende vloer lag een reusachtige rieten mat met een gedetailleerd patroon erop geschilderd. Daar zouden de deelnemers aan het debat op plaatsnemen. Toen Kaiku en Tsata aankwamen, waren de meesten er al. Op hun knieën of in kleermakerszit zaten ze op de grond, met hun schoenen of laarzen keurig achter hen langs de rand van de mat. Ze herkende hen allemaal: Cailin, Phaeca en een stel andere zusters, Yugi, Mishani, Lucia, erfbarak Hykken tu Erinima, barakesse Emira tu Ziris, en vertegenwoordigers van de Libera Dramach. Tot Kaiku's opluchting was Asara er niet bij; sinds ze had vernomen dat haar vroegere kamenierster was teruggekeerd, had ze haar gemeden. Toen vroeg ze zich af of Asara er soms wel was, en zij haar gewoon niet herkende.

Er waren maar weinig edelen aanwezig; de meeste bleven liever in de steden, en dit was in de eerste plaats een bijeenkomst van de Libera Dramach. Hykken was er omdat hij altijd dicht bij zijn nichtje Lucia in de buurt bleef, als een gier die boven zijn prooi rondzweeft, en barakesse Emira was toevallig op bezoek in Araka Jo. Ze was een enthousiast aanhanger van de Libera Dramach. Ze had echter weinig macht, omdat ze zo onverstandig was geweest bij de laatste staatsgreep de kant van bloed Kerestyn te kiezen. Daarbij was ze het grootste deel van haar leger kwijtgeraakt.

Kaiku ging Tsata voor, de zaal in. Achter hen aan kwamen de andere twee Tkiurathi's: een stevig gebouwde man met bruin haar, Heth genaamd, die een beetje Saramyrees sprak, en de vrouw die haar een compliment had gegeven over haar taal. Zij heette Peithre. Aan de randen van de mat waar de belangrijkste deelnemers aan het debat zouden zitten, stonden er nog enkele tientallen toeschouwers langs de muren. Toen viel haar oog op Nomoru.

Kaiku's hart maakte een sprongetje van verrassing toen hun blikken elkaar kruisten. Daar stond ze, in levenden lijve, graatmager, onverzorgd en nors als altijd, met haar gezicht half in schaduwen gehuld. Kaiku had de hoop dat ze haar ooit nog zou terugzien eigenlijk al opgegeven, want ze ging ervan uit dat de verkenner in Axekami was omgekomen. Hoe ze aan de walmputten en uit de stad was ontsnapt, zou Kaiku waarschijnlijk nooit weten. Maar ze was zo taai als een rat, die vrouw, en ze had het weer overleefd.

Terwijl Kaiku naar haar stond te staren, hield Nomoru haar hoofd een beetje scheef, zodat het licht op de kant van haar gezicht viel die verborgen was geweest. Kaiku's adem stokte in haar keel. Nomoru's huid was een wirwar van littekens, dunne sporen die als ploegvoren van haar wang naar haar oor en over haar hals liepen. Opeens kreeg ze het gevoel dat Nomoru haar de littekens wilde tonen. Ze wendde haar blik af, verontrust door die nieuwe gedachte. Nam Nomoru het haar kwalijk? Kaiku had niet snel genoeg gereageerd toen ze zag dat Juto de trekker overhaalde om Nomoru neer te schieten. Ze had de kogel in de lucht moeten afremmen in plaats van hem uit elkaar te doen spatten. Gaf Nomoru haar nu de schuld van haar verminking, ook al was dat gebeurd toen ze haar het leven redde? Goden, die vrouw wilde ze niet als vijand.

Snel schopte ze haar schoenen uit en knielde neer op de gemeenschappelijke mat. Tsata beduidde zijn metgezellen dat ze haar voorbeeld moesten volgen. Kaiku was in vol ornaat, en de uitdossing van de Rode Orde wapende haar tegen de blikken van de mensen in de zaal, de wrokkige aanwezigheid van de afgodsbeelden en de rusteloze bewegingen van de geesten die onzichtbaar in alle hoeken en gaten wervelden, verstoord door de onwelkome mensenmassa.

Over de verschijning van de Tkiurathi's werd hier en daar wat gefluisterd, maar ze leken er niets van te merken. Toen de vergadering begon en de deelnemers aan de aanwezigen moesten worden voorgesteld, stond Kaiku op. Ze noemde de namen van de Tkiurathi's en legde uit waarom ze er waren. Ook bood ze bij voorbaat haar verontschuldigingen aan voor het feit dat het een en ander vertaald zou moeten worden. Heth fluisterde Peithre in het Okhambaans in wat ze had gezegd.

Terwijl de formaliteiten werden afgehandeld, werden er tussen hen in op gelakte tafeltjes versnaperingen neergezet: drankjes en zilveren kommen vol hapjes. Heth stak onmiddellijk zijn hand uit naar het eten, maar bedacht zich toen Tsata hem een bestraffende blik toewierp. Het laatste licht was al uit de hemel weggestorven en Iridima hing aan een met sterren bezaaide winterhemel, toen de begroetingen eindelijk achter de rug waren. Yugi, als leider van de Libera Dramach, legde uit waarom ze bij elkaar waren gekomen.

'De vraag die we vandaag moeten beantwoorden is eenvoudig,' zei hij. 'Wat doen we nu? De patstelling is doorbroken en de wevers hebben de overhand. Als we niets doen, zullen ze nog meer feya-kori's maken, die onze legers achteloos terzijde zullen schuiven, net als in Juraka en Zila. Tot op heden hebben we nog geen verweer tegen deze demonen, en hoewel we inmiddels iets meer over ze te weten zijn gekomen, heeft dat niets opgeleverd waarmee we ze kunnen tegenhouden. Dat ze nog niet zijn doorgestoten tot in de Zuidelijke

Prefecturen, is uitsluitend te danken aan het feit dat ze af en toe terug moeten naar de walmputten om op krachten te komen. Daardoor hebben we een beetje tijd, maar niet veel. Nog even, dan worden ook de walmputten in andere steden in gebruik genomen. Als we al niets kunnen uitrichten tegen twee feya-kori's, hoe zal het dan zijn als het er tien of meer zijn?'

Zo begon het debat. Er werden allerlei mogelijkheden aangedragen. Yugi stelde voor om hun legers te verzamelen voor een rechtstreekse aanval op Axekami, meer om dat idee uit de weg te ruimen dan omdat het een reële optie was. Het werd door de raad al snel bestempeld als een dwaze, nutteloze onderneming en afgewezen: zelfs als ze in hun opzet slaagden, zouden ze kwetsbaar zijn, omdat ze hun krachten te veel zouden moeten verdelen. Axekami was niet de machtszetel van de wevers, maar van het oude keizerrijk, dus zou het geen fatale klap voor hen zijn. Bovendien zouden ze de stad niet bezet kunnen houden als de feya-kori's werden ingezet en zou hij zo weer in vijandelijke handen vallen.

'Als we willen dat Axekami wordt heroverd, moet het volk dat doen!' verklaarde Hykken tu Erinima, waarop Yugi Kaiku en Phaeca vroeg verslag te doen van hun reis naar Axekami, en te vertellen hoe zij de stemming onder de stedelingen inschatten. De berichten waren niet bemoedigend. De spionnen die aan Yugi verslag hadden uitgebracht steunden de twee vrouwen in hun mening.

'We kunnen niet hopen op een volksopstand,' zei Cailin. 'Het is een te grote onderneming, en de wevers zijn zeer moeilijk te verslaan. Ze kunnen opstandelingen uitschakelen wanneer ze maar willen. Zonder de Rode Orde om hen te beschermen krijgt het volk geen kans om zich te organiseren. We zijn eigenlijk al met te weinig om het leger van het keizerrijk te beschermen, laat staan om ons ook nog eens om het volk te bekommeren.' Ze liet haar blik over de aanwezigen glijden. 'Passief verzet, op meer kunnen we niet rekenen, en zelfs dan is er niet veel hoop. Het zal niet eenvoudig zijn de boodschap te verspreiden, en de Rode Orde kan daar niet bij helpen, want we durven in de steden van de wevers niet in te grijpen. We kunnen zelfs Lucia niet laten droomwandelen om voor ons te spioneren. Ook daarvoor is het risico te groot.'

'Wat stel je dan voor?' vroeg Hykken met nauwverholen minachting. 'Dat we helemaal niets doen?'

'Dat is niet zo onverstandig als het klinkt,' zei barakesse Emira. Ze was een onopvallende vrouw met lang, steil donkerbruin haar, die haar dertigste oogst naderde. 'De legers van de wevers lijken de laatste tijd minder omvangrijk. Het is mogelijk dat hun manschappen verhongeren, als gevolg van de smet die ze zelf hebben veroorzaakt. Ze hebben niet veel tijd meer, net als wij. De vraag is: bij wie raakt de zandloper het eerst leeg?'

'Maar onze spionnen kunnen niet bevestigen dat hun legers inderdaad kleiner zijn dan voorheen,' merkte Yugi op. 'En we weten niet hoe groot hun voorraden zijn. We kunnen er hooguit naar gissen.'

'Als we een manier kunnen bedenken om ze tegen te houden, of in elk geval te hinderen, dan is dat wellicht voldoende om het tij te doen keren,' hield Emira vol.

'Maar dat is juist het probleem: we kunnen ze niet tegenhouden,' zei Cailin. 'Dat is het kardinale punt. Er is maar één reden dat ze niet sneller onze steden vernietigen, en dat is het feit dat de feya-kori's af en toe op krachten moeten komen.'

'Misschien moeten we ons dan terugtrekken in de bergen,' stelde een man van de Libera Dramach voor. 'Als we op deze manier niet kunnen standhouden, kunnen we ons beter verspreiden, als struikrovers te werk gaan.'

Yugi knikte. 'Dat is misschien geschikt als laatste redmiddel. Maar ik denk dat het ons einde zou betekenen, net als wanneer we het alleen met zwaarden en kanonnen tegen de feya-kori's moeten opnemen. En als de wevers met de Prefecturen hetzelfde doen als met de gebieden die ze al hebben veroverd, wordt de hongersnood nog veel erger. In de bergen zal er helemaal geen voedsel zijn.'

'Er is een andere mogelijkheid,' zei Cailin. 'Onze pijlen richten op de heksenstenen.'

'Dat is al eens geprobeerd,' zei Hykken. 'In Utraxxa. En dat is mislukt.'

'Nee,' antwoordde Cailin. 'In Utraxxa hebben we de wevers onderschat. Hun reactie geeft echter aan dat we wel degelijk in onze opzet zouden zijn geslaagd, als we de kans hadden gekregen.'

'Misschien kun je dat nader verklaren, zodat onze gasten en toeschouwers ook begrijpen waar het over gaat,' stelde Kaiku beleefd voor. De Tkiurathi's hadden nog niets gezegd, behalve als ze iets voor elkaar moesten vertalen. Ze wisten maar weinig over de toestand in Saramyr, dus was het voor hen voorlopig voldoende om te luisteren en kennis op te doen.

Cailin knikte instemmend. 'Toen we eindelijk genoeg mensen hadden vergaard om een aanval uit te voeren op het weverklooster in de bergen ten westen vanhier, aan de overkant van het Xemitmeer, was de Rode Orde niet alleen van plan de heksensteen te vernietigen die zich daar bevond en de directe omgeving van de smet te redden. We wilden doordringen in de heksensteen, er meer over te weten komen. Uit onze eigen waarnemingen over de groeiende macht van de wevers bij elke steen die werd gewekt, en wat Lucia van de geest van Alskain Mar in de Xaranabreuk te weten was gekomen, hebben we afgeleid dat alle stenen onderling verbonden zijn, als een soort visnet of spinnenweb. We geloofden dat we van die verbindingen gebruik konden maken om ook de andere heksenstenen op te sporen en te vernietigen. In plaats van slechts een slag te winnen, zouden we dan de hele oorlog hebben gewonnen.'

De aanwezigen waren doodstil; alleen het zachte suizen van de wind was hoorbaar. De temperatuur daalde nu Nuki's oog niet meer aan de hemel stond. Langzaamaan werd het plezierig koel.

'We hebben er echter de kans niet voor gekregen. Vlak voor we wisten door te dringen in de zaal waar de heksensteen lag, werd die vernietigd. We vermoeden dat de wevers explosieven hebben gebruikt. Dat hadden we niet van hen verwacht: ze hebben het welzijn van de heksenstenen altijd belangrijker gevonden dan hun eigen leven. Nu beschermden ze echter het netwerk door te voorkomen dat wij erin konden doordringen.' Ze liet haar blik over de aanwezigen glijden, en haar toon werd feller. 'Maar ik zeg dat het geen mislukking was. We waren zo dichtbij dat we iets over de aard van de heksensteen konden opvangen, vlak voor hij ontplofte. Sindsdien zijn er twee jaar verstreken. Die tijd hebben we goed gebruikt. We hebben alles wat we in Utraxxa te weten zijn gekomen grondig bestudeerd, en nu zijn we er beter dan ooit op voorbereid om het tegen een heksensteen op te nemen. En deze keer zullen we ze allemaal vernietigen.'

Kaiku voelde een rilling van opwinding door zich heen gaan bij het horen van Cailins vastberaden stem. Goden, de belofte dat ze weer in actie mocht komen na al dat schuilen, al dat terugtrekken en die eeuwige patstelling klonk haar als muziek in de oren.

'Hoe wil je voorkomen dat je weer wordt... afgesneden, zoals de vorige keer?' vroeg Mishani.

Cailin werd weer rustig. 'De zusters van de Rode Orde hebben het netwerk dat we tussen de heksenstenen hebben waargenomen gereconstrueerd en onderzocht. Er is geen enkele steen die onmisbaar is, maar er is er één die de structuur aanzienlijk zal beschadigen als hij het begeeft: de spil, zogezegd. Zoals de nexussen als anker fungeren voor de monsters die ze aansturen, is die steen het anker voor de overige stenen. Tijdens de lange belegering van Utraxxa hadden de wevers meer dan genoeg tijd om explosieven te plaatsen. Ik denk echter dat ze hun spil, het belangrijkste knooppunt van allemaal, liever niet willen vernietigen. En als we hen weten te verrassen, zullen ze er misschien niet eens tijd voor hebben. Als we de steen kunnen bereiken voordat hij breekt, kunnen we hem gebruiken om door te dringen in het netwerk en alle heksenstenen in één klap uit te schakelen.'

Alleen bij de gedachte kreeg Kaiku al kippenvel. Bestond er een kans, hoe klein ook, dat ze hier voorgoed een einde aan konden maken? Ze was er in Utraxxa niet bij geweest, want ze was tegen haar zin tegengehouden door Cailin, maar ze had gehoord wat een verschrikkingen de andere zusters hadden moeten doormaken. Was het mogelijk? Konden ze zich echt als ziektekiemen door de aderen van de machtsstructuur van de wevers verspreiden?

'Weet je dat zeker, of is het een gissing?' vroeg Hykken. Hij was een prikkelbare man van middelbare leeftijd, met een doorgroefd gezicht en haar dat al vroeg grijs was. Als hij sprak, deed hij dat op agressieve en uitdagende toon.

'Het is een gissing,' gaf Cailin met hulpeloos gespreide handen toe. 'Maar wel een gissing die ergens op is gebaseerd. We hebben gezien hoe de heksenstenen werken. Dit is niet volkomen uit de lucht gegrepen, en we werpen ons niet blindelings in de strijd. Als we hiervoor kiezen, zou het onze tweede poging zijn, en we zullen niet twee keer dezelfde fout maken.'

'Waar bevindt die... ankersteen zich?' Dat was Tsata.

'Het is de eerste steen die ooit is gewekt,' antwoordde Cailin. 'De steen waar het allemaal mee is begonnen. Hij bevindt zich onder het bergklooster Adderach.'

Hykken lachte ruw. 'En hoe denk je bij Adderach te komen? Zelfs al zou het niet hoog in de bergen liggen, het is ongetwijfeld het strengst bewaakte fort waarover de wevers beschikken!'

'Ook dat is een gissing,' zei Phaeca. 'We hebben geen idee wat ons bij Adderach wacht. Niemand is er ooit geweest. Ik wil de raad er graag op wijzen dat we vaak hebben gemerkt dat de wevers eerder op hun misleidende schilden dan op levende bewakers vertrouwen.'

'Dat was toen ze nog niet van het bestaan van de Rode Orde op de hoogte waren,' wierp Mishani tegen.

'Toch is het mogelijk dat ze zich in de bergen veilig wanen,' zei Phaeca. 'Wellicht kunnen ze zo'n afgelegen oord niet goed genoeg bevoorraden om een leger in stand te houden. Wie weet wat de wevers denken?'

'Er leiden vele wegen naar Adderach,' zei Cailin. 'Maar ze zijn geen van alle gemakkelijk.'

'Denk je nu echt dat de wevers het niet zullen merken als er een leger naar Adderach optrekt?' riep Hykken uit. 'Hoe wil je het precies aanpakken?'

'Er stilletjes op afgaan,' antwoordde Cailin. 'En dan...'

'Dit is zinloos!' zei Lucia opeens. Tot op dat moment was ze, zoals gewoonlijk, erg afwezig geweest, maar nu leek ze er helemaal bij. Zodra ze sprak, deed iedereen in de zaal er het zwijgen toe en keek naar haar, zoals ze daar op haar knieën zat.

'Zinloos,' herhaalde ze, zachter deze keer. Haar stem klonk vast en overtuigd; opeens leek ze sprekend op haar moeder, de keizerin. 'Zelfs al deden we een aanval op Adderach, zelfs al slaagden we in onze opzet, dan zouden de wevers ondertussen een bloedbad aanrichten in de Prefecturen. Met zulke verliezen zou elke overwinning te duur betaald zijn. En als de wevers lucht krijgen van ons plan, hoeven ze alleen maar een van de demonen naar Adderach te sturen om het klooster te beschermen. Dan zou alles verloren zijn. Wat we ook van plan zijn, we moeten ons tegen de feya-kori's kunnen verweren. En de enige manier om zo'n wezen tegen te houden, is met behulp van een gelijkwaardig wezen.'

Ze stond op, en toen ze opnieuw sprak, klonk haar stem krachtiger dan Kaiku ooit had verwacht van zo'n tenger vrouwtje.

'Het is tien jaar geleden dat ik uit de keizerlijke vesting in Axekami ben meegenomen. Tien lange jaren, en in die tijd is er in mijn naam meer bloed vergoten dan ik kan verdragen. U heeft al uw hoop op mij gevestigd, en daarvoor heeft u niets teruggekregen, behalve de dood. Nu is de tijd aangebroken dat ik aan uw verwachtingen moet voldoen.'

Even zweeg ze. Kaiku merkte dat zelfs de geesten tot bedaren waren gekomen, en dat de aandacht van de oeroude afgodsbeelden op haar was gericht. Zeg het niet, Lucia, dacht ze. Doe het nou niet.

'Een vriend van me heeft me ooit verteld dat ik een avatar was, die door de goden op de aarde was gezet om hun wil te doen geschieden,' ging ze verder. 'Ik weet niet of dat waar is. Maar één ding weet ik wel: we kunnen het tegen deze demonen opnemen en we kunnen ze verslaan, maar alleen met de hulp van de geesten, de wezens die lang voordat wij hier kwamen al in dit land woonden. Als de wevers een leger van dergelijke wezens op de been kunnen brengen, kan ik dat ook.' Ze ademde diep in, met een nauwelijks waarneembare trilling, het enige teken van onzekerheid dat ze toonde.

'Ik zal naar de oudste, machtigste geest gaan die in onze overlevering bekend is, diep in het hart van het Xuwoud. Ik zal met die geest spreken en hem overhalen zich achter ons te scharen. De ziel van het land zelf zal opstaan om zich te verdedigen.' Haar stem bereikte nu een crescendo. 'Wij gaan de strijd aan, en zelfs de goden zullen beven van angst!'

De reactie van de toehoorders was oorverdovend. Gejuich en bemoedigende kreten galmden door de zaal en dreven omhoog naar de nachtelijke hemel. Dit was het teken waarop ze al die tijd hadden gewacht: het 'te wapen', het moment waarop hun redder zich in de strijd wierp en het tij zou keren. Het kon hun niets schelen of het plan wel haalbaar was. Het enige wat ertoe deed, was dat Lucia ingreep en zichzelf daarmee uitriep tot de leider waaraan ze zo wanhopig behoefte hadden.

Terwijl de mensen om haar heen feestvierden, was Kaiku stil. Ze bleef geknield zitten en keek op naar Lucia. Ze zag er ontzettend breekbaar uit, zoals ze daar stond, omringd door die tumultueuze aanbidding. Vandaag was er een strijd verloren. Lucia was nu van hen, onherroepelijk; ze had haar laatste kans om weg te lopen voorbij laten gaan.

Alsof Lucia voelde wat ze dacht, zocht ze haar blik, en er lag zo'n verdriet in haar ogen dat Kaiku wel kon huilen.

☉ 14 ☉

Daarna viel er niet veel meer te zeggen.

De bijeenkomst werd beëindigd, maar iedereen ging weg met het gevoel dat er niets was opgelost. Lucia's mededeling had in feite een
eind gemaakt aan het debat. Kaiku zag Cailin iets in Yugi's oor prevelen, en ze vermoedde dat de discussie over wat er gedaan moest
worden nog maar net was begonnen. Diplomatie was echter niet
haar sterkste kant. Dat soort dingen liet ze liever over aan mensen
als Mishani, die oog hadden voor de subtiliteiten. Ze keek om zich
heen, op zoek naar Nomoru, want ze maakte zich zorgen over de
bedoelingen van de verkenner, maar ze kon haar niet ontdekken in
de menigte. Daarom verliet ze samen met Tsata en de andere Tkiurathi's de tempel en betrad de koele nacht.

'Wij gaan met je mee, als je dat wilt,' zei Tsata tegen Kaiku. Inmiddels hadden ze de rand van het complex bereikt, en het pad dat naar
het Tkiurathische dorp leidde.

Hij nam aan dat ze Lucia niet alleen op reis zou laten gaan. En het
ergste was nog, dacht Kaiku, dat hij waarschijnlijk gelijk had.

'Xu is geen gewoon bos,' zei Kaiku. 'De geesten heersen daar, en dat
was al zo voordat mijn volk zelfs maar voet aan land had gezet.'
Haar ogen stonden ernstig. 'In heel Saramyr is er geen enkele plaats
die zo gevaarlijk is voor mensen.'

'Dan is het des te belangrijker dat je ons meeneemt,' zei Tsata.

Kaiku was te moe om daartegenin te gaan. Ze bedankte hen allemaal – hoewel ze van Tsata's gezicht kon afleiden dat dat waarschijnlijk niet had gehoeven – en nam afscheid van hen, zonder het
aanbod meteen te accepteren. Zij was niet degene die dergelijke be-

slissingen kon nemen, en ze was niet van plan om de verantwoordelijkheid te dragen als ze in het Xuwoud de dood vonden. De goden mochten weten wat hun daar te wachten stond.

Toen ze vanaf het tempelcomplex heuvelafwaarts naar haar huis in het dorp van de Libera Dramach liep, besefte ze dat haar gedachten al vooraf werden gegaan door 'wanneer' ze naar het Xuwoud ging, in plaats van 'als'.

Hartbloed, heb ik dan helemaal geen keuzes meer, dacht ze in een opwelling van norsheid, maar toen haalde ze minachtend haar neus op voor haar eigen zelfmedelijden.

Net als in de Gemeenschap deelde ze in Araka Jo een huis met Mishani, hoewel ze daar zelden allebei waren. Die avond was geen uitzondering. Ze vermoedde dat Mishani met enkele andere aanwezigen van de bijeenkomst ergens anders naartoe was gegaan om in alle beslotenheid de discussie voort te zetten. Het huis stond vlak bij het gebouw waar de Rode Orde samenkwam en waar de meeste zusters hun vertrekken hadden, maar Kaiku had geen zin om daar te gaan wonen, zoals Phaeca. Dan zou ze te zeer het gevoel hebben dat ze iets van zichzelf opofferde. Haar eigen huis was vrij onopvallend en in de winter was het er een beetje koud, maar Kaiku had zich er allang bij neergelegd dat ze in elk geval geen vaste verblijfplaats zou hebben tot de oorlog voorbij was; zolang ze een dak boven haar hoofd en een beetje ruimte voor zichzelf had, was ze tevreden.

Die avond voelde het huis leeg aan. Ze schoof de buitendeur achter zich dicht en luisterde even naar de duisternis. Buiten tsjirpten en gonsden de nachtinsecten. Ze liep rechtstreeks naar haar slaapkamer. De lantaarns gloeiden zachtjes op, want terwijl ze erlangs liep, stak ze de lonten met een vonkje van haar kana aan. Cailin zou het hebben afgekeurd dat ze zo nonchalant met haar vermogens omsprong, maar dat kon Kaiku niets schelen.

Haar slaapkamer was klein, maar ze kwam er dan ook alleen maar om te slapen. Ze had een gerieflijke geweven mat van veerkrachtige vezels met een dikke deken erop, en daarbovenop nog een deken. Eenvoudig, onopgesmukt, praktisch. Aan de muur tegenover de deuropening met het gordijn hing een spiegel, een oude van Mishani; ze zag haar eigen spiegelbeeld en bedacht hoe goed de schmink van de Rode Orde de melancholie verhulde die haar overspoelde. Zelfs nu straalde ze nog een zeker gezag en afstandelijkheid uit. Aan de andere kant van haar slaapmat stonden twee kasten aan weerszijden van een kaptafel met een tweede spiegel, en aan een van de muren hing een perkamentrol met een vers van Xalis, nog een bijdrage van Mishani. Kaiku was heel slecht in het inrichten van huizen, voornamelijk omdat ze het onbelangrijk vond. Haar interesse ging niet uit naar materiële zaken.

Ze was net aan haar kaptafel gaan zitten om de schmink van haar gezicht te vegen, toen ze het masker opmerkte. Ze zag het achter de schouder van haar dubbelganger in het kapspiegeltje, dat vuig grijnzende gelaat aan de muur, en ze schrok er zo hevig van dat ze met een kreet overeind sprong. De houten potjes met lipschmink vielen luid kletterend op de grond. Via de spiegel staarde ze recht in de lege ogen van het masker. Het leek haar blik te beantwoorden.

Ze kreeg kippenvel. Ze kon zich niet herinneren dat ze het daar had opgehangen.

Langzaam stond ze op en liep erop af. Het rood-zwart gelakte gelaat stond ondeugend, spottend.

'Godenvervloekt ding,' fluisterde ze. 'Laat me met rust.'

Ze haalde het masker van de muur. De aanraking ervan op de huid van haar hand bracht een vage herinnering aan haar vader naar boven, aan de ondefinieerbare warmte van zijn aanwezigheid. Ze drong de tranen terug en legde het masker terug in zijn kist.

Waarom kon ze het niet gewoon vernietigen? Waarom dwong ze zichzelf avond na avond te vechten tegen die boosaardige, verraderlijke verleiding? Dat had ze niet kunnen zeggen. Misschien omdat ze verder niets meer had wat haar aan haar vader herinnerde. Misschien uit praktische overwegingen: ze had het al twee keer eerder gebruikt om door de barrières van de wevers heen te breken, en aangezien de wevers nog steeds niet beseften hoe ze dat voor elkaar had gekregen, was er geen reden om het niet meer te gebruiken. Een tijdje had Cailin geprobeerd er meer over te weten te komen, maar er viel weinig te ontdekken wat de zusters nog niet wisten. Voor een waar masker was het nog jong en onopmerkelijk, maar geen enkele zuster durfde het aan om al te diepgaand onderzoek te doen naar de werking ervan, hoe zwak het ook was. Dat leidde alleen maar tot krankzinnigheid.

Misschien had ze het gehouden om haar te herinneren waar ze tegen vocht, en waarom. Met dit masker was het voor haar immers allemaal begonnen: het had haar familie het leven gekost en haar uit haar huis verdreven. Een hele tijd had ze rondgezworven, tot ze de Rode Orde had gevonden, en een ander rood-zwart masker dat ze kon opdoen.

Ze riep zichzelf een halt toe. In haar huidige vermoeide toestand was het geen goed idee om zulke gedachten toe te laten. Te zien hoe Lucia zich aan haar volgelingen had overgeleverd had haar om de een of andere reden uitgeput, en ze voelde zich verslagen. Het ergste was echter dat ze zich erbij had neergelegd dat ze naar het Xuwoud moest, want Lucia moest minstens één persoon bij zich hebben die ze kon vertrouwen. Van die mensen was Kaiku als enige beschikbaar: Yugi was te waardevol om te laten gaan, en aan Mishani zouden ze bij zo'n missie weinig hebben. Haar grootste gaven lagen op een ander terrein.

Daarom zou Kaiku na zo'n korte tijd alweer van Mishani worden gescheiden. Ze vloekte verbitterd. De oorlog nam haar alles af. Met het verstrijken van de oogsten werd er telkens iets van haar ziel afgeknabbeld, tot ze alleen nog net genoeg haat en vastberadenheid in zich had om te overleven. Haar eigen kamp besefte niet eens wat voor offers ze moest brengen. Keer op keer werden haar vrienden haar afgenomen. En voor haar gevoel hadden ze helemaal geen terrein op de wevers gewonnen sinds de hele toestand was begonnen met de dood van bloedkeizerin Anais. Ze waren er hooguit in geslaagd de uiteindelijke nederlaag een beetje uit te stellen.

Er moest iets veranderen. Zo kon ze niet nog tien jaar doorgaan.

Wees maar gerust, fluisterde een sardonisch stemmetje. Zoals het nu gaat, vallen we nog voor de zomer aanbreekt allemaal ten prooi aan de wevers.

Het belletje bij de voordeur rinkelde. Kaiku keek op. Even overwoog ze niet open te doen, maar de lantaarns brandden, dus haar bezoeker wist dat ze thuis was. Uiteindelijk won haar nieuwsgierigheid het. Met een blik in de spiegel fatsoeneerde ze zich snel. Toen liep ze naar de deur om open te doen.

Het was Asara. Kaiku herkende haar, hoewel ze het lichaam van een vreemde had: een Tchom Rinse vrouw met een donkere huid en zwart haar, dat in een losse paardenstaart over haar schouder hing. Ze had een zilvergrijs gewaad aan.

'Wat wil je?' vroeg Kaiku, maar ze had de energie niet om haar stem echt scherp te laten klinken. Het leek allemaal opeens zo zinloos.

'Moet ik hieruit afleiden dat je nog steeds boos op me bent vanwege onze laatste ontmoeting?' Asara kon aan Kaiku's stem horen dat ze haar had herkend.

'Sommige dingen zijn onvergeeflijk,' antwoordde ze.

'Mag ik binnenkomen? Ik wil graag met je praten.'

Daar dacht Kaiku even over na. Toen draaide ze zich om en liep het huis in. Asara kwam achter haar aan, nadat ze de deur achter zich had dichtgeschoven. Kaiku bleef midden in de kamer staan en nodigde Asara niet uit om plaats te nemen.

'De uitdossing van de Rode Orde staat je niet,' zei Asara. 'Zo lijk je iemand die je niet bent.'

'Bespaar me de kritiek, Asara,' zei Kaiku laatdunkend. 'Als ik bij onze laatste ontmoeting al een zuster was geweest, had je me niet zo voor de gek kunnen houden.'

'Misschien was het voor ons allebei beter geweest als dat me wel was gelukt.'

'Voor mij niet!' snauwde Kaiku, die nu toch boos werd.

Asara hapte echter niet toe; het leek haar niet eens te deren. 'Ik ben gekomen om mijn excuses aan te bieden,' zei ze.

'Ik hoef jouw verontschuldigingen niet. Die zijn net zo vals als de huid die je draagt.'

Asara keek haar met een zekere geamuseerdheid aan. 'Dit is mijn eigen huid, Kaiku. Toevallig kan ik hem veranderen, maar hij is en blijft van mij. Ik ben een afwijkende, net als jij. Hoe kan het toch dat je met je eigen vermogens zo blij bent, maar mij veracht om de mijne?'

'Omdat ik mijn gaven niet gebruik om anderen te misleiden,' siste Kaiku.

'Nee, jij gebruikt ze om anderen te doden.'

'Wevers, nexussen, demonen en afwijkende beesten,' pareerde Kaiku. 'Die zou ik niet bepaald mensen noemen. Het zijn monsters.' De hypocrisie van Asara's opmerking ontging haar, want ze wist niet hoeveel levens het had gekost om haar te voeden, levens die de brandstof leverden voor het veranderproces van haar lichaam.

'Op Fo heb je anders een aantal mannen vermoord, of ben je dat soms vergeten?'

'Dat was jóúw schuld!' riep Kaiku uit.

Asara hief sussend haar hand. 'Het spijt me. Je hebt gelijk. Ik wil niet dat dit op ruzie uitloopt. Maar ik wil graag dat je naar me luistert, ook al geloof je me niet.'

'Zeg op dan,' zei Kaiku, maar ze had haar armen over elkaar geslagen, en het was overduidelijk dat ze zich niet zou laten vermurwen.

Asara keek haar even met ondoorgrondelijke blik vorsend aan, met ogen die door haar oogschaduw rookgrijs leken.

'Ik heb nooit je vijand willen zijn, Kaiku. Ik heb je in het verleden inderdaad misleid, maar het was niet mijn bedoeling om je pijn te doen. Zelfs die laatste keer niet.' Ze liet haar stem een beetje dalen. 'Ik zou als Saran Ycthys Marul bij je zijn gebleven. Je zou het nooit hebben geweten. We zouden gelukkig zijn geworden.'

Kaiku wilde iets zeggen, maar Asara hield haar tegen.

'Ik weet wat je wilt zeggen, Kaiku. Het was dwaas van me. Ik dacht dat ik mezelf opnieuw kon uitvinden, een nieuw verleden kon verzinnen, de lei schoon kon vegen. En je was bereid om van Saran te houden. Wel waar, Kaiku,' zei ze snel, toen Kaiku zwak protesteerde. 'Van mij wilde je niet houden, maar van hem wel.'

'Hij was niet echt,' zei Kaiku vol afschuw.

'Hij was net zo echt als Asara. Net zo echt als ik nu ben.'

'Dan ben jij ook niet echt,' zei Kaiku. 'De Asara die ik heb gekend, was alleen maar het gezicht dat je droeg, de rol die je speelde toen ik je leerde kennen. Was dat je echte ik? Hoeveel gezichten had je daarvoor al gehad? Weet je dat eigenlijk wel?'

Asara keek bedroefd. 'Nee,' zei ze. 'Nee, dat weet ik niet. Heb je enig idee hoe het is om zo te zijn als ik? Ik weet niet eens hoe ik eruit hoor te zien. Ik heb alleen maar valse gezichten.'

'Verwacht van mij geen medelijden,' zei Kaiku. Ze lachte spottend.

Asara keek haar ijzig aan. 'Ik wil geen medelijden, van niemand. Maar soms...' Ze wendde haar blik af. 'Soms heb ik wel hulp nodig.'

Dat was voor Kaiku een grotere schok dan alles wat Asara tot nu toe had gezegd. Asara had zich altijd heel onafhankelijk opgesteld, dus het moest vreselijk voor haar zijn om dit toe te geven. Ondanks alles liet Kaiku zich even vermurwen. Toen keerde de herinnering terug aan Saran Ycthys Marul, die haar met Asara's ogen aankeek, terwijl zij halfnaakt huilde van schaamte en boosheid om het verraad. 'Je verdient mijn hulp niet,' zei ze.

Asara keek haar vanaf de andere kant van de kamer boos aan. Het licht van de lantaarns scheen op haar beeldschone, maar kille gezicht. 'Die verdien ik wel degelijk, Kaiku. Het is een kwestie van eer dat je je schulden inlost, en je hebt je leven aan me te danken. Ik heb je niet zomaar van de dood gered, ik heb je weer tot leven gewekt. Je hebt als tegenprestatie best wel eens iets voor me gedaan, maar bij lange na nog niet genoeg.' Haar stem klonk nu vlak en dreigend. 'Je hebt me bijna gedood, maar ik ben nooit verhaal komen halen. Ik heb je jarenlang in de gaten gehouden tot je kana zich openbaarde, ik heb je gered van de shin-shins, die je anders ongetwijfeld te pakken hadden gekregen. Jij vindt mij leugenachtig en wreed, maar ik ben een betere vriendin voor je geweest dan je beseft. Ik heb je alles vergeven en er bijna niets voor teruggevraagd.'

Het deed Kaiku niets. Asara wierp haar haren naar achteren en maakte een afkerig geluidje. 'Denk na over wat ik heb gezegd. Je beschouwt jezelf als een eerzaam mens. Voor het geval je het niet wist: eer reikt verder dan alleen je vrienden en geliefden. De tijd is aangebroken om je schuld aan mij in te lossen. Dan staan we quitte en zal ik je voorgoed met rust laten.'

Met die woorden liep ze naar de deur en schoof die open. Op de drempel keek ze achterom.

'Ik ga met jullie mee naar het woud. We lossen dit later wel op.'

Toen was ze weg. Kaiku was weer alleen.

Soms, als de rook van de amaxawortel hem in zijn dikke, zure plooien koesterde, dacht Yugi dat hij een glimp kon opvangen van de geest die door zijn kamer waarde. Hij hield zich verborgen in de hoek waar het plafond en twee muren samenkwamen, een broodmager wezen dat uitsluitend uit hoekige botten leek te bestaan, zwart, met een snavel en half onzichtbaar. Hij bleef nooit stilzitten, maar bewoog steeds krampachtig heen en weer, zo snel trillend en schokkend dat je hem nauwelijks met het oog kon volgen en hij vaag en onscherp werd. Yugi bestudeerde hem vaak terwijl hij liggend op zijn slaapmat trekjes nam van het mondstuk van zijn waterpijp. De geest hoorde in zijn beleving bij de nacht, en alleen 's nachts vond hij rust, als hij alleen kon zijn en de scherpe randen van zijn herinneringen konden worden bedekt met bedwelmende rook.

Nu lag hij weer naar de geest te kijken, verdwaasd en beneveld, toen hij iets zag bewegen in de deuropening. Het duurde even voor hij besefte wie zijn bezoeker was. Ze kwam op haar hurken naast hem zitten en legde haar geweer weg.

'Slechte gewoonte,' prevelde ze.

'Weet ik,' antwoordde hij. Zijn mond was droog en zijn woorden bleven als dikke proppen in zijn keel steken. Hij voelde dat ze zachtjes zijn kaak vastpakte, zijn hoofd van links naar rechts bewoog en naar het gebarsten wit van zijn ogen keek.

'Je bent helemaal van de wereld,' zei ze. 'Ik dacht dat je ermee kon omgaan.'

'Wil je ook een trekje?'

175

'Nee.'

Ze nam de pijp uit zijn hand en legde hem in de houder aan de waterpijp, waar een rooksliert omhoogkringelde naar het plafond van wit steen. Met troebele ogen probeerde Yugi zich op haar te concentreren.

'Wat erg van je gezicht,' mompelde hij.

Nomoru haalde haar smalle schouders op. 'Ik ben toch nooit het mooiste katje in het nest geweest. En trouwens, Kaiku wordt er nerveus van. Ik merk dat ze denkt dat ik haar wil vermoorden. Grappig.'

Yugi grijnsde breed, maar aarzelde toen, niet wetend of het wel gepast was. Zijn hand kwam omhoog alsof hij aan iemand anders toebehoorde. Hij bewoog door zijn blikveld en bleef op haar gehavende wang rusten. Zodra hij haar aanraakte, verspreidde de sensatie zich als een explosie door zijn vingers. Het leek zijn verdoofde arm over te slaan en rechtstreeks naar zijn hersenen te stromen, zodat er eilandjes van ongelooflijke gevoeligheid vóór hem in de lucht leken te zweven. Hij voelde het stralenpatroon van de littekens die haar huid ontsierden, en zijn gezicht was een komisch masker van kinderlijke verwondering.

'Wat een prachtig patroon,' prevelde hij.

Nomoru lachte blaffend. 'Je bent van de wereld,' zei ze opnieuw. 'Op dit moment zou je modder nog mooi vinden.'

Yugi leek haar niet te horen. Hij haalde zijn hand weg. Opeens kon hij geen prettige houding meer vinden op de mat. De kromming van zijn ruggengraat irriteerde hem. Met enige moeite ging hij in kleermakerszit zitten, maar kwam vervolgens tot de ontdekking dat zijn knieën hem in de weg zaten en dat de pijn zich van zijn bovenrug had verplaatst naar zijn heiligbeen. Hij stak zijn hand uit naar de waterpijp, maar Nomoru greep zijn hand vast en legde die terug op zijn schoot.

'Niet doen,' zei ze. 'Ik ga niet zitten toekijken terwijl je net zo eindigt als mijn moeder.'

'Ga samen met mij van de wereld,' zei hij. Zijn pupillen waren enorm groot en helder, maar zijn gezicht was slap.

Ze schudde haar hoofd. 'Je weet wat er de vorige keer gebeurd is.'

'De wevers krijgen je hier niet te pakken. Je kunt me vertrouwen.'

Ze wendde haar blik af. 'Ik vertrouw niemand.'

Dat kwetste hem. Even viel er niets te zeggen.

'Waar ben je geweest? In Axekami, bedoel ik,' zei hij uiteindelijk.

Glinsterende vormen tolden als doorzichtige, kronkelende alen over de vloer. 'Ik maakte me zorgen.'

'Niet waar,' zei ze. Ze leunde achterover, steunend op haar handen. 'In mijn eentje wegkomen was makkelijker. Ik moest naar een inkttekenaar.' Ze trok haar mouw omhoog. Op haar arm stond een pas afgemaakte tatoeage van een waterpijp met een dolk erin, die scherp contrasteerde met de verbleekte afbeeldingen eromheen. 'Ik heb de schuld ingelost die ik bij Lon had. Of bij Juto. Dat is niet zo belangrijk.'

Hij werd alweer wat helderder. Amaxawortel was krachtig, maar werkte niet erg lang. Om het effect in stand te houden, moest je doorlopend trekjes van de waterpijp nemen. De geest die in de hoek van zijn kamer leefde, was nu niet meer dan een grijze veeg, als hij hem al echt had gezien.

In een plotselinge beweging sloeg hij zijn arm om Nomoru's middel en trok haar naar zich toe. Ze liet hem begaan, dus ging hij achteroverliggen en strekte zijn benen, zodat ze zich op zijn borst kon laten glijden en haar magere, harde lijf op het zijne rustte. Haar gezicht was zo dicht bij het zijne dat hij haar adem op zijn gezicht kon voelen. Door het verdovende middel leek het net een walmende vuurwolk die zijn stoppelige wang verschroeide. Toen drukte hij zijn lippen tegen de hare. Haar tong was klein, en ze smaakte zuur en kuste hem te hard, maar dat was hij gewend en hij vond het prettig. De amaxawortel zond zinderende schokken van zijn mond naar zijn hele lichaam.

Ze trok zich terug. 'Doe dat ding af,' zei ze met haar vingers tegen de lap die hij om zijn voorhoofd droeg. 'Het voelt raar.'

'Dat kan ik niet,' zei hij met een vermoeide zucht. Dit was een bekend ritueel.

Ze werd weer koel. 'Ze is dood. Het is voorbij. Doe hem af.'

'Dat kán ik niet.'

Ze keek hem nog even aan, maar haalde toen haar schouders op. 'Het was een poging waard,' zei ze. Ze stortte zich weer op hem.

De tuinen op het dak van de keizerlijke vesting waren verdroogd en verpieterd. Ooit waren ze groen en weelderig geweest, vol bomen en bloemen die overal in de Nabije Wereld waren verzameld, maar nu was het een dorre, bruine woestenij. In de bloembedden stonden slechts verdroogde takken en verschrompelde blaadjes, de restanten van struiken. De bomen verloren hun bast en het sap droop eruit.

Blaadjes hadden ze allang niet meer. Het was een sombere, trieste plek en er kwamen tegenwoordig nog maar weinig mensen. Overal eromheen hing de vieze mist, als een rookgrijs afdak, en de bijtende wind joeg takjes en twijgjes over de stenen tegels.

Avun had met de wever afgesproken op een geplaveid pleintje dat aan alle kanten werd afgeschermd door een dichte haag van verstrengelde takken. Aan de zuidkant leidden twee trappen met aan weerszijden standbeeldjes van mythische wezens naar de hoger- en lagergelegen paden die door de tuin liepen. Er stond een bewerkt houten bankje, dof van verwaarlozing, maar Avun ging niet zitten. Hij bleef staan, met zijn zware mantel om zich heen gewikkeld, want door het zwakke zonlicht en de ijzige wind was het kouder dan hij ooit in zijn leven had meegemaakt. De takken roffelden in een macaber, willekeurig ritme tegen elkaar.

De wever kwam langzaam een van de trappen op. Hij was nog jong, niet zo verward als anderen van zijn ras, en hij liep langzaam en beheerst. Zijn masker was een en al hoekige stukken goud, zilver en brons, en de kap van zijn mantel hing er losjes overheen. De lappenmantel was in een wild patroon gestikt. Er leek een zekere logica in te zitten, maar Avun kon die niet doorgronden. Hij gaf het op. Misschien kon hij het maar beter niet weten.

'Rijksvoogd,' zei de wever met een stem die door het metalen masker blikkerig klonk.

'Fahrekh,' antwoordde Avun.

'Ik neem aan dat je hebt vernomen wat voor slachtoffer Kakre vandaag in een onbezonnen opwelling heeft gekozen?'

Avun knipperde loom met zijn ogen. 'Hij was een nuttige generaal.'

'Wellicht is hij nog in leven,' zei Fahrekh. 'Ik betwijfel alleen of we nog iets aan hem zullen hebben.'

'Hij was al te lang bij Kakre toen ik het te weten kwam,' zei Avun. 'Het heeft nu geen zin de Weefheer boos te maken. Mijn generaal zal niet kunnen functioneren als leider van de Zwarte Garde, nu hij nog maar de helft van zijn huid heeft.'

'En de helft van zijn verstand, vermoed ik.'

Daar dacht Avun liever niet over na. 'Het loopt zo langzamerhand de spuigaten uit,' prevelde hij.

'Inderdaad.'

Er viel een stilte. Allebei wachtten ze tot de ander zou zeggen wat hij dacht. Uiteindelijk zwichtte Fahrekh.

'Er moet iets gebeuren.'

'Wat had je in gedachten?' vroeg Avun voorzichtig, hoewel hij het antwoord donders goed wist. Ze hadden het al eerder geopperd. Avun had geen idee hoe Fahrekh erover dacht, maar hij was bij de goden niet van plan om de verdenking op zichzelf te laden door het als eerste hardop te zeggen.

'We doden hem, uiteraard,' zei Fahrekh.

Avun nam de wever met zijn half geloken ogen op. Kon hij deze man vertrouwen? Hij had nog steeds het akelige vermoeden dat Fahrekh alleen maar deed alsof hij achter dit plan stond, dat de wevers Avuns trouw wilden testen. Als hij erin meeging, zouden ze hem dan als verrader bestempelen?

'Zou je echt een van je eigen mensen doden?' vroeg hij.

'Het is noodzakelijk. We moeten de verrotte rechterhand afhakken om de arm te sparen.' Fahrekhs stem klonk vlak, monotoon en af-gemeten. 'Kakre is een blok aan ons been. Het is beter voor de we-vers als hij wordt verwijderd.'

'Zal hij uit zichzelf aftreden?'

Fahrekh grinnikte. 'Geen enkele Weefheer is ooit uit eigen beweging afgetreden. En trouwens, daarvoor kan hij niet meer rationeel ge-noeg denken. Hij zal het anders zien dan wij. De wevers hebben een nieuwe leider met een heldere blik nodig, anders zullen onze ambi-ties onvervuld blijven.'

Daar dacht Avun even over na. Hij was veel over de wevers te we-ten gekomen in zijn tijd als rijksvoogd; door zijn ogen en oren goed de kost te geven, en aandachtig te luisteren naar Kakre als die in zijn verwarring meer prijsgaf dan de bedoeling was. Ontdekken hoe de machtsstructuur van zijn bondgenoten in elkaar stak was een be-langrijk doel voor hem. Hun kracht lag immers in geheimhouding, en Avun was vastbesloten om hun geheimen te doorgronden.

Hoe kwam het dat de wevers zo eensgezind op hetzelfde doel afste-venden? En hoe was dat te verenigen met het feit dat ze elkaar in het verleden in opdracht van hun meesters hadden gedood? In het begin dacht hij dat er in Adderach een kliekje wevers zat dat bevelen uit-deelde, maar dat klopte voor zijn gevoel niet helemaal. In tweehon-derdvijftig jaar tijd zou hij in dat geval minstens een paar machts-grepen of strubbelingen hebben verwacht, of iets dergelijks. Niets wees er echter op dat zoiets zich ooit had voorgedaan. Er was zo nu en dan wel onenigheid geweest over hoe het moest worden aange-pakt, maar nooit over het uiteindelijke doel, alleen over de middelen. Avun had er nooit een bevredigende verklaring voor gevonden, maar hij had wel het een en ander kunnen vaststellen. De wevers leken zelf niet te weten waar hun bevelen vandaan kwamen: het was niet meer dan een instinctief streven naar hetzelfde doel. Wat er ook voor dat streven zorgde, het was een vaag en onduidelijk iets, geen dictator met absolute macht of een wezen dat de wevers volledig beheerste; het was een zekere wetenschap die ze allemaal zonder meer accepteerden.

De wevers hadden nog nooit met een verrader te maken gehad, maar aan de andere kant was er tot op dat moment nog nooit een nodig geweest. In het verleden waren Weefheren wel eens een blok aan het been van hun meester geworden, maar toen was dat nog niet zo'n probleem. Kakre was echter de eerste Weefheer die echte macht had: macht over de afwijkende legers, over de feya-kori's, en via Avun over de Zwarte Garde.

Avun moest een beslissing nemen. Was Fahrekh oprecht of was het allemaal een list?

'Hoe zou je het aanpakken?' vroeg hij.

'Ik zal hem overvallen als hij net heeft geweven. Tijdens zijn manie, als hij kwetsbaar is.' Avun kon voelen dat de wever hem van achter zijn masker opnam. 'Ik heb jouw hulp nodig,' zei hij.

Daar was Avun al bang voor. Als hij zich nu vastlegde, zou dat zijn dood betekenen, wanneer Fahrekh hem misleidde.

'Wat zou ik dan moeten doen?'

'We moeten hem een reden geven om te weven. Iets heel moeilijks. Ik zal voor de taak zorgen; het is aan jou om hem ervan te overtuigen dat hij hem moet verrichten. Als hij uitgeput is, sla ik toe.'

'En als hij eenmaal dood is? Ik neem aan dat jij dan de nieuwe Weefheer wordt.'

'Dat is voor de wevers het beste,' zei Fahrekh. 'Ik verwacht van je dat je me meteen steunt.'

De takken roffelden tegen elkaar terwijl ze elkaar onder de loodgrijze hemel aanstaarden. Avun wist dat hij er nooit helemaal zeker van kon zijn dat het wezen dat voor hem stond oprecht was. Wie zou zeggen welk een krankzinnigheid er achter het masker verscholen lag? Hij wist echter ook dat Kakre een sta-in-de-weg was geworden, en dat het met de dag erger zou worden. Vroeg of laat zou hij het misschien in zijn hoofd halen om zich van zijn rijksvoogd te ontdoen. Hij liep risico als hij ingreep, maar ook als hij niets deed, dus uiteindelijk moest hij op zijn intuïtie vertrouwen. En hij was een eersteklas verrader.

'Ik zal doen wat je van me vraagt,' zei hij.

Fahrekh knikte traag, één keer. Zonder een woord te zeggen draaide hij zich om en ging weg. Avun keek hem na, sloeg zijn mantel strakker om zich heen. Het was echt koud buiten. Hij stond te rillen.

◉ 15 ◉

Nuki's oog luidde een heldere, koude dag in. Het gras boog door onder de dauwdruppels, maar Kaiku, Lucia en hun metgezellen waren al een hele tijd op, en terwijl ze een koud ontbijt nuttigden, dwaalde hun blik telkens af naar de bomen. De eindeloze muur van bomen.

Ze hadden in het zicht van de zuidelijke rand van het Xuwoud op de noordelijke oever van de rivier de Ko hun kamp opgeslagen. Er waren er maar weinig die die nacht hadden geslapen, en zelfs zij werden moe wakker, klagend over boze dromen. In totaal waren ze met vijfentwintig man: Kaiku en Phaeca, Lucia, Asara, de drie Tkiurathi's en nog achttien mannen en vrouwen van de Libera Dramach. Ze waren gekomen om het woud het hoofd te bieden en datgene te vinden wat zich in het hart ervan schuilhield: de Xiang Xhi, de oudste en machtigste geest van het hele land.

Kaiku liep terug naar het kamp nadat ze zich in de rivier had gewassen. Normaal gesproken zou ze klappertanden, maar in een werktuiglijke reactie had haar kana haar lichaamstemperatuur dusdanig verhoogd dat ze nergens last van had. Aan dat soort dingen was ze inmiddels gewend; ze verwonderde zich er niet meer zo over als vroeger. Cailins verhaal dat de zusters en bepaalde andere afwijkenden superieur waren aan mensen die niet door de smet van de wevers waren veranderd, weigerde ze vooralsnog te geloven. Ze kon echter een heimelijk, geamuseerd glimlachje niet onderdrukken toen ze de soldaten zag springen en wapperen met hun armen om weer warm te worden, nadat ze hun naakte bovenlichaam in het ijskoude water hadden ondergedompeld.

Op de rand van de oever was ze even blijven staan, terwijl ze probeerde te besluiten of ze zichzelf als een zuster zou kleden of gewoon weer haar stevige, onvrouwelijke reiskleren aan zou trekken. Ze had voor het laatste gekozen. Voor haar gevoel zou het van onoprechtheid getuigen om het masker van de Rode Orde op te zetten voor ze het woud betrad. Het woud zou zich toch niet voor de gek laten houden.

Grimmig staarde ze naar de bomen, de grens tussen het rijk van de mensen en dat van de geesten. Ze strekten zich van het oosten naar het westen tussen de horizonten uit, en verder over het heuvelachtige gebied in het noorden. Het Xuwoud was het grootste aaneengesloten stuk natuur in het deel van Saramyr ten westen van de bergen: het mat bijna driehonderd mijl van noord naar zuid en tweehonderd mijl in de breedte, waarmee het zelfs groter was dan het nabijgelegen Azleameer. Alles wat ze wisten over het woud was gebaseerd op legendes en geruchten, en die beloofden weinig goeds. Het Saramyrese volk had lang geleden al geleerd dat het continent groot genoeg was om er te wonen zonder de geesten te verstoren, en in het Xuwoud bevond zich de grootste concentratie geesten in het land. Er waren wel halfslachtige pogingen gedaan om op ontdekkingsreis te gaan, als voorbereiding op een dwaas plan om een weg tussen de bomen door aan te leggen om het handelsverkeer tussen Barask en Saraku te vergemakkelijken. Slechts weinigen waren uit het woud teruggekeerd, en de enkeling die wist te ontsnappen, had zijn verstand achtergelaten.

Normaal gesproken zou het dus zelfmoord betekenen om voet in dat oord te zetten. Deze keer hadden ze echter iets nieuws. Deze keer hadden ze Lucia. En in haar kleine, tengere handen hadden ze allemaal hun leven gelegd.

Alsof ze haar gedachten had gelezen, stond Lucia opeens naast haar. Kaiku keek even naar haar, maar richtte toen haar blik weer op het woud.

'Het haat ons,' fluisterde Lucia.

'Weet ik,' prevelde Kaiku. 'Daar heeft het ook alle reden toe.'

Er verscheen een rimpel op Lucia's voorhoofd. 'Wij zijn niet de vijand, Kaiku. Dat zijn de wevers.'

'De wevers waren ooit net als wij,' zei Kaiku.

'Maar hun god heeft hen veranderd,' zei Lucia. Ze klonk kwetsbaar, alsof ze elk moment kon breken, en eigenlijk wilde Kaiku niet eens op haar opmerking reageren. Ze moest nu echter wel.

'Hun god heeft nooit iemand gedwongen een wever te worden. Afgezien van die eerste paar. De rest heeft zich uit eigen vrije wil bij hen aangesloten. Hij heeft hen nooit gedwongen die maskers op te zetten. Dat werd ingegeven door ambitie en hebzucht, en de behoefte om over anderen te heersen en beslissen. De wandaden die ze begaan, zijn hun nooit van buitenaf ingegeven, alleen is hun geweten verschrompeld.' Ze streek het haar uit haar gezicht. 'Het zijn gewoon mannen. Mannen die naar macht verlangden, zoals alle mannen.'

'Niet alle mannen,' zei Lucia.

Kaiku keek naar Tsata, die in kleermakerszit met zijn metgezellen zat te praten. Ze knikte nauwelijks merkbaar. 'Niet alle mannen.'

'Wanhoop niet,' zei Lucia met haar hand op Kaiku's arm. 'Toe. Jij bent altijd sterker geweest dan ik. Ik kan dit niet als jij er niet in gelooft.'

'Doe het dan niet,' antwoordde Kaiku, die zich naar haar toe wendde. 'Keer terug, dan ga ik met je mee.'

Lucia's glimlach was bedroefd. 'Jij hebt altijd eerst aan mij gedacht en daarna pas aan alle anderen,' zei ze. 'Al dreigde de hele wereld te vergaan, al dreigde het Gouden Rijk zelf te vergaan, jij zou willen dat ik mijn eigen veiligheid boven die van de anderen stelde.' Ze omhelsde Kaiku. 'En je bent de enige.'

Kaiku voelde haar hart samentrekken. Ze kon aan Lucia's stem horen dat ze zich niet zou laten overreden.

Lucia liet haar los en keek haar recht in de ogen. 'Niemand is meer veilig, Kaiku.'

Ze maakten zich klaar voor vertrek, terwijl het licht van de dageraad krachtiger werd. Er werd weinig gezegd. De spanning was te snijden. Ze hadden twee manxthwa's meegenomen als lastdieren, maar net als de raven die Lucia tijdens haar reis vanaf Araka Jo hadden vergezeld, weigerden ze nog dichter bij het woud in de buurt te komen. Uiteindelijk waren de reizigers gedwongen hun voorraden zo goed en zo kwaad als het ging onderling te verdelen en de dieren vrij te laten. Alleen de Tkiurathi's leken zich nergens druk om te maken.

Kaiku betrapte Asara erop dat ze haar vreemd aankeek. Asara wendde haar blik niet af; uiteindelijk deed Kaiku dat. Goden, het was al erg genoeg dat ze dat woud in moest, en dan moest ze ook nog de duistere toespelingen van Asara verdragen over een of andere schuld die moest worden ingelost. Ze wist niet of dat mens wel te vertrouwen was. Waarom was ze meegekomen? Ze was er nooit de vrouw naar geweest om haar leven zo roekeloos in de waagschaal te stellen. Wat zou ze van Kaiku eisen, in ruil voor het redden van haar leven?

Er kon maar één reden zijn dat de afwijkende spionne erbij was, en samen met de anderen haar leven op het spel zette. Ze had nog een rekening te vereffenen.

Toen ze klaar waren, verzamelden ze zich aan de rand van het bos. Daarachter waren slechts een wirwar van takken en struiken, en de bobbelige, met boomwortels bedekte grond. Vogels kwetterden, insecten gonsden, in de verte waren andere dierengeluiden te horen. Voor zover ze konden zien was er niets vreemds aan de hand, maar toch waarschuwde een prikkeling aan de rand van hun bewustzijn, iets diepgewortelds en primitiefs, hen dat het onverstandig was om de rij bomen te passeren die de grens vormden.

Ze wachtten op Lucia. Het meisje droeg geen wapenrusting, zoals de soldaten, maar oude, gevlekte boerenkleren die niet bij haar bouw pasten, waardoor ze nog kleiner leek. Ze had een rugzak om, net als alle anderen, op haar eigen aandringen, maar ze hadden hem niet erg vol gestopt. Ze stond met gebogen hoofd, zodat haar korte, blonde haar naar voren hing en de verbrande huid in haar nek duidelijk zichtbaar was. Ze wilden dat ze zich zou omdraaien om hen bemoedigend toe te spreken, nogmaals dat vuur te tonen dat tijdens de bijeenkomst in Araka Jo kortstondig was opgelaaid, maar daartoe was ze niet in staat. Ze hees haar rugzak omhoog, zodat die wat gerieflijker zat, keek op en liep het bos in. Zonder een woord te zeggen volgden de anderen haar.

Zodra Lucia een voet over de boomgrens zette, werd het stil in het woud. De stilte verspreidde zich als een golf, alsof ze met haar voet een rimpeling had veroorzaakt, als een steentje dat in een vijver wordt gegooid. Waar de rimpeling passeerde, hielden de vogels op met zingen, zwegen de insecten, stokte het dierengeroep.

Na een tijdje was er overal om de indringers heen alleen die verontrustende doodse stilte. Het enige geluid dat ze hoorden, was het kraken van de leren wapenrustingen en het geruis van hun kleding, naast het zachte suizen van de wind over de vlakten en de fluistering van de rivier in de verte. Ze hadden het gevoel dat ze van de werkelijkheid werden afgesneden, beroofd van de gevarieerde reeks achtergrondgeluiden die hen tot op zekere hoogte al hun hele leven omringde. De stilte benam hun de adem.

Stug liepen ze verder. Als iemand zich nog afvroeg of het woud zich bewust was van hun aanwezigheid, dan was die vraag nu beantwoord.

Naarmate ze dieper het woud ingingen, stonden de bomen dichter op elkaar. Meestal waren de reizigers gedwongen in ganzenpas te lopen, om de graspollen en rotsen heen, over drooggevallen geulen. De Tkiurathi's namen een andere route, spreidden zich uit om het land te verkennen. Lucia wees de weg, maar ze lieten haar niet vooroplopen. Ze liep vlak voor Kaiku en hees af en toe haar rugzak omhoog, die nu begon te schaven. Ze was niet erg sterk: ze was beschermd opgegroeid, ook als jonge vrouw, en had geen ervaring met lichamelijke ontberingen. Maar hoe zwaar ze het ook had, ze klaagde niet.

Een hele poos zei niemand iets. De toch al drukkende sfeer werd steeds voelbaarder. Kaiku kon de aanwezigheid van de geesten hier duidelijk voelen; het hele woud was ermee doortrokken, als een leegstaand huis met de geur van verval. Ze wachtten af, ademloos en boosaardig, vol afschuw dat deze mensen het waagden hun rijk te betreden.

Kaiku hoopte maar dat Lucia wist wat ze deed. Ze was ervan overtuigd dat Lucia zonder veel moeite met deze geesten zou kunnen communiceren, maar of ze naar haar zouden luisteren, was een ander verhaal. En wanneer – als – ze bij de Xiang Xhi aankwamen, die zich in het hart van het uitgestrekte woud schuilhield, zouden Lucia's vermogens dan toereikend blijken te zijn?

Ze moest denken aan hun gesprek in Araka Jo, toen ze had geprobeerd Lucia tot rede te brengen. Waarom daar, had ze gevraagd. Waarom die? Waarom koos ze van alle geesten die de diepe, hoge en lege plaatsen van het land bewoonden, nu uitgerekend de Xiang Xhi?

'Omdat alle andere geesten daar ontzag voor hebben,' had ze geantwoord, maar ze had slechts half geluisterd. 'Omdat dat de enige is die hen tot handelen kan aansporen. Bij deze vallen alle andere geesten in Saramyr in het niet. Zelfs de Kinderen van de Manen vrezen de Xiang Xhi.'

Na een tijdje liet Kaiku zich afzakken om met Phaeca te praten. De zuster slaagde erin zelfs haar saaie reiskleren met een zekere flair te dragen, en haar rode haar was net zo zorgvuldig in model gebracht als altijd. Dergelijke kleine details vond Kaiku bemoedigend; ze hielden het aanzwellende gevoel van vijandigheid en isolatie op een afstandje.

'Waarom doen ze niet gewoon wat ze van plan zijn? Dan hebben we het maar gehad,' siste ze zodra Kaiku binnen gehoorsafstand was. 'Heb vertrouwen, Phaeca,' zei Kaiku. 'Lucia zal ons beschermen.' Phaeca wierp haar een snelle blik vol weerzin toe. 'Hou toch op met je banale praatjes,' snauwde ze. 'Jij bent net zo bang als ik.' Bijna meteen was de woede verdwenen. Ze was zichtbaar ontsteld over haar eigen reactie. 'Vergeef me,' mompelde ze. 'Dit woud werkt me op mijn zenuwen.'

Kaiku knikte. In dit geval was Phaeca's gevoeligheid zowel een zegen als een vloek. Ze vroeg zich af of Cailin er wel verstandig aan had gedaan om haar mee te sturen. Ze vermoedde dat de Eerste dat alleen maar had gedaan omdat Kaiku meeging, en Phaeca haar beste vriendin binnen de Rode Orde was.

Phaeca, Asara en wellicht ook Tsata en de twee andere Tkiurathi's waren alleen meegegaan omdat zij er was. En zij was meegegaan omdat ze Lucia deze reis niet alleen kon laten maken. Door hun eigen leven op het spel te zetten, hadden zowel zij als Lucia anderen met zich meegesleurd en in gevaar gebracht. Egoïsme uit onbaatzuchtigheid. Het was ook nooit goed. Ze begon nu een beetje te begrijpen waarom Lucia het gevoel had dat ze dreigde te worden verpletterd door de verantwoordelijkheid die op haar schouders rustte.

Het was een heel plotselinge verandering.

Phaeca slaakte een kreet van angst. Het leek wel dikke pek, die van alle kanten toestroomde en hun geest overspoelde. De zusters sponnen werktuiglijk een muur om zichzelf te beschermen, maar de andere leden van het gezelschap hadden die mogelijkheid niet. Ze werden overstelpt door een dreigende doembelofte, die zich overal om hen heen manifesteerde. Het zonlicht dat door het bladerdak heen sijpelde, doofde uit en verdween alsof er een wolk voor Nuki's oog langsdreef, en daarna werd het nog donkerder, donkerder dan op de somberste dag, donkerder dan in de duisterste nacht, en nog erger, tot al het licht werd buitengesloten en zelfs degenen die normaal gesproken zo goed zagen als vleermuizen met blindheid werden geslagen.

Er brak paniek uit. De duisternis was al erg genoeg, maar de angst die ze ervoeren was zelfs met dat gegeven buiten alle proportie. Al hun zintuigen krijsten tegen hen dat er gevaar dreigde: er waren monsters in de buurt, en nu hun ogen nutteloos waren geworden, nam hun fantasie het over. Angstaanjagende wezens met lange slagtanden leken in de lucht te hangen of over de grond te sluipen, zwarte beesten waarvan de aanwezigheid slechts werd verraden door de metaalachtige glans van hun klauwen en gebit. Alleen de wanhopige stemmen van de reizigers waren hoorbaar, iemand die riep dat ze Lucia moesten beschermen, mannen die wilden wegrennen maar het niet durfden.

Kaiku bleef een paar tellen als verlamd staan voor ze de tegenwoordigheid van geest had om haar blik te richten op het Weefsel. De duisternis had daar geen greep op, want die bestond alleen in de tastbare wereld. Alles om haar heen lichtte weer op: de in gouddraad gestikte contouren van het bos en de mensen om haar heen. Ze zag hen rondstrompelen, met uitgestrekte armen, opengesperde, niets ziende ogen en pupillen zo groot als schoteltjes. Sommigen hadden hun zwaard getrokken en stonden stokstijf stil, hun oren gespitst op het geluid van de naderende vijand. De Tkiurathi's hadden zich op hun hurken laten zakken, zodat ze slechts een klein doelwit vormden; uiterlijk leken ze kalm, maar het snelle kloppen van hun hart en het geraas van het bloed door hun lichaam vertelden een heel ander verhaal. De draden van het Weefsel kolkten, wat Kaiku's vermoeden bevestigde: die angst was kunstmatig, een projectie.

Het was echter geen volkomen onredelijke angst, want de geesten naderden, verschenen overal om hen heen uit het niets, namen gerichte vormen aan, afspiegelingen van de angsten van de indringers. Ze waren nu nog wazig en onduidelijk, maar werden snel vastomlijnder: het waas trok zich samen tot ledematen, kaken, klauwen. Het waren er tientallen. Daar konden zij en Phaeca nooit tegenop. 'Lucia!' riep ze, maar Lucia luisterde niet. Ze zat op haar knieën op de grond, met haar handen begraven in de met gras begroeide grond, haar hoofd gebogen. Iemand krijste, een stem die snel wegstierf alsof de eigenaar ervan razendsnel werd meegevoerd; Kaiku probeerde hem te vinden, maar het was gebeurd voor ze het in de gaten had. Hulpeloos tastte ze om zich heen, niet in staat iets te doen. Lucia praatte met hen. Ze kon alleen maar hopen dat ze overtuigend genoeg was.

De geesten sijpelden uit de lucht, kropen uit de boomtoppen, klitten en hechtten zich met dodelijke doelbewustheid samen tot vormen. De verblinde mensen in hun midden sloegen wild om zich heen, zich ervan bewust dat er iets op hen afkwam, maar niet in staat er iets tegen te doen. Kaiku's kana kookte in haar binnenste, popelend om te worden losgelaten, maar de vijand was met te veel en ze kon hem nergens op afsturen waar hij enig effect zou hebben. Ze voelde Phaeca via het Weefsel, voelde hoe ze worstelde om zich te beheersen en de verstikkende doodsangst op afstand te houden. Ze kon zien, net als Kaiku. Een van de Libera Dramach reeg bijna een van zijn metgezellen aan de punt van zijn getrokken zwaard, zo wild strompelde hij in het rond, en een ander struikelde bijna over Lucia, met starende ogen en zijn handen voor zich uit gestoken.

'Blijf staan, allemaal!' riep ze. Ze deed haar best zoveel mogelijk gezag in haar stem te laten doorklinken. Ze gehoorzaamden, klampten zich vast aan haar woorden alsof het een ankertouw was dat hen met hun zelfbeheersing verbond.

'Wat gebeurt er?' riep iemand met een stem waarin de hysterie doorklonk.

'Lucia zal ons redden,' antwoordde ze met meer overtuiging dan ze voelde. 'Wacht maar af.'

Ze wierp een vluchtige blik op de knielende Lucia. Ergens tussen de bomen klonk nog een ijselijke kreet, die abrupt werd afgebroken. Ze kneep haar ogen dicht – niet dat ze zo haar beeld van het Weefsel kon buitensluiten – en bad. De geesten kwamen nu akelig dichtbij, die karikaturen uit de nachtmerries van een kind. Ze glipten tussen de bomen door, beslopen hen. Kaiku wilde wanhopig graag uithalen; misschien kon ze ze op een afstandje houden, ze aan het twijfelen brengen of ze deze prooi wel wilden. Maar als ze dat deed, tekende ze hun doodvonnis, want wat Lucia op het moment ook tegen ze zei, haar onderhandelingen zouden falen als Kaiku ook maar het minste teken van vijandigheid toonde.

'Blijf staan en wacht af!' zei ze nogmaals, omdat ze de stilte niet kon verdragen. De Tkiurathi's hadden zich niet verroerd. Asara was nergens te bekennen. En nog altijd kwamen de geesten op hen af, geruisloos als mist, in constant veranderende, schijnbaar onmogelijke vormen die tegen de regels van het perspectief in gingen: nu weer uitgerekt, dan opeens weer tweedimensionaal, ten slotte om een boom gewikkeld in een hoek die helemaal onmogelijk leek.

Steeds dichterbij. Zo dichtbij dat ze hen allemaal konden doden.

Er verslapte iets, een verstrakking in de lucht die wegviel. De drukkende haat van de geesten leek weg te trekken. Kaiku keek naar Lucia, maar die vertoonde geen enkele zichtbare reactie. De geesten bleven op hun plaats hangen. Sommige doemden vlak bij hun gekozen slachtoffers op als boosaardige schaduwen die op het punt stonden de lichamen die ze wierpen op te slokken. Ze durfde geen adem te halen. Nu, op dit moment, was de weegschaal in evenwicht. Als hij naar de ene kant doorsloeg, bleven ze allemaal leven; als hij naar de andere kant doorsloeg, zou ze geen andere keuze hebben dan te vechten, en dan was er geen enkele hoop voor hen.

Toen slaakte het woud een diepe zucht en zweefden de geesten achteruit weg. Met hun felle ogen nog altijd gericht op de mensen trokken ze zich terug tussen de bomen. Kaiku, die haar adem had ingehouden, zuchtte. De afschuwelijke gestalten werden steeds ijler, gingen op in het Weefsel. Zodra ze verdwenen waren, verdween de dreiging van kwaadaardigheid en gevaar en keerde het licht terug. Langzaam maar zeker keerde hun gezichtsvermogen terug. Het was alsof ze uit een droom waren ontwaakt.

Ze keken elkaar dankbaar aan, met ogen die hunkerden naar de aanblik van iets anders dan duisternis. Schuldgevoel en verwarring streden op hun gezichten om voorrang, nu iedereen elkaar weer kon zien: sommigen zaten nog steeds angstig ineengedoken, anderen zwaaiden met zwaarden die hun metgezellen op slechts een paar duim hadden gemist. Allemaal schaamden ze zich voor hun angst. Degenen die zich hadden verplaatst of waren gevallen, probeerden knipperend met hun ogen vast te stellen waar ze waren. De Tkiurathi's kwamen langzaam overeind. Asara, die zich had verstopt, kwam nu weer tevoorschijn.

Het licht in het woud was nu weer normaal; Nuki's oog scheen door het bladerdak en de wereld was weer groen, bruin en normaal. De stilte was nog even drukkend als voorheen, maar de geesten waren verdwenen.

Lucia stond langzaam op. Met haar vuile handen langs haar zij keek ze om zich heen, maar haar blik gleed van hen af alsof ze er niet waren.

'Ze verlenen ons doorgang,' zei ze eenvoudig.

Phaeca begon te huilen.

Ze liepen verder, omdat ze weinig keus hadden, maar hun breekbare zelfvertrouwen was verbrijzeld en ze kropen als stiekeme kinderen onder de sombere takken van het woud door.

Twee soldaten waren in de duisternis opgeslokt, spoorloos verdwenen. Als Lucia er niet was geweest, hadden ze het er geen van allen levend afgebracht. Toch had het incident hun vertrouwen in hun aangewezen redder niet versterkt; integendeel, het had hun er slechts aan herinnerd hoe gering hun kansen eigenlijk waren. Dan hadden ze nog liever met de wevers te maken, want die vijand was tenminste nog tastbaar. In het Xuwoud konden ze alleen overleven omdat de geesten verkozen hen niet te doden. Als er iets met Lucia gebeurde, zouden ze hier geen van allen levend vandaan komen.

Kaiku's gedachten waren zo mogelijk nog duisterder. Zij wist namelijk iets wat de anderen niet wisten, en dat maakte het allemaal nog een graadje erger.

'We zijn hier nog steeds niet veilig,' had Lucia gezegd op haar aandringen, toen ze weer onderweg waren. 'Deze geesten zijn bereid ons te laten gaan, maar er zijn andere die dat niet zullen doen.'

Kaiku controleerde of er niemand binnen gehoorsafstand was. 'Wat bedoel je daarmee?'

'Naarmate we dichter bij het hart van het woud komen, zullen we op oudere geesten stuiten,' antwoordde Lucia. 'Die zullen minder gemakkelijk te vermurwen zijn.'

Kaiku keek naar de verontruste gezichten van hun metgezellen.

'Misschien kun je dat beter voor je houden,' prevelde ze. Ze haatte zichzelf erom dat ze voor oneerlijkheid pleitte. 'Voorlopig tenminste.'

Lucia maakte een afwezig geluidje en leek alweer te zijn vergeten dat Kaiku er was.

Kaiku had een tijdje met Phaeca meegelopen; de zuster was het meest aangeslagen van iedereen. Ze vond het vreselijk haar vriendin zo te zien, maar een kil, ongevoelig deel van haar wenste dat ze niet zo met haar angst te koop had gelopen. Hartbloed, ze werd geacht een zuster te zijn. De mensen om hen heen wilden kunnen geloven dat ze niet klein te krijgen was. Nu stak ze de mensen om haar heen aan met haar onzekerheid, maakte ze iedereen nerveus. Kaiku was bang dat Phaeca haar ongeduld zou aanvoelen, maar als dat zo was, zei ze er niets van.

Hoe verder de dag vorderde en overging in de avond, hoe vreemder het woud werd.

Het was een trage, geleidelijke verandering. Het begon met kleine dingen: een onbekende bloem, of een boom die er raar uitzag. Toen stuitten ze op een opmerkelijk rotsblok dat uit de grond omhoogstak, een zilver glanzend brok van een of ander metaal houdend mineraal. Later zagen ze een bos donkerrode bloemen waar niemand een naam aan kon verbinden, en een boom waarvan de takken zich met die van andere bomen hadden verstrengeld, alsof het kronkelende lianen waren. Het groen om hen heen werd donkerder en raakte vermengd met paars en platina.

Hoe dieper ze het woud binnendrongen, hoe meer dieren ze zagen, stil en alert, die ze nooit eerder hadden gezien. Een van de soldaten durfde te zweren dat hij tussen de bomen een wit wezen had gezien dat een beetje leek op een hert. Asara zag een spin zo groot als het onderbeen van een man, met lange poten en een krabachtig pantser, zijwaarts uit zijn hol kruipen. Het terrein werd ruiger, met hoge heuvels en klippen, en geulen die overgingen in diepe kloven.

De hemel was dreigend rood toen de leider van het gezelschap, een Libera Dramach-man van middelbare leeftijd die luisterde naar de naam Doja, hun kamp liet opslaan. De plek die hij uitkoos lag aan de grazige rand van een rotsachtige kloof, waar minder bomen stonden en er een smalle strook open land was ontstaan, een flauwe helling tussen het woud en de duizelingwekkende diepte, gelukkig zonder een bladerdak erboven dat hen opsloot. Iridima was zichtbaar achter de doorzichtige sluiers van kleur die nog onder het plafond van de nacht hingen. Aan de andere kant van de kloof was er een smalle, maar onvoorstelbaar hoge waterval. Het water werd door rotsen met rode aderen in drie ongelijke stralen gesneden, dunne, mistige slierten die zich halverwege de afgrond weer samenvoegden, om zich tezamen in de rivier in de diepte te storten.

Toen het kamp eenmaal was opgeslagen, ging Kaiku aan de rand van de afgrond staan en keek naar beneden. Welke rivier was dit? Een zijarm van de Ko? Waar was de bron, en waar hield hij op? Was er in de geschiedenis ooit iemand geweest die hem had gezien? Deze rivier stroomde hier misschien al duizenden jaren, maar niemand had van het bestaan ervan geweten. Als Lucia er niet was geweest, zou hij nog vele duizenden jaren hebben gestroomd zonder ooit door de mensheid te zijn verstoord.

Ze staarde in het niets, bedroefd om de onverschilligheid van de wereld. Wat waren ze maar klein in de ogen van de schepping, en wat was hun strijd onbeduidend. De geesten bewaakten hun territoria, de manen gleden door de hemel, de zeeën bleven bodemloos. De natuur bekommerde zich niet om het lot van de mensheid. Ze begon zich af te vragen of Lucia's taak niet onmogelijk was. Kon ze de geesten echt tot actie aansporen, ook al was het maar uit zelfbehoud? Hadden zelfs de goden opgemerkt dat ze streden en sneuvelden? Ze wendde zich van de kloof af. Zulke gedachten zouden alleen maar wanhopig maken. En toch had ze ook geen zin om naar het kamp terug te keren. Het gezelschap was stil en mismoedig, nog steeds geschrokken van het feit dat ze zo weerloos waren gebleken. Asara was er bovendien, en Kaiku wilde haar tegen elke prijs mijden. Phaeca was een wrak waar ze even niets mee te maken wilde hebben. Ook had ze geen zin met Tsata of de andere Tkiurathi's te praten. Wat ze voelde was te persoonlijk om het aan hen uit te leggen.

Ze probeerde net te besluiten of ze maar even moest gaan rusten, toen ze Lucia tussen de bomen zag verdwijnen.

Ze knipperde met haar ogen. Ze zag toch geen spoken? Snel liep ze over de grashelling naar de boomgrens. Onderweg vervloog haar twijfel. Natuurlijk was Lucia in haar eentje weggeglipt; het was net iets voor haar om zomaar te verdwijnen. De mensen in het kamp dachten waarschijnlijk dat ze was gaan slapen. Lucia had meer dan wie ook behoefte aan afzondering, en zij had het minst te vrezen van de woudgeesten.

De gedachte troostte Kaiku niet. Ze liep om het kamp heen tot aan het punt waar ze Lucia het woud in had zien lopen. Twee schildwachten keken naar haar vanaf de plek waar de tenten stonden. Ze vroegen zich duidelijk af wat ze van plan was. Ze bevredigde hun nieuwsgierigheid niet. Het was beter als ze Lucia terug kon brengen zonder dat iemand het merkte. Die gedachte werd op de voet gevolgd door een volgende: hoe was Lucia erin geslaagd weg te glippen zonder dat iemand het merkte?

In het maanlicht zag het woud er akelig uit. Door de diepe stilte en de roerloze lucht leek het wel een grafkelder, en door het vreemde gebladerte leek alles nét even anders dan het hoorde. Hoewel alles in de gloed van Iridima zwart-wit leek, hadden deze planten nog steeds een soort kleur, een tint die ze moeilijk kon benoemen. Even luisterde ze, en ze hoorde een zachte tred die zich van haar verwijderde.

Ze stond op het punt erachteraan te gaan toen er in de duisternis iets bewoog, als een reusachtige schaduw die zich verplaatste. Ze verbleekte. Het was reusachtig, zo groot als een feya-kori, maar dan breder, en het vulde de ruimte tussen de wortels van het bos en het bladerdak volledig. Af en toe een glimp, meer ving ze er niet van op, want het werd aan het zicht onttrokken door de stammen van de bomen die hen scheidden, maar het was genoeg. Een reusachtig monster met vier poten, daar in het woud. En het keek naar haar.

Een ijzige rilling liep over haar rug toen ze de ogen zag. Klein en geel, onvoorstelbaar fel, en ver uit elkaar geplaatst op een kop die waarschijnlijk groter was dan zij.

Dit kon gewoon niet, vertelde haar verstand haar. Als het zich bewoog, zou het alle bomen om zich heen omduwen. Het monster kon er niet zijn, want het páste domweg niet.

Toch zag ze het, tegen alle logica in: een kolossale gestalte tussen de bomen, in duister gehuld. Als ze een stap zou zetten, zou die haar aanvallen. Maar deed ze het niet, dan was Lucia aan zijn genade overgeleverd.

De schildwachten keken haar bevreemd aan, nu ze als verstijfd aan de rand van de open plek stond. Het viel haar niet op. Ze was in de ban van de blik van dat angstaanjagende monster.

Lucia, dacht ze. Ze deed een stap naar voren, en het monster besprong haar.

Plotseling huiverde Mishani aan haar schrijftafel. Met een frons keek ze achterom. Voorbij de randen van de lichtkring van de lantaarn was de kamer koel en leeg. Het ongemakkelijke gevoel bleef nog even, maar Mishani was te nuchter om veel aandacht te besteden aan de muizenissen van de geest, en al snel ging ze weer op in haar taak.

Ze zat op haar knieën op een mat in de gemeenschappelijke kamer van het huis in Araka Jo dat ze met Kaiku deelde. Voor haar, verspreid over de tafel, lagen rollen perkament, inktpotjes, ganzenveren, penselen, een geglazuurde aardewerken mok vol lathamri en een stapel boeken. Ze droeg een warm nachtgewaad en zachte pantoffels, maar ze was nog niet van plan om te gaan slapen.

Haar interesse in de boeken van haar moeder was de laatste weken uitgegroeid tot een obsessie. Ze wilde het wanhopig graag begrijpen, gekweld door de zekerheid dat er in die woorden iets besloten lag wat ze moest weten, dat haar moeder haar een boodschap probeerde te geven. Dat vermoeden had ze al een tijdje, maar pas na het verschijnen van het nieuwste boek was ze gaan beseffen dat het niet zomaar een hersenschim van haar was. De laatste woorden die Nida-jan sprak, vormden de eerste helft van een wiegeliedje dat een geheimpje tussen moeder en dochter was geweest. Haar moeder had het al eens eerder gebruikt, via de koopman Chien, om Mishani er, mocht de situatie erom vragen, van te kunnen overtuigen dat hij een bondgenoot was. En nu gebruikte ze het opnieuw.

Maar met welk doel? Dat was de vraag. En hoe vaak Mishani de boeken ook naploos, ze begreep maar niet wat ze eruit moest opmaken.

Ze nam een slokje lathamri en staarde naar het papier dat voor haar lag. Nadat ze verschillende theorieën had getoetst, had ze haar aandacht weer gericht op het deel van de boeken dat haar het meest dwarszat: de afschuwelijke gedichten die Nida-jan opeens was gaan opzeggen. Dat was een nieuw element, dat leek samen te vallen met het moment waarop haar moeder in een hoog tempo dunnere boeken was gaan schrijven en haar prachtige, zorgvuldige verteltrant zo slordig was geworden. Mishani had een van de gedichten met een penseel overgeschreven op het papier dat voor haar lag, in grote kalligrafische schrifttekens van zwarte inkt. Alsof ze hun geheimen zouden prijsgeven als ze ze maar groot genoeg maakte. Al de halve avond probeerde ze anagrammen te maken en had ze de woorden die ze uit de tekens kon samenstellen in een piepklein handschrift onder aan het blad gekrabbeld, maar het leverde alleen maar onzin op.

Ze maakte een afkeurend geluidje. Dit was frustrerend, en het was al laat. Bovendien had ze te veel lathamri gedronken, waardoor ze schrikachtig werd, want ze was maar klein en was er niet aan gewend. En ze kon zich niet goed concentreren met op de achtergrond steeds de wetenschap dat Kaiku en Lucia inmiddels waarschijnlijk het Xuwoud hadden bereikt. Goden, ze hoopte dat hun vertrouwen in Lucia niet ongegrond was. Als ze het er niet levend afbracht, zou alle hoop verloren zijn. En als zij niet terugkwam, kwam Kaiku ook niet terug...

Aan zulke gedachten heb je niets, Mishani, hield ze zichzelf voor. Maak je liever nuttig.

Inderdaad, zich nuttig maken – dat hoorde ze eigenlijk te doen, maar ze wilde niet weg uit Araka Jo voordat ze het mysterie van Muraki's boeken had ontrafeld. Ze was teruggekeerd uit de woestijn om haar diplomatieke talenten in de Zuidelijke Prefecturen beschikbaar te stellen aan de Libera Dramach, maar de meeste edelen bevonden zich in Saraku en Machita, en kwamen hier zelden. Ze had vernomen dat er tijdens de vlucht uit Zila een aanslag was gepleegd op barak Zahn, en natuurlijk was de verdenking op bloed Erinima gevallen. Ze vroeg zich af hoe Zahn de aanslag wilde afstraffen en of ze naar hem toe moest gaan om haar hulp aan te bieden. Tweedracht was op dit moment wel het laatste wat ze konden gebruiken. Toch verbaasde het Mishani geenszins dat de edelen, zelfs als ze met zo'n machtige vijand werden geconfronteerd, geen front konden vormen.

Bloed Erinima wilde overal een slaatje uit slaan, net als alle andere hooggeplaatste families. Ze dachten niet na over de bredere gevolgen, maar hielden zich slechts bezig met hun kansen om de troon te veroveren. Zo ging het nu eenmaal in de politiek.

Ze voelde gewoon dat het antwoord binnen handbereik was, op de bladzijden die voor haar lagen. Ze was dichtbij, dat wist ze, maar toch ontging de oplossing haar nog. Hoewel ze niet wist waarop ze zich moest concentreren, waar ze moest zoeken, was ze ervan overtuigd dat de puzzelstukjes uiteindelijk op hun plaats zouden vallen, als ze maar volhield. Al was het door pure wilskracht.

Buiten riep een uil. Mishani staarde naar het papier. Een hele tijd verroerde ze zich niet; ze werd volledig in beslag genomen door haar eigen gedachten, door de mogelijkheden die ze van alle kanten bestudeerde. Afwezig pakte ze haar mok, nam er een slokje uit en zette hem weer op tafel.

De minieme beweging die ze in haar ooghoeken opving, de indruk dat de mok niet helemaal aanvoelde zoals het hoorde toen ze hem terugzette – die waarschuwden haar dat ze hem verkeerd had neergezet, dat de lathamri van de rand van de tafel dreigde te vallen. Ze greep de mok vast, net voordat die viel, maar daarbij bleef de rand van haar andere mouw hangen achter de inktpot. Die viel om. Snel zette ze de mok neer en pakte de inktpot, maar inmiddels was er al een ovale zwarte plas over een deel van haar kalligrafie gestroomd. Ze zuchtte, geërgerd over die verspilling van kostbare inkt. Op de manchetten van haar nachtgewaad zaten ook vlekken. Ze wilde het perkament oprollen en weggooien, maar verstijfde toen. Langzaam trok ze haar hand terug en staarde weer naar het papier.

De inkt had zich over meerdere regels verspreid, maar de regel waar haar blik door werd getrokken, was nauwelijks aangetast. Slechts twee schrifttekens in het midden van een woord met vier lettergrepen waren weggevaagd. Wat Mishani nu opviel, was dat er een nieuw woord was ontstaan toen die twee tekens waren weggevallen. Als je de eerste en de laatste lettergreep samentrok, ontstond er een nieuwe betekenis.

Demon.

Opgewonden pakte ze het boek erbij waar het gedicht uit afkomstig was en zocht de twee ontbrekende tekens op. Dat wierp geen nieuw licht op de zaak, maar daar liet ze zich niet door weerhouden. Met hernieuwde energie legde ze het bevlekte perkament weg en schreef het gedicht nogmaals over, waarna ze de twee lettergre- .

pen wegstreepte om opnieuw het woord 'demon' te vormen. In een opwelling keek ze of de twee tekens nog ergens anders voorkwamen. Eén keer maar. Ze streepte het teken weg, wat haar een onlogisch woord opleverde. Toch weigerde ze te geloven dat het verborgen 'demon' toeval was. Ze staarde naar het woord dat ze had verminkt. In zijn geheel betekende het 'misschien'. Na een korte aarzeling streepte ze een ander schriftteken weg. Nu stond er 'rond', in de zin van een tijdsaanduiding. Ze bestudeerde het woord, op zoek naar andere lettergreepcombinaties die iets betekenden, maar kon er geen bedenken. Vervolgens keek ze of het derde teken dat ze had weggestreept elders in het gedicht terugkwam, maar dat was niet zo. Ten slotte zocht ze in andere woorden naar tekens die ze kon weghalen om nieuwe betekenissen te creëren, maar er waren te veel mogelijkheden, en lang niet alle woorden konden worden samengetrokken.

Weer een doodlopende weg, zo leek het, maar ze was zo opgetogen door haar vondst dat ze zich er niet door liet weerhouden. Na een moment van verslagenheid bladerde ze door de boeken, op zoek naar andere gedichten, die ze overschreef. Vervolgens streepte ze overal diezelfde drie tekens weg. Weer las ze 'demon', in hetzelfde woord als de vorige keer. Het was niet bepaald onweerlegbaar bewijs, maar de gedachte dat ze ergens op was gestuit, was aanlokkelijk.

Eindelijk, diep in de nacht, vond ze het woord dat ze zocht. Het was vijf schrifttekens lang, en drie ervan waren de drie tekens die ze telkens had geschrapt. Met snelle halen streepte ze ze door en keek naar het resultaat.

Bergen.

Ze was een beetje teleurgesteld, want ze had op iets overtuigenders gehoopt, een combinatie van lettergrepen die met geen mogelijkheid op toeval kon berusten. Die teleurstelling was echter al snel verdwenen. Het was in elk geval een woord.

Nu moest ze weten welke tekens ze nog meer moest wegstrepen. Ze had de sleutel tot de code nodig om die te kunnen ontcijferen. Waar kon ze die sleutel vinden?

Bijna meteen wist ze het antwoord. Ze had het al die tijd al gehad, maar pas nu wist ze welke vraag ze zichzelf moest stellen. *Het wiegeliedje.*

Ze greep een nieuwe rol perkament, schreef haastig het wiegeliedje op en zocht toen het eerste gedicht op waaraan ze had gewerkt. Door haar gehaaste bewegingen vielen haar aantekeningen aan alle kanten van de tafel. Teken voor teken nam ze het gedicht door, en telkens als ze een teken tegenkwam dat ook in het wiegeliedje voorkwam, streepte ze het weg. Langzaam maar zeker vormden zich woorden. Sommige waren onzinnig en andere konden helemaal niet worden samengetrokken, maar die negeerde ze. Ze las alleen de woorden die na haar wijzigingen een nieuwe betekenis hadden gekregen, en zo vond ze eindelijk de boodschap.

Nieuwe demon valt tegen midwinter Juraka aan.

Ze leunde achterover, starend naar het papier. Even werden al haar gedachten verjaagd door de schok van de ontdekking. Langzaam kwam haar brein weer op gang.

Moeder, dacht ze ongelovig. Al die tijd...

Het was kort na het uitbreken van de oorlog begonnen: de gedichten, de slechte schrijfstijl. Muraki was zo slordig geworden omdat ze te snel moest schrijven. De boeken waren zo kort omdat ze ze snel moest verspreiden, voordat de informatie die erin schuilging achterhaald werd. De gedichten waren zo abominabel slecht omdat ze werd gehinderd door de noodzaak er boodschappen in te verstoppen, en omdat ze er de aandacht op wilde vestigen.

Al die tijd was Muraki hun spion in het vijandelijke kamp geweest, en pas nu kwamen ze daarachter. Pas nu kwam Mishani erachter. Want zij was de enige die de code kon breken, alleen zij – en Kaiku, maar dat wist haar moeder niet – beschikte over de noodzakelijke kennis. Muraki moest echter hebben gemerkt dat haar boodschappen niets uithaalden, en daarom had ze in haar laatste boek een niet mis te verstane aanwijzing opgenomen voor haar dochter, van wie ze ongetwijfeld geloofde dat die al haar boeken las. Als iemand anders de berichten zou kunnen ontcijferen, zou dat Muraki's dood betekenen. Daarom had ze alleen het eerste couplet van het wiegeliedje opgeschreven: omdat het geheimschrift onzin bleef tenzij je ook het tweede couplet kende.

Nu dacht Mishani terug. Er waren nog meer aanwijzingen geweest. Verwijzingen naar wiegeliedjes; Nida-jans mijmeringen over zijn gedichten, die de cadans hadden van een lied dat een ouder voor een kind zingt; een passage waarin Nida-jan overwoog een lied te schrijven voor zijn verloren zoon, een lied dat alleen zij tweeën zouden kennen, en dat hij zou zingen als hij de jongen eindelijk had gevonden. Hartbloed, wat hadden ze veel levens kunnen redden, wat hadden ze veel slagen kunnen winnen, als Mishani slim genoeg was geweest om het geheimschrift eerder te ontcijferen! Achteraf lag de

oplossing zo voor de hand dat ze versteld stond over haar eigen stommiteit.

Haar moeder had haar leven op het spel gezet om het keizerrijk te
helpen. Ze had informatie losgepeuterd van haar echtgenoot, de
rijksvoogd, en die via haar boeken doorgespeeld. En niemand die
het had beseft.

Vroeger dacht Mishani dat haar moeder zwak was, zwak en gevoelloos. De tranen prikten in haar ogen van schaamte. Wat had ze
Muraki verkeerd ingeschat.

Aangespoord door die schaamte ging ze aan de slag met de andere
gedichten. Ze zou die nacht geen slaap krijgen.

⟲ 16 ⟲

Kaiku ontwaakte uit een levensechte droom vol zweet, begeerte en seks, die vervloog zodra ze wakker werd, tot alleen het gezicht overbleef van de man die haar had bezeten. Tane.

Ze voelde zich opeens beschaamd toen ze haar ogen opende en de anderen zag, die op hun knieën vlak bij haar in de tent zaten. Asara en Tsata. Had ze verraden waar ze over had gedroomd, met gekreun of de lome bewegingen van haar lichaam? Ze had al haar kleren nog aan, maar er lag geen deken over haar heen, waardoor ze zich vreselijk bekeken voelde. En goden, waarom Tane? Aan hem had ze al heel lang niet meer gedacht.

Toen herinnerde ze zich het monster.

Geschrokken ging ze rechtop zitten. Tsata stak in een sussend gebaar zijn handen op.

'Kalm, Kaiku. Je bent ongedeerd,' zei hij.

'Ongedeerd?' herhaalde ze. 'En Lucia?'

'Lucia is volkomen veilig. Waarom zou ze niet veilig zijn?' vroeg Asara.

Even staarde Kaiku haar aan. Ze moest denken aan het monster, dat op haar af was... geschoten, in een aanval die zich in duizenden op zichzelf staande stukjes leek te voltrekken: indrukken van schaduwen, die steeds groter werden naarmate ze naderden, flits na flits na flits, en dat alles binnen een fractie van een seconde. Het was zo snel gegaan dat ze niet eens tijd had gehad haar kana in te zetten. Het monster had tientallen bomen moeten verwoesten toen het op haar afkwam. Daarna duisternis, en de dromen.

Asara gaf haar een beker water. Ze pakte hem aan met een wantrouwige blik op de woestijnbarakesse. Het was voor Asara's doen een wel heel meelevend gebaar om bij haar te waken terwijl ze sliep. Maar ze bekommerde zich alleen maar om Kaiku omdat die bij haar in het krijt stond en zij vastbesloten was haar te dwingen die schuld af te lossen.

Misschien voelde Asara haar stemming aan, want ze ging op haar hurken zitten. 'Ik ben opgelucht dat je niets mankeert,' zei ze. 'Ik moet gaan helpen met de voorbereidingen. We gaan zo weg.' Ze dook onder de tentflap door en was verdwenen.

Kaiku fatsoeneerde zichzelf, een beetje slecht op haar gemak omdat er iemand naar haar zat te kijken terwijl ze net wakker was, met haar haren nog door de war en haar ogen dik van de slaap. Toen herinnerde ze zich echter de weken die ze met Tsata had doorgebracht in de wildernis van de Xaranabreuk en moest ze lachen om haar eigen ijdelheid. Hij had haar al op haar slechtst gezien; ze hoefde zich hier niet druk om te maken.

Hij keek haar verward aan toen ze begon te lachen. 'Je bent erg opgewekt,' merkte hij op.

Ze zuchtte. 'Nee, dat is het niet,' zei ze. Ze overwoog het uit te leggen, maar besloot dat het niet de moeite waard was. Tsata zou het toch niet begrijpen.

Hij drong niet aan. 'Wat is er met je gebeurd?' vroeg hij.

Kaiku vertelde hem over het monster tussen de bomen. De reden dat ze het kamp had verlaten, vermeldde ze niet. Ze was van plan Lucia aan te spreken op haar gevaarlijke zwerftochten, zodra de gelegenheid zich voordeed.

Tsata luisterde aandachtig naar wat ze zei. In tegenstelling tot Lucia trok hij een prettig ernstig gezicht als hij luisterde, alsof er niets anders voor hem bestond dan datgene waarop hij zijn aandacht vestigde. In eerste instantie had Kaiku het als een beetje bedreigend ervaren, maar nu genoot ze ervan. Als ze iets zei, wist ze dat hij haar woorden belangrijk achtte. Dat gaf haar zelfvertrouwen.

Toen ze uitgesproken was, nam hij een andere houding aan, een kleermakerszit. Tkiurathi's konden niet zo lang op hun knieën blijven zitten. Na een tijdje kregen ze er vreselijk last van, in tegenstelling tot de Saramyriërs.

'Het lijkt erop dat je erg veel geluk hebt gehad. We zijn vannacht nog twee soldaten kwijtgeraakt. We kunnen er wel van uitgaan dat ze met hetzelfde monster te maken hebben gekregen als jij.'

'Kwijtgeraakt? Hoe bedoel je?'

'Ze zijn verdwenen. Hun voetsporen leiden naar het bos, maar houden daar op.'

Kaiku wreef in haar gezicht. 'Goden...' prevelde ze. 'Lucia zei al dat onze veiligheid niet gegarandeerd was, ook al hadden de geesten ons doorgelaten. Ik had gehoopt dat ik dat voor de rest van de groep verborgen zou kunnen houden, in elk geval tot het moreel weer wat beter was.'

'Dat was onverstandig,' zei Tsata. Uit de mond van ieder ander zou ze dat onbeschoft hebben gevonden, maar Kaiku wist hoe hij was. 'Misschien zouden we voorzichtiger zijn geweest als we het hadden geweten.'

'Nog voorzichtiger dan we al waren? Dat betwijfel ik.' Ze weigerde de verantwoordelijkheid voor hun dood op zich te nemen. 'Iedereen was gisteravond bang. En ze waren alert, ondanks Lucia's geruststelling.'

'Nu zijn ze nog veel banger,' merkte Tsata op.

Even viel er een stilte.

'Je kronkelde in je slaap. Over wie droomde je?' vroeg hij opeens.

Kaiku bloosde. 'Hartbloed, Tsata! Mijn volk betracht zekere vormen van beleefdheid die je maar eens moet overnemen. Dat wordt hoog tijd.'

Hij leek niet in het minst uit het veld geslagen. 'Mijn excuses,' zei hij. 'Ik besefte niet dat je je ervoor zou schamen.'

Ze streek haar haren achter haar oor en schudde haar hoofd. 'Je hoort een dame niet zulke vragen te stellen.' Ze keek hem recht in de ogen, die bleekgroene ogen die zo argeloos waren als die van een kind. Even hield ze zijn blik vast; toen keek ze weg.

'Tane,' zei ze met een zucht, alsof hij haar die bekentenis met geweld had afgedwongen. 'Ik droomde over Tane.'

Tsata hief zijn kin; een Okhambaanse hoofdknik, om aan te geven dat hij het begreep. 'Ik waardeer je eerlijkheid. Dat is belangrijk voor me.'

'Weet ik,' prevelde ze. Toen, omdat ze het gevoel had dat ze zich moest verontschuldigen, nam ze zijn hand in de hare. 'Het was maar een droom,' zei ze.

Tsata leek verrast door het lichamelijke contact. Na een tijdje gaf hij een zacht kneepje in haar hand en liet haar los. 'We hebben vannacht allemaal gedroomd,' zei hij. 'Maar het lijkt erop dat jij de enige was met een plezierige droom.'

'Ik ben er niet zo zeker van of het wel zo plezierig was,' zei ze. Ze kon zich weliswaar weinig van de droom herinneren, afgezien van de overtuiging dat Tane er deel van had uitgemaakt, maar ze betwijfelde of de gemeenschap wat haar betrof wel helemaal vrijwillig was geweest. Ze had het knagende gevoel dat hij haar had verkracht. Ze keek op. 'Wat heb jij gedroomd?'

Tsata leek slecht op zijn gemak. Hij gaf geen antwoord. 'We moeten maar eens gaan. De anderen wachten op ons.'

'Zeg, zo gemakkelijk kom je er niet van af,' zei ze. Ze greep zijn arm vast toen hij wilde opstaan. 'Waar is die eerlijkheid van je gebleven?' vroeg ze op plagerig bestraffende toon.

'Ik heb over jou gedroomd,' zei hij op vlakke toon.

'Over mij?'

'Ik droomde dat ik je met een mes afslachtte.'

Even keek Kaiku hem aan. Ze knipperde met haar ogen.

'Je hebt het Saramyrees grondig bestudeerd, maar ik zie dat je de kunst een vrouw te vertellen wat ze wil horen nog niet onder de knie hebt,' zei ze. Ze moest lachen om zijn gezicht. 'Kom,' zei ze. 'We moeten vertrekken.' Hij leek echter nog steeds niet gerustgesteld, dus zei ze: 'Je hebt het maar gedroomd, Tsata. Net als ik.'

Ze stapten de tent uit. Het was een koele, heldere ochtend en het was nog vroeg, maar aan de gezichten van haar metgezellen kon Kaiku zien dat er weinig of geen bij waren die goed hadden geslapen. Vermoeid braken ze het kamp af, liepen in tweetallen rond of aten koud voedsel – op advies van Lucia maakten ze in het woud geen vuur. De stilte die hen omringde was net zo drukkend als de dag tevoren. Het leek wel of er in het hele woud niets leefde. Asara had haar tent al ingepakt en zat aan de andere kant van het kamp op het gras naar Kaiku te kijken. Kaiku wierp haar een vluchtige blik toe, maar besteedde verder geen aandacht aan haar. Over haar wilde ze zich voorlopig niet druk maken.

Opeens werd haar aandacht getrokken door commotie bij de boomgrens. Mensen kwamen overeind en renden naar de plek waar twee mannen tevoorschijn kwamen, die een derde gestalte tussen zich in meesleurden.

'Geesten, wat nu weer?' mompelde Kaiku, en ze liep er zelf ook naartoe, met Tsata op haar hielen.

Ze hadden de man op zijn gezicht in het gras laten vallen tegen de tijd dat ze bij hen was, en de soldaten stonden bij het lijk druk en onsamenhangend te praten. 'Wie is dat?' vroeg ze op hoge toon, met genoeg van het gezag van de Rode Orde in haar stem om hun het zwijgen op te leggen. 'Wat is er met hem gebeurd?'

'Hij is een van de mannen die gisteravond is verdwenen,' was het antwoord. 'We zijn naar hem op zoek gegaan. De andere hebben we niet gevonden.' De soldaat wisselde een blik met zijn kameraad. 'En wat er met hem gebeurd is... Nou, misschien kun jij het ons vertellen.'

Met die woorden keerde hij de dode man met zijn laars om, zodat hij op zijn rug kwam te liggen met zijn ene arm in een onnatuurlijke hoek onder zijn lichaam. De soldaten vloekten.

De man leek geen verwondingen te hebben, maar zijn ogen waren melkwit, zonder pupil of iris. De huid eromheen was gespikkeld door de gesprongen bloedvaatjes, en om de oogkassen lag een stralenkrans van felblauwe aderen, die boven op de huid leken te liggen. Het gezicht van de man was slap en zijn mond hing open.

'Ik geloof dat je meer geluk hebt gehad dan we beseften,' prevelde Tsata, 'als dat monster van je dit met zijn slachtoffers doet.'

Kaiku wendde zich af, met haar armen stevig om haar buik geslagen. 'Maar waarom heeft hij mij dan gespaard?'

Ze liep weg; de aanblik van de dode man was meer dan ze op dat moment kon verdragen.

Ze trokken om de kloof heen en dieper het woud in, op Lucia's aanwijzingen. Zij was hun kompas, want ze kon de Xiang Xhi voelen en liep er zonder aarzeling op af. De hele groep was nu schrikachtig. Het woud leek het oog te willen misleiden door beweging te veinzen waar geen beweging was, dus met enige regelmaat schrokken mensen hevig en keken ze naar hun voeten, of tussen de bomen door, in de overtuiging dat er iets voorbij was geflitst. Ook werd de stilte nu verbroken door geluiden, vreemd geklik en getik in de verte. Toen die voor het eerst hadden geklonken, had Doja – de leider van de soldaten – hen halt laten houden om een tijdje te luisteren, maar de geluiden waren willekeurig en monotoon, en uiteindelijk probeerden ze ze gewoon te negeren. Dat hielp niet echt. Het getik begon hun net zozeer op de zenuwen te werken als de stilte die daarvoor had geheerst.

Het woud bleef maar veranderen; het werd steeds donkerder naarmate ze er verder in doordrongen. Alles was nu overwegend paars, als van de blaadjes van bladverliezende bomen aan het eind van de herfst, en boven hun hoofd werd het bladerdak steeds dichter, waardoor ze werden omringd door schemering. Er hing een eigenaardig

sombere sfeer. Het getik en geklik werd onnatuurlijk sterk weerkaatst, alsof ze door een reusachtige zaal liepen.

De groep liep voorzichtig over terrein dat steeds zwaarder werd: tegen modderhellingen op en door dichte struiken waarvan ze de takken niet durfden weg te kappen, uit angst voor vergelding. Ze liepen met hun zwaarden en geweren in de aanslag, tegen beter weten
in hopend dat ze er iets aan zouden hebben.

Kaiku en Phaeca hielden elkaar gezelschap en bleven dicht bij Lucia
in de buurt. Phaeca leek zich die dag een beetje beter te voelen, hoewel ze nauwelijks had geslapen. Telkens als ze haar ogen had gesloten, was ze in dezelfde nachtmerrie verzeild geraakt, en die was zo
afschuwelijk dat ze het er niet over wilde hebben. Toch had ze zichzelf kundig opgemaakt om de wallen onder haar ogen te verbergen,
zodat het slaapgebrek haar niet was aan te zien. Kaiku had zich bezorgd afgevraagd hoe ze zich in deze omgeving zou houden, maar
toen ze zag hoeveel beter het met haar vriendin ging, was ze opgelucht.

'Hoe gaat het met haar?' mompelde Phaeca met een gebaar naar Lucia.

Kaiku trok een gezicht waarmee ze wilde uitdrukken: wie zal het
zeggen? 'Ik geloof dat ze op het moment niet eens weet waar ze is.'
Ze namen haar een tijdje op, en inderdaad, ze zag eruit als een slaap-
wandelaar. Ze leek met hen mee te zweven zonder aan ook maar iets
of iemand in haar buurt aandacht te besteden.

'Ze luistert naar hen,' zei Phaeca. 'Naar de geesten.'

'Ik maak me zorgen over haar, Phaeca,' bekende Kaiku. 'In Araka
Jo heeft ze bepaalde dingen tegen me gezegd...' Ze liet haar stem
wegsterven, want ze besloot dat ze Lucia's vertrouwen zou bescha-
men als ze Phaeca erover vertelde. 'Ik maak me zorgen over haar,'
zei ze nogmaals.

Phaeca drong niet aan. 'Wat is ze nu eigenlijk precies?' mijmerde ze.
'Ze is een afwijkende, net als jij en ik.'

Phaeca leek niet overtuigd. 'Denk je echt dat het daarmee ophoudt?
Zelf ben ik daar niet zo zeker van. Het is niet zozeer een gave, als
wel iets wat in haar aard ligt. En ze is uniek.' Ze wierp Kaiku een
vluchtige blik toe. 'Waarom zijn er niet meer zoals zij? Er zijn er heel
veel die dezelfde krachten hebben als wij. Slechts een fractie van het
totaal is verenigd in de Orde: dat zijn alleen degenen die niet zijn gedood en die zichzelf niet hebben vernietigd. Maar heb je ooit gehoord van iemand die hetzelfde talent heeft als Lucia?'

Kaiku was niet blij met de richting waarin het gesprek ging. Nog even en Phaeca zou suggereren dat Lucia een goddelijk wezen was, en dat terwijl ze altijd had gedacht dat haar vriendin daarboven stond. 'Wat wil je daarmee zeggen?' vroeg ze.

Phaeca schudde haar hoofd. 'Niets,' antwoordde ze. 'Ik denk alleen maar hardop.'

Kaiku verviel in een nadenkend stilzwijgen. Ze had eerder die dag geprobeerd Lucia aan te spreken op haar nachtelijke uitstapje naar het woud, maar tot haar grote verontrusting was ze er niet in geslaagd tot Lucia door te dringen. Het meisje besteedde niet alleen helemaal geen aandacht aan haar, maar kon zich er bovendien niet eens toe zetten om zich zodanig te concentreren dat ze Kaiku's aanwezigheid ook maar in de gaten had. Ze keek dwars door haar heen, alsof ze een verwarrende geestverschijning was, en liet vervolgens haar blik naar iets anders afglijden.

Wat er ook met Lucia aan de hand was, ze stond er zoals altijd alleen voor. Kaiku werd volledig buitengesloten. Ze kon zich alleen maar zorgen maken.

Halverwege de middag viel er nog een slachtoffer.

Ze werden gealarmeerd door Tsata, die iets tegen zijn landgenoot riep. Ze begrepen niet wat hij zei, want hij sprak in het Okhambaans, maar de toon was niet mis te verstaan. Een aantal mannen stelde zich rond Lucia op; de andere haastten zich tussen de bomen door naar de bron van het geluid. Kaiku droeg Phaeca op te blijven waar ze was, nogal kortaf omdat ze zo'n haast had, en ging achter hen aan. Ze klauterde over een steile helling omhoog, waarbij ze wortels als handvatten gebruikte en goudgeaderde stenen als treden. Toen liep ze met gebogen hoofd door het dichte gebladerte en langs een groepje hoge, rechte bomen naar de plek waar ze de ruggen kon zien van de soldaten, die in een kringetje stonden. Ze maakten ruimte voor haar toen ze hen bereikte.

Het was de Tkiurathische vrouw, Peithre. Ze lag in Tsata's armen en haalde moeizaam, raspend adem. Haar huid was bleek. Even later drong Heth zich door de kring heen en vroeg op gebiedende toon in zijn moedertaal iets aan Tsata. Tsata's antwoord was ook zonder vertaling goed te begrijpen: hij wist niet wat haar mankeerde.

'Laat mij maar,' zei Kaiku. Ze knielde bij Peithre neer. De ogen van de kwijnende vrouw vestigden zich op haar, gevuld met een wanhopige smeekbede. Tsata keek om zich heen, op zoek naar de oorzaak van haar ziekte, maar kon niets opvallends ontdekken.

'Tsata, zeg tegen haar dat ze rustig moet blijven. Ik zal haar helpen,' zei ze zonder het oogcontact met Peithre te verbreken. Tsata deed wat ze vroeg. Kaiku legde haar hand op Peithres blote schouder, gadegeslagen door de soldaten, en haar bruine ogen werden bloedrood.

'Ze is vergiftigd,' zei Kaiku meteen. Ze hield haar hand onder de kin van de Tkiurathische, en een stuk of tien piepkleine doorntjes, die eruitzagen als bijenangels, schoten uit de huid van Peithres kaak, keel en sleutelbeen en vielen in Kaiku's hand, waar ze als piepkleine brandstapeltjes in vlammen opgingen. 'Die plant,' zei ze, wijzend op een bosje dunne, kromme rietstengels met bolle toppen, die achter haar aan de oever van een beekje stonden.

Een van de soldaten zwaaide met zijn zwaard en liep naar de plant toe.

'Afblijven!' snauwde Kaiku. 'Je jaagt ons allemaal nog de dood in. We mogen het woud niet schaden, hoezeer het ons ook schaadt.'

'Kun je haar redden?' vroeg Tsata zachtjes.

'Ik kan het proberen,' antwoordde ze, en even was ze weer terug in dat met mist bedekte moeras in de Xaranabreuk, waar niet Peithre, maar Yugi op het randje van de dood had gezweefd. Toen was ze echter nog maar een onhandige leerling geweest; inmiddels was ze een Weefselkunstenares. Ze sloot haar ogen en dook in de gouden wereld. De Tkiurathi's en de soldaten konden alleen maar afwachten. Heth mompelde in het Okhambaans iets tegen Tsata. Ze hielden de zieke vrouw nauwgezet in de gaten, als toeschouwers bij een ingewikkelde handeling die hun bevattingsvermogen te boven ging. Peithre begon te zweten en wasemde een zure stank uit: Kaiku verjoeg het gif uit haar lichaam. Heel langzaam werd haar ademhaling rustiger. Haar ogen vielen dicht. Heth barstte uit in een tirade vol keelklanken, maar Tsata maande hem met geheven hand tot zwijgen. Kaiku moest zich te zeer concentreren om hem te kunnen geruststellen. Peithre zou niet doodgaan, nu nog niet althans, maar ze had wel slaap nodig.

Vele minuten verstreken voordat Kaiku haar ogen weer opende. De soldaten mompelden iets tegen elkaar.

'Ze overleeft het wel,' zei Kaiku. 'Maar ze is erg zwak. De schade die het gif heeft aangericht is zo wijdverspreid en groot dat ik niet alles kan herstellen.'

In het Saramyrees zei Heth: 'Ik draag haar wel.'

'Zo simpel is het niet. Ze heeft rust nodig, anders overleeft ze het wellicht niet. Haar lichaam kan niet veel meer hebben.' Ze keek Tsata aan. 'Het gif was erg krachtig,' zei ze. 'Het mag een wonder heten dat ze lang genoeg in leven is gebleven om mij de kans te geven haar te helpen.'

Ze keek op en zag dat Asara tussen de bomen met grote interesse naar haar stond te kijken. Toen draaide ze zich om en liep weg, Kaiku met een akelig gevoel achterlatend.

'Maak een bed voor haar,' zei Kaiku tegen de Tkiurathi's. 'Ik ga met Doja praten.' Ze stond op.

'Ik ben je dankbaar,' zei Heth onzeker, met een blik op Tsata alsof hij diens goedkeuring vroeg. Hij vond de gewoonten van de Saramyriërs moeilijk te begrijpen – en dat was wederzijds.

'Ik ook,' zei Tsata.

'We zijn pasj, sufferds,' zei ze vriendelijk. 'Jullie hoeven me niet te bedanken.'

'Wat? Blijven we hier?' riep een van de soldaten ongelovig uit. Iedereen keek naar hem. Het was een man met zwart haar, ongeveer vijfentwintig oogsten oud. Ze wist hoe hij heette: Kugo.

Kaiku keek hem strak aan, en door haar demonische ogen leek haar blik extra fel. Ze voelde het kortstondige, warme, kameraadschappelijke gevoel wegebben. 'Daar ga ik nu met jullie leider over praten.'

'We kunnen hier niet blijven!' zei hij. 'Hartbloed, er zijn al vier doden gevallen, jij was zelf bijna nummer vijf en het had een haartje gescheeld of zij was de zesde geworden. En dit is pas de tweede dag! Hoe lang denk je dat we in leven blijven als we gewoon in het woud gaan zitten wachten?'

Kaiku voelde de spanning in haar lichaam groeien, alsof het zich voorbereidde op een confrontatie. Ze had er niet op in moeten gaan, hem ijskoud moeten negeren. Iets in haar binnenste stond haar echter niet toe het erbij te laten, want ze wist wat er aan zijn woorden ten grondslag lag, en ze wilde het hem hardop horen zeggen.

'Wat wil je dan dat we doen, Kugo? Haar achterlaten? Dat zouden we met jou toch ook niet doen?'

'Maar ik ben het niet. En als ik het wel was, of een van de andere mannen, dan zou ik blijven, wat de gevolgen ook waren. We laten onze eigen mensen niet in de steek.' Er klonk goedkeurend gemompel. 'Maar dit zijn niet onze eigen mensen,' zei hij. 'Ik weiger mijn leven op het spel te zetten voor een stel buitenlanders.'

Tsata en Heth reageerden niet, maar Kaiku wel.

'Heb je dan niets geleerd?' riep ze uit. Ze liep naar Kugo toe en bleef vlak voor hem staan. 'Waarom denk je dat we in deze oorlog verzeild zijn geraakt, dwaas? Omdat we zo bereid waren om de afwijkenden door de wevers te laten aanwijzen als zondebokken, dat het niet eens bij ons opkwam om vraagtekens te zetten bij wat ze deden! Meer dan twee eeuwen lang hebben we hen kinderen laten vermoorden omdat we ons jaloers vastklamten aan de vooroordelen die zij ons met de paplepel hadden ingegoten! Mensen zoals jij hebben zich bij de Libera Dramach aangesloten om daar een eind aan te maken. En nu, nu afwijkenden zoals ik júllie keizerrijk hebben gered, nu we een afwijkende volgen tot in het hart van het meest godenvervloekte oord in het land, nu waag je het te zeggen dat deze mensen, die bereid zijn zij aan zij met ons te sterven, niet ónze mensen zijn?'

Zo razend als ze nu was, was ze zelden geweest. De lucht om haar heen leek zich te verstrakken, en de punten van haar haren gingen rechtovereind staan in het bijna tastbare aura van haar woede. Kugo's gezicht was het toonbeeld van schrik.

'Die tweedracht is nu precies wat onze dood zal worden! Begrijp je dat dan niet? Je kunt niet het ene willekeurige voordeel verwerpen en het andere klakkeloos aanvaarden! Je kunt niet besluiten dat je afwijkenden zoals ik wel accepteert en ondertussen buitenlanders nog steeds als minderwaardig beschouwen! Jouw onwetendheid veroordeelt ons ertoe om keer op keer hetzelfde pad af te leggen, telkens dezelfde oorlog te voeren, tot er niets meer over is! Hartbloed, als jullie gewone mensen geen vijanden meer hadden, zouden jullie je eigen vrienden gaan uitmoorden! Deze mensen,' zei ze met een gebaar naar Tsata en Heth, 'kunnen jullie nog heel wat leren over eenheid.'

Met haar ene hand omklemde ze zijn hoofd; hij was nu verlamd van angst. Ze liet haar stem een octaaf dalen.

'Je zult de Tkiurathi's met evenveel respect bejegenen als de andere mannen, anders krijg je met mij te maken.'

Met die woorden duwde ze hem ruw van zich af en liep met grote passen het bos in. Achter haar heerste slechts verbijsterde stilte. Tsata keek haar na met een ondoorgrondelijke uitdrukking op zijn getatoeëerde gezicht, maar nog lang nadat ze was verdwenen, bleef hij zitten kijken naar de plek waar ze in het struikgewas was opgegaan.

Toen Kaiku een beetje tot bedaren was gekomen, ging ze met Doja praten, en hij was het met haar eens dat ze daar de nacht moesten doorbrengen en 's ochtends moesten bekijken hoe het met Peithre ging.

'Maar als er nog een van mijn mannen verdwijnt, vertrekken we,' zei hij waarschuwend.

'Je moet doen wat jou zelf goeddunkt,' zei ze. 'Maar ik blijf. En uiteindelijk is het aan Lucia om te besluiten of jullie weggaan of niet. Zonder haar zouden jullie het hier niet redden.'

Doja was boos, dat kon ze merken, hoewel hij het goed verborg. Hij was een man met een vierkante kaak en een spleetje in zijn kin, die schuilging onder een stugge zwarte stoppelbaard. Zijn neus was scherp en zijn ogen waren klein. Kaiku had groot respect voor zijn leiderschap, maar ze had zijn gezag ondermijnd en dat nam hij haar kwalijk. Door het feit dat ze een van zijn soldaten had bedreigd, was ze niet bepaald in zijn achting gestegen, en nu vatte hij ook haar onbuigzaamheid op als een aanval op zijn gezag. De relatie tussen de Libera Dramach en de Rode Orde was de laatste tijd onder grote druk komen te staan. Voorheen was de Rode Orde een bijzonder nuttig geheim wapen geweest voor wat de Libera Dramach voor ogen had. Nu ze echter in de openbaarheid waren getreden, waren ze te machtig om zomaar te vertrouwen, en de verdenking dat ze alleen aan de kant van het keizerrijk vochten omdat dat hun op dat moment goed uitkwam, was wijdverbreid.

'Ik geef je één nacht,' zei hij. 'Daarna vragen we Lucia om haar mening.'

Voor Kaiku antwoord kon geven, klonk er kabaal uit de richting waar ze Peithre had achtergelaten. Zonder nog een woord te zeggen brak ze hun gesprek af en haastte zich terug naar die plek, waar ze de soldaten verspreid in een kring aantrof met hun geweren op de bomen gericht. Een van hen nam haar op de korrel, schrikachtig door alles wat er om hem heen gebeurde, toen ze hem naderde. Instinctief bukte ze, maar gelukkig schoot hij niet. Ze liep met een vernietigende blik langs hem heen. Hij deinsde voor haar terug.

'Wat is er?' vroeg ze aan Tsata. Hij en Heth zaten op hun knieën naast Peithre, met hun eigen geweren in de aanslag.

'Tussen de bomen,' zei hij met een hoofdgebaar.

Ze keek in de richting die hij aangaf, en ving meteen een glimp van iets op. Het was een witte flits die door de met kruipplanten bedekte doolhof van boomstammen schoot.

'Niet schieten!' riep ze, haar stem verheffend zodat de hele groep haar kon horen. 'Vergeet niet waar we zijn! Alleen schieten als ze aanvallen.'

De soldaten mompelden op sarcastische toon tegen elkaar. Kaiku wierp een korte blik op Peithre, die nog steeds op de bosgrond lag te slapen met een opgerolde deken als kussen, en keek toen weer naar de bomen. Weer werd haar blik door een beweging getrokken, maar wat het ook was, het was te snel, en al verdwenen voor ze het kon vinden.

((Is Lucia bij jou?)) vroeg ze aan Phaeca, die meteen bevestigend antwoordde. *((Breng haar hiernaartoe))*

'Daar is er een!' riep iemand.

'Niet schieten!' riep Kaiku opnieuw, bang voor de opgewonden klank in de stem van de man, alsof hij een stuk wild had gezien en op het punt stond het te schieten. Kaiku zag door een gang van stammen en struiken waar alle anderen naar keken: naar een van de wezens, die stokstijf was blijven staan, gevangen in hun blik, kijkend naar die kijkende mensen.

Het was mooi en angstaanjagend tegelijk. Zijn korte vacht was volmaakt wit, slechts bezoedeld door de schaduwen die de holtes tussen zijn ribben markeerden. Het had iets weg van een hert, maar ook iets van een vos – een borstelige staart, een kort, scherp gewei en een schrikachtige manier van bewegen – maar toch waren de spieren en beenderstructuur beangstigend menselijk, alsof het een tengere, uitgerekte man was die op handen en voeten liep. Zijn gelaat had de sluwheid van een vos en de nerveuze gedweeheid van een hert, maar zijn trekken waren veel beweeglijker, en toen het zijn lippen optrok, onthulde het een reeks dicht op elkaar staande, dolkachtige tanden die aangaven dat het een vleeseter was.

'Een afwijkende,' siste iemand.

'Het is geen afwijkende,' prevelde Kaiku als antwoord. Zelfs als ze hun aard niet via het Weefsel had kunnen voelen, zou ze het meteen hebben geweten. Deze wezens hadden iets, iets in hun logische lichaamsbouw, wat erop wees dat ze zich op volkomen natuurlijke wijze hadden ontwikkeld. Ze hielden het midden tussen geesten en dieren, een mengeling.

Opeens verdween het wezen weer met een sprong tussen de bomen. Kort daarop kwam Phaeca aangelopen, met achter zich Lucia en een groep soldaten die haar bewaakten. Ook Asara kwam erbij staan, met haar geweer in de aanslag.

'Lucia,' zei Kaiku. Het meisje antwoordde niet; haar blik was afwezig. 'Lucia!'

Ze concentreerde zich geschrokken, maar bijna meteen dwaalde haar aandacht weer af. 'Wat zijn dat voor wezens?' vroeg Kaiku dringend. 'Kun je met hen praten? Hebben ze kwaad in de zin?' Ze schudde Lucia bij haar schouders heen en weer en riep opnieuw haar naam. 'Luister naar me!'

'Emyrynns,' prevelde Lucia, die over Kaiku's schouder naar de bomen staarde. 'In onze taal heten ze emyrynns. Ze willen dat we hen volgen.'

'Volgen? Is het soms een valstrik?'

Lucia maakte een vaag, ontkennend keelgeluidje. 'We moeten hen volgen...' zei ze, en toen zakte ze weer weg, verdwaald in een droomwandeling waar Kaiku niet tot haar kon doordringen. Kaiku beet op haar lip. Het frustreerde haar om Lucia zo te zien. Dit woud werd haar te veel, overweldigde haar, maakte haar onbereikbaarder dan ooit. Het was een kwelling voor Kaiku, want ze had geen idee of Lucia hier ooit uit zou terugkeren, of dat elk moment dat ze binnen de grenzen van dit woud doorbracht haar verder bij hen vandaan zou leiden.

Doja kwam sneller tot een besluit dan zij, en zijn vertrouwen in Lucia was duidelijk groter. 'We kunnen die vrouw nog niet verplaatsen. Drie mannen, erachteraan. Kom ons halen als je weet wat ze ons willen laten zien. En hartbloed, wees voorzichtig.'

'Ik ga wel,' zei Kaiku, want ze was tot alles bereid om niet meer bij Lucia te hoeven zijn.

'Ik ook,' zei Tsata.

Asara meldde zich ook als vrijwilliger. Doja nam hun aanbod maar al te graag aan; op die manier hoefde hij immers zijn soldaten niet in gevaar te brengen. Kaiku wist niet zo zeker of ze Asara er wel bij wilde hebben, maar in elk geval had ze Tsata, en hem vertrouwde ze volledig.

'Waar zijn ze? Waar zien jullie ze?' vroeg ze aan de groep in het algemeen, en verschillende mannen wezen allemaal ongeveer in dezelfde richting. Ze liepen het bos in; Tsata waarschuwde Asara voor het riet dat Peithre had vergiftigd en ze knikte begrijpend, zonder haar blik van Kaiku af te wenden.

Met hun geweren binnen handbereik baanden ze zich een weg door het kreupelhout, achter de emyrynns aan die hun voorgingen, ergerlijk ongrijpbaar, maar nooit helemaal uit het zicht. Niemand zei iets; al hun aandacht was gericht op mogelijk gevaar. Ze vreesden de dichtklappende kaken van een val en hoopten dat ze die op tijd konden zien aankomen om eraan te ontsnappen.

Hun reis duurde echter niet lang. Ze waren nog maar even onderweg toen ze zagen wat de emyrynns hun wilden laten zien. Stomverbaasd bleven ze staan en vroegen zich af wat dit voor wezens waren, waar ze in de diepe krochten van het Xuwoud op waren gestuit.

Op de bovenste verdiepingen van de keizerlijke vesting, waar het door de krankzinnigheid van de wevers gevaarlijk toeven was, lag een dikke laag stof en hingen grote spinnenwebben voor de ramen. Kakres favoriete weefkamer was niet de Zonnezaal, die hij had ingericht met zijn vliegers en zijn poppen van huid. Hij vond het lawaai dat de andere wevers maakten storend. Nee, hij ging altijd naar een plaats waar hij alleen kon zijn, een sombere, stille plek die zo afgelegen was dat de wevers en de doodsbange bedienden er nooit kwamen. De vloer was doorspekt met brede, elkaar overlappende sporen, paden die in het poederachtige stof waren getrokken door de versleten zoom van zijn gewaad als hij ronddwaalde. Zwak daglicht drong door het miasma waarin de stad gehuld was, en de lucht was zwaar en olieachtig.

Avun was daar nu al bijna een halve dag aan het praten met geestverschijningen. De zeven gouverneurs van de belangrijkste dorpen en steden in het weverterritorium hingen in een kring rond het midden van de lege zaal, als vage schimmen, en Avun was de enige tastbare in hun midden. Ze bespraken de eindeloze details van hun respectievelijke situaties, de toestand in het land, de groei van de hongersnood. Kakre hield de verbinding tussen hen allen in stand; hij fungeerde als een soort knooppunt, waardoor alle acht gesprekdeelnemers elkaar als spookgestalten konden waarnemen. Avun had erop gestaan om het zo te regelen; het was de beste manier om acht mensen uit alle hoeken van een land zo groot als Saramyr bijeen te roepen, vooral omdat een aantal van hen in de afgelegen Nieuwlanden in het oosten woonde.

Kakre begon boos te worden. Hij had zich ertoe laten overhalen om dit staaltje te verrichten; toch had hij tot nu toe niets gehoord wat niet met de deelnemers afzonderlijk besproken had kunnen worden, en een-op-eengesprekken waren veel minder uitputtend voor hem. Als hij er niet van overtuigd was geweest dat Avun door de bestraffingen in het verleden deemoedig was geworden, zou hij hebben gedacht dat de rijksvoogd zijn meesters vanzelfsprekend begon te vinden.

De vergadering ging maar door, terwijl het licht van Nuki's oog al wegstierf. Kakre was de machtigste van alle wevers – in zijn eigen ogen tenminste wel – maar hij raakte zo langzamerhand vermoeid door al die verbindingen die hij zo lang in stand moest houden. Zijn trots weerhield hem ervan om het op te geven, maar inwendig vervloekte hij Avun, en hij dacht na over de talloze ongemakken die hij de man zou kunnen bezorgen als dit allemaal achter de rug was.

Eindelijk maakte Avun aanstalten om de bijeenkomst af te ronden, door in een uitgebreid ritueel van elke deelnemer afzonderlijk afscheid te nemen. Kakre verbrak de verbinding zodra Avun klaar was, en een voor een vervaagden de geestverschijningen. Eindelijk was het voorbij en was alleen Avun nog over. Kakre wankelde; zijn knieën begaven het bijna. Avuns snelle blik gaf aan dat hij het had opgemerkt, maar hij verkoos wijselijk er niets over te zeggen.

'Ik ben je zeer dankbaar,' zei Avun. 'Als je elkaar af en toe persoonlijk kunt spreken, of in elk geval zogoed als, maakt dat voor een regering een groot verschil. Het kan tot veel nuttige ideeën leiden als we nu en dan de koppen bij elkaar kunnen steken.'

Kakre was er niet van overtuigd dat de vergadering meer had opgeleverd dan een paar voortgangsrapporten en vage verwijzingen naar toekomstplannen, en Avuns bedankje klonk oppervlakkig. Op het moment kon hij echter niet zo samenhangend denken, en hij wantrouwde zichzelf. De manie zou zeker toeslaan nadat hij zo lang en ingespannen had moeten weven. Nu al jeukten zijn handen om het mes te hanteren dat hij in zijn gewaad bewaarde.

'Je kunt nu maar beter vertrekken,' grauwde Kakre. 'Als je leven je tenminste lief is. Later hebben we nog het een en ander te bespreken. O, nou en of.'

Avun boog en vertrok. Trillend ging Kakre op de grond zitten; het stof steeg in lome pluimpjes op. Hij was nu blij dat hij erop had gestaan dat Avun voor de vergadering naar hem toe zou komen, in plaats van naar een staatsiezaal. Op dat moment was het een gril van hem geweest, een manier om Avun eraan te herinneren wie nu eigenlijk wiens dienaar was. Nu was de eenzaamheid een zegen, want er was niemand die getuige kon zijn van zijn zwakheid.

De ontwenningsmanie verspreidde zich als een veelheid van tentakels traag door zijn lichaam, als bloed dat in water druppelt. Hij wilde villen, maar was te zwak om een slachtoffer te bemachtigen, en een paar dagen geleden had hij zijn laatste doek gebruikt. De drang en de lusteloosheid hielden gelijke tred, waardoor hij in een onmogelijke situatie belandde. Hij vloekte met schorre stem en knarste met de restjes van zijn tanden. Hij moest het maar over zich heen laten komen, in elk geval tot hij genoeg kracht had verzameld om er iets aan te doen. Even fantaseerde hij erover om Avun te martelen, maar gezien zijn overweldigende behoefte waren de beelden die hij kon oproepen ontoereikend en kinderlijk.

Opeens werd hij verblind door een zeldzaam helder moment, een moment waarin hij besefte wat er van hem was geworden, ongehinderd door krankzinnige waandenkbeelden. Er zat al jarenlang een onstuitbaar dalende lijn in zijn snijwerk. De meeste werken die hij had gehouden, had hij gesneden in de tijd voordat de wevers het keizerrijk uiteen hadden geslagen. Zijn reumatische handen trilden als hij het mes vasthield en de laatste tijd ging hij eerder als een slager dan als een chirurg te werk. Het gebrek aan coördinatie was echter niet zijn enige probleem: zijn verstand rotte ook weg. De kwetsbare massa van zijn tastbare brein was murw gebeukt door de inspanning die het hem kostte om de feya-kori's op te roepen en te beheersen. Daardoor was hij verward en seniel geworden, en pas nu zag hij in hoe groot de schade was, en hoeveel groter die de volgende keer zou worden als hij de smetdemonen uit hun walmputten opriep.

Een tijdlang besefte hij hoe het met hem gesteld was, besefte hij wat zijn lichaam en geest te lijden hadden gehad, en hij gilde, huilde en klauwde naar zichzelf. Het was echter al snel voorbij. Het was te moeilijk om de gedachten vast te houden, dus vervlogen ze als rook in de wind.

Zo trof Fahrekh hem aan: ineengedoken in een berg van vodden en huiden, met het masker van dode huid tegen de grond gedrukt en bedekt met een dikke laag grijs stof. Even bleef hij in de deuropening staan. Zijn hoekige gezicht van brons, zilver en goud verried niets.

'Weefheer Kakre,' zei hij. 'Bent u onwel?'

'Ga weg,' kraste Kakre.

'Liever niet,' was het antwoord. Fahrekh liep de kamer binnen en bleef staan bij de Weefheer, die zich in een moeilijke bocht moest wringen om de jongere wever recht aan te kijken.

'Ga weg!' siste hij opnieuw. Stuiptrekkingen teisterden zijn lichaam.

'We hebben het een en ander te bespreken, u en ik,' zei Fahrekh langzaam. 'Over de opvolging. Uw opvolging, om precies te zijn.'

Kakre keek met een ruk op. Zijn blik was opeens helder. Fahrekhs masker keek uitdrukkingsloos op hem neer.

Samen doken ze in het Weefsel, en de strijd brandde los.

Ze troffen elkaar in de afgrond, het eindeloze, waterige duister, Kakres favoriete visualisatie van het weefsel van de werkelijkheid. Misschien was het toeval, misschien opzet, maar Fahrekh gaf aan die interpretatie ook de voorkeur. Hij was er dan ook erg tevreden mee. Toen ze elkaar aanvielen, namen hun handelingen in het Weefsel de vorm aan van vissen, omdat die pasten in de omgeving. Duizenden afzonderlijke gedachtegangen werden scholen piranha's, die zich lieten meevoeren door de onzichtbare kruisstromingen die als kronkelende doolhoven overal om hen heen kolkten. Aan weerszijden van het slagveld dreven de generaals in de strijd, op een vaste plek te midden van het fel golvende Weefsel. Kakre was een rog, Fahrekh een reusachtige zwarte kwal met dodelijke paarse strengen van tentakels. Die vormen stonden voor hun fysieke lichaam, de kern van hun aanwezigheid in het Weefsel. De piranha's waren hun soldaten, een duizelingwekkende veelheid van gedachtekronkels die heen en weer schoten door de ruimte tussen hen in, op zoek naar een doorgang door de vijandelijke school. Ze beten elkaar fel, knalden met een felle flits in losse gouden draden uiteen als ze elkaar raakten, en verlichtten de duisternis met kortstondige lichtkringen, die zich tot in het oneindige samentrokken en uitdoofden.

De gevechten tussen de piranha's voltrokken zich zo snel dat ze met het blote oog niet te volgen waren. Ze scheerden in bogen en bochten door het water, met tientallen tegelijk, sloegen toe, trokken zich terug of zorgden voor afleiding. Langs de randen van het kolkende slagveld schoten kleinere visjes, die probeerden de strijd te omzeilen en de vijand van achteren te naderen. Sommige werden opgevangen door de verdediging van de tegenstander en andere werden door de kruisstromingen vermorzeld. De wevers kenden ontelbaar veel trucjes: vissen gebruiken om andere vissen af te schermen, onzichtbare draaikolken gebruiken om snelheid op te bouwen, trage lokvissen inzetten die in een oogwenk in een onoplosbaar kluwen van knopen veranderden zodra ze werden aangevallen. Het was een duizelingwekkend schouwspel van uitzonderlijke valsheid, verborgen onder een dunne deken van illusie, die de geest van de strijders moest beschermen tegen de pure, gekmakende schoonheid van het Weefsel.

En Kakre was aan de verliezende hand.

Hoewel er in de wereld buiten het Weefsel, waar de tijd werd bepaald door de zon en de manen, nog geen tel was verstreken, had de strijd al vele fases en verschuivingen gekend, als bij een onvoorstelbaar snelle militaire operatie. Kakre was sluw en had dankzij zijn ervaring een groot arsenaal van trucjes; in zijn worsteling om de feya-kori's aan zijn wil te onderwerpen had hij dingen geleerd waarvan Fahrekh nog niets had kunnen proeven. Hij maakte echter ook fouten. Kleine missertjes, minieme lege plekken in zijn geest waar ooit een intuïtieve reactie had gehuisd, onheilspellende gaten in zijn geheugen die als wolken voor zijn gedachten langstrokken en zijn aandacht afleidden. Fahrekh was jong en barstte van de energie; zijn kracht compenseerde zijn relatieve gebrek aan finesse. Kakres school verloor terrein, raakte aangeslagen. Er ontstonden meer gaten in zijn verdediging dan hij kon herstellen.

Het ergste was echter dat Kakre uitgeput was. Zijn fysieke lichaam dreigde het te begeven onder de inspanning die de strijd hem kostte. Hij kon voelen dat bepaalde processen in zijn lichaam werden stilgelegd om de energie te leveren die hij voor het gevecht nodig had, en al snel zou hij niets meer overhebben waar hij kracht uit kon putten. Fahrekh, die zelfs onder gelijke omstandigheden een moeilijke tegenstander zou zijn geweest, had hem op zijn dieptepunt getroffen. Kakre kon niet winnen; hij kon slechts het onvermijdelijke uitstellen.

Nou, zo zij het. Kakre zou het nooit opgeven. Hij zou tot zijn laatste snik blijven vechten.

Die opstandige gedachte was meteen zijn laatste, want al snel was Fahrekh hem volkomen te slim af. Achter een hecht scherm van misleiding had zijn vijand de krachten gebundeld, en nu verspreidden ze zich opeens naar alle kanten, omvatten Kakres school als een hand die zich tot een vuist balt. Kakre liet ze onmiddellijk in de steek, in het besef dat ze verloren waren, en begon aan een nieuwe school vissen, maar hij kon ze geen energie meegeven, waardoor ze ziekelijk en traag waren. Fahrekhs hongerige horde veegde ze achteloos opzij en stortte zich op Kakres onbeschermde rug, met de bedoeling hem uiteen te rijten.

Precies op dat moment verscheen de Weefselwalvis.

Hij verscheen uit het niets, vulde plotseling de zwarte afgrond, overweldigde hen met zijn gigantische omvang. De klap van zijn komst verspreidde zich door het Weefsel als de schokgolf van een zware ontploffing, die Fahrekhs school uiteensloeg en vervolgens de beide wevers raakte. Fahrekh wist zich staande te houden, maar Kakre verloor zijn grip op het Weefsel, en zijn bewustzijn vloeide terug in zijn tastbare lichaam.

Zijn pure, krankzinnige woede betekende zijn redding. Er was geen sprake van verwarring toen hij terug werd geworpen in de wereld van de menselijke zintuigen; er was geen aarzeling, geen bewuste gedachte. Meegevoerd door een golf van zijn eigen razernij, terwijl een felle kreet uit zijn keel ontsnapte, trok hij zijn vilmes uit zijn riem. Fahrekh, verdoofd door de klap van de Weefselwalvis, reageerde niet snel genoeg. Kakre dreef het lemmet onder zijn metalen masker, ramde het diep in het zachte vlees onder zijn kin, dwars door zijn verhemelte in het voorste deel van zijn hersenen. De stoot was zo hard dat Fahrekh achteruit werd geworpen en in een wolk van stof op de vloer belandde, met Kakre boven op zich. Nog steeds krijsend dreef Kakre zijn mes keer op keer in Fahrekhs keel en borst, zodat het bloed door de lucht spoot en er van het vlees slechts vochtige repen overbleven. Ten slotte rukte hij met een laatste, woeste beweging het masker van Fahrekhs gezicht en stak het mes tot aan het heft in diens oog. Toen had hij er genoeg van.

Hij liet zich van het lijk van zijn vijand glijden, met een lappenmantel die nat was van het bloed, en bleef zo liggen. Het enige geluid was zijn moeizame, piepende ademhaling, die steeds trager werd, tot hij eindelijk in slaap viel.

⑥ 17 ⑥

Er lag een dorp in het Xuwoud.

Tenminste, toen ze het voor het eerst hadden gezien, waren ze ervan uitgegaan dat het een dorp was. Zelfs nu hun tweede dag in het woud ten einde liep en de avond viel, wisten ze het nog niet zeker. Hun ervaring had zoiets buitenissigs dat ze die eigenlijk met niets konden vergelijken.

Het dorp was rond de bestaande bomen gebouwd. Het was niet duidelijk afgebakend en strekte zich op merkwaardig organische wijze uit over de grond en langs de stammen naar het bladerdak. De bouwsels waren van een glinsterende substantie die zo hard was als steen en glad aanvoelde. De overheersende kleur was een ijsachtig blauwwit, maar hier en daar waren er ook bruine en groene tinten. Het iriseerde een beetje, en er was iets vreemds aan. Het was niet echt doorschijnend, maar imiteerde kleuren, als een kameleon: de tint leek zich aan te passen aan wat zich vanuit het oogpunt van de toeschouwer erachter bevond. Toen Kaiku haar hand erop legde, bleef er een vage roze afdruk achter, die na een tijdje wegtrok.

Met name Tsata was geïntrigeerd door de manier waarop dit vreemde dorp was gebouwd, en hij was degene die het antwoord vond en het mysterie in elk geval deels wist op te lossen. De substantie was plantensap, onttrokken aan de bomen en op onbekende wijze uitgehard tot een veelheid van vormen. Elk bouwsel, hoe afgelegen ook, was ergens verbonden met een boomstam, hoewel er nergens tekenen waren die erop wezen dat er in de bast was gesneden. Nu ze dat wisten, zagen ze een zekere regelmaat in de architectuur, alsof de bouwsels zich als gletsjers voortbewogen, waarbij er om de hoofdstructuur heen verfijnde, kunstige uitlopers waren gecreëerd. Kaiku had het ongemakkelijke gevoel dat het dorp nog steeds groeide. Ze vond zelfs kanalen waarin nog glinsterend sap lag, dat tergend langzaam naar de punten en randen van de bestaande constructies stroomde, die nog een beetje vochtig waren. Ze vermoedde dat het nieuwe sap na verloop van tijd ook zou worden gevormd en uitgehard om een nieuwe uitloper te creëren.

Het dorp liet een duizelingwekkende variatie zien. Brede schijven, diep in de bast van de bomen begraven, vormden onregelmatige patronen, en werden soms groter, soms kleiner naarmate ze hoger hingen. Puntige fonteinen leken de lucht in te schieten. Ragfijne draden waren om de takken gewikkeld of vormden verdraaide, onondersteunde bruggen die alle natuurwetten leken te tarten. Sommige woningen zagen eruit als scheve pagodes, andere hadden de vorm van gladde, halfronde koepels of kartelige sterren van kleurig sap. Bij vele was geen ingang te ontdekken. Sommige hingen in de bomen: driekwart ronde kegels die ondersteboven uit de bomen staken. Aderachtige kokers verbonden de bouwsels onderling met elkaar, als tunnels, en soms vertakten ze zich tot dunnere haarvaatjes die in niets uitliepen, maar slechts als barsten over de boombast lagen.

In andere delen van het dorp waren andere bouwstijlen te bewonderen, die naadloos in elkaar over leken te lopen als je je blik over de afzonderlijke woningen liet gaan. Soms leken ze op koraal: grote hompen van sap die zich vertakten en elkaar overlapten, zodat er tientallen verschillende formaties in allerlei kleuren waren ontstaan. Soms waren ze dun als naalden, en stonden ze in groepen van torenhoge witte stalagmieten bij elkaar. Soms ook leken het net dikke wolken, ronde vormen die als een berg sneeuwballen op elkaar waren gestapeld.

Kaiku, Asara en Tsata zagen het als eersten, en pas later wees Tsata hen erop dat ze waarschijnlijk de allereerste mensen in de geschiedenis waren die het zagen. Dat besef had Kaiku zo duizelig gemaakt dat ze even moest gaan zitten.

Ze moesten wel aannemen dat het door de emyrynns was gebouwd, maar dat konden ze alleen baseren op het feit dat de wezens hen ernaartoe hadden geleid. Zodra Kaiku en haar metgezellen bij het dorp aankwamen, verdwenen de emyrynns spoorloos. Toen ze beter keken, troffen ze geen enkel teken van leven aan, noch enige aanwijzing dat de bizarre huizen ooit door iets of iemand waren bewoond.

De enige andere mogelijkheid was dat de inwoners het dorp hadden verlaten zodra zij naderden en alles hadden meegenomen. Het lag er hoe dan ook bovennatuurlijk smetteloos bij.

Tsata ging terug om de rest van de groep naar het dorp te brengen. Lucia leek ervan overtuigd dat de geestdieren betrouwbaar waren, en ze moesten haar wel geloven. Een andere keus hadden ze niet. Maar als het waar was, betekende dat dan dat deze plek hun was aangeboden bij wijze van onderdak, een plek om hun gewonden rust te gunnen? Was het mogelijk dat deze wezens hun niet vijandig, maar goedgezind waren? Velen vreesden een valstrik, want de geesten waren berucht om hun geslepenheid, maar toch bereidden ze zich voor op een overnachting in het dorp. De verontrustend vreemde sfeer werd nog dreigender door de griezelige stilte en het wegstervende licht. Doja stond erop om in de openlucht te kamperen, en niet in de plantensapgebouwen te slapen. Zijn mannen gehoorzaamden maar al te graag.

De wassende Neryn stond die avond aan de hemel en zond een geruststellend groen licht door het bladerdak heen. Aurus hing laag aan de noordelijke hemel, en alleen de gloed aan de randen van de blaadjes verried haar aanwezigheid. Kaiku dwaalde door het kamp, omringd door het rusteloze gemompel van de soldaten, en staarde gebiologeerd naar de architectuur. De soldaten wierpen haar onvriendelijke blikken toe. Ze was alleen, en dat vond ze niet erg. Lucia sliep, Phaeca had zich ook al teruggetrokken, klagend dat ze zich niet lekker voelde, en Tsata en Heth zorgden voor hun gevallen kameraad en weigerden van haar zijde te wijken.

Eerder die avond had Kaiku Asara tegen de wand van een van de emyrynnwoningen zien staan. De vrouw had haar aangestaard, terwijl ze afwezig haar geweer schoonmaakte. Kaiku, die opeens schoon genoeg had van haar gedrag, was met grote passen op haar afgelopen om het met haar uit te vechten, maar ze was met haar geweer in haar handen weggelopen voor Kaiku haar kon bereiken. Ze wilde op dat moment duidelijk nog niet praten.

Nu dook ze echter opeens naast Kaiku op. 'Ik wil met je praten,' prevelde ze.

'Ik ook met jou,' antwoordde Kaiku.

'Niet hier,' zei Asara. 'Kom mee.'

Kaiku volgde Asara, die haar bij het kamp vandaan leidde. Overal om hen heen en boven hen strekte het dorp zich uit, het stille bouwsel van een onbekende diersoort, onbereikbaar en ondoordringbaar.

Ze lieten het kamp ver achter zich, tot ze zeker wisten dat er niemand in de buurt was. Pas toen bleef Asara staan. Het duurde even voor ze zich omdraaide; haar schouders waren gespannen van de onderdrukte emoties. Toen leek ze tot een besluit te komen en draaide ze zich om naar Kaiku.

Kaiku nam haar verwachtingsvol op. De amandelvormige ogen met hun groene oogschaduw, de donkere huid, de verlokkelijke exotische schoonheid waren die van een vreemde, maar onder de oppervlakte was ze nog altijd Asara, de prachtige, verraderlijke Asara die ze haatte en liefhad tegelijk. De vrouw die haar haar leven had geschonken. In ruil daarvoor had ze een deel van Kaiku's essentie weggenomen en iets van zichzelf achtergelaten, piepkleine splintertjes van verlangen die zich in hun harten hadden gedrongen en er nooit helemaal uit gepeuterd konden worden. Allebei wilden ze wat de ander had: dat fragment van zichzelf dat bij de uitwisseling verloren was gegaan.

Omdat Asara zo onzeker leek, was Kaiku uiteindelijk degene die het woord nam. 'Waar bestaat mijn boetedoening uit, Asara?' vroeg ze. 'Wat wil je dat ik doe om de schuld te vereffenen?'

'Dus je geeft toe dat je me iets verschuldigd bent?' vroeg Asara snel.

'Ik ben je iets verschuldigd,' zei Kaiku. 'Maar is mijn schuld groot genoeg om te doen wat je van me vraagt? Ik wil eerst van je horen wat je te zeggen hebt, voor ik een beslissing neem.'

'Goed dan.' Asara leek nog steeds op haar hoede. 'Maar eerst moet je zweren dat je nooit zult doorvertellen wat ik je vraag. Aan niemand. Of je er nu mee instemt of niet.'

'Dat zweer ik je,' zei Kaiku, want ze wist dat Asara anders niets meer zou zeggen, en ze wilde dit achter de rug hebben.

Asara nam haar met haar glinsterende ogen in het donker aandachtig op. Ze probeerde duidelijk te besluiten of ze Kaiku kon vertrouwen.

'Asara,' snauwde Kaiku ongeduldig. 'Je hebt me tot nu toe steeds gevolgd. Maak jezelf niet wijs dat je nu nog een keuze kunt maken, want die heb je lang geleden al gemaakt. Je volgt me al te lang als een schaduw. Wat wil je van me?'

'Ik wil een kind,' siste Asara.

Er viel een stilte. Asara deed een stap achteruit, afgemat nu het hoge woord eruit was. Kaiku staarde haar aan.

'Ik wil een kind,' zei Asara opnieuw, zachter deze keer. 'Maar ik kan er geen baren.'

'Waarom niet?' vroeg Kaiku een beetje verdwaasd. Was dát nou haar geheime verlangen?

'Dat weet ik niet,' antwoordde Asara. 'Ik kan mezelf... veranderen, maar alleen tot op zekere hoogte. Ik kan de vorm van een man of een vrouw aannemen, maar niet die van een zoogdier of een vogel. Ik kan mijn huid en lichaam veranderen, maar er zijn grenzen. Wat ik kan, doe ik puur op instinct. Ik weet niet hoe ik het doe. Ik kan niet in mijn binnenste kijken. Ik kan mezelf niet beter maken.'

Toen begreep Kaiku het. 'Jij wilt dat ik je vruchtbaar maak.'

'Je kunt het best!' zei Asara. Uit haar stem sprak een onverbloemde hunkering. 'Ik heb gehoord waar jij en je soortgenoten toe in staat zijn. Ik heb gezien dat zusters mannen van de dood hebben gered, hen met hun handen hebben genezen. Nog maar heel kort geleden heb ik je het leven van die Tkiurathische vrouw zien redden! Jij hebt de macht om recht te zetten wat er mis is met me.'

'Misschien,' zei Kaiku.

'Misschien?' riep Asara ongelovig.

'Ik ben geen god, Asara,' zei Kaiku. 'Ik kan niet iets maken wat er niet is. Ik weet niet wat voor veranderingen jouw afwijking bij je heeft veroorzaakt. Stel dat je geen baarmoeder hebt? Die kan ik je niet geven.'

'Kijk dan! Kijk in mijn lichaam! Dan kun je het me vertellen!' Asara was nu wanhopig. Ze had haar hoop al zo lang hierop gevestigd dat ze de gedachte dat haar droom zou vervliegen niet kon verdragen. Al zo lang voelde ze zich eenzaam en leeg, altijd de verschoppeling, nooit in staat de leegte te vullen die in haar binnenste gaapte. Er was geen tweede zoals zij, zelfs niet onder de afwijkenden. In al haar negentig levensjaren was ze er niet een tegengekomen. En het was werkelijk Shintu's wreedste list dat ze leeftijdloos was, maar niet de mogelijkheid had zich voort te planten.

Kaiku had echter een frons op haar voorhoofd. 'Hier moet ik even over nadenken, Asara.'

'Je bent me iets verschuldigd!' snauwde Asara. Haar angst maakte nu plaats voor woede. 'Ik heb je een nieuw leven geschonken. Nu wil ik er een voor terug!'

'En wat doe je er dan mee, Asara?' vroeg Kaiku. Haar haren hingen voor haar ene oog, maar het andere was rotsvast op Asara gevestigd. 'Wat laat ik op de wereld los als ik je toesta nog meer wezens zoals jij op de wereld te zetten?'

'Het is het recht van iedere vrouw! Ik ben beroofd!'

'Ben je eigenlijk wel een vrouw?' vroeg Kaiku. 'Ben je dat vanaf het begin geweest? Ik vraag het me af.' Ze was overgestapt op de toon die ze aansloeg als ze de grime van de Rode Orde droeg: streng, gezagvol. 'Misschien hadden de goden een goede reden om je dit te ontzeggen. Misschien is één wezen zoals jij genoeg.'

'Waag het niet een moreel oordeel over me uit te spreken!' schreeuwde Asara. 'Niet terwijl jij en de Rode Orde plannetjes smeden om de troon te veroveren. Jouw geweten is ook niet brandschoon, Kaiku. Vraag maar eens aan Cailin waarom jullie orde het toestond dat de wevers het keizerrijk overnamen. Vraag maar eens aan haar of het al die duizenden, miljoenen levens gerechtvaardigd was de orde aan de macht te brengen!'

Kaiku keek haar strak aan. 'Misschien doe ik dat nog wel een keer,' zei ze, en met die woorden draaide ze zich om en liep weg. Ze kon Asara's hatelijke blik in haar nek voelen prikken. Ergens verwachtte ze dat de spion haar uit pure gedwarsboomde woede zou aanvallen, maar Asara liet haar gaan.

Kaiku liet de stilte van het woud, slechts onderbroken door het sinistere getik en geklik in de verte, als een deken over zich heen vlijen. Toen de rust in haar hoofd was weergekeerd, dacht ze na over wat Asara had gezegd.

Ze brachten een onrustige nacht door in het emyrynndorp, maar toen de dag aanbrak, waren ze er allemaal nog. Alleen voelden ze zich geen van allen erg goed. Ze waren geteisterd door angstaanjagende dromen, en de laatste wachten waren regelmatig verstoord door het gegil van mannen die wakker schrokken. De meesten probeerden niet eens meer te gaan slapen, te bang voor wat er onder de huid van het bewustzijn op hen wachtte. Degenen die volhielden, sliepen af en toe een paar minuten achter elkaar, om vervolgens nog vermoeider wakker te worden dan toen ze waren gaan slapen. De mannen werden prikkelbaar. Ze waren boos op het woud en de geesten, maar omdat ze hun woede nergens op konden botvieren, snauwden ze elkaar af.

Het ergste was echter dat al snel duidelijk werd dat ze die dag niet verder zouden trekken. Het ging iets beter met Peithre, maar nu was Phaeca ook ziek. Kaiku praatte met Doja, die toegaf dat het dwaasheid zou zijn om verder te trekken terwijl een van de zusters uitgeschakeld was en de ander vastbesloten was te blijven. Hij bracht het slechte nieuws over aan zijn mannen. Daarbij wist hij het leed een beetje te verzachten door erop te wijzen dat hij geloofde dat ze in het emyrynndorp veilig waren voor het woud.

Kaiku wist niet of ze het daar wel mee eens was, maar het hielp, en dat vond ze belangrijker. De soldaten aanvaardden hun lot met stoïcijnse gezichten, hoewel er later onenigheid zou ontstaan. De geesten waren al erg genoeg, maar ook het slaapgebrek begon hun nu parten te spelen. Er was daar iets wat hun geest vergiftigde, en ze wilden geen moment langer blijven dan strikt noodzakelijk was. Ze begreep hoe ze zich voelden. Ze hadden geen idee hoe lang het nog zou duren voor ze de Xiang Xhi bereikten, en elke extra dag op de heenweg betekende een extra dag op de terugweg.

Ze ging bij Phaeca langs. Tegen de wil van Doja in had Phaeca haar tent verlaten en haar intrek genomen in een van de emyrynnwoningen, waar ze haar slaapmat had uitgerold. Het was binnen warm en vreemd steriel, in die onregelmatig gevormde kamer met de ronding van een boomstam als een van de muren. Op de vloer en aan het plafond zaten her en der uitsteeksels van sap, beeldhouwwerken misschien, of wellicht hadden ze een veel alledaagser, nuttiger doel. Een smalle tunnel, veel te klein voor alles wat groter was dan een muis, kwam uit in de kamer. Voor zover Kaiku kon zien, liep die om de boom heen helemaal omhoog tot hij tussen de takken uit het zicht verdween, maar ze kon zich niet voorstellen wat het nut ervan was. Phaeca maakte een verwarde indruk. Ze ijlde alsof ze hoge koorts had. Ze had echter geen verhoging, en hoewel ze geagiteerd was, zag ze er niet echt ziek uit. Ze sloeg Kaiku's hand weg toen die op haar wang werd gelegd en maakte mompelend beledigende opmerkingen over haar, alsof ze er niet bij was. Kaiku bleef diep bezorgd een tijdje op haar knieën bij haar zitten. Ze kon haar niet genezen, want Phaeca had afweermiddelen om anderen, zelfs andere zusters, buiten te houden. En trouwens, hoe langer ze haar vriendin bestudeerde, hoe meer Kaiku ervan overtuigd raakte dat haar ziekte helemaal niet lichamelijk was. Zij had die nacht het hardst gegild van allemaal. Het woud teisterde haar, net als Lucia, en Kaiku had geen idee of haar verstand ertegen bestand zou zijn.

Goden, waarom zijn we ooit naar dit vervloekte oord gekomen? dacht ze bij zichzelf, maar daar wist ze het antwoord al op. Ze waren hier gekomen omdat het hun laatste kans was.

Ze ving die dag een paar keer een glimp op van de emyrynns, die in de verte tussen de bomen door schoten. Elke keer staarde ze naar de groenblauwe plooien van het woud en vroeg zich af wat hun eigenaardige gastheren bewoog. Ze ging langs bij Peithre, die erg verzwakt was, maar klaarwakker, en praatte even met Tsata. Ze vond echter dat hij die dag een beetje vreemd deed; er was iets in zijn houding wat ze niet kon doorgronden, en uiteindelijk gaf ze haar pogingen op en liet hem met rust. De sfeer in het kamp drukte op haar, maar ze zat hier vast, net als alle anderen.

Ze dwaalde wat rond door het dorp om zichzelf wat ruimte te gunnen om na te denken. De taak die Asara haar had opgelegd, was geen eenvoudige. Nu wist ze in elk geval waarom Asara achter haar aan het bos in was gelopen: om haar investering te bewaken. Maar zelfs als Kaiku het kon, was het de vraag of ze het wel moest doen. Wilde ze zo'n wezen wel de gelegenheid geven om zich voort te planten?

Het zou anders zijn geweest als van haar werd verlangd dat ze moest voorkomen dat Asara kinderen zou krijgen. Dat zou ze nooit doen. Dan zou ze haar immers iets afnemen. Maar haar het vermogen schenken om kinderen te baren, dat was iets heel anders. Dat was bewust ingrijpen in plaats van bewust niet-ingrijpen: alles wat haar nageslacht deed, alle gevolgen, zou aan Kaiku te wijten zijn.

Stel dat ze allemaal opgroeiden met de gaven van hun moeder? Stel dat ze net zo bedrieglijk zouden worden? Was dat wel te vermijden? Goden, ze zou van Asara de oermoeder van een nieuw ras maken. Een ras van wezens die elk gezicht, elke menselijke vorm konden aannemen die ze wilden, de volmaakte spionnen, dodelijke na-apers, van wie niemand wist hoe lang ze zouden blijven leven. Alleen de zusters zouden door hun vermomming heen kunnen kijken.

Ze riep zichzelf tot de orde. Haar fantasie ging met haar op de loop. Er was geen enkele garantie dat Asara's kinderen haar gaven zouden erven. En zelfs als dat wel het geval was, was er geen enkele reden om aan te nemen dat ze inderdaad zouden uitgroeien tot de prachtige, angstaanjagende wezens die Kaiku voor zich zag. Ze hoefden niet per se hetzelfde karakter te hebben als Asara.

Maar mogelijk was het wel. Dat kon ze niet ontkennen.

Ze wilde het bespreken met Tsata. Het was frustrerend: hij was zo dichtbij, maar ze had gezworen het er met niemand over te hebben. Ze had bewondering voor zijn scherpe inzicht en eerlijkheid. Hij had haar kunnen helpen de knopen te ontwarren. Hij zou haar hebben verteld dat ingrijpen in dit geval hetzelfde was als niet-ingrijpen, dat als ze bereid was Asara de gave van de vruchtbaarheid te ontzeggen uit angst een monsterras te creëren, ze ook bereid moest zijn om te voorkomen dat ze kinderen kon krijgen, en omgekeerd. Hij zou dwars door de misleiding die ze voor zichzelf had geschapen heen hebben geprikt, de dubbele moraal en de rookgordijnen van de etiquette en geloofsovertuigingen. Hij zou haar hebben verteld dat ze hier alleen maar over piekerde omdat ze de verantwoordelijkheid voor de beslissing niet op zich wilde nemen.

Dat wist ze allemaal best, maar dat maakte de beslissing er niet eenvoudiger op.

De nacht kroop weer over het land, en deze keer waren er geen manen om hem te verlichten.

De soldaten waren het duister gaan vrezen. Slapen leek erger dan uitgeput wakker blijven, en velen durfden niet eens te gaan liggen. Toch werden ze een voor een overmand door slaap. De schildwachten stonden op hun post te knikkebollen, hun hoofd zakte op hun borst, maar zodra de nachtmerries zich hongerig op hen stortten, schrokken ze met een kreet wakker. In het woud werd het oog toch al voor de gek gehouden, maar nu ze ook nog te weinig slaap kregen, zagen ze overal bewegingen en kregen ze kortstondige hallucinaties.

'We moeten morgen verder,' had Doja tegen Kaiku gegrauwd. 'Mijn mannen kunnen hier niet meer tegen. We dragen Phaeca en die Tkiurathische vrouw wel, als het moet.'

Kaiku had het niet ronduit verboden, maar ze was er geen voorstander van. Uiteindelijk spraken ze af dat ze, als Peithres toestand in de loop van de nacht zo ver vooruitging dat ze veilig kon worden vervoerd, draagbedden zouden maken voor de zieken en verder zouden trekken. Ook zij maakte zich zorgen om de geestesgesteldheid van de groep. Dankzij haar kana was ze niet zo uitgeput als de anderen, maar ze was bang dat er onvermijdelijk ongelukken zouden gebeuren als ze dit nog langer moesten verdragen. Er waren te veel geweren en jeukende vingers in dit kamp.

Te midden van alle ellende was er één hoopvol gegeven: toen het laatste licht uit de hemel was weggestorven, kreeg Kaiku het bericht dat Lucia wakker en helder van geest was. Kaiku haastte zich naar haar toe en trof haar vlak bij haar tent aan. Ze schonk Kaiku een vluchtige glimlach en nodigde haar uit voor een wandeling. Ze liepen een eindje weg bij het kamp, tussen de wonderlijke paarlemoeren bouwsels van de emyrynns, en tot Kaiku's opluchting was ze inderdaad helder en aandachtig.

'De Xiang Xhi is niet ver weg,' zei Lucia.

'O, nee?' vroeg Kaiku verrast. 'Zo diep zijn we toch nog niet in het woud doorgedrongen?'

Lucia wierp haar een sluwe, geamuseerde blik toe. 'Dit is geestengebied,' zei ze. 'We kunnen tot in de eeuwigheid blijven lopen en nooit de andere kant bereiken, of we kunnen daar na een korte wandeling al uitkomen. Afstand is hier een rekbaar begrip. Vind je het niet erg fortuinlijk dat we dit dorp hebben gevonden, zo dicht bij de plek waar Peithre is gevallen? Is dat geen ongelooflijk gelukkig toeval in zo'n groot woud?'

'Die gedachte was wel bij me opgekomen,' gaf Kaiku toe.

'Als de Xiang Xhi niet gevonden wilde worden, zouden we hem nooit vinden,' zei Lucia. 'Maar dat wil hij wel.'

'Waarom komt hij dan niet gewoon naar ons toe? Waarom moeten we dit allemaal doormaken?'

'Dat weet ik niet. De geesten hebben vreemde gewoonten. Misschien stelt hij ons op de proef. Misschien is hij nieuwsgierig naar me en wil hij me eerst uitgebreid bestuderen.'

Dat vond Kaiku geen plezierige gedachte. 'Je kunt nog steeds terug, Lucia,' zei ze. 'Het is nog niet te laat.'

Lucia keek haar bedroefd aan. 'O, maar dat is het wel. Al veel te laat.' Ze keek de andere kant op, naar de donkere bomen en het vreemde gebladerte achter het dorp. 'En trouwens, als we nu omkeren, zullen we het woud nooit verlaten. De Xiang Xhi wil me zien. Hij is geïntrigeerd, denk ik. Anders zouden we nu al niet meer in leven zijn.'

'Als hij je wil zien, waarom staat hij dan toe dat ons iets overkomt?' vroeg Kaiku, zonder antwoord te verwachten.

Lucia gaf toch antwoord. 'Omdat hij míj wil zien,' antwoordde ze. 'Wellicht vindt hij jullie gewoon niet belangrijk.'

Kaiku voelde een koude rilling over haar rug trekken.

Lucia draaide zich zo plotseling om dat Kaiku geschrokken bleef staan. De jonge vrouw keek haar ongewoon doelbewust aan.

'Lucia, wat is er?'

'Er zijn dingen die ik je moet vertellen,' zei ze. 'Voor het geval ik nooit meer de kans krijg ze te zeggen.'

Kaiku fronste haar wenkbrauwen. 'Zo moet je niet denken.'

'Ik meen het, Kaiku,' zei ze. 'Ik weet niet of ik ooit nog zo helder zal zijn.'

'Natuurlijk wel!' wierp Kaiku tegen. 'Als we eenmaal het woud uit zijn, dan zul je...'

'Laat me uitpraten!' snauwde Lucia. Kaiku zweeg geschrokken. Lucia kreeg spijt. 'Vergeef me. Laat me dit zeggen. Meer vraag ik niet van je.'

Kaiku knikte.

'Ik wil je bedanken. Meer niet. Jou en Mishani. Ik wil dat je weet... dat ik het waardeer wat jullie allemaal voor me hebben gedaan. Dat jullie me als een zusje hebben behandeld. En dat jullie altijd, maar dan ook altijd aan mijn kant hebben gestaan. Als dit allemaal achter de rug is, dan...' Ze maakte haar zin niet af. 'Ik wilde gewoon dat je dat wist. Je hebt mijn liefde, en dat zal altijd zo blijven.'

Kaiku voelde de tranen opwellen in haar ogen en sloeg haar armen om Lucia heen. 'Hartbloed, zoals jij het zegt, klinkt het als een afscheid. We komen hier wel doorheen, Lucia. Je zult dat allemaal persoonlijk tegen Mishani kunnen zeggen, let maar op.' Lucia omklemde haar stevig. 'Ik zal je beschermen, al kost het me mijn leven.'

'Er zijn dingen waartegen zelfs jij me niet kunt beschermen,' fluisterde Lucia. Toen keek ze op, over Kaiku's schouder, en aan haar lichaamstaal las Kaiku af dat er iemand stond. Ze draaide zich om. Het was Heth.

'Is Tsata bij je?' vroeg hij zonder inleiding of verontschuldiging.

Toen ze de toon van zijn stem hoorde, slikte Kaiku het bijtende antwoord in dat ze had willen geven. 'Ik heb hem niet gezien,' antwoordde ze vlak.

'Maar hij ging achter jou aan,' zei Heth. De verwarring straalde van zijn gezicht, en hij worstelde met de onvertrouwde Saramyrese woorden. 'Het woud in.'

'Ik ben het dorp niet uit geweest,' zei Kaiku.

'Ik zag je weggaan,' hield Heth vol. 'Ik was bij hem. Zelf zag ik je niet, maar hij wel. Hij zei dat hij met je moest praten.'

Een vreemd voorgevoel bekroop Kaiku. 'Wanneer was dat?'

'Een paar minuten geleden. Peithre gaat achteruit; ik kwam hem halen.'

Kaiku keek naar Lucia. 'Drie avonden geleden, die avond dat ik tussen de bomen door die geest werd aangevallen... Ik zag je het woud inlopen, en ik ging achter je aan.'

Lucia keek haar niet-begrijpend aan. 'Ik ben die nacht mijn tent niet uit geweest. Ik sliep en er stonden bewakers bij de ingang.'

'Goden!' siste Kaiku. 'Ga terug naar het kamp! Heth, laat me zien waar hij naartoe is gegaan!'

Heth gehoorzaamde zonder aarzeling, terwijl Lucia bezorgd wegrende. Kaiku liep een eindje achter de Tkiurathi aan, tot hij bleef staan en wees. 'Die kant op.'

Kaiku's irissen werden rood. Ze zou een Tkiurathi nooit op de gebruikelijke manier kunnen opsporen, al had ze over de juiste vaardigheden beschikt, maar in het Weefsel kon ze hem wel vinden. Ze zag zijn geurspoor, de zachte trilling van de lucht waar hij had gelopen, de herinnering aan zijn ademhaling en het bonzen van zijn hart.

'Zorg voor Peithre,' prevelde ze. 'Je kunt me nu niet helpen.'

Met die woorden dook ze het bos in.

Dat slokte haar gretig op. Hangende klimplanten en ranken van blauwe planten streken langs haar lichaam terwijl ze rende. De bodem was verraderlijk, een wirwar van wortels en glinsterende stenen; het terrein rees, daalde en kantelde, en onder andere omstandigheden zou haar snelheid roekeloos zijn geweest. Ze las de grond echter zoals ze de lucht las, voorspelde de contouren ervan met behulp van de draden van het Weefsel, en haar tred was zeker.

Ze vervloekte zichzelf onder het lopen. Had ze maar wat meer aangedrongen bij Lucia, had ze er maar aan gedacht om meer onderzoek te doen naar wat er was gebeurd toen ze haar uit het kamp had zien weglopen. Maar Lucia was toen onbereikbaar, haar gedachten waren elders, en Kaiku wilde niet nog meer onrust onder de soldaten veroorzaken voordat ze het verhaal uit Lucia's eigen mond had gehoord.

Nu wist ze dat er geen verhaal was. Lucia was helemaal niet weg geweest. Wat het ook was waar ze die avond achteraan was gelopen, het was niet Lucia. En Tsata was in dezelfde list getrapt.

Als hij stierf door haar stommiteit...

Ze was oprecht doodsbang. Niet om zichzelf, maar om de andere helft van die onafgemaakte gedachte. Ze was bang voor de leegte die hij met zijn dood zou veroorzaken. Ze was zo bedreven in het pantseren van haar hart dat ze niet had beseft hoezeer ze hem had gemist toen hij weg was, hoe heerlijk ze het vond om met hem te praten, om te schermen met zijn exotische ideeën, om gewoon dicht bij hem te zijn. Dat besefte ze nu pas, nu ze dacht dat ze hem misschien weer zou kwijtraken, en deze keer voorgoed.

Ze versnelde haar pas nog meer, hield zijn onzichtbare spoor scherp in de gaten. Haar schoenen gleden weg op de grond, haar schouders schampten bomen die ze niet helemaal kon ontwijken. Er welde paniek in haar op, iets wat haar met krankzinnigheid bedreigde. Ze durfde er niet aan te denken wat er zou gebeuren als ze hem dood aantrof, met melkwitte ogen en een patroon van gezwollen aderen op zijn gezicht, net als bij de man die ze hadden gevonden. Al moest ze het opnemen tegen die gigantische schaduw, dat half geziene monster dat haar had aangevallen, ze zou niet aarzelen.

De geluiden die ze maakte klonken luid in het stille woud: het geklets van de varens tegen haar lichaam, het doffe gedreun van haar schoenen op de zandgrond. Een klein stemmetje fluisterde tegen haar, een voorgevoel dat haar zei dat elke tel belangrijk was, dat elke vertraging cruciaal kon zijn, het verschil kon maken tussen de afschuwelijke leegte na Tsata's dood en de vreugde omdat ze hem levend en wel had gevonden. Ze baande zich een weg door het gouden tapijt van het woud en schreeuwde zijn naam in de hoop hem op die manier te kunnen waarschuwen, biddend dat hij haar zou horen en dat het nog niet te laat was.

Toen werkte ze zich door een scherm van bladeren heen en kwam uit op een open plek. Daar was Tsata, opgebouwd uit miljoenen glanzende draadjes, die zich verrast naar haar omdraaide. Over zijn schouder zag ze iets, een zwart, verwrongen wezen dat er in de tastbare wereld net zo uitzag als zij, maar niet hier in het Weefsel: een geest die anderen imiteerde en zijn slachtoffers meelokte om ze in alle rust te kunnen doden. Hij kon zijn illusie niet meer in stand houden, richtte zijn gelaat op haar, en daar zag ze een deur naar de geheimen van het geestenrijk, een aanblik die zo onbegrijpelijk was dat hij de geest van een normaal mens binnenstebuiten zou keren en hem ter plekke zou vellen. Zij was echter een zuster van de Rode Orde, en ze had meer gezien dan andere mensen.

'Kijk niet naar haar!' gilde ze. Ze greep Tsata's hoofd vast en drukte het tegen haar schouder. Haar andere arm stak ze uit naar de geest, en haar kana barstte los en reet door hem heen. Hij krijste, slaakte een onaardse kreet toen Kaiku door zijn afweer heen brak en zijn essentie verscheurde. Hij werd aan flarden gereten.

De stilte keerde terug en ze waren met z'n tweeën. Opeens werd Kaiku zich bewust van de nabijheid van Tsata's lichaam. Ze liet zijn hoofd los en hij keek op, met een vraag in zijn bleekgroene ogen. Hoewel hij er niets van begreep, besefte hij op grond van wat hij had gehoord dat Kaiku hem ergens van had gered. Hun gezichten waren nog altijd iets te dicht bij elkaar. Hij had zich niet zo ver teruggetrokken dat de afstand te groot was geworden en niet door hun lippen en tong kon worden overbrugd. Even bleven ze trillend staan, afwachtend. Toen kuste ze hem, en drukte hij zich tegen haar aan, met zijn armen om haar heen.

Even bestond er niets behalve dat gevoel, het ritme van hun lippen die samenkwamen en uiteenweken, de druk van het contact. Uiteindelijk werden hun kussen oppervlakkiger, niet meer dan vederlichte aanrakingen, en drongen de gedachten zich weer op. Kaiku opende haar ogen – die zo vlak na het gebruik van haar kana nog bloedrood waren – en zag dat Tsata haar blik beantwoordde. Onzeker liet ze haar blik over hem heen glijden, bang voor de klap die de breekbare omstandigheden waarin ze zich bevonden kon verbrijzelen. Ze volgde de lijnen van de tatoeages op zijn wangen, het rossige, met plantensap verstevigde haar, zijn kaaklijn, en zag in hem het tegenovergestelde van alles in haar leven waar ze een hekel aan had: het bedrog, de achterbaksheid, de geheimhouding die tot de dood van haar familie had geleid en haar wereld had verwoest. En toch wachtte ze angstig af tot hij de betovering zou verbreken, zou zeggen dat het een vergissing was, begaan uit hartstocht, dat zijn brute eerlijkheid het hem niet toestond hiermee door te gaan als hij er niet met hart en ziel achter stond.

Hij leek iets te willen zeggen, maar uiteindelijk maakte hij aanstalten haar nog eens te kussen. Ze deinsde nauwelijks merkbaar terug, en hij bleef verward staan.

'Peithre gaat achteruit,' mompelde ze. 'Je moet naar haar toe.'

Zijn lichtgroene ogen schoten over haar gezicht. Toen was hij weg, zonder een woord te zeggen in het woud verdwenen, en liet Kaiku alleen achter.

Toen Nuki's oog in het oosten opkwam, zat Mishani aan de oever van het Xemitmeer uit te kijken over het water.

Het was een koude dageraad, en ze had dan ook een dikke, vuurrode omslagdoek met goudborduursel om zich heen geslagen. Haar haren lagen als een plas op de deken die ze had neergelegd om te voorkomen dat de zoom van haar gewaad vuil zou worden. Ze had daar het grootste deel van de nacht zitten denken, in een steeds kleiner kringetje, en uiteindelijk was ze tot een slotsom gekomen. Het was een onverstandige keuze, en ze was bang om hem te nemen, wilde hem niet accepteren. Toch wist ze in haar hart dat het onvermijdelijk was. Haar tegenwerpingen waren dan ook zwak en hielden niet lang stand.

Ze hoorde naderende voetstappen op de bedauwde grashelling die vanaf het tempelcomplex van Araka Jo omlaag liep. Ze vermoedde dat het Yugi was, nog voor hij in het zicht kwam.

'Daggroet, Mishani,' zei hij. 'Mag ik bij je komen zitten?'

'Daggroet, Yugi. Toe, neem plaats.' Ze schoof opzij om ruimte voor hem te maken op de deken, en hij ging vermoeid naast haar zitten.

'Dus je hebt niet geslapen?' vroeg hij.

'Jij ook niet, zo te zien.' Ze bestudeerde hem. Hij zag er net zo verfomfaaid uit als altijd, en hij stonk naar amaxawortel. Het was wel duidelijk wat hem uit zijn slaap had gehouden.

'Ik begin me af te vragen hoeveel nachten me nog resten,' zei hij. 'Slapen lijkt zo'n vreselijke tijdverspilling.'

'Dat klinkt mij in de oren als een snelle weg naar krankzinnigheid,' zei Mishani half voor de grap.

Yugi krabde aan zijn nek. 'Dit hele land is krankzinnig geworden, Mishani. Als ik gek was, zou ik er misschien nog iets van begrijpen.'

Ze keken een tijdje samen uit over het meer, maar toen nam Yugi weer het woord.

'Er wordt gezegd dat je moeder binnenkort weer een boek zal uitgeven. Cailin heeft allerlei plannen, nu we de informatie hebben die je ons hebt gegeven,' zei hij kuchend. 'Ze dringt nog steeds aan op een aanval op Adderach als Lucia terug is. Afhankelijk van het nieuws dat ons via dat nieuwe boek bereikt.'

'Dwaasheid,' zei Mishani met een zucht. 'Een leger zou in die bergen in de pan worden gehakt.'

'Misschien,' antwoordde Yugi.

Ze keek hem zijdelings aan. Hij was ongeschoren en zijn gezicht was ingevallen. 'Je bent te afhankelijk van de wortel, Yugi,' zei ze. 'Ooit was jij hem de baas; nu is hij jou de baas. Je staat aan het hoofd van vele mannen en vrouwen. Hun levens zijn jouw verantwoordelijkheid. Hou op met die onzin, voor je je verstand kwijtraakt.'

Yugi leek een beetje verrast en probeerde kennelijk te besluiten of hij aanstoot moest nemen aan haar woorden. Toen liet hij met een vermoeid gezicht zijn schouders hangen. 'Je bent bij lange na niet de eerste die dat tegen me zegt. Zo eenvoudig is het niet.'

'Misschien kan Cailin je helpen je verslaving te overwinnen,' stelde Mishani voor. Ze streek haar haren achter haar schouders.

Yugi lachte snuivend. 'Ik ben niet verslaafd, Mishani. Ik rook al jaren amaxawortel en hij heeft me nooit in zijn greep gekregen. Dat spul is slechts een symptoom van de oorzaak.'

'En wat is dan de oorzaak?' vroeg ze.

Even gaf hij geen antwoord, terwijl hij overwoog of hij het haar moest vertellen. Hij nam Mishani gewoonlijk niet in vertrouwen. Ze wachtte echter geduldig, en uiteindelijk haalde hij met een zucht zijn schouders op.

'Ik ben ooit struikrover geweest,' zei hij. 'Ik neem aan dat je dat weet.'

'Dat had ik al opgemaakt uit wat Zaelis zei,' gaf ze toe.

'Wist je ook dat ik toen een vrouw had?'

'Was je getrouwd?'

'Zogoed als. Een echt huwelijk was niet zo belangrijk, en we hadden geen priesters.'

'Dat wist ik niet.'

Yugi was voorzichtig, klaar om bij het eerste teken van sarcasme of spot van Mishani's kant het gesprek te staken. Maar zo'n teken kwam er niet. Dit was belangrijk voor hem, dus was het ook belangrijk voor haar. Hij was immers de leider van de Libera Dramach en alle kennis over zijn gemoedstoestand kon van nut zijn.

'Ze heette Keila,' zei hij. Hij opende zijn mond om nog iets te zeggen, misschien om haar voor Mishani te beschrijven of te vertellen wat hij voor haar voelde, maar hij bedacht zich. Dat begreep Mishani wel. Woorden werden al snel sentimenteel als je je diepste gevoelens beschreef.

'Wat is er met haar gebeurd?' vroeg Mishani.

'Ze is gestorven,' zei Yugi. Hij keek naar de grond.

'Door jouw schuld,' zei Mishani, die zijn reactie had gepeild.

Hij knikte. 'We waren op het hoogtepunt misschien met z'n honderden. En we hadden een reputatie. We waren de meest gevreesde struikroversbende tussen Barask en Tchamaska.'

'En jij was toen hun leider?' raadde Mishani.

Yugi knikte. 'Goden, ik ben niet trots op sommige dingen die ik heb gedaan. We waren struikrovers, Mishani. Dat hield in dat we moordenaars waren, dieven, in het beste geval. Iedere man had zijn normen, iedere man had... dingen die hij niet wilde doen. Maar er was altijd wel iemand die er wel toe bereid was.'

Hij wierp Mishani een behoedzame blik toe. Ze keek hem rustig aan, verried niets. Hij zocht naar een teken dat ze hem veroordeelde, maar dat weigerde ze te doen. Haar eigen blazoen was ook niet bepaald smetteloos.

'Een mens kan zich... afsluiten,' mompelde Yugi. 'Hij kan leren andere mensen als obstakels of voorwerpen te beschouwen. Hij kan leren het gehuil van vrouwen en de blik in de ogen van een stervende vijand buiten te sluiten. Het zijn gewoon dierlijke reacties, zoals het tegenstribbelen van een gewond konijn of het gekronkel van een vis aan de haak. Een man kan zichzelf van de noodzaak van alles overtuigen, als hij maar goed genoeg zijn best doet.' Het meer lag er grijs en stil bij in het ochtendgloren. Hij staarde ernaar. 'De wereld van de struikrovers was meedogenloos. Wij moesten nog meedogenlozer zijn.' Hij glimlachte vaag, maar het was een bittere, vreugdeloze lach. 'Vind je het vervelend?' vroeg hij. 'Te weten dat de leider van de Libera Dramach een dief en een moordenaar is?'

'Nee,' zei Mishani. 'Ik geloof al heel lang niet meer in onschuld. Een struikrover kan honderd mannen hebben vermoord, maar de mensen die wij hebben uitverkoren om ons land te besturen hebben er nog veel meer gedood met hun plannetjes en politieke gekonkel. Dat heb ik aan het hof geleerd. Jouw manier van moorden is tenminste eerlijk.' Ze keek naar een vogel die van zuid naar noord over het meer vloog. 'Ik kan niet voor anderen spreken, maar mij kan jouw verleden niets schelen. Ik kende degenen die jij leed hebt berokkend niet, en het zou van vals sentiment getuigen als ik boos op je werd. We hebben ons allemaal wel eens schuldig gemaakt aan iets waarvoor we ons schamen. Goede mensen begaan slechte daden, en slechte mensen kunnen goed worden. Het kan mij alleen maar schelen wat je nu doet, Yugi, want jij hebt de teugels van vele levens in handen.' Eindelijk verdween de vogel in de verte. Ze verschoof en richtte haar blik weer op hem. 'Ga verder met je verhaal.'

'We maakten natuurlijk vijanden,' zei Yugi na een tijdje. 'Andere struikroverbendes wilden ons omverwerpen, maar ze maakten geen schijn van kans tegen onze overmacht. Ik werd overmoedig.' Hij plukte aan de stof tussen zijn knieën. 'Het bericht kwam dat onze rivalen zich verzamelden. Ik nam mijn mannen mee met de bedoeling hen in een hinderlaag te lokken. Maar het was een list. Een list die ik had moeten zien aankomen.'

'Lokten ze jullie in de val?'

'Nee, niet ons. Ze hebben ons kamp aangevallen, waar we onze vrouwen en kinderen hadden achtergelaten. Daar waren nog maar een stuk of tien mannen die konden vechten. Ik dacht dat ze niet wisten waar we ons schuilhielden, en ik dacht dat ze ons toch niet durfden aan te vallen, zelfs als ze het wel wisten. In beide gevallen had ik het mis.' Zijn blik verstrakte. 'Goden, toen we terugkwamen...'

Mishani zweeg. Ze trok haar omslagdoek wat strakker om zich heen om de kou te weren.

'Ze was nog niet helemaal dood toen ik haar vond. Ik zal nooit begrijpen hoe ze het zo lang heeft volgehouden. Maar ze heeft op me gewacht, en... we...' Zijn stem begaf het. Hij slikte. 'Ze is in mijn armen gestorven.'

Hij staarde strak naar het meer, gespannen als een veer door zijn knagende woede. 'En weet je wat mijn eerste gedachte was toen ik haar vond? Mijn allereerste gedachte? Ik zal het je vertellen. Ik had het verdiend. Ik had het verdiend dat ze stierf. Want ik besefte dat iedereen die ooit aan mijn zwaard was gestorven ook een moeder, een broer of een kind had gehad die het verdriet had gevoeld dat ik voelde. En ik scheurde een reep van haar jurk en bond die om mijn hoofd, en ik bezwoer dat ik hem altijd zou dragen om me eraan te herinneren wat ik had gedaan, en wie ik daardoor was kwijtgeraakt.' Hij raakte de vuile lap om zijn voorhoofd aan. 'Die.'

'Wat is er toen gebeurd?' vroeg Mishani. Ze toonde geen medelijden. Ze vermoedde dat hij dat niet van haar wilde, en al had hij het wel gewild, dan nog zou ze het niet hebben gedaan.

'De anderen schreeuwden al om wraak,' zei hij. 'Maar ik wist hoe het zou gaan. Onze vergeldingsactie zou tot een nieuwe vergeldingsactie leiden, zoals altijd. In een kringetje rondrennen zonder dat het iets oplevert, een eindeloze strijd vol steekpartijen en bloedende lichamen. Dus ben ik vertrokken. Ze dachten dat ze me gewoon wat tijd moesten geven om te rouwen. Ze dachten dat ik wel terug zou komen.' Zijn ogen waren uitdrukkingsloos. 'Maar ik ben nooit teruggegaan.'

De rest had Mishani al van Zaelis vernomen: dat Yugi bij toeval bij de Libera Dramach verzeild was geraakt, dat hij met zijn aangeboren leiderskwaliteiten en ervaring steeds onmisbaarder was geworden en uiteindelijk tot Zaelis' rechterhand was benoemd. Na de dood van Zaelis in de Gemeenschap was hij het hoofd van de Libera Dramach geworden. En nu begreep ze hem.

'Je wilt deze mensen helemaal niet leiden, hè?' vroeg ze.

Yugi keek haar een hele tijd aan en hield toen bevestigend zijn hoofd scheef. 'Ik ben geen generaal, zoals Zahn. Ik heb niet de visie en de ambitie van Zaelis. Ik heb ooit leiding gegeven aan honderd man en daar was ik goed in, maar uiteindelijk heb ik gefaald en het heeft me het enige gekost waar ik ooit...' Hij wendde zijn blik af. 'Ach, wat heeft het voor zin erover te praten.'

'Je zou kunnen aftreden,' zei Mishani.

'Nee, dat kan ik niet. Want ik ben nog steeds de beste godenvervloekte leider die ze hebben. Zaelis heeft zijn mannen weliswaar goed uitgezocht, maar hij kon geen generaals krijgen, geen oorlogsspecialisten. Die behoren tot de adelstand, en zodra die in de buurt komen van de Libera Dramach, zodra de machtige families er vat op krijgen, is het met ons gedaan. Allemaal willen ze Lucia hebben.'

Mishani knikte. 'Daar zit een kern van waarheid in. Zelfs Zahn zou gevaarlijk zijn. Maar kun jij aan het hoofd van duizenden mensen ten strijde trekken, Yugi? In de Gemeenschap waren jouw vaardigheden van onschatbare waarde, maar toen vocht je op de manier van de struikrovers. Er zal misschien een moment komen waarop je generaal moet worden, en jouw keuzes op het slagveld vele levens zullen kosten. Zul je in staat zijn die keuzes te maken? Of zul je je dan verstoppen in je benevelde dromen?'

Yugi keek haar grimmig aan. 'Als het mijn straf is dat ik tegen mijn wil deze mannen en vrouwen moet leiden, zal ik het verdragen, want ik moet wel. De goden hebben een wreed gevoel voor humor, dat ze mij doen boeten voor mijn misstappen in het verleden door me nog meer levens in handen te geven die ik kan verwoesten.'

'Dat hebben ze inderdaad,' zei Mishani.

Yugi kwam overeind. Nuki's oog stond inmiddels wat hoger aan de hemel. Het meer was blauw en het werd snel warmer. 'Dank je voor je luisterend oor, Mishani. Ik weet niet waarom ik nu uitgerekend aan jou mijn verhaal heb verteld, maar ik ben er blij om.' Hij keek langs de helling omhoog naar de afbrokkelende witte tempels van Araka Jo. 'Hoe komt het toch dat ons verleden onze toekomst bepaalt?' vroeg hij zich hardop af. 'Wat heeft dat voor zin?'

Toen liep hij bij haar weg en was ze weer alleen.

Een hele tijd bleef ze zitten nadenken over wat hij had gezegd. Daarna ging ze terug naar haar huis om de spullen te pakken die ze nodig zou hebben.

Ze ging naar haar moeder toe.

◎ 18 ◎

Er waren er die nacht maar weinig in het woud die sliepen, maar in Kaiku's geval kwam dat niet doordat ze bang was voor nacht-merries.

Ze dwaalde in haar eentje door het emyrynndorp nadat Tsata haar had achtergelaten. Lusteloos sjokte ze tussen de iriserende zuilen, krullen en pieken aan de bomen en op de grond door. Keer op keer dacht ze terug aan het moment waarop ze elkaar hadden gekust, ontleedde het in de hoop er een betekenis in te vinden. Wat sprak er uit zijn ogen toen ze hem had tegengehouden? Zou ze er beter aan hebben gedaan om zich weer door hem te laten kussen voor ze hem vertelde dat zijn landgenote achteruitging? Had hij dat geïnterpre-teerd als een smoesje waarmee ze hem afwees? En was dat inder-daad ook Kaiku's bedoeling geweest? Was ze met opzet voor hem teruggedeinsd en had ze Peithre als een excuus gebruikt om een nieu-we kus te vermijden? Goden, ze wist zelf niet eens wat ze op dat mo-ment wilde, maar achteraf had ze van alles aan te merken op haar keuzes, en ze was vervuld van spijt en onzekerheid.

Ze was nog midden in haar gepieker toen de dageraad aanbrak en ze Phaeca hoorde gillen.

Haar omzwervingen hadden haar bijna weer teruggeleid naar het kamp op het moment dat het geluid haar oren bereikte. Het duur-de even voor het tot haar doordrong, want de slapeloosheid begon zijn tol te eisen. Wel een tel lang bleef ze niet-begrijpend staan, voor ze het op een lopen zette en zo snel als ze kon naar het groepje ten-ten rende, waar anderen ook overeind kwamen. Ze bereikte de ei-genaardige woning waar Phaeca had liggen rusten, duwde de soldaten opzij die zich bij de ingang verdrongen en ging naar binnen. Phaeca gilde nog steeds. Ze zat ineengedoken tegen de boomstam die een van de muren van de kamer vormde, en haar bezittingen en beddengoed lagen verspreid over de vloer. Bloed sijpelde langs de muren naar beneden en lag in plassen op de grond, met aan de randen vegen, waar ze was uitgegleden. Overal lagen brokken rokend vlees en zwartgeblakerd bot. Sommige waren zo groot dat de vacht erop nog zichtbaar was. Witte vacht, doorweekt met bloed.

Ontzet nam Kaiku het tafereel in zich op. 'Phaeca, wat heb je gedaan?' fluisterde ze. Boos en ongelovig verhief ze haar stem. 'Heb je er een gedood? Een emyrynn?' Ze liep door de kamer heen en schudde Phaeca ruw bij haar schouders heen en weer. 'Waarom? Waarom?'

'Hij wilde mij vermoorden!' krijste Phaeca. 'Hij was in mijn kamer! Ik werd wakker en toen stond hij in mijn kamer!'

Kaiku kneep haar ogen dicht. In de duisternis zag ze het gebeurde voor zich zoals het zich kon hebben afgespeeld: Phaeca die ontwaakte uit een nachtmerrie en zich geconfronteerd zag met een vreemd wezen, waarop ze uithaalde met haar kana. Haar geestelijke gezondheid was al twijfelachtig geweest, te horen aan haar geraaskal en koortsachtige gemompel, veroorzaakt door de boosaardige uitstraling van het woud. De aanblik van de emyrynn was haar ongetwijfeld te veel geworden. Of misschien had hij haar inderdaad aangevallen. Misschien vertelde ze de waarheid. Uiteindelijk deed het er niet toe. Ze had er een gedood.

'Dit is jouw kamer niet,' zei Kaiku, een stuk zachter deze keer. 'Je sliep in zijn huis.'

In het kamp klonk een kreet van schrik, en de soldaten in de deuropening draaiden zich om om te kijken wat er aan de hand was. 'Er beweegt iets tussen de bomen!' werd er geroepen.

'Besef je wel wat je hebt gedaan, Phaeca?' vroeg Kaiku met een stem die zwaar en moedeloos klonk. 'Je jaagt ons allemaal de dood in.'

Phaeca vertrok haar gezicht in een grauw en stortte zich op Kaiku. Dat was wel het laatste wat Kaiku had verwacht. Als ze er wat beter over had nagedacht, zou ze haar woorden wellicht wat zorgvuldiger hebben gekozen. Ze wist hoe gevoelig haar vriendin was in dit oord. Maar hoewel ze zich de afgelopen dagen regelmatig zorgen had gemaakt over Phaeca's geestesgesteldheid, had ze er geen moment bij stilgestaan dat ze misschien wel gewelddadig zou worden. Zelfs na wat ze zojuist had ontdekt, was ze ervan uitgegaan dat de

dood van de emyrynn een ongeluk was geweest, een instinctieve reactie, geen moord met voorbedachten rade. Ze kromp ineen toen ze
de pure haat zag op het verwrongen gezicht van de zuster. Voor ze
het wist werd ze door de klap van de aanval naar buiten geduwd en
viel op het blauwgroene gras voor de woning, met Phaeca boven op
zich. De soldaten sprongen haastig uit de weg.

Kaiku was zo verbijsterd door Phaeca's woeste aanval dat ze zich alleen maar verdedigde omdat haar instinct dat van haar eiste. Phaeca klauwde met haar nagels in haar gezicht, sloeg en stompte tegen
haar hoofd, krijste en schreeuwde vervloekingen in een ruw Axeka-
miaans dialect dat in niets leek op haar gebruikelijke spreektrant.
Twee soldaten, die hun ogen niet konden geloven, staken hun handen uit om de uitzinnige zuster van haar slachtoffer te scheiden, maar
ze werden weggeslingerd door een onzichtbare kracht die het glas
platdrukte en een barst in de witte muur van het emyrynnhuis veroorzaakte.

Pas toen Phaeca haar kana losliet, kwam Kaiku bij haar positieven.
De vervorming in het Weefsel veroorzaakte een reactie in haar eigen
lichaam, een energiestoot die ze met grote moeite wist in te dammen
voor hij losbarstte, bang als ze was dat ze haar vriendin pijn zou
doen.

Dat had ze niet moeten doen. Het duurde te lang voor ze besefte dat
Phaeca's kana niet alleen tegen de soldaten, maar ook tegen haar
was gericht. Phaeca viel haar via het Weefsel aan, en dat hield in dat
ze van plan was haar te doden.

Ze gaf zich over aan de wil van haar kana. In de wereld van de vijf
zintuigen vertraagde de tijd aanzienlijk, terwijl de twee zusters onder de oppervlakte ervan met verbijsterende snelheid de strijd aan-
gingen. Door Kaiku's korte aarzeling had Phaeca het overwicht. Pas
toen ze alle twijfel van zich af had gezet en besefte dat haar vriendin van plan was haar te vermoorden, dat ze voor haar leven moest
vechten, zette ze zich volledig in en bood ze echt weerstand.

Inmiddels was het echter al te laat. Phaeca had haar ondermijnd,
valstrikken uitgezet die het haar onmogelijk maakten om verdedigingswerken op te bouwen. Kaiku creëerde doolhofachtige knopen,
die echter met één kort rukje weer werden ontward. Ze legde haar
eigen valstrikken aan om haar tegenstandster af te remmen, maar
zag ze uiteenvallen zodra ze in werking traden. Tegen de tijd dat ze
eindelijk een verdedigingsmuur had opgetrokken, bevond Phaeca
zich er al binnen, en was Kaiku gedwongen hem te laten voor wat

hij was en zich verder terug te trekken. De aanval was meedogenloos, woest; ze kon zich er niet tegen verweren. Phaeca was niet zo
goed als Cailin, maar nog altijd beter dan de meeste wevers: ze stak
en reeg door het Weefsel als een vlijmscherpe naald. En Kaiku was
volkomen verrast, had zelfs nog geweigerd te geloven wat er gebeurde toen ze het eigenlijk al besefte.

Phaeca stormde door de gaten in Kaiku's stiksels heen en begroef
zich in haar lichaam, klampte zich vast, omvatte haar hart, vervlocht
zich met haar botten en spieren. Kaiku schreeuwde het uit van afschuw, een woordeloze mentale angst om die schending, om de wetenschap dat ze nu niets meer terug kon doen en dat deze kreet haar
laatste zou zijn.

Toen werd ze getroffen door de pijn. Phaeca reet haar uiteen. Ze had
het vaak met anderen gedaan en zich altijd afgevraagd hoe dat zou
voelen, wat een pijn ze moesten lijden in de fractie voor hun dood.
Nu wist ze het. Het was alsof elk adertje, elke zenuw bruut uit haar
lijf werd gerukt, alsof ze als ranken door haar huid naar buiten werden gezogen om vervolgens te worden weggesmeten. De martelende
pijn was onvoorstelbaar, overweldigend...

...en opeens verdwenen.

Ze was alleen in het Weefsel. Phaeca was verdwenen. Het enige wat
nog aan haar herinnerde, was een schrijnend gevoel van verdriet.

Haar gedachten kwamen tot rust, haar zintuigen werkten weer. Ze
verliet het Weefsel. Haar kana trok zich terug en zocht in haar lichaam naar beschadigingen. Haar rode ogen stelden zich scherp, en
het licht van de dageraad in het bos drong langzaam tot haar door.
Er lag iets zwaars boven op haar. Een voet, gehuld in een laars, werd
ertegenaan gezet en duwde het van haar af. Asara. Ze bukte om Kaiku overeind te helpen.

'Ik had geen keus,' zei Asara. 'Het was jij of zij.'

Ze dwong zichzelf naar Phaeca te kijken. De zuster lag op haar buik;
er zat bloed in haar haren. In de nek geschoten.

'Het was jij of zij,' herhaalde Asara.

In Kaiku's oren klonk Asara's stem zacht en ijl, gedempt door de
verdoving die als een deken op haar neerdaalde. Haar blikveld was
vernauwd, aan de randen was alles wazig. Ze voelde zich afgesneden van haar omgeving, zich nauwelijks ergens van bewust. Overal
om haar heen klonken geweerschoten en kreten, die af en toe door
het geraas van het bloed in haar oren drongen. Ze kon de gestalte
die aan haar voeten lag niet rijmen met de vrouw die ze had gekend.

Het feit dat dit omhulsel van vlees en bloed Phaeca was, kon ze niet verenigen met de zekerheid dat ze haar nooit meer zou zien of spreken.

'Kaiku, we moeten gaan,' zei Asara tegen haar. Ze draaide Kaiku om, zodat ze haar recht in de ogen kon kijken. 'Hoor je me? We moeten gaan. Nu!'

Ze kon over Asara's schouder heen kijken naar de bomen die om het dorp heen stonden. Natuurlijk, natuurlijk. De vergelding. Witte gestalten kropen tussen het gebladerte vandaan, met opgetrokken lippen en ontblote tanden. De emyrynns kwamen eraan. Hun gastvrijheid was met bloed terugbetaald.

'Waar is Lucia?' riep iemand. 'Waar is Lucia?'

Die naam bracht Kaiku bij uit haar verdoving. Zachtjes jammerend maakte ze aanstalten naar het kamp te rennen om haar te zoeken; het enige waar ze aan kon denken, was dat ze het meisje moest beschermen. Asara greep haar bij de arm.

'Daar is ze,' zei Asara wijzend. En inderdaad, daar was Lucia, omringd door Doja en een stuk of vijf andere soldaten. Tsata en Heth kwamen eraan. Heth droeg Peithre in zijn armen. Kaiku zag Tsata en gebaarde naar Lucia, waarna ze zelf op het meisje afrende, met Asara op haar hielen.

Phaeca...

Kaiku verdrong het verdriet. Daar kon ze nu niet bij stilstaan. De levens van te veel andere mensen hingen van haar af. Alleen Lucia was belangrijk, verder niets.

De emyrynns kwamen van alle kanten op hen af, maar de meeste verschenen op het punt waar het kamp stond, aan de rand van het dorp. Ze sprongen tussen het gebladerte door, slank en sierlijk, hun witte vacht smetteloos. Zulke mooie wezens, maar hun snuiten waren nu vertrokken in een dierlijke grauw, en uit hun tred sprak een dodelijke doelbewustheid. De soldaten schoten op het kreupelhout, waar de kogeltjes de paarse stengels schampten en in fonteintjes van houtsplinters van de bomen afketsten. Verder raakten ze echter niets. Van de emyrynns vingen ze telkens alleen een glimp op, en iedere keer bleek dat ze dichter bij hun prooi waren gekomen.

'Terugtrekken!' riep Doja. 'Bescherm Lucia!'

'Welke kant op?' riep Asara tegen Lucia, die in het niets staarde. 'Lucia, welke kant moeten we op?'

'Wat zijn ze boos,' fluisterde het meisje.

Kaiku wreef met de rug van haar hand over haar ogen en duwde

Asara opzij. 'Welke kant op, Lucia?' vroeg ze vriendelijk. 'We moeten weg.'

Bij het horen van haar stem richtte Lucia haar blik op Kaiku. Even trilde ze, maar toen stak ze haar arm uit en wees naar de bomen. 'Die kant op.'

'Terugtrekken!' riep Doja opnieuw tegen de soldaten die achteruit in hun richting liepen terwijl ze schoten losten op de bomen. Toen keerden Lucia en haar gevolg om, weg van het dorp. Het bos slokte hen op.

De emyrynns verlieten hun dekking met een harmonische golf van indringende kreten. Ze renden openlijk op het gezelschap af, op vier poten, vloeiend als water. Hun vreemde spierstelsel verleende hun een verontrustende gang: ze leken van links naar rechts en weer terug te bewegen, terwijl ze in een soepele uitval op de mannen afstormden die Lucia rugdekking gaven. Degenen die nog buskruit in hun kruitkamer hadden, vuurden hun overgebleven kogels af, maar allemaal schoten ze mis. Sommigen draaiden zich om en vluchtten bij de aanblik van de wezens; anderen bleven staan en verweerden zich. Het maakte voor het resultaat niets uit. De emyrynns stortten zich met tomeloze woestheid op hen, trokken met hun kleine, scherpe geweien diepe groeven in hun gezichten, reten met hun messcherpe tanden hun kelen open. Als wilde katten besprongen ze hun prooi en werkten die tegen de grond, waarna ze hun hulpeloze slachtoffers verscheurden. Hun witte vacht raakte besmeurd met bloed, net als hun snuiten. Ze zwolgen in het bloedvergieten.

Lucia en Kaiku haastten zich het bos in, te midden van een strompelende groep soldaten die hun uiterste best deden hen aan alle kanten te beschermen. Er waren nu misschien nog tien soldaten over, Doja meegerekend. De drie Tkiurathi's en Asara waren er ook bij. Kaiku's ogen stonden vol met tranen die van haar wimpers druppelden, telkens als haar voeten met een schok de grond raakten, maar dat merkte ze niet eens. Ze keek er voorbij. Het woud kon haar blikveld niet hinderen, want het was veranderd in een doorzichtige massa van gouden draden, en ertussendoor zag ze de sluipende emyrynns. Honderden waren het er, en ze dromden samen rond het dorp.

'Kaiku, kun je ze zien?' Dat was Asara's stem.

'Ja.'

'Komen ze ons achterna?'

Kaiku keek om zich heen. Heel even had ze de hoop gekoesterd dat de woede van de emyrynns zou worden gesust als de indringers hun dorp verlieten, dat ze alleen maar van hun onwelkome bezoekers af wilden. Maar nu, toen ook de laatste soldaat die was achtergebleven werd gedood, zag ze dat enkele emyrynns de achtervolging hadden ingezet en het spoor volgden dat Lucia en de anderen hadden achtergelaten.

'Ja,' zei ze.

Voor hen uit en aan weerszijden van hen bevonden zich her en der verspreid nog meer emyrynns. Enkele ervan liepen de andere kant op, misschien omdat ze niet beseften dat de mensen er waren, of anders omdat het ze niet interesseerde. Andere lagen in kuilen of tussen de takken van de bomen op de loer, duidelijk hopend dat hun slachtoffers binnen het bereik zouden komen. Een enkele emyrynn leek hen met rust te willen laten nu ze uit het dorp waren verdreven, maar de rest had besloten hen op te jagen. Ze zouden er nooit in slagen te ontsnappen zonder nog meer bloedvergieten.

'Kun je met ze praten, Lucia?' vroeg Kaiku. 'Kun je het uitleggen?' Lucia hoorde haar niet. Ze liep te snikken en te hijgen, voortgeduwd door Doja's sterke arm, struikelend over takken en wortels. Ze leek in de greep te verkeren van een angst waar ze geen oorzaak aan kon verbinden, want ze keek als een krankzinnige verwilderd om zich heen, alsof ze op de vlucht was, maar niet geloofde dat ze kon ontsnappen.

Kaiku vloekte zachtjes. Ze moesten zich wel door Lucia laten leiden, een andere keus hadden ze niet, en nu ze het dorp hadden verlaten, hadden ze ook geen geschikte plek meer om stelling te nemen tegen de vijand, hoe zinloos dat ook zou zijn. De lage, schuine stralen van Nuki's oog drongen zwakjes door het bladerdak heen, maar de bomen stonden hier zo dicht op elkaar dat ze niet ver vooruit konden kijken, en alleen Kaiku zag de emyrynns die behendig door het woud schoten. Overal klonken nog steeds de wegstervende echo's van het geschreeuw van hun kameraden, en de enige andere geluiden waren het knappen van twijgjes, het bonzen van rennende voeten en het gehijg van de mensen die zo snel ze maar konden wegrenden bij het emyrynndorp. Dat, en het eindeloze, monotone getik in de verte dat hen al dagen plaagde.

Goden, waar hoopten ze eigenlijk op? Dat de emyrynns zich zouden omdraaien, het zouden opgeven? Die kans was wel erg klein. Ze zouden vluchten, ze zouden vechten en dan zouden ze sterven. Ze hadden geen schijn van kans. Maar iets anders konden ze niet doen.

'Links voor ons zijn er twee,' riep Kaiku toen ze de wezens voelde naderen. De soldaten draaiden zich met het zwaard in de hand om, klaar om ze op te vangen, maar Kaiku was hen voor. Hoewel ze iets van de wereld der geesten met zich meedroegen, waren ze niet zo moeilijk te overmeesteren als demonen of wevers, maar ze waren lastig en moeilijk grijpbaar, en het duurde even voor ze ze echt kon vinden, langer dan ze zou willen. Ze zou er niet meer dan een paar tegelijk aankunnen.

Ze gebruikte haar kana om in hun geest door te dringen en ze buiten bewustzijn te brengen. Ze wilde er geen hoeven doden als ze het kon voorkomen.

'Het is al geregeld,' zei ze.

'Zijn er nog meer?' vroeg Asara terwijl ze over een met dichte, blauw getinte varens begroeide helling omhoogklauterden en Lucia met enige moeite meevoerden.

'Drie achter ons,' zei Kaiku. De moed zonk haar in de schoenen toen ze ze als een speer door het woud zag schieten. 'Ze halen ons zo meteen in. Rechts van ons nog drie. Twee voor ons.' Ze trok een geërgerd gezicht. 'Tegen zoveel emyrynns tegelijk kan ik jullie niet beschermen.'

'Concentreer jij je dan maar op de emyrynns achter ons,' zei Doja kortaf. 'Wij zorgen voor de rest.'

De soldaten hadden inmiddels hun geweren weer op hun rug gehangen en hun zwaarden getrokken, want schietwapens waren nutteloos met al dat dichte struikgewas om hen heen. Ondanks Kaiku's waarschuwing werden ze verrast toen de emyrynns aanvielen. Ze verwachtten het geritsel van blaadjes en het geruis van de varens te kunnen horen als de vijand naderde, maar de emyrynns leken wel spoken: ze maakten geen enkel geluid. Ze besprongen hen schijnbaar vanuit het niets, schakelden twee soldaten uit, reten in één felle beweging hun keel open en waren alweer verdwenen voor iemand het zwaard tegen hen kon heffen.

'Doorlopen!' riep Doja toen enkele soldaten aarzelden. De gewonde mannen lagen spartelend op de grond, bliezen rochelend hun laatste adem uit. 'We kunnen hier niet blijven staan!'

Achter hen in het bos laaiden drie felle vlammen op. Kaiku wendde zich met een harde blik in haar ogen weer tot Doja. Nu de wezens alle twijfel over hun bedoelingen hadden weggenomen, zou ze hun geen genade meer tonen.

De vijf overgebleven emyrynns vielen allemaal tegelijk aan. De soldaten hadden een paar tellen om zich voor te bereiden, dankzij Kaiku's kreet, en toen stortte de vijand zich in een wirwar van witte vacht en scherpe tanden op hen. Asara, die sneller was dan de meeste anderen, dook onder een van de springende wezens door en kapte hem keurig doormidden; Kaiku deed een tweede in vlammen opgaan. Samen wisten de soldaten een derde uit te schakelen, maar toen de twee overgebleven emyrynns verdwenen, lieten ze één dode achter en een man met een arm waar nog maar een stompje van over was en waar het bloed uit gutste. Haastig werd er een tourniquet boven de wond aangelegd, wat betekende dat de groep even halt moest houden. Ze waren echter niet van plan een gewonde achter te laten zolang er nog een kans bestond dat hij kon worden gered. 'Nog meer! Overal om ons heen!' Kaiku had nauwelijks tijd om de anderen te waarschuwen voor de emyrynns hen aanvielen. Ze leken uit het niets te komen, zelfs in het Weefsel: een stuk of tien wezens, die voor haar gevoel opeens uit de lucht kwamen vallen. Ze zag Tsata, die met zijn slachthaken om zich heen sloeg en de geweien van de emyrynns ontweek, in een poging Heth en de zieke Peithre te beschermen. Ze zag Asara, die met vloeiende bewegingen wegdook en uithaalde met haar zwaard, geholpen door negentig jaar ervaring en een volmaakt functionerend lichaam. En ze zag de soldaten vechten, en Doja die werd afgeslacht, en Lucia die op de grond was gevallen en werd bedreigd door een emyrynn die op het punt stond haar te bespringen...

Kaiku maakte aanstalten om het wezen dat Lucia bedreigde uit te schakelen, maar toen werd ze door een emyrynn opzij geworpen en tegen een boom gedrukt. Zijn scherpe tanden beten in haar schouder, vlak bij haar hals. Er waren er te veel; deze had ze niet zien aankomen. Ze gilde het uit van de pijn. Bloed gutste tussen de tanden van haar aanvaller door toen die dieper in haar vlees beet. Eindelijk reageerde haar kana, die het wezen vastgreep en zo krachtig bij haar wegslingerde dat zijn rug brak tegen een dikke tak. Ze greep naar haar gewonde schouder. Het bloed stroomde over haar vingers. Haar lichaam was zichzelf al aan het herstellen, maar gebruikte daarvoor kostbare energie, die ze nodig had om de anderen te beschermen. Snel keek ze naar Lucia, gegrepen door een afschuwelijke angst. Ze was nu vast te laat, veel te laat om haar van de emyrynn te redden. Toen werd ze echter overvallen door een nieuw gevoel, een verschrikkelijke, verpletterende aanwezigheid die haar met geweld op de knieën dwong. Ze keek op en verbleekte toen ze het zag.

Het beest. De reusachtige schaduw die ze enkele avonden geleden had gezien was terug. Zijn kolossale lijf verhief zich tot aan de toppen van de bomen. Zijn oerkreet, die het midden hield tussen gebrul en gekrijs, deed de grond schudden en verplaatste zich als een wervelwind door het woud, zodat zowel mannen, vrouwen als emyrynns struikelden en vielen. De bomen ritselden en ruisten toen de wind door de takken jammerde. Kaiku werd tegen de stam van een boom geblazen. De lucht werd uit haar longen gedreven, haar haren wapperden om haar gezicht. Met haar ogen stijf dicht klemde ze haar kaken op elkaar, de pijn in haar schouder verdringend, vechtend tegen de aandrang te gillen. In het Weefsel was het wezen een zwarte muur van razernij, een macht waartegen Kaiku het nimmer zou kunnen opnemen. Haar kana deinsde ervoor terug en verschanste zich in haar lichaam.

Stilte. Van het ene op het andere moment was de storm gaan liggen; slechts een paar kleine wervelwinden verdwenen nog tussen de bomen in het niets. Langzaam dwarrelden de blaadjes in slordige spiralen omlaag.

Kaiku opende haar ogen. De plek van de hinderlaag was bezaaid met lichamen, zowel van mensen als van emyrynns. Naast de verscheurde lijken lagen bebloede stukken witte vacht. Ze zag dat Asara overeind krabbelde, met het zwaard losjes in haar hand. Tsata en Heth hadden zich beschermend over de liggende Peithre heen gebogen. Een paar soldaten bewogen, maar veel waren het er niet. De emyrynns waren verdwenen.

Aan de rand van het bloedbad stond Lucia naar het gelaat van het monster te staren. Zijn lijf werd aan het zicht onttrokken door de bomen en de duisternis die als rook om hem heen hing, maar je kon goed zien hoe groot hij was. Kleine, glinsterende oogjes namen haar aandachtig op. In die ogen was ze een piepklein, onbeduidend kruimeltje, maar ze bleef staan, in haar eentje, en het wezen staarde haar boos aan. Het zware zuchten van zijn adem was zachtjes hoorbaar, als het breken van grote, trage golven op het strand.

Langzaam kwamen de overlevenden van de slachting overeind, met hun blik strak op het monster gericht. Allemaal, behalve de Tkiurathi's. Kaiku strompelde op Lucia af, met haar hand tegen de wond in haar schouder gedrukt, die zich alweer sloot, maar toen ze bij Tsata was, keek hij met tranen in zijn ogen naar haar op. Daar schrok ze zo van, dat ze even bleef staan. Ze had hem nog nooit zien huilen. Toen keek ze naar Peithre en zag dat de vrouw dood was. Ze hadden haar tegen de emyrynns beschermd, maar in haar verzwakte toestand was de ruwe manier waarop ze was vervoerd haar te veel geworden. Heth zat met schokkende schouders over haar heen gebogen. Kaiku keek Tsata nogmaals aan, maar haar ogen waren somber en ze kon hem geen troost bieden. Ze strompelde weg, op Lucia af.

Lucia wankelde even toen Kaiku bij haar kwam staan. Ze durfde niet te dichtbij te komen, bang dat ze de betovering zou verbreken waardoor het beest werd tegengehouden. Lucia's ogen waren omhooggerold in hun kassen, en haar oogleden trilden.

'Goden, wat is hier gebeurd?' fluisterde Kaiku, meer tegen zichzelf dan tegen iemand anders, en zonder een antwoord te verwachten.

Lucia verraste haar. 'Het is een afgezant,' zei ze, half mompelend alsof ze droomde.

Kaiku dacht even na. 'Van de Xiang Xhi?' vroeg ze.

'Laat de doden achter,' prevelde Lucia, 'en kom mee.'

Kaiku sloot haar ogen. Voor ze het woud in trokken, had ze zorgvuldig de namen van elke man en vrouw in het gezelschap uit haar hoofd geleerd, want ze was ervan overtuigd geweest dat er niet veel levend uit zouden komen en dat ze na hun dood moesten worden opgedragen aan Noctu. Zolang zij hun namen wist, maakte het niet uit waar hun lichamen lagen.

Ze hief haar hoofd en keek naar de afwachtende gezichten van de overlevenden. Doja was een van de gevallenen, en degenen die een leider nodig hadden, zochten die nu in haar.

'We laten onze doden achter,' zei ze met een stem die bijna brak. 'We laten onze doden achter en gaan mee.'

Minder dan een halve dag later kwamen ze bij de ingang van het hol van de Xiang Xhi.

Van de tussenliggende tijd herinnerde Kaiku zich weinig. Verdwaasd door alles wat er gebeurd was, was ze samen met de anderen door het bos gesjokt. Het beest wees hun de weg, ging hun voor, als een kolossale schaduw die nooit helemaal zichtbaar werd en net te ver weg was om in detail te kunnen onderscheiden.

Onder het lopen huilde ze, voornamelijk om Phaeca, maar ook om de omgekomen mannen en om Peithre, die nog steeds door Heth werd gedragen. De Tkiurathi weigerde haar achter te laten. Uit gewoonte had ze enige afstand tot de soldaten bewaard – ze was nu een zuster en kon niet meer zo vrij met anderen omgaan als in het verleden – maar hun plotselinge dood en de angstaanjagende woestheid van de emyrynns waren een grote klap voor haar geweest. Ze wist veel over oorlog en de dood, maar ze was er niet volkomen immuun voor.

Andere gedachten waren kortstondig door haar verdriet heen gedrongen. Gedachten aan het monster waar ze achteraan liepen, en aan die dag waarop het haar òm de een of andere reden niet had aangevallen, maar haar juist had beschermd tegen de geest die Lucia's vorm had aangenomen. Hij had voorkomen dat ze zou worden meegelokt, haar en haar alleen, want de soldaten waren gewoon aan hun lot overgelaten. Waarom? Waarom was er voor haar een uitzondering gemaakt?

Dan waren er nog de herinneringen aan het moment dat ze met Tsata had gedeeld en haar woordenwisseling met Asara. In beide gevallen moest ze een beslissing nemen, in beide gevallen ging het om kwesties die ontzettend belangrijk voor haar waren, maar toch kon ze het op dat moment niet opbrengen om zich er druk om te maken. Het enige wat ze wilde was weggaan uit dat godenvervloekte woud en nooit meer achteromkijken.

Ze hadden echter nog één uitdaging voor de boeg, en Lucia was degene die hem moest aangaan.

Ze zouden meteen hebben geweten wanneer ze de grens van het domein van de Xiang Xhi hadden bereikt, zelfs als Lucia niets had gezegd. De lucht gonsde door de aanwezigheid van de machtige geest; er hing een lading waardoor de haartjes op hun lichaam rechtovereind gingen staan. Ze was afkomstig uit een tunnelmond die diep in een heuveltje verzonken lag. Aan weerszijden stonden kromme oude bomen, als een soort zuilen. Het monster ging ineengedoken boven op het heuveltje zitten, aan het zicht onttrokken door het kreupelhout, en leek het licht uit de hemel te zuigen.

'Jullie mogen niet verder,' zei Lucia tegen de anderen. Ze leek nu scherper en helderder van geest. 'Nu komt het op mij aan.'

Niemand maakte tegenwerpingen, zelfs Kaiku niet. Ze had van tevoren geweten dat dit zou gebeuren. Lucia hield het eenvoudig, keek alleen even achterom naar de zeven verfomfaaide mensen die nog over waren van de groep van vierentwintig die samen met haar het woud hadden betreden. Even bleef haar blik op Kaiku rusten, en ze probeerde te glimlachen, maar het was een gemaakte glimlach die ze niet kon vasthouden, dus wendde ze zich af en liep de tunnel in. Ze keken toe tot de duisternis haar opslokte en ze uit het zicht verdween.

In eerste instantie bleven ze lusteloos staan, niet goed wetend wat ze moesten doen of zeggen. Toen maakten ze het zich gemakkelijk en wachtten af: de drie overlevende soldaten bij elkaar, Tsata en Heth samen met hun last, Kaiku en Asara allebei alleen.

Na een tijdje stond Kaiku op en voegde zich bij de Tkiurathi's.

⊚ 19 ⊚

Er was geen licht in de tunnel, dus was Lucia gedwongen op de tast haar weg te zoeken. Haar vingers streken over de vochtige aarde van de tunnelwand en stootten nu en dan tegen uitstekende wortels. Het was doodstil. Het gebabbel van de geesten en de dieren was verstomd. Er was alleen maar de Xiang Xhi.

Kon ze daar maar blijven, in het vredige donker, waar er geen stemmen waren die haar kwelden. Als ze hier kon rusten, kon slapen in deze kostbare stilte, al was het maar voor één nacht, dan zou dat een onnoemelijk kostbaar geschenk zijn. Kon ze maar altijd zo helder van geest zijn, niet belast met de wetenschap dat er buiten deze oase van rust chaos wachtte, en dat ze ernaar zou moeten terugkeren, als ze dit tenminste overleefde. Een plek waar haar gedachten werden vertroebeld door duizenden fluisteringen die om haar aandacht streden, en waar het haar de grootste moeite kostte om de aandacht op te brengen om met haar medemensen te communiceren.

Het was echter maar een wens. Er was voor haar geen veilige haven. Ze liep verder door de tunnel, tot ze een eindje verderop een onregelmatig grijs ovaal zag, waar als een gordijn wortels voor hingen. Ze duwde ze opzij en stapte het domein van de machtige geest binnen.

Aan de andere kant trof ze een sombere open plek aan, een holte omringd door een dicht woud, met bomen die naar elkaar toe leunden, zodat ze een dak van verstrengelde takken vormden. De grond was drassig. Uit het water staken grondrichels omhoog die het onderverdeelden in brakke plassen vol onkruid, en zowel vlak boven de grond als in de kille, roerloze lucht hingen dunne nevelslierten. Hier en daar op de open plek groeide een oeroude, knoestige boom met dode, bruine blaadjes.

Ze kon de geest hier duidelijk voelen: een reusachtige, drukkende melancholie die haar aandacht op haar had gericht. De kracht van zijn aanwezigheid was verstikkend, de omvang van zijn macht ging haar voorstellingsvermogen te boven. Ze had met vele oeroude geesten van het land gesproken sinds die keer dat ze in Alskain Mar was afgedaald in een poging de gewoonten van hun soort te ontcijferen, maar dit was iets heel anders: ouder dan de rotsen, ouder dan de rivieren, ouder dan het woud waarin het zich schuilhield.

Ze wachtte. Ze was weliswaar bang, maar haar fatalisme beschermde haar. Haar hele leven had ze op dit moment aangestuurd, en ze was er klaar voor, voor zover dat mogelijk was. Als het tot niets leidde, dan zij het zo. Meer dan haar best kon ze niet doen.

Er verroerde zich niets.

Na een tijdje trok ze haar schoenen uit en liep verder. Voorzichtig zocht ze een pad van de rand van de open plek over een zandrichel naar een bult die uit het moerasland omhoogstak. Koud water welde op tussen haar tenen en het zachte gras gaf mee onder haar voeten. Toen ze de bult had bereikt, liet ze zich op haar knieën zakken en zette haar handen op de grond. Ze boog het hoofd en vertraagde haar ademhaling, ter voorbereiding op de tranceachtige toestand die ze moest bereiken om met de geesten te kunnen communiceren.

((Dat hoeft niet, Lucia. Ik ben niet zoals de rest))

Ze verstrakte. De stem klonk als de zucht van een stervende man, een ademtocht in een stoffige tempel. Nog nooit in haar leven had ze meegemaakt dat een geest daadwerkelijk tegen haar sprak. De communicatie was altijd woordeloos verlopen, in de vorm van een primitieve uitwisseling van indrukken en gevoelens. Het waren ontmoetingen op het meest basale niveau geweest, omdat dat de enige manier was waarop wezens die elkaar volkomen vreemd waren tot wederzijds begrip konden komen.

((Ik begrijp je)) zei de Xiang Xhi. Haar gedachten waren voor hem zo duidelijk alsof ze ze hardop had uitgesproken. *((In vergelijking met mij zijn ze net kinderen, en het ontbreekt hun aan wijsheid. Ze weten niet hoe ze moeten denken zoals jij))*

Ze werd duizelig. Kinderen? Hartbloed, dus dit wezen beschouwde de andere geesten als kinderen? Wat een dwaas was ze geweest, te denken dat ze klaar was voor de Xiang Xhi. Ze durfde er niet eens bij stil te staan wat er zou zijn gebeurd als ze had geprobeerd zich met hem te laten versmelten, zoals met de andere.

Langzaam opende ze haar ogen en keek naar de geest. Hij hing voor haar in de lucht als een slanke schim van mist, een uitgerekte nevelsliert met een vage menselijke vorm, als een schaduw vlak voor zonsondergang. Hij had handen, met magere, spitse vingers, en iets wat op een hoofd leek. Maar de gestalte bewoog mee en vermengde zich met de golvende mist, zodat Lucia er alleen een indruk van kon opvangen. Het perspectief klopte niet, want de geest leek dichtbij en ver weg tegelijk, piepklein maar ook reusachtig groot; met elke beweging leek Lucia's gezichtspunt te veranderen, zodat ze maar niet kon besluiten waar en hoe groot hij precies was. Zo ging het altijd met geesten. Ze konden zich niet manifesteren op een manier die de zintuigen van de mens helemaal konden verwerken.

((Ga staan)) zei hij tegen haar. *((Werp jezelf niet voor me ter aarde. Ik heb geen behoefte aan verafgoding of respect))*

Ze gehoorzaamde.

((Wees niet bang om iets te zeggen, Lucia))

Daar was ze inderdaad niet bang voor, niet zoals bij sommige andere geesten, de geesten die boos en wispelturig waren en die haar met venijn of wrok hadden bejegend. Waar ze wel bang voor was, was zijn afgrijselijke verdriet, de hartverscheurende tragiek die hij uitstraalde. Ze was bang dat hij haar zou vertellen waar die droefheid vandaan kwam en haar met zijn verdriet zou opzadelen; dat zou ze niet kunnen verdragen.

'Hoe oud bent u?' vroeg ze uiteindelijk. Ze wilde weten hoe hij zou reageren voor ze de vraag stelde waarvoor ze was gekomen, ook al was ze ervan overtuigd dat hij al wist waarom ze er was. Er moest echter een zekere formaliteit in acht worden genomen, en daar legde ze zich bij neer.

((Ik bestond al voor de eersten van jouw ras rechtop gingen lopen, voor het land werd gevormd, voor de manen werden geboren. Ik bestond al toen deze wereld slechts uit stof bestond – daarvoor zelfs. Ik kan geen getal noemen dat betekenis voor je zou hebben. Ik ben anders dan de andere geesten die je kent: zij zijn uit dit land voortgekomen, maar ik niet. Ik ben ergens anders ontstaan, en als deze wereld wordt opgeslokt door het vuur en de manen tot as vergaan, zal ik weer ergens anders naartoe gaan))

Zijn stem, die klonk als het ritselen van droge blaadjes in haar hoofd, bereikte haar te midden van vluchtige beelden, spookachtige glimpen van een met sterren bezaaide leegte waar gigantische bollen met adembenemende kleuren langzaam ronddraaiden, tot een ongelooflijk fel vuur oplaaide dat ze verslond. Zo snel als ze tot haar bewustzijn waren doorgedrongen, waren ze weer verdwenen, en ze bleef met wijd open ogen, hijgend en met bonzend hart achter. De Xiang Xhi kolkte rusteloos door de mist.

'Bent u een god?' vroeg Lucia uiteindelijk.

((Ik ben geen god)) antwoordde hij. *((Aan wat jullie nu goden noemen, zullen jullie uiteindelijk wellicht andere namen geven. Sommige zullen tot mythen verworden, andere zijn echter dan je je kunt voorstellen. Het is niet aan mij om iets over ze te onthullen. Je zult de dingen waarover je het nu hebt niet begrijpen, hoewel dat misschien in de loop van vele eeuwen zal veranderen. Voorlopig moet je het doen met interpretaties, en die zullen veranderen naarmate jullie zelf veranderen. Soms zul je dichter bij de waarheid komen, soms zul je er verder van verwijderd raken. Jouw soort is nog jong, Lucia. Jullie zijn als zuigelingen, die nog niet precies kunnen begrijpen wat ze zien))*

Dat accepteerde Lucia met een hoofdknik. Alle gedachten waren uit haar hoofd verdwenen. Nu ze hier was, in de aanwezigheid van de machtige geest, ontdekte ze dat de woorden haar ontglipten. Een hele tijd bleef ze zwijgend staan, die slanke gestalte in gescheurde, modderige reiskleren en met haar blonde haar door de war.

((Er zijn dingen die je moet weten, Lucia)) zei de geest uiteindelijk. *((Je wilt oorlog voeren om je vaderland te redden, maar je beseft nog niet hoe groot de dreiging werkelijk is. Ik zal het je laten zien))*

'Laat het me zien,' prevelde Lucia, en de open plek verdween, net als al het andere om haar heen.

Ze stond op een uitgestrekte vlakte van zwarte rotsen, doorspekt met richels van verbrijzelde steen en bezaaid met smeulend puin. De lucht golfde in de hitte, verschroeide haar longen, deed haar vlees verschrompelen. De wind krijste om haar heen, wierp stof en steentjes op en bracht keien aan het rollen. Haar kleren wapperden fel langs haar lichaam. Het stonk naar zwavel en gif. Aan haar voeten zag ze een reusachtige kloof vol kolkend, vloeibaar gesteente die een hels rood schijnsel op haar gezicht wierp. Overal in de vlakte zaten vergelijkbare kloven, als krassen op het landschap, en af en toe beefde de grond, alsof een onmetelijk groot monster huiverde in zijn slaap.

Lucia schrok hevig van het landschap en de felle storm. Ze wist diep vanbinnen dat ze hier niet echt was, en ze geloofde dat haar niets kon overkomen, maar haar instinct vertelde haar iets anders. Daarom liep ze wankelend weg bij de afgrond, wild om zich heen kijkend op zoek naar iemand die haar kon redden.

De lava was afkomstig van een reeks vulkanen in de verte, die zo breed en hoog waren dat de toppen schuilgingen in de dikke deken van bruine dampen die de wereld overhuifde. Daarboven was hier en daar een dofrode gloed te zien, te midden van het bulderende gedreun van de vulkanen, waarvan de ene na de andere uitbarstte. Om haar heen verrezen dreigend nog meer bergen, ogenschijnlijk koud en doods, maar net zo indrukwekkend groot, en de horizon die ze aan het eind van de vlakte kon zien, leek veel te dichtbij. Bliksemschichten flitsten tussen de wolken en sloegen in de grond, sneller dan ze ooit had gezien, met tientallen tegelijk.

'Wat is... wat is dit voor iets?' vroeg ze aan de huilende wind.

((Dit is de thuiswereld van je vijand, duizenden jaren geleden, voor hij werd vernietigd. Dit is de maan die jullie Aricarat noemen))

De stem van de Xiang Xhi klonk in haar hoofd als ratelende twijgjes.

((Dit oord is niet geschikt voor jouw ras. De lucht hier zou je verstikken. De temperatuur zou het vlees van je botten doen smelten. De wind zou je meevoeren en vermorzelen. De lucht zou je als een ei verpletteren))

'Waarom hebt u me hiernaartoe gebracht?' zei Lucia verschrikt. Tranen van afschuw sprongen in haar ogen.

((Om je iets te laten zien))

'Wat dan?'

((Je vijand))

Lucia keek hulpeloos om zich heen. 'Ik zie niets.'

((Je wordt gehinderd door de beperkingen van je zintuigen. Gebruik de gave die je uniek maakt. Luister))

Ze gehoorzaamde. Met enige moeite maande ze zichzelf tot kalmte en liet zich langzaam wegzakken in een stiltetrance. Dankzij het vele oefenen lukte het haar, ondanks de wervelwind die om haar heen raasde, om in zichzelf te keren en een kern van stilte te scheppen waarin ze zich kon terugtrekken. Pas toen ze zich op haar knieën liet zakken, besefte ze dat ze nog steeds op blote voeten stond. Ze legde haar hand op het hete gesteente en luisterde naar de hartslag van de maan.

Hoe voorzichtig ze ook was, het pure geweld van Aricarat was nog altijd overweldigend: de brandende aderen vol lava die de wereld doorspekten, de kolkende kern, het immer veranderlijke oppervlak dat door aardbevingen en vulkaanuitbarstingen werd verpulverd en opgebouwd. De woeste toorn van de schepping, blootgelegd in al haar ontzagwekkendheid. Lucia deinsde terug, nam meer afstand, bang dat ze door de kracht van de ervaring zou worden verpulverd. Ze kon niet toestaan dat ze daarin ondergedompeld zou raken.

Voorzichtig liet ze zich weer in de trance zakken en begon opnieuw. Deze keer ging ze nog zorgvuldiger te werk. Te midden van het gebrul en gekrijs van dit afschuwelijke oord ving ze nu gedachten op. Gedachten zo traag en reusachtig als werelddelen dreven onder haar langs, te kolossaal en complex om er ook maar iets van te kunnen begrijpen. De overpeinzingen van een god.

'Ik hoor hem...' zei ze schor, terwijl de tranen over haar wangen biggelden. 'Ik hoor hem...'

((Kijk nu)) spoorde de Xiang Xhi haar aan, en ze sloeg haar ogen op naar een witte gloed, die achter de wolken snel groeide, zich van horizon tot horizon verspreidde, en zacht begon maar binnen een fractie van een tel ondraaglijk fel werd.

'De speer van Jurani,' fluisterde Lucia bij zichzelf. Toen schoot er iets tussen de wolken door, als een zon die uit de hemel ter aarde werd geworpen, en er klonk een geluid alsof de wereld verging. Lucia gilde toen de vuurbal na de inslag haar raakte.

Toen ze bij haar positieven kwam, lag ze op de bult op de open plek van de Xiang Xhi. Haar haren en gezicht waren vies van de modder waar ze in was gevallen. Even nam ze de tijd om zich te oriënteren, voor ze langzaam opstond en zich weer omdraaide naar de geest. Die hing nog steeds voor haar midden in de mist, wazig en ongedefinieerd, een nevelsliert met lange vingers die nog het meest deed denken aan een kindertekening over een nachtmerrie. Zwevend, verschuivend, een droefheid uitstralend die haar somber maakte.

Ze haalde een paar keer diep adem om tot bedaren te komen en hief toen haar hoofd.

'Dat was het moment waarop de goden Aricarat vernietigden,' zei ze. 'Toen een leger onder leiding van zijn ouders, Assantua en Jurani, tegen hem ten strijde trok en zijn eigen vader, de god van het vuur, hem met zijn speer vernietigde.'

((Dat is jouw interpretatie. Vertroebeld door mythe, maar met een

kern van waarheid, zoals bij alle legendes))
Ze fronste haar wenkbrauwen. 'Maar dat is me verteld door de geest van Alskain Mar.'
((De geest van Alskain Mar is niet oud genoeg om het zich te her-inneren, noch wijs genoeg om het te begrijpen. Geesten weten veel, maar hun ervaring is beperkt))
Dit was nieuw. Het was nooit bij Lucia opgekomen dat geesten wel eens ongelijk konden hebben. Ze wist wel dat ze soms opzettelijk logen, maar ze had altijd vertrouwd op hun superieure kennis. Het was een grote schok voor haar te horen dat zelfs zij door dit wezen als onwetend werden beschouwd.
'Wat is dan uw interpretatie?' vroeg ze, bijna bang voor het ant-woord.
((Mijn interpretatie zou je niet begrijpen. Jouw kennis is gebaseerd op de kennis van je voorouders, en langzaam maar zeker benader je de waarheid. Zo gaat het bij jouw soort. Altijd geloven jullie dat jul-lie alles weten wat er te weten valt, en voor alles wat jullie niet we-ten, zoeken jullie een andere verklaring. Toekomstige generaties zul-len echter lachen om jullie onwetendheid, en dezelfde fout begaan, en op hun beurt worden uitgelachen. Naar begrip moet je langzaam toewerken, Lucia. De antwoorden die ik je kan geven, zou je niet eens geloven, ook al kon je ze begrijpen))
'Wat kunt u me dan wel vertellen?' vroeg Lucia, die smekend haar handen spreidde. 'Wat moet ik precies weten?'
((Je bent al veel te weten gekomen, maar nog niet genoeg)) ant-woordde de geest. *((Je weet dat de fragmenten van Aricarat die op jullie wereld terecht zijn gekomen iets bevatten van het wezen dat erin huisde. Je weet dat dat wezen nog genoeg invloed overhad om de wevers te scheppen, en dat zij zijn plannen ten uitvoer brengen zonder te beseffen wat hen beweegt. Maar je begrijpt de bedoelin-gen van de wevers niet. Je denkt dat ze het land willen veroveren. Maar verovering is niet het uiteindelijke doel. Het is slechts een tus-senfase in het plan van Aricarat. Ze zullen zich niet buiten de gren-zen van Saramyr wagen. Dat zal niet nodig zijn))*
Angstig wachtte Lucia af. Overal om haar heen verdween de ene ze-kerheid na de andere. De Xiang Xhi hing dreigend voor haar in de mist, en werd donkerder.
((Ze veranderen jullie wereld, Lucia. Ze zorgen ervoor dat hij meer gaat lijken op de thuiswereld van hun meester. Ze treffen voorbe-reidingen voor zijn terugkeer))

Opeens zag Lucia de verwoeste vlakte en de bruine wolken weer voor zich, proefde het zwavel in de lucht, en een golf van zwakte overspoelde haar. De gebouwen die de wevers hadden gemaakt, de machines, de walmputten: allemaal waren het hulpmiddelen om de wereld donker en giftig te maken. Vanuit Saramyr zouden ze een miasma verspreiden over de hele Nabije Wereld, en over de grote oceanen die niemand ooit was overgestoken, behalve de mysterieuze ontdekkingsreizigers van Yttryx; en dan zouden zelfs de verre, vreemde landen die daarachter lagen worden opgeslokt. Nuki's oog zou nooit meer op de wereld schijnen, want hij zou voorgoed aan het oog worden onttrokken.

((Er bestaat in jouw taal geen woord voor wat ze doen)) zei de Xiang Xhi intussen. *((Andere culturen in andere landen, ver hiervandaan, hebben een naam voor het proces, maar die zou jou niets zeggen. Dit is het enige wat je hoeft te weten: als jullie de wevers niet op de een of andere manier een halt toeroepen, zal jullie wereld vergaan))* Lucia's lichte ogen stonden kil toen ze in de mist tuurde. 'En als Aricarat het niet doet, dan zullen de goden er wel voor zorgen.'

((Je bent scherpzinnig voor iemand van jouw soort. Daar had de geest van Alskain Mar in elk geval gelijk in. Ooit was Aricarat machtig, een belangrijke aanwezigheid in het Weefsel. Als hij terugkeert, zal hij opnieuw ten strijde trekken tegen wat jullie de goden noemen. Ze vrezen hem. De speer van Jurani zou deze wereld ook kunnen treffen))

Lucia's kaak verstrakte. Het duurde even voor ze besefte dat ze woedend was.

'Dan zijn de goden gemeen,' zei ze, 'als ze ons laten boeten voor hun onkunde. Ze hadden hun vijand meteen de eerste keer de genadeklap moeten toebrengen.'

((Zelfs de goden maken fouten)) antwoordde de Xiang Xhi. *((Jouw volk kent een verhaal, dat van de grauwe mot en de streng van de rouw, dat aangeeft dat jullie dat ook geloven))*

'Waar zijn de goden nu dan?' riep Lucia uit.

((Daar kan ik je geen antwoord op geven)) zei hij. *((Ik begrijp hen niet, net zomin als jij mij begrijpt. Alles gaat voorbij, alles valt in het niet bij iets groters. Misschien is jullie oorlog volkomen onbeduidend in de ogen van dergelijke wezens. Misschien merken ze de heldendaden niet eens op die jullie in naam van jullie goden verrichten. Of misschien houden ze jullie scherp in de gaten en wachten ze omdat ze daar zo hun redenen voor hebben. Ik weet het niet.*

De goden grijpen alleen in als het echt noodzakelijk is))
Lucia verbeet haar frustratie. Boosheid was een emotie die haar bijna volkomen vreemd was, maar toch was ze nu kwaad. Veel te veel mensen waren gestorven om haar hier te brengen, naar het punt waar ze haar hele leven lang naartoe had gewerkt. En nu ontdekte ze dat ze zo'n felle strijd moesten leveren om een inschattingsfout recht te zetten die de goden zelf hadden gemaakt, en dat de goden hun inspanningen misschien niet eens opmerkten.

Nee. Dat weigerde ze te geloven. Toen ze klein was, hadden de maanzusters zelf hun kinderen naar haar toe gestuurd om haar te redden van de shin-shins. Bovendien wist ze dat Kaiku meer dan eens door de godenkeizer was aangespoord tot daden die ze anders niet zou hebben begaan.

En toch... Stel dat de maanzusters slechts geesten waren, die helemaal niets met de godinnen van de manen te maken hadden? Het was heel goed mogelijk dat ze zelf zo hun redenen hadden gehad om Lucia te redden. Geesten waren over het algemeen wispelturig, en naar menselijke maatstaven waren de Kinderen van de Manen krankzinnig. En stel dat Kaiku's dromen echt alleen maar dromen waren, ingegeven door haar eigen geloof?

De goden bemoeien zich niet met ons. Ze gaan veel subtieler te werk. Ze gebruiken avatars en voortekenen om gelovigen naar hun hand te zetten. Er is geen voorbestemming, geen noodlot. We moeten allemaal keuzes maken. Wij moeten onze eigen strijd voeren.

Haar eigen woorden, gericht tot haar vriend Flen toen die nog leefde. En daar draaide het om: avatars, voortekenen, subtiliteit. Nooit schonken ze zekerheid, nooit lieten ze toe dat hun volgelingen iets zeker wisten, nooit deden ze iets wat niet op andere manieren kon worden uitgelegd, als toeval of een hersenschim. Hartbloed, hulden ze zich met opzet in nevelen? Genoten ze van de martelende angst en verwarring die de onzekerheid bij hun volgelingen teweegbracht? Was het dan maar beter om te denken zoals de Tkiurathi's, die helemaal geen goden aanbaden, maar alleen de nagedachtenis van hun illustere voorgangers eerden?

Of waren de goden als ouders, die afstand bewaarden en hun kinderen hun eigen fouten lieten maken en hun eigen problemen lieten oplossen? Om hen te leren dat ze alleen op zichzelf konden vertrouwen? Grepen ze alleen af en toe in om een corrigerend duwtje te geven? Zelfs als alles op het spel stond?

Maar in dat geval, dacht Lucia, en haar maag keerde zich om toen ze tot een nieuw inzicht kwam, was deze wereld misschien niet de enige waarop de goden toezagen. Misschien waren ze slechts een piepklein, onbeduidend stofje ergens tussen de sterren, een van de ontelbare culturen die in de leegte vochten om aandacht.

Die gedachte was zo wreed dat ze door haar knieën zakte.

((Je zult het nooit weten, Lucia, en dat is maar goed ook)) zei de Xiang Xhi. *((Hoe dan ook zou de zekerheid je ondergang betekenen))*

Ze staarde naar het natte gras op de bult.

'Zeg eens,' zei ze. 'Is er eigenlijk wel hoop?'

((Er is hoop)) antwoordde de geest. *((Want de plannen van Aricarat hebben zich deels tegen hem gekeerd. Hij had niet op de zusters gerekend. Hij had niet op jou gerekend))*

'Maar we zijn afwijkenden. We zijn voortgekomen uit de smet die hij heeft gecreëerd. Een ziekte in het land, die gewassen doodt en kinderen in de moederschoot verminkt.'

((De smet is geen ziekte in het land. Het is een manier om de veranderingen te versnellen. Aricarat wil niet al het leven in de wereld uitroeien; hij heeft jullie nog nodig, en dat zal nog een hele tijd zo blijven, tot hij volledig hersteld is. Mensen, planten en dieren zullen sterven, maar sommige zullen zich aanpassen, het overleven en sterker worden. Hij verandert het plantenrijk van Saramyr en hij verandert jouw volk))

'Ons?'

((Hij verandert jullie zodat jullie kunnen overleven in de nieuwe wereld die hij wil scheppen. Zodat jullie de lucht kunnen inademen die nu nog giftig voor jullie is. De zusters kunnen dat al tot op zekere hoogte. In de loop van de tijd zal het tempo van de veranderingen omhooggaan. Er zullen steeds meer afwijkenden worden geboren. Naarmate de lucht giftiger wordt, zullen alleen de afwijkenden die hem normaal kunnen inademen het overleven, en hun kinderen zullen die eigenschap van hen erven. Uiteindelijk zal alleen het Saramyrese volk overblijven; de smet zal jullie redding zijn. Alle andere landen zullen worden ontvolkt, en de heksenstenen die daar liggen zullen rustig worden uitgegraven. Door jouw volk))

Lucia sloot haar ogen en zag de beelden voor zich terwijl de geest sprak. Een traan sijpelde uit een van haar ooghoeken.

'Wat voor hoop moeten we daaruit putten?' vroeg ze.

((Jij biedt hoop. De zusters bieden hoop. Hij wist niet wat hij in gang zette toen hij met jullie soort ging knoeien. Zijn ingrijpen heeft tot

veranderingen geleid die zich anders pas over miljoenen jaren zou-
den hebben voorgedaan))
'Wat zijn wij dan?'
((Jullie zijn de volgende stap. Jullie hebben de scheidende sluier ver-
scheurd: datgene wat zich tussen de wereld van het lichamelijke en
de wereld voorbij de zintuigen bevindt. In de ogen van de goden is
dat de grens die het eind van jullie eerste levensfase markeert. Jij
hebt dat op de ene manier klaargespeeld, de zusters op een andere
manier. Het doet er niet toe. Vanaf dit moment zijn jullie niet meer
zoals jullie waren. Jullie zijn als eersten echt boven de rest van de
mensheid uitgestegen))
'Cailin had gelijk,' fluisterde Lucia. 'Al die tijd heeft ze gelijk gehad.'
((Inderdaad)) antwoordde de geest. *((Ik zou ervoor hebben gezorgd*
dat jij en de zusters hier veilig waren aangekomen, een gunst die zich
overigens niet uitstrekte tot degenen die de sluier niet waren gepas-
seerd. Een van jullie is echter gevallen, en dat kon ik niet voorko-
men))
Ze hief haar hoofd. 'En de wevers dan?'
De Xiang Xhi leek zich terug te trekken, op te gaan in de mist. *((Zij*
zijn anders dan jullie. Hun gaven worden hun verleend door hun
masker. Door Aricarat))
'Maar als Aricarat de afwijkenden heeft geschapen, waarom moordden de wevers ze dan uit?' wierp Lucia tegen. Ze wilde dit allemaal
niet geloven en deed haar uiterste best om een hiaat in de redene-
ring van de geest te vinden.
De Xiang Xhi liet zich echter niet van de wijs brengen. *((Dat was*
noodzakelijk om ervoor te zorgen dat ze aan de macht konden ko-
men, om te voorkomen dat wezens zoals jij en de zusters zouden
ontstaan. Daar zijn ze uiteindelijk niet in geslaagd. Na verloop van
tijd zullen ze geen afwijkenden meer doden en ze in plaats daarvan
selectief gaan fokken))
'Hoe weet u dat?' riep ze uit.
((Omdat dat de enige logische mogelijkheid is)) antwoordde de geest.
Lucia gaf haar verzet op. Ze kon de discussie niet aangaan met zo'n
wezen, iets wat ouder was dan de geschiedenis zelf, die haar begrip
zo ver te boven ging dat ze haar uiterste best moest doen om zelfs
de zeer beperkte, fragmentarische feiten die hij haar vertelde te begrijpen. Ze durfde er niet eens aan te denken hoeveel hij haar niet
vertelde, hoeveel er nog buiten haar ervaringsgebied lag. Wellicht
zou ze, als ze het wist, net zo droevig zijn als hij. Misschien was het

maar beter dat ze het niet wist. Wat waren ze uiteindelijk allemaal maar klein en onbelangrijk.

Ze kwam overeind, verfomfaaid en inwendig verscheurd, en staarde naar de vage, wiegende gestalte van de Xiang Xhi in de mist. 'Ik smeek u,' zei ze. 'Help ons. Help ons die vreselijke toekomst te verijdelen.'

Ze voelde dat de Xiang Xhi haar opnam, daar op zijn kille, sombere open plek.

((Ik zal jullie helpen)) zei hij. Toen, na een korte stilte die een eeuwigheid leek te duren: *((Maar ik wil er iets voor terug))*

Het was al bijna donker toen Lucia uit de tunnel kwam.

In eerste instantie merkte niemand haar op. Ze waren overmand door verdriet en zaten vermoeid op de bosbodem, onder de standvastige blik van het schaduwmonster dat ineengedoken boven op het heuveltje zat. De meesten waren uitgeput in een sluimering weggezakt, want hier, in de nabijheid van de machtige geest, konden de nachtmerries niet doordringen.

Kaiku werd wakker toen Tsata zijn hand op haar schouder legde. Ze keek naar hem op. Op een gegeven moment had ze zichzelf in slaap gehuild, met haar hoofd op zijn dij. Ze ging rechtop zitten, duwde haar haren achter haar oor en volgde zijn blik naar de plek waar Lucia stond.

Snel krabbelde ze overeind en rende op het meisje af. Ze sloeg stevig haar armen om Lucia heen, maar de woorden van opluchting die zich in haar hoofd vormden, kwamen niet over haar lippen. Lucia bleef star, met haar armen langs haar zijden. Kaiku stapte achteruit en bestudeerde vragend haar gezicht.

'Lucia?'

De drie soldaten waren nu ook opgestaan en kwamen dichterbij, behoedzaam, alsof ze bang voor haar waren. Asara was ook gaan staan, maar ze keek van een afstandje toe.

'Het is gebeurd,' zei Lucia, die nu haar blik naar Kaiku verschoof. Haar stem klonk vlak en gevoelloos. 'We mogen veilig het woud verlaten. Het beest zal ons bewaken.'

'Lucia?' vroeg Kaiku opnieuw, en in dat ene woord lag een vraag verscholen. Onzeker glimlachte ze, maar de lach bestierf op haar lippen. 'Lucia, wat is er gebeurd?'

'De geesten zullen ons helpen als de tijd rijp is,' zei Lucia verbitterd. 'Dat wilde je toch?'

Voor Kaiku kon protesteren, richtte Lucia zich tot de groep en praatte langs haar heen.

'We moeten terug naar Araka Jo. Ik wil hier geen moment langer meer blijven.'

De toon van haar stem maakte duidelijk dat ze verder geen vragen zou dulden, en bovendien gaf ze niemand de gelegenheid om iets te vragen. Ze liep bij Kaiku weg, haar verbijsterd en gekwetst achterlatend, en verdween tussen de bomen. Omdat ze niets anders konden doen, volgden haar metgezellen haar, een voor een, terwijl de duisternis inviel in het Xuwoud.

◉ 20 ◉

De machtige stad Axekami lag er dreigend bij in zijn eigen miasma.

De wasem die afkomstig was van de weverbouwsels had een eigenaardig gewicht, iets vasthoudends dat het anders maakte dan gewone rook. Het grootste deel ervan verhief zich als een kolkende overkapping boven de stad, scheefgetrokken door de bries die over de vlakten waaide, zodat hij een beetje naar het oosten overhelde, maar het reikte ook als mist tot op de grond, waar het zich naar alle kanten uitbreidde. Aan de randen was het een licht waas, maar toch leek het zich uit te strekken van de ene horizon naar de andere, alsof er iets mis was met de lucht wat je met het blote oog niet kon zien. Er hingen nu altijd wolken boven Axekami, en dat was ongewoon in de winter, als de hemel meestal felblauw was. Af en toe viel er een bruine regen die sterk naar rotte eieren stonk.

Het Keizerlijke Kwartier was nog maar een schim van zijn vroegere glorieuze zelf. De tuinen waren verwaarloosd, de fonteinen troebel en vies. De blaadjes waren van de bomen gevallen en lagen op het graniet en de kasseien op straat weg te rotten. De statige huizen, die ooit waren bewoond door de adel en de hooggeplaatste families van het keizerrijk, waren leeggeplunderd. De opsmuk was er allang uit gesloopt en ze werden nu bewoond door drommen armen. Over de brede straten reed bijna geen verkeer, en in de overwoekerde parken en de dichtgeslibde watertuinen dwaalden schuifelende zwervers rond.

En toch, hoewel het hart van de wijk eruit was gerukt, waren er nog overblijfselen uit het verleden te vinden. Winkels en groothandels waren nog steeds open en men schraapte een schamele boterham bij elkaar met wat er in de stad te krijgen was om te verkopen. Ze konden zich echter nauwelijks de bewakers veroorloven die moesten voorkomen dat ze zouden worden beroofd. De weinige handel met de rest van Axekami hield hen in leven. Het enige alternatief was alles achterlaten en verhuizen, maar er waren nog maar weinig mensen die daar het geld of de gelegenheid voor hadden. Ze verdroegen de problemen zo goed en zo kwaad als het ging.

Een zo'n winkel was het eigendom van een kruidenkundige die ooit de reputatie had gehad de beste in het hele land te zijn. Net als zijn vader en grootvader vóór hem, was hij aangesteld als erkend leverancier van de heelmeesters van de keizerlijke familie. Toen de wevers Axekami hadden veroverd en er geen keizerlijke familie meer was, had hij geweigerd het gebouw van zijn voorouders op te geven. Zelfs toen de heelmeester van de rijksvoogd en bloed Koli hem een plek in de keizerlijke vesting had aangeboden, had hij nee gezegd. Zijn vastbeslotenheid om zijn winkel te houden was niet de enige reden. Hij had weinig met de wevers op en vertrouwde ze voor geen cent.

Zo kwam het dat hij in het keizerlijke kwartier was gebleven en dat de heelmeester naar hem toe kwam als hij iets wilde kopen. Altijd arriveerde hij in een zwart rijtuig met verguldsel, bewaakt door mannen met geweren. De bewakers vatten post voor de winkel zodra hij naar binnen ging.

De heelmeester, die luisterde naar de naam Ukida, was graatmager en zag er broos uit. Zijn slappe witte haar was over zijn kalende hoofd gekamd en hij had blauwe leepogen. Hoe ziekelijk hij echter ook leek, hij bewoog zich als een jongeman, en zijn handen en stem waren vast en zelfverzekerd. Zijn veel te ruime gewaad zwaaide om zijn spichtige lijf toen hij naar de toonbank van de winkel liep, langs de rijen potten en zakken halfvol wortels in poedervorm. De meeste schappen waren leeg. De lantaarns, die waren aangestoken omdat het grauwe daglicht onvoldoende was, benadrukten slechts de deprimerende sfeer; ze herinnerden Ukida er immers aan dat ze op dat tijdstip van de dag eigenlijk helemaal niet nodig behoorden te zijn.

Hij en de kruidenkundige – een forse, dikbuikige man met een dunne snor en een kordate, efficiënte manier van doen – wisselden op vriendelijke toon een paar woorden voor het boodschappenlijstje van hand wisselde. Daarop verdween de kruidenkundige in zijn werkkamer om de gewenste hoeveelheden fijn te malen. Ukida roffelde met zijn vingers op de toonbank terwijl hij wachtte en keek doelloos om zich heen.

'Meester Ukida,' zei iemand. 'Je ziet er goed uit.'

Hij schrok toen hij zijn naam hoorde, want hij dacht dat er verder niemand in de winkel was. Al snel had hij de spreker gevonden: ze kwam naar binnen door een deur die naar een ruimte achter de winkel leidde. Ze liep op hem af, en hij sperde zijn ogen open toen hij haar herkende.

'Ik wacht al een hele tijd op je,' zei ze. 'Drie dagen.'

'Mevrouw Mishani!' riep hij uit, te geschrokken om zelfs maar te buigen. 'Wat doet u hier?'

'Ik kom je om een gunst vragen,' antwoordde ze. Haar smalle gezicht zag er in het slechte licht ziekelijk uit. Ze droeg niet haar gebruikelijke mooie kleren. Het gewaad dat ze aanhad was vies en versleten, bedoeld als reiskleding. Haar lange haar had ze in een eenvoudige paardenstaart gedaan en in de kraag van haar mantel gestopt om de lengte te verhullen; dat bedrog werd gemaskeerd door de ruime kap die ze over haar hoofd had getrokken en strak had aangesnoerd. Met haar kleine gezichtje leek ze een beetje op een knaagdier en zag ze er verre van adellijk uit.

'U wordt meteen gedood als ze u vinden,' zei Ukida. Toen voegde hij eraan toe: 'En ik zou waarschijnlijk ook worden gedood, als ze ontdekken dat ik met u heb gepraat.' Hij keek zenuwachtig achter de toonbank, waar de kruidenkundige had gestaan.

'Hij weet ervan,' zei Mishani. 'Hij herinnert zich de tijd van het keizerrijk nog en is trouw aan de oude garde. Ik vermoedde al dat je hier uiteindelijk een keer zou komen, dus heb ik hem gevraagd of ik op je mocht wachten.' Ze schonk hem een wrange glimlach. 'Je haalde hier altijd je voorraden. Zelfs tegen mijn vader hield je stug vol dat je alleen met het allerbeste genoegen nam.'

'U heeft een goed geheugen, mevrouw Mishani, maar ik vrees dat het met uw beoordelingsvermogen minder goed gesteld is. U verkeert in Axekami in groot gevaar. Heeft u hier echt in uw eentje over straat gelopen? Wat een dwaasheid!'

'Ik ben op de hoogte van de gevaren, Ukida. Beter dan jij,' antwoordde Mishani. 'Ik heb een brief voor mijn moeder die ik graag aan je wil meegeven.'

Ukida schudde geschrokken het hoofd. 'Mevrouw Mishani, u zet mijn leven op het spel!'

'Het is ongevaarlijk. Je mag hem wel lezen, als je wilt.' Ze haalde de brief achter de sjerp van haar gewaad vandaan en stak hem naar Ukida uit. Er zat geen zegel op.

Hij keek er onzeker naar. Mishani kon merken dat hij probeerde te besluiten aan wie hij in dit geval trouw moest zijn. Aan de ene kant had hij een bloedverplichting jegens Mishani's familie, en dus ook aan haar; officieel maakte ze nog steeds deel uit van bloed Koli. Aan de andere kant wisten alle bedienden dat Mishani niet meer welkom was, en dat haar vader haar hoogstwaarschijnlijk zou laten terechtstellen als hij haar te pakken kreeg. In het beste geval zou ze worden opgesloten en ondervraagd. Haar betrokkenheid bij de ontvoering van Lucia was nu wijd en zijd bekend, zij het nooit officieel bevestigd, net als het feit dat ze betrokken was geweest bij de opstand in Zila, enkele jaren later. De wevers zouden geen genade met haar hebben als ze haar vonden, en ook niet met degenen die haar hadden geholpen.

'Toe, neem hem aan,' zei ze. Ze moest denken aan de keren dat hij haar had verzorgd als ze als kind ziek was geweest, of als ze schrammen en bulten had opgelopen. Hij zou haar niet verraden, daarvan was ze overtuigd. De vraag was alleen of hij ook bereid was haar te helpen.

Met tegenzin nam hij de brief aan en vouwde hem open. Er stond niets in wat de identiteit van de afzender of de geadresseerde verried, alleen een tiental verticale rijen schrifttekens in het Hoog-Saramyrees.

'Het is een gedicht,' zei hij. En nog een slecht gedicht ook, voegde hij er in gedachten aan toe.

'Inderdaad,' zei Mishani. 'Toe, geef hem aan mijn moeder. Je hoeft er niet eens bij te zeggen dat hij van mij afkomstig is. Niemand hoeft het te weten.'

'De wevers zullen het weten,' zei hij. 'Voor hen kun je niets geheimhouden.'

'Geloof je dat werkelijk?' vroeg Mishani. 'Ik had niet verwacht dat jij je door hun bangmakerij in de luren zou laten leggen.'

'Ze kunnen aan je gedachten zien of je iets misdaan hebt,' zei Ukida.

'Alleen als ze een reden hebben om ernaar te zoeken,' antwoordde ze. 'Geloof me, meester Ukida. Ik trek al een hele tijd op met de Rode Orde. Ik weet waar de wevers wel en niet toe in staat zijn. Er is een risico, maar dat is heel klein. Jij bent mijn enige hoop.'

Ukida bestudeerde haar een tijdje, vouwde toen de brief op en maakte een buiging voor haar. 'Ik zal ervoor zorgen,' zei hij vormelijk. 'Ik ben je erg dankbaar,' zei Mishani. Met die woorden beantwoordde ze zijn buiging, waarbij ze met opzet een nederiger houding aannam dan eigenlijk nodig was. Ze kende hem: arrogantie zou hij niet op prijs stellen, ook al was hij in wezen nog steeds haar bediende. Hij leek zich een beetje te generen om haar daad.

Ze liep door de deuropening naar het achterste deel van de winkel, precies op het moment dat de kruidenkundige terugkeerde. Ukida betaalde voor zijn boodschappen en vertrok, met de brief zorgvuldig verborgen in zijn mantel.

Muraki tu Koli zat in haar kamertje aan haar schrijftafel. Haar ganzenveer kraste luid, en bewoog schokkerig heen en weer in het licht van de lantaarn. Doordat er geen ramen waren, wist ze niet of het dag of nacht was, en ze had toch weinig zin om naar de in smerige mist gehulde schijf van Nuki's oog te kijken. Afgezien van de enkele keer dat ze samen met haar echtgenoot een maaltijd nuttigde, verliet ze deze kamer zelden. Ze was bijna klaar met haar nieuwste boek over de avonturen van Nida-jan, en ze ging helemaal op in de wereld die ze had geschapen, voortgestuwd door de onstuitbare gebeurtenissen die ze beschreef. Ergens knaagde het nog steeds aan haar dat ze zich zo moest haasten, want ze was een perfectioniste en vond het vreselijk dat ze door de gebeurtenissen in de echte wereld werd gedwongen om snel te werken. Maar hoe ongepolijst haar vertellingen ook waren, er sprak nog steeds een unieke energie uit, en daar leefde ze voor.

Ze hoorde het niet toen Ukida het belletje bij de deuropening met het gordijn liet rinkelen, noch merkte ze het toen hij onuitgenodigd binnenkwam. Haar bedienden hadden geleerd niet op antwoord te wachten, want antwoorden deed ze nooit. Ukida kwam gewoon binnen, maakte een buiging en legde de brief op de rand van haar bureau. Hij nam haar even schattend op, zag dat ze erg bleek en mager was. Ongezonde lucht, slechte eetgewoonten, geen lichaamsbeweging, geen zonlicht. Het zou niet lang meer duren voor ze echt ziek werd. Dat had hij al eens tegen haar gezegd, en hij had het zelfs gewaagd er tegen Avun over te beginnen, maar hij was beleefd genegeerd. Na een tweede buiging verliet hij de kamer.

Muraki ging door met schrijven. Er ging veel tijd voorbij voor ze even stopte om de kramp in haar hand te laten wegtrekken. Pas toen zag ze de brief liggen, en vroeg zich af hoe die daar was gekomen.

Ze pakte hem op en vouwde hem open, las wat erin stond. Even stokte haar adem in haar keel van verrassing. Ze las de brief opnieuw, streepte een aantal schrifttekens weg, las hem een derde keer en liet hem toen in de lantaarn tot as verbranden. Vervolgens leunde ze achterover en staarde naar de bladzijde waar ze mee bezig was. Na een hele tijd stond ze op en ging op zoek naar Ukida, op zachte schoenen die nauwelijks geluid maakten op de vloer.

Avun tu Koli liep met behoedzame tred zijn werkkamer binnen. Daar was het schemerig en koud, want de laxvloer met zijn spiraalpatroon zoog alle warmte uit de lucht. Afgezien van het reusachtige marmeren bureau bij een rij gebogen ramen met uitzicht op de sombere stad, en een paar kastjes waarin hij papieren en schrijfspullen kon opbergen, stond er weinig meubilair. Hij hield zijn persoonlijke vertrekken netjes en spartaans, net als zijn leven.

Met onwillekeurig schichtige bewegingen keek hij snel om zich heen. Zodra hij ervan overtuigd was dat er niemand was, glipte hij naar binnen en liet het gordijn achter hem dichtvallen.

'Welkom terug, Avun,' kraste Kakre, en Avun vloekte van schrik. De Weefheer stond achter zijn bureau, maar om de een of andere mysterieuze reden had Avun hem niet gezien. Zijn blik was over de indringer heen gegleden, alsof er een blinde vlek in zijn hoofd zat.

'Je lijkt ongewoon nerveus vandaag,' merkte Kakre op. 'Daar heb je alle reden toe.'

'Ik zou maar niets geks proberen, Kakre,' waarschuwde Avun, maar er sprak weinig overtuigingskracht uit zijn stem. 'Wat Fahrekh ook heeft gedaan, ik had er niets mee te maken.'

'Maar het was wel erg toevallig. Erg toevallig,' antwoordde de Weefheer, terwijl hij om het bureau heen schuifelde. 'Hij moet wel over een uitzonderlijk gevoel voor timing hebben beschikt, dat hij toesloeg vlak nadat jij je uiterste best had gedaan om me helemaal uit te putten.' Hij hield zijn hoofd een beetje scheef, zodat het gapende lijkenmasker Avun in een groteske parodie van nieuwsgierigheid leek aan te staren. 'Waar ben je geweest, mijn waarde rijksvoogd?'

Avun maande zichzelf tot kalmte, beheerste zich. Net als zijn dochter stelde hij veel prijs op het vermogen om zijn emoties onder controle te houden, en dat Kakre zijn angst had opgemerkt, gaf wel aan hoe bang hij was.

'Ik ben naar Ren geweest om te praten over de bouw van een nieuwe walmput,' zei hij.

'En dat kon je niet aan een ondergeschikte overlaten?'

'Ik wilde er zelf bij zijn,' antwoordde Avun. Hij liep verder de kamer in om te laten zien dat hij niet bang was, dat hij niets had om bang voor te zijn. 'Het is niet meer dan verstandig dat ik me zowel met grote als met kleine zaken bezighoud. Zo raak ik het overzicht niet kwijt.'

'Ik zal je overzicht geven,' siste Kakre. Hij stak een verschrompelde hand uit naar Avun, en de ingewanden van de rijksvoogd leken te worden losgerukt. De pijn bracht hem aan het wankelen, maar hij klemde zijn kaken op elkaar en gaf geen kik, hoewel hij het liefst wilde gillen.

'Dacht je soms dat mijn woede zou bedaren als je een paar dagen bij me uit de buurt bleef?' grauwde Kakre. 'Dacht je soms dat ik het zou vergeten? Dat ik me met mijn verwarde geest niet meer zou herinneren wat je had gedaan, tegen de tijd dat je terugkwam? Net als Fahrekh onderschat je me danig.' Hij balde zijn vuist. Deze keer schreeuwde Avun het wel uit. Hij liet zich met een van pijn vertrokken gezicht op één knie zakken, terwijl het zweet uitbrak op zijn kale hoofd.

'Ik wist... dat je de verkeerde... conclusies zou trekken,' zei Avun, snakkend naar adem.

'Ik ken je denk ik goed genoeg om te weten dat je met Fahrekh hebt samengespannen om mij te vermoorden, Avun,' zei Kakre. 'Verraad is tweede natuur voor jou. Maar deze keer heb je het verkeerde slachtoffer uitgekozen.'

'Ik... het was niet... ik...' Avun kon nu nog nauwelijks ademhalen. Kakre voerde de pijn op, en het leek alsof er messen in zijn buik waren gestoken die nu langzaam werden rondgedraaid.

'Nog meer ontkenningen? Ik kan je gedachten doorzoeken om de waarheid te achterhalen, als je wilt,' bood de Weefheer aan. 'Alleen ben ik niet meer zo precies als vroeger. De gevolgen konden wel eens... vervelend zijn.' Zijn dode gezicht staarde Avun uitdrukkingsloos aan in de schaduw van zijn kap. 'Het zou waarschijnlijk gemakkelijker zijn als ik je gewoon doodde.'

'Je kunt me niet vermoorden,' snauwde Avun. Slierten vuurrood speeksel bungelden aan zijn smalle kin.

'Wel als ik een beetje meer mijn best doe.'

Avun had zijn kiezen zo stevig op elkaar geklemd dat het hem moeite kostte om ze van elkaar te wrikken en iets te zeggen. 'De wevers... sterven met mij...'

Opeens werd de druk op zijn organen minder. Niet veel, maar net genoeg om hem in staat te stellen weer zoete lucht in zijn longen te zuigen. Hij hapte een paar keer verwoed naar adem. Inmiddels zat hij op handen en knieën, en bloed drupte uit zijn mond op de vloer. 'Interessant,' zei Kakre op vlakke toon. 'En wat bedoel je daar precies mee, mijn waarde rijksvoogd?'

Avun wachtte even met antwoord geven, profiterend van het respijt, en koos zijn woorden zorgvuldig. Dat zou het verschil betekenen tussen leven en dood. Hij veegde zijn mond af met de rug van zijn hand en keek boos op naar de gebochelde gestalte die over hem heen gebogen stond.

'Je hebt niemand anders om je leger voor je te leiden,' zei hij.

'Kun je niets beters verzinnen?' vroeg Kakre spottend. 'Zwak, hoor. Er zijn genoeg ondergeschikten, generaals van de Zwarte Garde, die maar al te graag jouw plaats zouden innemen.'

'En wie heeft die generaals uitgezocht? Ik. En ik ben jaren bezig geweest om alle goede generaals uit hun machtsposities weg te werken.'

Kakre zei niets. Avun plantte een voet op de grond en kwam wankel overeind, met zijn hand tegen zijn buik gedrukt.

'Kijk maar in hun dossier, als je wilt,' zei Avun. 'Ze hebben geen van allen echt ervaring met grote oorlogen. Het zijn ordehandhavers, mannen die zich hebben toegelegd op het bewaren van de rust in onze steden. De oude generaals waren overbodig geworden, omdat we afwijkenden en nexussen hadden die voor ons konden vechten, dus heb ik ze verwijderd. Daar heb je niet goed genoeg op gelet, Kakre. Het is niet meer dan verstandig om je zowel met grote als met kleine zaken bezig te houden.' Met enige moeite lachte hij zijn bebloede tanden bloot.

Nog altijd zei de Weefheer niets. Hij keek hem alleen maar aan door de ooggaten die als duistere putten in het masker waren aangebracht. Avun strompelde naar zijn bureau en steunde er met zijn arm op. Hij had het gevoel dat hij glasscherven had doorgeslikt.

'Kun je je de eerste maanden van de oorlog nog herinneren? Weet je nog dat je legers werden afgeslacht door de generaals van het oude keizerrijk? Zo zal het straks weer gaan, als je mij doodt. Er is niemand die mijn plaats kan innemen.'

'We vinden wel iemand,' zei Kakre duister, maar hij klonk onzeker.

'O, ja? Weet jij waaraan je een leider kunt herkennen?' Avun schudde minachtend het hoofd. 'Het doet er niet toe. Het zou zo iemand veel tijd kosten om vertrouwd te raken met je troepenmacht en een machtsstructuur op te zetten. Die tijd heb je niet. Jullie fokprogramma's leveren niet genoeg afwijkenden op om zowel de bezette gebieden te beheersen als nieuwe gebieden aan te vallen. En hoe meer je er maakt, hoe sneller jullie legers van de honger doodgaan. Je hebt de Zuidelijke Prefecturen nodig, en wel voor de Zomerweek. Dat wordt nu al moeilijk genoeg. Als je mij uit de weg ruimt, heb je geen schijn van kans. Als dan het verval van je leger inzet, zal het keizerrijk je vernietigen, stukje bij beetje, feya-kori's of geen feya-kori's. Je kunt wel steden veroveren met je smetdemonen, maar je kunt ze niet bezet houden. Daarvoor heb je een leger nodig. Daarvoor heb je mij nodig!'

Hij ging weer rechtop staan, zorgde ervoor dat zijn pijn niet aan zijn gezicht af te lezen was en richtte zijn doffe slangenogen op de Weefheer.

'De nieuwe walmputten zijn klaar. De feya-kori's kunnen worden opgeroepen. We moeten samenwerken, anders zullen jullie andere kloosters ook vallen, net als Utraxxa.'

Met die woorden liep hij brutaal de kamer uit. De paar stappen die ervoor nodig waren om het gordijn in de deuropening van zijn werkkamer te bereiken leken door zijn doodsangst een eeuwigheid te duren: elk moment kon hij tegen de grond worden geworpen en aan nieuwe martelingen worden onderworpen. Hij wist het gordijn echter te bereiken en liep naar buiten. Hij kon Kakres verzengende woede en frustratie zo duidelijk voelen dat ze bijna tastbaar waren, maar hij wist dat hij deze ronde had gewonnen.

꩜ 21 ꩜

Kaiku schoof het scherm dicht en sloot de festiviteiten buiten die overal in Araka Jo plaatshadden. Ze keek Cailin aan, die aan de andere kant van de kamer stond.

'Ze zijn zeldzaam opgewekt vandaag,' merkte Cailin op.

'Het zijn dwazen,' zei Kaiku hatelijk. 'Geiten die blind op hun herders vertrouwen.'

Het was al donker, en de nachtinsecten in de struiken zetten hun schrille koorzang in, hoewel ze bijna werden overstemd door het gejuich, de luide stemmen en het vuurwerk dat in sierlijke bogen boven de bergkam uit leek te schieten. In het huis van de Rode Orde was het betrekkelijk stil. De meeste zusters waren in het dorp of in het tempelcomplex, om toezicht te houden op de festiviteiten die waren losgebarsten toen bekend werd dat Lucia was teruggekeerd.

'Je bent boos,' zei Cailin.

'Ja,' antwoordde Kaiku. Ze droeg de gewaden van de Orde niet, want ze was direct na aankomst hiernaartoe gegaan. De mensen van de Libera Dramach hadden hen opgewacht; ze waren door hun verkenners van hun terugkeer op de hoogte gesteld.

'Vanwege hen?' Cailin maakte een gebaar naar buiten.

'Onder andere,' zei Kaiku.

Cailin was gaan staan, en het licht van de lantaarns viel op de zijkant van haar beschilderde gezicht. Tegen een van de muren stond een tafeltje met zitmatten eronder geschoven, maar ze trok het niet naar voren en nodigde Kaiku ook niet uit om te gaan zitten. Ze had iets vijandigs over zich dat Cailin niet op prijs stelde.

'Denken ze nu echt dat dit een overwinning is?' snauwde Kaiku. 'Denken ze echt dat we triomfantelijk terugkeren? We zijn terug komen strompelen, slechts een handjevol overlevenden, en het enige wat ze belangrijk vinden, is dat Lucia is teruggekeerd met een soort van... belofte. Meer niet. Ze vragen niet eens om uitleg, om een verklaring voor al die doden, voor Phaeca's dood. Lucia weigert iets te zeggen over wat er in dat woud is gebeurd, behalve dat de geesten ons zullen helpen als de tijd rijp is.'

'Zij staat voor hen gelijk aan hoop,' antwoordde Cailin zachtjes. 'Het kan hun niet schelen wat het kost. Zij waren bang dat ze hun boegbeeld zouden kwijtraken. Hun redder. Misschien zijn het inderdaad dwazen, maar ze zijn ook wanhopig. Als we haar waren kwijtgeraakt, zouden de mensen de moed hebben verloren.' Ze keek Kaiku wantrouwig aan. 'Ik ben je dankbaar, Kaiku. Opnieuw ben je boven jezelf uitgestegen. Je hebt haar levend teruggebracht.'

'Ik weet niet of ik je dankbaarheid wel op prijs stel,' zei Kaiku.

Cailin hulde zich in ijzig stilzwijgen. Ze weigerde toe te happen. Kaiku moest maar zeggen wat ze wilde zeggen; Cailin zou geen moeite doen om het uit haar te trekken.

'Je had Phaeca niet met ons mee moeten sturen,' zei Kaiku uiteindelijk. Ze klonk nu echter een stuk rustiger, en Cailin vermoedde dat zelfs dit niet de ware reden voor haar toorn was.

'Dan had je haar moeten vertellen dat ze thuis moest blijven,' kaatste Cailin terug. 'Ik had niet de indruk dat je zulke grote bezwaren tegen haar had.'

'Ze was te gevoelig,' mompelde Kaiku. 'Ze werd er gek. Misschien zou ze hersteld zijn als we dat godenvervloekte oord hadden verlaten, maar ze had er helemaal niet moeten zijn.'

Cailin ging daar niet op in. Wat moest ze zeggen? Geen van allen hadden ze enig idee gehad hoe het in het Xuwoud was, voordat Lucia en de anderen er waren binnengetreden. Het had geen zin om iemand de schuld te geven. Cailin treurde net zozeer om Phaeca's dood als Kaiku, zij het om andere redenen: zij vond het vreselijk dat ze een van haar kostbare zusters was kwijtgeraakt, terwijl Kaiku rouwde om het verlies van een vriendin.

'En Lucia?' vroeg ze. 'Hoe is het met Lucia?'

'Ze is anders,' zei Kaiku. Ze liep rusteloos heen en weer door haar helft van de kamer. 'Kil. Zwijgzaam. Maar sinds ze bij de Xiang Xhi is geweest, is ze wel helder. Ze is niet meer dromerig of ongeconcentreerd. Als ze nu niet op vragen reageert, is dat omdat ze het niet wil. Ik weet niet hoe ik haar het liefst zie; ik vind het allebei even erg.'

Haar lichaamstaal werd steeds onrustiger. Cailin wist dat ze zo zou beginnen over wat haar echt dwarszat, maar dat ze het moment voor zich uit schoof. Misschien durfde ze niet te zeggen wat ze dacht, maar Kaiku's karakter zou haar er uiteindelijk toe drijven haar gedachten uit te spreken.

'Ik moet het weten,' zei ze opeens. 'De Rode Orde. Ik moet het weten.' Ze hield op met ijsberen, draaide zich om naar Cailin en vroeg op de man af: 'Waar zijn we eigenlijk mee bezig?'

'We willen Saramyr redden.'

'Nee!' Kaiku's stem klonk scherp. 'Ik wil de waarheid weten. Wat gebeurt er daarna?'

Cailin klonk een beetje verbaasd. 'Dat weet je toch, Kaiku?'

'Vertel het me nog maar een keer.'

Cailin nam haar even aandachtig op en keerde zich toen af van de lantaarn. 'We nemen de plaats in die de wevers altijd in beslag hebben genomen. We worden de lijm die onze samenleving bijeenhoudt.' Ze draaide haar hoofd en keek Kaiku recht aan. 'Maar tussen ons zullen geen conflicten ontstaan. Wij zijn niet zoals de wevers. Wij zouden elkaar nooit doden in opdracht van onze meesters, of onze vaardigheden gebruiken om de rivalen van onze meesters te vermoorden. Wij zouden geen meesters hebben.'

'En zo zou je heel Saramyr kunnen gijzelen,' zei Kaiku.

Cailin hield rustig haar blik vast. 'Denk je echt dat we dat gaan doen?'

Kaiku lachte kort, wrang. 'Wat maakt het uit wat ik denk? Dat zal de adel denken. Het keizerrijk kan niet worden geregeerd als alle macht in de handen van de Rode Orde ligt. Moet de adel geloven dat we uit goedertierenheid handelen? Dat we bereid zijn ons leven te wijden aan een taak als spreekbuis, als boodschapper? Wij hebben aan niemand een bloedverplichting, dus kunnen we doen wat ons goeddunkt. Denk je echt dat ze dat lang zouden toestaan?'

'Ze zouden weinig keus hebben,' zei Cailin. 'Toegegeven, we zouden bepaalde privileges kunnen afdwingen, maar niet meer dan de wevers. Wij hebben in elk geval geen levens nodig in ruil voor onze macht.'

'Nee, Cailin. Daar zijn ze te slim voor, en dat weet je donders goed. We zullen nooit echt veilig zijn. Uiteindelijk zouden ze ons uit angst uit de weg ruimen. En ik durf te wedden dat jij plannen hebt met de

Orde die erop zijn gericht dat onmogelijk te maken. Zelfs als het betekent dat je hén uit de weg moet ruimen.'

'Je beschuldigingen beginnen beledigend te worden, Kaiku,' zei Cailin waarschuwend. 'Vergeet niet tegen wie je het hebt.'

Kaiku schudde haar hoofd. 'Ik heb je horen zeggen dat de zusters superieur zijn aan andere mensen. Ik geloof geen moment dat je bereid zou zijn iemands bediende te worden. Je liegt, Cailin. Je hebt geheime bedoelingen.' Ze streek haar haren achter haar oor. 'Anders had je de wevers nooit de troon laten veroveren. Dan had je Axekami niet in verval laten raken. Dan had je al die mensen niet laten sterven.'

Cailin leek wel een scherpe, zwarte streep in het blauwe licht van de avond, dat door de papieren schermen naar binnen scheen. 'Ik zie dat je met Asara hebt gepraat.'

'Nee,' zei Kaiku. 'Ik praat zo min mogelijk met haar. Ik heb alleen veel nagedacht. Het ligt allemaal erg voor de hand als ik uitga van de aanname dat jij – net als alle anderen in deze vervloekte wereld, zo lijkt het – alleen op je eigen voordeel uit bent.

Als we de wevers vanaf het begin hadden bevochten, als we de adel hadden gewaarschuwd en hen hadden geholpen, dan hadden we dit allemaal kunnen voorkomen. Maar wat zou dat ons hebben opgeleverd? De adel zou een verschrikkelijk gevaar hebben afgewend, en als de edelen eenmaal hun lesje hadden geleerd, zouden ze wezens zoals de wevers – wezens zoals wij – zelfs nooit meer aan de macht laten ruiken. Afwijkenden zouden dan nog steeds afwijkenden zijn: veracht, verstoten en opgejaagd. Lucia zou zijn terechtgesteld.

Maar stel dat het nu eens anders liep? Stel dat de wevers het keizerrijk vernietigden? Stel dat ze mochten uitgroeien tot zo'n verschrikkelijke dreiging dat alles boven hen te verkiezen zou zijn? Stel dat het zo ver kwam dat het keizerrijk alleen kon worden gered door een afwijkende keizerin en de Rode Orde? Dan zouden ze toch niet kunnen weigeren om ons deel te laten uitmaken van hun nieuwe wereld? Iedereen heeft al geaccepteerd dat Lucia keizerin wordt als we deze oorlog winnen, en jij hebt grote moeite gedaan om ervoor te zorgen dat ze al die jaren de grootste achting voor je heeft gehouden. De Rode Orde zal samen met haar de macht grijpen. Ik stel me zo voor dat de Rode Orde dat inmiddels zelfs zonder haar zou kunnen. Je hebt je kaarten goed uitgespeeld.'

Kaiku keek de Eerste strak aan. 'De wevers moesten het volk murw beuken, zodat het ons zou accepteren, en daarom hebben we het laten gebeuren. Misschien hebben we het lot zelfs een handje geholpen.'

Cailin maakte een minachtend gebaar. 'Natuurlijk hebben we het lot een handje geholpen. Denk je nu echt dat de Libera Dramach de wevers ooit had kunnen weerstaan? Zelfs met Lucia aan onze zijde zou ons hetzelfde lot zijn beschoren als de Ais Maraxa: we zouden zijn neergesabeld zodra we ons lieten zien. De hooggeplaatste families moesten zich tegen de wevers verenigen, en de enige manier om dat te bewerkstelligen, was ervoor te zorgen dat ze met een reële, rechtstreekse bedreiging werden geconfronteerd. Dus inderdaad, we wilden dat de wevers de troon zouden veroveren, hoeveel levens dat ook zou kosten. Dat was de enige manier om de adel aan onze kant te krijgen, om hen te doen inzien wat goed voor hen was. Dat is de kunst van de politiek, en het resultaat wordt niet afgemeten aan het aantal doden, maar aan de vraag wie er geschiedenis mag schrijven.'

'Dus manipuleren we hen, net als de wevers vroeger,' zei Kaiku met gebogen hoofd. 'Wij zijn het minste van twee kwaden, Cailin. Maar we zijn nog altijd een kwaad.'

Cailin lachte verbitterd. 'Een kwaad! Wat weet jij nu van het kwaad?' Haar lach stierf weg, haar gezicht kreeg een hatelijke uitdrukking en haar stem werd dieper. 'Het kwaad is een dorp waar men een kind van zeven oogsten stenigt en voor dood in een greppel achterlaat. Het kwaad is datzelfde kind, dat zichzelf moet zien te redden, maar bang is zelfs maar te gaan slapen omdat het vuur dan misschien komt, een kind dat van dorp naar dorp trekt, eerst een slaaf en later een hoer wordt omdat ze geen thuis heeft, omdat ze op de vlucht moet slaan als het vuur weer uitbreekt, omdat ze dan weer de wildernis in moet vluchten en wortels moet uitgraven en honger moet lijden, omdat anders de mannen met de messen achter haar aan komen om haar te doden! Het kwaad is de blik in de ogen van die domme, gemene kuddedieren die dit land bevolken, en die je verachten omdat je een afwijkende bent!' Ze was steeds harder gaan praten, maar na die laatste schreeuw liet ze haar stem weer dalen. Haar minachting klonk er scherp in door. 'Laat ze mij maar verachten als ze willen, Kaiku. Zolang ze me ook vrezen.'

Een hele tijd zei Kaiku niets. Toen keerden ze zich naar elkaar om, allebei aan een andere kant van de kamer.

'Ik zal je helpen de wevers te vernietigen,' zei Kaiku. 'Maar daarna is het voorbij. Ik wil niets met jouw Orde te maken hebben,

Cailin. Ik begrijp nu dat het niet is waar ik al die tijd naar heb gezocht.'

Ze schoof het scherm opzij en deed het weer achter zich dicht toen ze de kamer uit was. Cailin bleef alleen staan luisteren naar het feestgedruis buiten.

Barak Zahn trof zijn dochter zittend op het dak van een tempel aan. Het was een plat dak van wit steen. Op elke hoek stond een beeld waar door de erosie niet meer dan een stomp van over was; verder waren er geen versieringen. Een trap leidde ernaartoe. Lucia zat een paar duim bij de rand vandaan, met haar armen om haar benen geslagen en haar knieën opgetrokken tot aan haar kin, in het donker te staren.

Toen Zahn haar daar zo zag zitten, wist hij even niet wat hij moest zeggen. Toen hij eindelijk sprak, klonken zijn woorden onhandig.

'De bewaker die onder aan de trap staat, heeft me verteld waar ik je kon vinden,' zei hij ten overvloede.

Ze draaide zich om en glimlachte naar hem. 'Vader,' zei ze. 'Kom toch bij me zitten.'

In verwarring gebracht door die reactie, die zo anders was dan hij op grond van de verhalen van degenen die kortgeleden met haar hadden gesproken had verwacht, deed hij wat ze vroeg. Hij ging met zijn lange, magere lijf naast haar zitten en liet zijn benen over de rand van het dak bungelen.

'Iedereen is blij vanavond,' zei ze. Het licht van de lantaarns op de grond werd als een stralende ketting weerkaatst in haar lichtblauwe ogen. De zandpaden van het tempelcomplex waren felverlicht en het was druk bij de kraampjes. Mensen praatten, dronken of wandelden links van hen de helling af naar het meer. Ze hoorden muziek, maar konden de muzikanten niet zien.

Zahn wist niet wat hij daarop moest zeggen, dus keek hij naar de manen. De volle Aurus domineerde de noordelijke hemel, en Iridima piepte erachter vandaan als een helwitte blaar.

'Ik ben blij te zien dat je bent hersteld,' zei ze. 'Ik heb je gemist.'

Goden, wat was ze toch beeldschoon, en wat leek ze op haar moeder. Hij voelde zich trots als hij bedacht dat ze zijn kind was.

'Je familie zal toch echt beter haar best moeten doen als ze me bij jou vandaan willen houden,' zei Zahn met een scheve glimlach.

'Ik heb met Oyo gepraat,' zei ze. 'Het zal niet weer gebeuren.'

Zahn knipperde met zijn ogen. 'Wat zeg je daar?'

Lucia keek hem onschuldig aan.

'Maar je wist niet eens dat zij het was!' riep hij uit. 'Ik weet het zelf niet eens zeker.'

'Natuurlijk wist ik het wel,' zei ze rustig. 'Het was overduidelijk.'

'En toen heb je haar er maar meteen van beschuldigd? Je bent net terug!'

'Ik heb haar nergens van beschuldigd,' zei Lucia. Ze liet haar benen los en liet ze naast de zijne over de dakrand bungelen. 'Ik heb tegen haar gezegd dat ik, als jij in de toekomst om het leven mocht komen op een manier die mij verdacht voorkomt, bloed Erinima zou onterven.'

Even keek Zahn haar met open mond aan, maar toen lachte hij hartelijk en schudde ongelovig zijn hoofd. Hij had Lucia nog nooit zo doortastend meegemaakt. 'Hartbloed, je gaat echt steeds meer op je moeder lijken. Wat er in dat woud ook is gebeurd, je hebt er wel peper van in je donder gekregen.'

'Ja,' zei ze zachtjes, en haar blik dwaalde af naar de horizon in het noorden, waar het Xuwoud lag, achter de bergen, in het licht van de manen. 'Ja, dat is zeker waar.'

Midden in de nacht kwam Asara naar Kaiku's huis. Dat verwachtte Kaiku al. Ze zat op haar te wachten.

'Ga zitten, Asara,' zei ze bij wijze van uitnodiging, gebarend naar de matten die ze in het midden van de kamer had neergelegd. Ernaast stond een tafeltje met daarop bittere thee, wijn en andere sterkedrank, maar ook zoete en hartige hapjes. Een gepast welkom voor een gast, iets waar Kaiku zelden of nooit moeite voor deed, en Asara vond het des te vreemder omdat ze onaangekondigd was langsgekomen. En omdat ze de indruk had dat Kaiku haar haatte.

Asara bleef op de drempel even staan, met een duidelijk behoedzame uitdrukking op haar gezicht. Toen ging ze in een elegante houding op haar knieën op een van de matten zitten. Ze had een bad genomen, zich omgekleed en een klein beetje oogschaduw aangebracht, en ze zag er zoals altijd volmaakt uit. Kaiku droeg een eenvoudig gewaad van zwarte zijde met een gouden sjerp. Haar haren waren nog vochtig en ze had er alleen even haar vingers doorheen gehaald, zo nonchalant alsof Asara haar zus was die even binnenwipte om de laatste roddels uit te wisselen.

Asara voelde zich zichtbaar slecht op haar gemak toen Kaiku haar thee aanbood. Ze koos voor een glas wijn. Kaiku schonk voor zichzelf ook een glas vol en ging toen in kleermakerszit tegenover haar op de andere mat zitten.

'Wat moet dit allemaal voorstellen?' vroeg Asara.

Kaiku haalde haar schouders op. 'Ik had er gewoon zin in.'

Dat nam Asara's onrust helemaal niet weg.

'Soms benijd ik je, Asara,' zei Kaiku luchtig. 'Ik benijd je erom dat je kunt veranderen, dat je op elk gewenst moment opnieuw kunt beginnen. Dat lijkt me een prachtige gave.'

'Steek je de draak met me?' vroeg Asara. Aan Kaiku's stem kon ze het niet horen.

'Nee,' zei Kaiku. 'Ik meen het.'

'Dan hoef je me nergens om te benijden,' antwoordde Asara. 'We leren niet van onze fouten. De wijsheid komt niet met de jaren, alleen loop je niet meer zo warm voor dwaasheid. Al kon je jezelf duizend keer veranderen, dan nog zou je steeds dezelfde valkuilen voor jezelf graven.'

Kaiku keek naar haar glas. 'Ik was al bang dat je dat zou zeggen.' Ze nam een slokje.

'Kaiku, wat is nu het probleem?' Asara kon nauwelijks geloven dat die woorden over haar lippen kwamen, maar iets in Kaiku's manier van doen raakte haar.

Kaiku keek op, en twee tranen drupten van haar wimpers en biggelden vlak na elkaar over haar wangen. Bijna legde Asara in een troostend gebaar haar hand op Kaiku's arm, maar ze bedacht zich. 'Alles gaat mis, Asara,' fluisterde ze met verstikte stem. 'Ik kan het niet tegenhouden. Ik kan helemaal niets meer tegenhouden.'

Asara wist niet wat ze hoorde – of wat ze moest zeggen.

'Overal om me heen zie ik vrienden sterven, maar ik kan er niets tegen uitrichten,' zei Kaiku. 'Ik ben al bijna tien jaar strijd aan het leveren, en het heeft me niets opgeleverd. Wat heb ik aan een overwinning? Dat zou alleen maar betekenen dat het enige wat me sinds de dood van mijn familie in leven heeft gehouden er niet meer zou zijn. Als ik de wevers heb vernietigd, heb ik niets meer. Niemand die ik kan vertrouwen, niets om in te geloven. Iedereen blijkt uiteindelijk leugenachtig te zijn en elk ideaal is nep. Ik vecht niet voor een beter leven; ik vecht om het niet nog erger te laten worden.'

'Dit is niets voor jou,' zei Asara. 'Je bent sterk. Dit is nergens voor nodig.'

'Mag ik dan geen grenzen hebben?' riep Kaiku uit. 'Goden, hoeveel moet ik van jou dan nog verdragen, voor ik Phaeca achternaga?'

Daar gaf Asara geen antwoord op. Ze wist niet goed of Kaiku haar de schuld gaf voor de dood van haar vriendin.

Kaiku veegde haar tranen af aan de mouw van haar gewaad. 'O, dit slaat nergens op,' mompelde ze bij zichzelf. 'Ik kan van jou geen medelijden verwachten.'

'Maar ik heb... bijgedragen aan je verdriet,' zei Asara handenwringend. 'Vergeef me.'

Kaiku ging op haar knieën zitten, sloeg haar armen om Asara heen en trok haar dicht tegen zich aan. Asara, die nog steeds verontrust was over Kaiku's stemming, beantwoordde haar omhelzing. Na een tijdje voelde het niet meer zo onnatuurlijk aan.

'Ik kan je niet haten, Asara,' zei ze. 'Je bent een vriendin voor me geweest, op jouw eigen manier.'

Asara slaakte een zucht, vechtend tegen een emotie die ze niet nog een keer wilde ervaren. Ze hield Kaiku een hele tijd vast, tot ze zeker wist dat ze zich kon beheersen, en zei toen: 'Ik zal je niet meer kwetsen. Dat beloof ik. Ik ben egoïstisch en wreed – meer dan jij beseft – maar ik zal je niet meer kwetsen.'

Ze hoorde Kaiku snikken voordat ze zich terugtrok. Toen zag Asara dat haar ogen rood waren, en niet alleen van het huilen.

'Het is gebeurd,' zei ze.

Asara's hart sloeg een slag over. Ze keek Kaiku strak aan, durfde het nog niet helemaal te geloven.

'Een kleinigheid,' zei Kaiku. 'Een proces dat niet helemaal naar behoren werkte. Ik heb het hersteld.' Haar gezicht betrok een beetje. 'De dood overheerst al zo in deze wereld. Ik wil deze kans graag aangrijpen om er wat leven in te brengen. Meer kan ik niet doen.'

Toen Asara het nog steeds niet leek te beseffen, lachte Kaiku snikkend en veegde haar ogen droog. 'Zit daar nou niet zo te gapen. Je bent vruchtbaar. Ga terug naar je man.'

Asara ademde bevend uit, en tranen welden op in haar ogen. 'Beloof me dat je dit nooit tegen iemand zult zeggen,' fluisterde ze. 'Wat je hebt gedaan. Beloof het me.'

'Op mijn erewoord.'

'Dit zal ik nooit vergeten, Kaiku,' zei Asara met onvaste stem. 'Hoe leeg deze wereld ook is, ik zal altijd voor je klaarstaan. Ik hoop dat je daar iets aan hebt.'

'Een heleboel,' zei Kaiku. Ze stak haar hand uit en streek over Asara's betraande wang. 'Ik heb je nog nooit zien huilen,' zei ze bedachtzaam.

Asara pakte haar hand en drukte die tegen haar wang. Even sloot ze haar ogen. Toen kwam ze overeind en liep naar de deur. Ze schoof hem open, keek achterom en verdween. De deur schoof achter haar dicht.

Even later had ze een paard gestolen en was ze op weg naar het oosten, naar het Tchamilgebergte en de woestijn die erachter lag.

◎ 22 ◎

Overdag stond de poort van de keizerlijke vesting open, zodat al het verkeer dat noodzakelijk was om zo'n groot gebouw in bedrijf te houden vrij naar binnen en naar buiten kon. Wagens vol voedsel, zwaarbewaakt om het hongerige gepeupel op afstand te houden, reden ratelend naar binnen en keerden leeg terug. Andere brachten kruiken met wijn en specerijen, vaten schoonmaakmiddel en rollen kleding; en er waren er ook heel wat waar bewusteloze mannen, vrouwen en kinderen in verborgen waren, magere zwervers uit het Armenkwartier die voor de wevers werden afgeleverd om zich mee te vermaken. Er stonden zoals altijd Zwarte Gardisten en twee wevers bij de poort op wacht. Ze hielden het verkeer in de gaten. De Zwarte Garde controleerde de vergunningen, de wevers keken uit naar subtielere gevaren: verborgen bommen en dergelijke. Ze stonden als verfomfaaide trollen ineengedoken en doodstil aan weerszijden van de brede doorgang, terwijl ze hun onzichtbare taak uitvoerden.

In zijn rijtuig schoof de heelmeester Ukida zenuwachtig heen en weer toen ze de poort naderden.

'Ze hebben de zegen van de boog gehaald,' merkte Mishani, die uit het raam keek, op. De gouden boog boven de poort was inderdaad gladgeschuurd.

Ukida maakte uit beleefdheid een vaag, vragend geluidje, maar hij luisterde niet eens naar haar, zozeer werd hij door zijn eigen angst in beslag genomen. Mishani wendde haar blik af van het raam en keek hem aan.

'Je verraadt ons nog, meester Ukida, als je je niet beheerst,' zei ze streng.

Dat stak hem. Hij deed een moeizame poging om zijn nervositeit te verhullen, maar daardoor leek hij juist nóg zenuwachtiger. Had hij die brief van Mishani maar nooit aangenomen. Hij had gewoon nee tegen haar moeten zeggen. Wat had ze hem kunnen aandoen? Hem voor het keizerlijke gerechtshof slepen? Ha! Er was helemaal geen keizerrijk meer, en al helemaal geen gerechtigheid, en als ze het had geprobeerd, zou ze zelf zijn gearresteerd. Waarom had hij daar niet eerder aan gedacht, in plaats van vast te houden aan zijn oude ideeën over eer en leenmanstrouw? Als hij dat had gedaan, zou zijn mevrouw Muraki hem misschien niet hebben opgedragen dit bedrog op touw te zetten en zou zijn leven nu niet zo'n groot gevaar lopen. Achteraf was het echter makkelijk praten, en het wrede stemmetje in zijn hoofd kraaide meesmuilend tegen hem toen ze bij de poort halt hielden en een van de Zwarte Gardisten bij de deur van het rijtuig kwam staan.

'Meester Ukida,' zei hij bij wijze van begroeting. Het was een knappe jongeman, gekleed in de leren wapenrusting met de zwarte hoofdband die het uniform van de Zwarte Garde vormden. 'Wie is dat?' vroeg hij met een blik op Mishani, die gedwee achter in het rijtuig zat.

Ukida wierp een nerveuze blik over de schouder van de Zwarte Gardist naar de wever die daar stond, met zijn masker van koraal naar hen toe gekeerd.

'Een assistente,' zei hij, zwaaiend met een rol perkament, die hij vervolgens aan de gardist gaf. 'In tijdelijke dienst, natuurlijk. Mevrouw Muraki is ziek – ze lijdt aan een ongewone aandoening – en heeft de bijzondere kennis van deze vrouw nodig.'

Mishani beantwoordde kalm de onderzoekende blik van de Zwarte Gardist.

'Mag ik?' vroeg hij, wijzend op het zegel. Ukida gebaarde haastig dat hij zijn gang mocht gaan. Hij verbrak het zegel en begon te lezen.

Mishani wachtte met zorgvuldig verborgen bezorgdheid. Ukida was overduidelijk schrikachtig. Ze kon alleen maar hopen dat de gardist het niet zo verdacht zou vinden dat hij actie zou ondernemen, door bijvoorbeeld de wever erbij te roepen, of door hen vast te houden terwijl hij de authenticiteit van de vergunning controleerde. Die was geschreven, ondertekend en verzegeld door Muraki tu Koli zelf en verleende Ukida's nieuwe assistente toegang tot de vesting.

'Ik zie dat mevrouw Muraki niet te ziek is om te schrijven,' zei de Zwarte Gardist. Er verstreek een gespannen tel toen hij eerst Ukida en toen Mishani aankeek. 'Dat is goed nieuws,' voegde hij eraan toe, en de spanning verdween. Hij gaf de vergunning terug aan Ukida en boog kort naar hen allebei. 'Meester Ukida. Mevrouw Soa. Komt u binnen.'

Ukida bedankte de Zwarte Gardist misschien net iets te enthousiast, maar die lette al niet meer op hen. Hij gebaarde hun koetsier dat hij door moest rijden en was al op weg naar de volgende wagen in de rij.

Even liet Mishani de opluchting toe die ze ervoer toen ze de binnenplaats opreden. Eén obstakel hadden ze nu achter de rug. Nu was er echter een risico dat ze zou worden herkend, en was het onvermijdelijk dat ze nog een wever zou tegenkomen voor ze haar moeder te zien kreeg. Als Shintu hen toelachte, zouden ze het misschien net redden met de vergunning van haar moeder. Zo niet...

Ze keek door het raampje naar buiten. Het was op de binnenplaats net zo druk als altijd: mannen en vrouwen liepen haastig af en aan, manxthwa's loeiden en duwden elkaar met hun neuzen, meningsverschillen werden uitgevochten en gesprekken werden gevoerd aan de voet van de dubbele rij obelisken die van de poort naar de vesting liepen. In elk geval was de stemming hier niet zo somber en angstig als in de rest van de stad, hoewel de mensen die heen en weer liepen een zekere fanatieke bedrijvigheid over zich hadden, alsof ze zo snel mogelijk hun taken wilden uitvoeren, zodat ze weer weg konden. In de schemering van het dikke miasma torende de indrukwekkend hoge gouden, gebeeldhouwde zuidelijke muur boven hen uit. Ze reden over een flauwe helling omlaag naar een breed vak waar het krioelde van de bedienden, en daar stapten ze uit en liepen naar binnen via een bewaakte doorgang, gereserveerd voor edelen en belangrijke bedienden, waardoor ze de ondergrondse dienstvertrekken vermeden. De bewaker keurde hun nauwelijks een blik waardig.

Ze liepen een trap op en betraden de gangen van het hoofdgedeelte van de vesting: een veelheid van elegante, met lax beklede gangen en vele vertrekken, van grote, prachtige zalen en galerijen tot piepkleine, verfijnde kamertjes. Ukida liep voorop en Mishani volgde in een houding die paste bij haar status als assistent-heelmeester. Ondanks haar angst voelde ze zich merkwaardig licht, zowel lichamelijk als mentaal. Om haar rol overtuigend te kunnen spelen, was ze gedwongen geweest haar uiterlijk drastisch te veranderen – alleen een ander gewaad aantrekken was niet genoeg. Ze had haar haren afgeknipt.

Ze had verwacht dat ze er veel meer moeite mee zou hebben. Ze had al sinds haar peutertijd lang haar, en zodra ze tot een jonge vrouw was opgegroeid, had ze het tot aan haar enkels laten groeien. Ze was trots op haar haren. Die verleenden haar een zekere plechtstatigheid, want de dracht was zo vreselijk onpraktisch dat meteen duidelijk was dat ze van adel was. Ze had haar lange haren altijd als onveranderlijk beschouwd, net zo onveranderlijk als haar kleine neusje en haar dunne wenkbrauwen. Niemand zou echter geloven dat een assistent-heelmeester zulke lange haren kon hebben: voor iemand die niet tot de adelstand behoorde was het een teken van onbescheidenheid.

Daardoor werd haar haardracht een belemmering als ze haar moeder wilde spreken, en in dat licht kon ze hem missen als kiespijn. Mishani was altijd erg praktisch en weinig sentimenteel geweest. Hoewel ze zichzelf nu nauwelijks herkende als ze in de spiegel keek, was ze ervan overtuigd dat ze de juiste beslissing had genomen. Nu ze haar haren had opgestoken, zag ze er volkomen anders uit. Iedereen die vluchtig naar haar keek, zou niet weten wie ze was. Met wat zorgvuldig aangebrachte oogschaduw en rouge had ze subtiel de contouren van haar ogen, wangen en mond veranderd, waarmee de misleiding compleet was.

We dragen allemaal zo onze maskers, had ze bij zichzelf gedacht toen ze de laatste hand aan haar nieuwe uiterlijk legde.

Ze had zich tot op dat moment nooit gerealiseerd hoe zwaar haar haren waren, en het gevoel in haar nek en op haar hoofdhuid dat er iets ontbrak was een beetje ergerlijk. Ze vroeg zich af of ze er na verloop van tijd aan gewend zou raken. Het kwam tot op haar schouders als ze het los liet hangen. Maar omdat het zo te veel op haar oude dracht leek, had ze het met spelden en kammetjes om en boven op haar hoofd opgestoken in de stijl die gebruikelijk was onder hoogopgeleide vrouwen van lage afkomst.

In de uitgestrekte vesting zouden er maar weinig zijn die wisten wie ze was, zelfs als ze niets aan haar uiterlijk had veranderd. Maar toch, hoe dichter ze bij de keizerlijke vertrekken kwamen, hoe meer bedienden van bloed Koli er zouden rondlopen en hoe groter het gevaar zou worden.

Eerst moesten ze echter met de wever afrekenen. Ze kon alleen maar hopen dat het plan van haar moeder zou werken.

Mishani moest Ukida enkele keren streng toespreken, omdat hij zich veel te snel door de gangen wilde haasten. Hij zweette als een otter en was duidelijk geagiteerd, en Mishani vervloekte zijn onvermogen om zijn angst te bedwingen. Je hoefde geen wever te zijn om te beseffen dat er iets niet klopte; ze had hem geadviseerd zijn onrust toe te schrijven aan zijn bezorgdheid om Muraki's gezondheid, als iemand ernaar vroeg. Ukida had haar ervan verzekerd dat haar moeder al dagen ziekte veinsde, en dat hij haar toestand met zijn eigen valse diagnoses had bevestigd. Muraki had iedereen streng bevolen haar die dag niet te storen. Alleen voor Ukida en de assistente die hij zou meebrengen, maakte ze een uitzondering. De bedienden en de wevers waren hiervan op de hoogte gesteld, dus niemand zou verrast zijn door Mishani's aanwezigheid.

Toch hoefde er maar dít mis te gaan en het hele plan viel in het water. Dat zou een ramp zijn. Er stond meer op het spel dan alleen de levens van Mishani en Ukida. Mishani wist veel te veel over het doen en laten van de Libera Dramach en de hooggeplaatste families in het zuiden, dus als ze gevangen werd genomen, zouden die geheimen door een wever uit haar gedachten worden gerukt. Wat ze deed was egoïstisch en onverantwoordelijk, maar dat kon haar niets schelen. Ze ging naar haar moeder toe. Koste wat het kost.

Ze liepen nog enkele trappen op, waarbij ze zoveel mogelijk de minst gebruikte routes kozen. Eén keer moest Mishani Ukida bij de arm grijpen en doen alsof ze ontzettend veel belangstelling had voor een siervaas die daar in een nis stond, zodat ze haar gezicht kon afwenden van een vrouw die ze meende te herkennen. De meeste bedienden waren echter mensen die al in de vesting werkten toen bloed Koli de macht had overgenomen, en kenden haar dus niet. Bovendien was het stil in de gangen, want er waren geen edelen met hun bedienden om ze te bevolken. Er vertoefden nog nauwelijks gasten in de keizerlijke vesting. Wel sprak Ukida in duistere bewoordingen over de bovenste verdiepingen van de vesting, waar de wevers woonden.

'We komen in de buurt van het deel waar de keizerlijke vertrekken zich bevinden,' mompelde Ukida op een gegeven moment. Kort daarna zagen ze een jongen van ongeveer veertien oogsten, die voor hen uit rende zodra hij hen had gezien.

'Ik was bang dat hij er niet zou zijn,' zei Ukida. Hij kon een beetje troost putten uit het feit dat alles tot nu toe vlekkeloos verliep.

Ze treuzelden even, bleven bij een wandkleed staan en veinsden interesse, klaar om ervandoor te gaan als er iemand kwam. Toen Ukida vond dat er genoeg tijd was verstreken, liepen ze door de gang naar de plek waar de wever zich moest bevinden.

De keizerlijke vertrekken werden veel strenger bewaakt dan de rest van de vesting. Het was onmogelijk om zo'n reusachtig gebouw volledig te bewaken, terwijl er zoveel inkomend en uitgaand verkeer nodig was om het in bedrijf te houden. De vesting was echter zo gebouwd dat bepaalde delen slechts via een beperkt aantal gangen bereikbaar waren, en daar was de waakzaamheid het hoogst. Elke toegang tot de keizerlijke vertrekken werd bewaakt door een wever, en wevers konden de gedachten uit iemands hoofd plukken.

De gang kwam uit bij een stevige deur. Daarvoor stond een wever, met een zilveren masker in de vorm van een vrouwengelaat. Mishani dankte de goden dat het niet de persoonlijke wever van bloed Koli was, maar eigenlijk was het ook wel logisch. De wevers waren immers niet meer aan families verbonden.

Precies op het moment dat ze de wever zagen, ging de deur achter hem open en kwam Muraki tu Koli naar buiten, ondersteund door de jongen die ze even daarvoor hadden gezien. Ukida versnelde zijn pas en liep op haar af. Mishani aarzelde even toen ze haar zag – Moeder! – maar liep toen achter hem aan.

'Mevrouw! Wat doet u uit bed?' riep hij.

'Ukida,' zei ze met een stem die nauwelijks boven een fluistering uit kwam. 'Ik ben blij dat je er bent. Ik voelde me erg ziek... Ik had behoefte aan frisse lucht.'

'Ik heb de assistente meegebracht om wie u heeft gevraagd,' zei hij met een gebaar naar Mishani, maar Muraki keurde haar geen blik waardig. 'Kom, terug in bed. Ik breng u wel.'

Zonder acht te slaan op de wever liepen ze langs hem heen de keizerlijke vertrekken binnen.

'Wacht,' klonk een raspende stem achter het zilveren masker. Het was op Mishani gericht.

'Wat is er?' vroeg Ukida, en gelukkig kwamen zijn woorden er door zijn angst uit als een gezagvolle snauw. 'Ze moet rusten. Ze mag eigenlijk niet eens rondlopen.'

'Ik ken haar niet,' zei de wever. Hij doelde op Mishani.

'Ik heb om haar gevraagd,' zei Muraki. 'Laat haar binnen.'

'Eén moment...' zei de wever. De moed zonk Mishani in de schoenen toen ze besefte wat er zou gebeuren.

Ze voelde de invloed van de wever langs haar geest strijken, als afschuwelijke tentakels die over haar gedachten glibberden. Ze huiverde. Ongetwijfeld zou hij haar zien zoals ze werkelijk was, zodra hij haar herinneringen aan haar leven bij bloed Koli had opgerakeld. Wanhopig trachtte ze haar verleden te verbergen achter een wirwar van beelden, maar de beelden die bij haar opkwamen waren die van jonken in de Mataxabaai, en van Lucia en Kaiku, en van incidenten die haar ware identiteit meteen zouden verraden. Gebiologeerd staarde ze naar de zwarte spleten in het zilveren masker, het vrouwengezicht dat zijn verminkte eigenaar verhulde, luisterend naar zijn piepende adem en in de ban van zijn verrotte geest.

Toen verdween het gevoel. 'Treed binnen,' zei de wever. Snel legde Ukida zijn handen op haar schouders en leidde haar mee. De deur viel achter hen dicht.

'Hartbloed...' mompelde ze bij zichzelf. 'Hij zag het niet... Hij zag het niet...'

Ze hield haar hoofd gebogen toen ze een hoek omgingen en nog een eindje verder liepen. Het geluk was aan hun zijde: ze zagen niemand. Ukida hield een gordijn opzij, liet Mishani en Muraki voorgaan, en toen hij het liet dichtvallen, waren ze met z'n drieën.

Ze bevonden zich in een kleine slaapkamer, met een eenpersoonsbed bij een gewelfd raam. Het uitzicht werd gehinderd door de arm van een van de enorme stenen beelden die uit de schuine muren van de vesting leken te duiken. Daar was een sluier overheen gehangen, zodat het toch al schaarse licht nog verder werd gedempt. Er stond een tafeltje met een dun boek erop, en twee bij elkaar passende ladekasten.

Er viel een ongemakkelijke stilte toen moeder en dochter elkaar voor het eerst in tien jaar weer in de ogen keken. De gelijkenis was treffend.

'Je hebt je haar afgeknipt,' fluisterde Muraki.

'Ik moest wel,' zei Mishani. 'Het geeft niet. Ik kan het zo weer laten groeien.'

Muraki stak haar hand uit en raakte het voorzichtig aan. 'Het ziet er vreemd uit. Maar het staat je goed.'

Met een glimlach wendde Mishani haar hoofd af. 'Ik zie eruit als een boerin. Zodra het veilig is, laat ik het meteen weer loshangen.' Met haar blik strak gericht op het gesluierde boograam zei ze: 'Ik heb uw boeken gelezen. Allemaal.'

'Ik wist dat je dat zou doen,' antwoordde haar moeder. 'Ik wist het.'

'De wever...' begon Mishani met een vragend gezicht.

'Zij hebben als doel om iedereen eruit te pikken die de keizerlijke familie een kwaad hart toedraagt. Dat doe jij kennelijk niet. Zelfs je

vader niet. Verder lezen ze de gedachten van anderen niet. Dat zou...
een schending betekenen. Het is gevaarlijk. Zo hebben ze per ongeluk gasten gedood of gek gemaakt, tot Avun het verbood.' Ze keek
slecht op haar gemak om zich heen. 'Ik zou je hier niet hebben laten komen als ik had kunnen gaan en staan waar ik wilde. Maar dat
kan ik niet. Daar zorgt je vader wel voor.'

'Ik heb u toch gezegd dat ik geen nee zou accepteren,' zei Mishani.
'Ik zou het toch wel hebben geprobeerd, met of zonder uw hulp. Ik
vind het risico acceptabel.'

Ze gebaarde naar het bed, en ze gingen naast elkaar op de rand ervan zitten.

'Ik wil het een en ander tegen u zeggen,' zei Mishani. 'Dingen die u
rechtstreeks van mij moet horen, niet via een gedicht in geheimschrift. We bevinden ons nu in verschillende oorlogskampen, moeder, en uiteindelijk moet een van de partijen winnen. Ik denk niet
dat degene die deel uitmaakt van de verliezende partij het zal overleven. Daarvoor zijn we er allebei te nauw bij betrokken.'

Achter haar haren, die voor haar gezicht hingen, deed Muraki er het
zwijgen toe. Ze had zich altijd al achter haar haren verborgen. De
steile strengen, met een scheiding in het midden, verhulden haar gezicht en lieten slechts een smalle spleet open voor haar ogen, neus
en mond.

'Ik wil u al heel lang spreken,' zei Mishani. 'Ik stelde me voor dat
ik lachend van vreugde in uw armen zou vallen. Maar nu ik hier
ben, kom ik tot de ontdekking dat het weer net zo is als vroeger.
Waarom gaan we zo met elkaar om?'

'Omdat dat in ons karakter zit,' zei Muraki zachtjes. 'En daar kan
de tijd niets aan veranderen.'

'Maar ik heb u in uw boeken gezien, moeder,' zei Mishani. 'Daar
heb ik uw ziel gezien. Ik weet dat uw gevoelens net zo diep gaan als
die van ieder ander, dieper zelfs. Dieper dan die van vader.'

Muraki kon haar niet recht aankijken. 'In mijn boeken kan ik mijn
ziel beter tot uitdrukking brengen dan met woorden of daden,' zei
ze. 'Daar vind ik troost. Daar ben ik niet bang.'

'Dat weet ik, moeder,' zei Mishani. Ze legde haar hand op die van
Muraki. Hij was klam en koud. Geschrokken keek Muraki naar de
hand van haar dochter, alsof hij haar misschien wel zou bijten. Mishani haalde hem echter niet weg. 'Dat weet ik nu. Er is zoveel wat
ik vroeger niet besefte. Zoals de verborgen boodschappen in uw gedichten. Het heeft te lang geduurd voor ik die begreep.'

Ze praatten nu allebei heel snel. Hun ontmoeting had iets haastigs, want ze wisten dat het gevaar nog lang niet geweken was. Ze konden geen seconde van hun kostbare tijd verspillen. Ze hadden nog nooit zo onverbloemd met elkaar gesproken.

'Ik ben nu ouder dan ik toen was, en in de tussentijd is er veel gebeurd,' zei Mishani. 'Toen ik nog jong was, vond ik u zwak en afstandelijk. U was een schim van een vrouw in vergelijking met mijn vader. Ik heb niet eens bij uw gevoelens stilgestaan toen ik naar Axekami ging om hem aan het hof bij te staan. Het is geen moment bij me opgekomen dat u het erg zou vinden.' Even keek ze haar moeder recht in de ogen, tot Muraki verlegen het contact verbrak. 'Ik was een harteloos kind. U verdiende beter.'

'Nee,' zei Muraki. 'Hoe had je dat kunnen weten? We beoordelen de mensen om ons heen toch allemaal op grond van hun gedrag jegens ons? Jij bent niet verantwoordelijk voor mijn tekortkomingen, mijn dochter. Als je me afstandelijk vond, dan kwam dat doordat ik je nooit vasthield toen je klein was, omdat ik je nooit aanraakte, nooit met je praatte. Als je me zwak vond, kwam dat doordat ik mijn stem nooit liet gelden. Er ligt... hartstocht besloten in mijn fantasie, in mijn boeken... Maar daar kan ik de wereld naar eigen inzicht vormgeven. De buitenwereld... is beperkend, verstikkend. Daar geneer ik me als ik iets zeg, en ben ik bang voor andere mensen... Ik word verlegen als de aandacht op me wordt gevestigd...' Kennelijk besefte ze dat ze in gemompel was vervallen, want ze herstelde zich. 'Dat zijn mijn tekortkomingen. Die heb ik al van jongs af aan. Het is niet wat ik voor mezelf zou wensen – dat zit in mijn boeken – maar zo ben ik nu eenmaal.'

Mishani kneep zachtjes in haar hand. 'Maar na elk boek van u dat ik heb gelezen, kreeg ik sterker het gevoel dat ik u tekort had gedaan. Daarom ben ik naar u toe gekomen. Om het goed te maken. En om tegen u te zeggen dat ik trots op u ben, moeder.'

Muraki keek haar niet-begrijpend aan.

'Beseft u dan niet wat u heeft gedaan?' vroeg Mishani. 'U hebt het gewaagd als spion voor ons te fungeren, u hebt uw leven op het spel gezet door Chien naar me toe te sturen om me te beschermen, jaren geleden.' Muraki sloeg haar handen voor haar mond. 'Ja, dat ben ik nog te weten gekomen voor hij stierf. Vaders mannen hebben hem te pakken gekregen. Maar als hij er niet was geweest, als u er niet was geweest, zouden er veel meer doden zijn gevallen in de Xaranabreuk, duizenden misschien. Dan had het allemaal heel anders kunnen aflopen. Op uw eigen stille wijze heeft u ons meer geholpen dan we ooit van u hadden kunnen verlangen.' Ze haalde haar hand weg. 'En toch bevinden we ons allebei in een andere wereld, en binnenkort zal een van die twee werelden vergaan. Daarom ben ik hier, daarom heb ik al die risico's genomen. Er zijn dingen die moeten gebeuren, koste wat het kost. Mijn geest zou geen rust kunnen vinden als een van ons zou sterven... en u het niet wist.'

'Ik wist niet dat mijn kind zo roekeloos kon zijn,' fluisterde Muraki, maar er speelde een glimlach om haar lippen.

'Het is voor mij ook een nieuwe ervaring,' zei Mishani grijnzend. Ze had het gevoel dat er een zware steen van haar borst was getild. Het zou haar nu niet eens zoveel meer uitmaken als ze gevangen werd genomen. Het was gebeurd en het kon niet meer ongedaan worden gemaakt. 'Misschien kan iemands karakter in de loop van de tijd toch veranderen.'

'Misschien,' zei Muraki. Langzaam stond ze op en liep naar het gewelfde raam. Daar schoof ze de sluier opzij om naar buiten te kunnen kijken.

'Dochter, ik hou van je,' zei ze met haar rug naar Mishani toe. 'Ik heb altijd van je gehouden. Twijfel daar nooit aan, hoewel ik het misschien niet zal tonen, en hoewel we elkaar misschien nooit meer zullen spreken. Ik ben blij dat je bent gekomen, want nu kan ik het tegen je zeggen. We hadden het niet zo lang moeten uitstellen.'

Mishani voelde de tranen in haar ogen springen. Ze wist hoe zwaar het haar moeder viel om die woorden uit te spreken, en het was een ware verrukking om ze voor het eerst in haar leven te horen.

'Luister goed naar me,' zei Muraki, terwijl ze zich afwendde van het raam en de sluier losliet. 'Ik heb je veel te vertellen.'

Ze vertelde Mishani over Avuns plannetjes en listen, over losse opmerkingen die hij zich had laten ontvallen en de bedoelingen die hij had verwoord. Ze sprak over zijn mislukte plan om zich van Kakre te ontdoen, over de ophanden zijnde schepping van nog meer feyakori's, over het ware aantal afwijkenden en de hachelijke situatie waarin de wevers zich bevonden, aangezien ze zouden omkomen van de honger tenzij ze de Prefecturen voor de volgende oogst konden veroveren. Mishani viel haar niet één keer in de rede, maar sloeg elk woord zorgvuldig op in haar geheugen, en hoe meer ze haar moeder hoorde vertellen, hoe meer ze ging beseffen dat haar bezoek nog veel waardevoller zou kunnen zijn dan ze van tevoren had durven dromen. Deze informatie was immers slechts een paar dagen oud en bereikte haar oren zonder de maandenlange vertraging die bij de uitgave van een boek kwam kijken. Het verbijsterde haar hoeveel haar moeder wist. Avun leek alles met haar te hebben besproken, en de feitjes die ze in haar verhalen had weten te verstoppen, hadden alleen maar betrekking op gebeurtenissen op de lange termijn, waarvan zij vermoedde dat ze nog actueel zouden zijn tegen de tijd dat ze in handen kwamen van degenen voor wie de boodschap bestemd was. In vijf minuten vertelde Muraki haar meer dan het hele spionnennetwerk en de Rode Orde bij elkaar in vier jaar te weten waren gekomen.

'Mijn heer de rijksvoogd!' riep Ukida, die aan de andere kant van de deuropening stond, opeens uit, en moeder en dochter verstijfden. Het verdriet raakte Mishani als een slag, die haar verdoofde. Dat ze door haar vader zou worden betrapt was al erg genoeg, als je naging hoeveel levens door haar dwaasheid ten einde zouden komen. Wat ze op dat moment echter nog veel erger vond, was dat zij en haar moeder nu van elkaar gescheiden zouden worden, dat ze elkaar waarschijnlijk nooit meer zouden zien en dat ze het zouden moeten doen met die paar kostbare minuten die ze in tien jaar tijd met elkaar hadden doorgebracht.

'Wegwezen!' siste Muraki. Mishani aarzelde, greep stevig de handen van haar moeder vast. 'Ga nou!' zei die weer, met een doodsbange blik in haar ogen.

'Ik heb gehoord dat ze uit bed was,' zei Avun. 'Ik wil haar spreken!'

'Ze wordt verzorgd door mijn assistente,' zei Ukida achter het gordijn. 'Alstublieft, het zou beter zijn als u...'

Mishani boog snel naar voren, kuste haar moeder op de wang en fluisterde in haar oor: 'U was het sterkst van ons allemaal, moeder. In mijn hart ben ik altijd bij u.'

Toen stond ze op en liep met grote passen naar de deuropening, precies op het moment dat Avun langs het gordijn naar binnen stapte. Mishani maakte al lopend een diepe buiging en liep met gebogen hoofd langs haar verbijsterde vader heen, die het gordijn voor haar openhield. Omdat ze zoveel kleiner was dan hij, kon hij alleen haar achterhoofd zien. Het was ongelooflijk onbeschoft van haar, en Avun schrok er zo van dat hij even niet wist wat hij moest doen. Op het moment dat hij zijn mond opende om haar terug te roepen, zei Muraki luidkeels: 'Avun! Avun, kom hier!'

Zodra hij de stem van zijn vrouw hoorde, die normaal gesproken niet boven een fluistering uit kwam, was hij de bediende vergeten en haastte hij zich de kamer binnen. Daar omhelsde en kuste Muraki hem met een genegenheid die ze in jaren niet meer had getoond, en ze liet hem niet los. Ze trok hem met zich mee op het bed en daar bedreef ze de liefde met hem, voor de eerste keer in lange, lange tijd. Daar was hij zo blij en verrast over dat hij de assistent-heelmeester een tijdlang volkomen vergat. Pas lang nadat ze de keizerlijke vesting had verlaten, moest hij weer aan haar denken. Toch merkte hij dat hij het knagende gevoel niet van zich kon afzetten dat hij haar ergens van kende, ook al had hij haar gezicht niet gezien. Hij kon haar alleen niet plaatsen.

◎ 23 ◎

Een dag later bereikte een bericht van Mishani Araka Jo, via een zuster die in Maza woonde en daar in het geheim voor de Libera Dramach werkte. Ze was een belangrijke tussenpersoon voor de spionnen in Axekami, en Mishani ging vanuit de hoofdstad rechtstreeks naar haar toe. Haar nieuws zorgde voor grote commotie. Niemand wist waar ze naartoe was, alleen dat ze een tijdje daarvoor uit Araka Jo was vertrokken met de mededeling dat ze iets persoonlijks moest afhandelen. Toen de hogere echelons van de Libera Dramach vernamen wat ze had gedaan, veroordeelden ze haar omdat ze hen allemaal op zulke roekeloze wijze in gevaar had gebracht, maar Cailin nam het voor haar op. Ze wees erop dat het risico weliswaar groot was geweest, maar dat het heel veel had opgeleverd en dat de informatie die ze aan hen had doorgespeeld onbetaalbaar was. Meteen werd er een vergadering belegd en werden er plannen gepresenteerd. Veel ervan zaten al weken in het vat en waren in andere vergaderingen ook al aan bod geweest. Uiteindelijk werd er overeenstemming bereikt. Er was geen ruimte meer voor uitstel. Het werd tijd om in actie te komen.

De ochtend na die vergadering liep Kaiku over het pad ten zuiden van Araka Jo naar het Tkiurathidorp, waar iedereen zich druk voorbereidde. Ze hadden zelf de vorige avond ook overleg gehad, na de vergadering met de Libera Dramach. Stuk voor stuk hadden ze de vraag voorgelegd gekregen of ze het pad wilden volgen dat door de raad was uitgestippeld. Kaiku was nu gekomen om te vragen wat het antwoord was.

Ze wandelde door het Tkiurathidorp en wisselde begroetende gebaren uit met de paar mannen en vrouwen die ze herkende. Het was niet moeilijk te raden welke beslissing er was genomen. Overal werden messen geslepen, geweren schoongemaakt, voorraden aangelegd. Ze bereidden zich voor op een reis.

Het dorp had iets eenvoudigs dat Kaiku prettig vond: de geur van de kookvuren, de repka's die eruitzagen als reusachtige zeesterren met drie armen tussen de bomen, de ongedwongen manier waarop het getatoeëerde volk met elkaar omging. Ze leken zich zo weinig zorgen te maken in hun dagelijks leven, zelfs nu ze wisten dat ze iets tegemoet gingen waarvan ze misschien niet zouden terugkeren. Er werd veelvuldig en ontspannen gelachen als ze bij elkaar waren. Sommigen zaten te ontbijten, schepten op uit een gezamenlijke pot, deelden het eten op hun borden. Zelfs dergelijke kleine gebaren, zoals dat delen van voedsel, waren voor haar bijzonder, hoewel het voor hen zo'n natuurlijke gewoonte was dat ze er waarschijnlijk niet eens meer bij stilstonden.

Ze moest denken aan een gesprek dat ze lang geleden met Tsata had gevoerd. Hij had toen gezegd dat de manier van leven in Saramyr een rechtstreeks gevolg was van de ontwikkeling van steden en het ontstaan van een keizerlijk hof, en alle andere dingen die Kaiku met beschaving associeerde. De Tkiurathi's gingen dat soort ontwikkelingen juist uit de weg. Nu ze hen had gezien, en gezien had hoe ze in een groep met elkaar omgingen, begon ze zich af te vragen welke levensovertuiging nu uiteindelijk het beste was.

Kaiku vroeg naar Tsata, door zijn naam op vragende toon uit te spreken, en werd naar een slordige kring Tkiurathi's gestuurd, die zaten te praten terwijl ze dronken uit houten bekers in de vorm van peren of dennenappels. In het midden stond een grote kom waaruit ze hun bekers vulden. Heth zat er ook; hij merkte haar als eerste op en sprak haar met haar naam aan. De kring week uiteen om tussen Tsata en Heth ruimte te scheppen, en ze glimlachte dankbaar toen ze ging zitten en meteen een beker in haar handen geduwd kreeg door een vrouw die ze niet herkende. De vrouw vulde zelf een nieuwe beker.

Met enige moeite beantwoordde ze in het Okhambaans de begroeting die ze kreeg. Toen nam ze een slokje van de drank. Die was warm en kruidig, en brandde op haar tong.

'Daggroet. Ik stoor toch niet?' vroeg ze aan Tsata, maar haar komst had het gesprek nauwelijks onderbroken, en ze waren alweer druk aan het praten.

'We bespreken de laatste details met betrekking tot het vertrek,' zei Tsata. 'Zo belangrijk is het niet.'

'Dus ze hebben ja gezegd?'

'Zonder uitzondering,' zei Heth, die aan haar andere zijde zat.

'Daar heb ik ook geen moment aan getwijfeld. Het is een kwestie van pasj,' legde Tsata uit.

'Goden, het lijkt nog maar zo kort geleden dat we zijn teruggekomen,' mijmerde Kaiku. Ze wierp Heth een korte blik toe. 'Hoe gaat het met je?'

'Ik rouw,' zei hij. 'Maar Peithre is teruggebracht naar haar volk. Daar ben ik dankbaar om.'

Kaiku sloot al knikkend haar ogen. In het Xuwoud had Heth geweigerd Peithres lichaam af te geven. Hij wilde haar met alle geweld terugbrengen naar het dorp. Uiteindelijk hadden hij en Tsata wat afstand moeten houden van de rest van de groep; hoewel haar lichaam stevig was ingepakt, begon het te stinken. Toch wilde Heth haar niet begraven of verbranden. Kaiku wist niet met wat voor riten de dood in de Tkiurathische cultuur werd omgeven, maar ze was ervan overtuigd dat Heth en Peithre meer dan gewoon kameraden waren geweest.

'Dan ligt onze weg vast,' zei ze. 'Hoe dan ook denk ik dat we het laatste bedrijf van deze oorlog hebben bereikt.'

Bij de vergadering van de vorige dag waren, via de zusters, ook barak Reki tu Tanatsua en enkele andere woestijnbaraks in Izanzai betrokken geweest. Mishani's informatie was met iedereen gedeeld, hoewel de bron zorgvuldig geheim was gehouden om te voorkomen dat Muraki problemen zou krijgen. Het dringendste, belangrijkste gegeven was het volgende: dat de wevers in de nabije toekomst van plan waren een massale verrassingsaanval op Saraku uit te voeren. Saraku, het centrum van bestuur en overleg, vormde het hart van het verzet in het keizerrijk en was bovendien de plaats waar de meeste edelen en hooggeplaatste families woonden. Als Saraku viel, zouden de wevers tot ver achter het front een vrijwel onwrikbaar vaste voet aan de grond krijgen. Van daaruit konden ze Machita of Araka Jo aanvallen, of de moerassteden in het oosten met de grond gelijk maken. Als de Prefecturen eenmaal waren veroverd, konden ze op hun gemak Tchom Rin annexeren.

Er was echter ook hoop. Als de wevers immers buiten de Prefecturen konden worden gehouden tot de oogst binnen was gehaald, zou het tij wellicht keren.

'Maar we kunnen hen niet op afstand houden,' had Cailin gezegd. 'Zelfs niet met wat we nu weten. Misschien kunnen we de aanval op Saraku verijdelen, maar voor de zomer zullen ze ons dan gewoon op een ander punt aanvallen. Tenzij ze gedwongen worden een deel van hun troepen in te zetten om hun eigen territorium te verdedigen. We moeten hun laten inzien dat ze nergens veilig zijn. We moeten Adderach aanvallen.'

Cailin had al sinds Kaiku's bezoek aan Axekami het hardst geroepen om een aanval op Adderach, maar nu kreeg ze eindelijk steun. Lucia's terugkeer had hun hoop geschonken, het geloof dat ze de voorheen onoverwinnelijk geachte feya-kori's konden verslaan. Nu het moreel zo hoog was, waren ze meer bereid na te denken over de mogelijkheid dat ze in één klap een eind zouden kunnen maken aan de oorlog, hoe onzeker en onwaarschijnlijk die ook was. Ze wisten nu dat de wevers niet zo'n groot leger hadden als ze hadden verwacht, en dat de afwijkenden en nexussen rampzalig overbelast waren: de wevers gebruikten hen als aanvalsmacht, maar waren van de Zwarte Garde afhankelijk om de orde in de steden te bewaren. Het was heel goed mogelijk dat Adderach slechts licht werd bewaakt. Het klooster stond immers in het hart van het vijandelijke territorium en werd ongetwijfeld beschermd door de misleidende schilden van de wevers. De wevers hadden keer op keer laten blijken dat ze niet tactisch konden denken, en Adderach was hoogstwaarschijnlijk de enige plaats waar ze de rijksvoogd iedere bemoeienis hadden verboden. Cailin had het slim gespeeld, want de kans om de heksenstenen van de wevers te bereiken – haar belangrijkste drijfveer – was nauwelijks ter sprake gekomen. Of ze daar nu in slaagden of niet, het idee dat ze het meest gekoesterde fort van hun vijand zouden kunnen vernietigen was te verleidelijk. En voor de hooggeplaatste families van het westelijke keizerrijk had het plan een nog zoeter aspect. Hun legers zouden namelijk niet worden ingezet.

Zo werd de beslissing genomen: er zou een drieledige aanval op de wevers worden uitgevoerd. De troepen van de Libera Dramach en het westelijke keizerrijk zouden de aanval op Saraku afslaan. Ondertussen trokken de krijgers van Tchom Rin en de Tkiurathi's, vergezeld door een aantal zusters, naar Adderach. Het woestijnvolk had de moeilijkste taak: een trektocht over de lengte van de bergen, zodat ze Adderach vanuit het zuiden konden naderen. De Tkiurathi's en de zusters zouden over zee reizen, door vijandelijke wateren, en ten noorden van de Aonberg aan land gaan. Als alles volgens plan verliep, zou de blik van de wevers op het leger van woestijnkrijgers in het zuiden gericht zijn, en zouden ze de aanval vanuit het noorden pas opmerken als het te laat was.

De vraag was echter hoe ze aan schepen moesten komen. Lalyara in het westen was de enig haalbare mogelijkheid als ze ongeveer op hetzelfde moment als het woestijnvolk bij Adderach wilden aankomen. Daar waren genoeg schepen voor de Tkiurathi's. Een week eerder hadden de wevers voor de haven echter een blokkade van hun eigen schepen opgeworpen. Ze maakten geen aanstalten om aan te vallen, maar hielden al het inkomende en uitgaande scheepsverkeer tegen. De Libera Dramach had al geraden wat de wevers van plan waren, nog voordat Mishani het bevestigde.

Het volgende doelwit van de wevers was Lalyara. En als ze de stad wisten te veroveren voor de Tkiurathi's er aankwamen, was de helft van de aanval op Adderach al afgeslagen voordat hij was begonnen.

Later wandelden Kaiku en Tsata samen door het bos. Kaiku wilde in beweging blijven om zichzelf af te leiden van het ophanden zijnde vertrek. Ze wist dat ze weinig tijd hadden, dus ze stond te popelen om weg te gaan, maar het was geen eenvoudige taak om genoeg voorraden en materieel bij elkaar te krijgen om bijna duizend mensen ten strijde te laten trekken. Dat kon niet zomaar in een halve dag geregeld worden.

Het was een heldere, rustige, koele dag, en twijgjes knapten onder hun voeten. Ze praatten over onbelangrijke dingen. Kaiku probeerde er niet aan te denken wat het voor gevolgen kon hebben dat ze het Asara mogelijk had gemaakt zich voort te planten, en ze maakte zich al zo lang hardop zorgen over Lucia dat ze moe werd van haar eigen stem. Ze hadden het wel even over haar gevoelens omtrent Mishani's verdwijning en de onthullingen die erop waren gevolgd, maar Kaiku maakte zich niet zo druk om haar vriendin. Aangezien ze pas had geweten dat Mishani in gevaar had verkeerd toen dat gevaar alweer was geweken, had ze slechts een vaag gevoel van opluchting ervaren. Het was inderdaad niets voor Mishani om zoiets te doen. Het feit echter dat Kaiku het niet had zien aankomen herinnerde haar er alleen maar aan hoe zelden ze haar vriendin de afgelopen jaren had gesproken, en dat maakte haar bedroefd.

Kaiku was zich er pijnlijk van bewust dat dit de eerste keer was dat zij en Tsata alleen waren, sinds die kus in het Xuwoud. Daarna waren alle romantische gedachten verbleekt en krachteloos geworden te midden van het verdriet om de dood van Peithre en Phaeca en de vreselijke dingen die ze hadden meegemaakt. Vandaag sprak er echter een zekere ingehouden spanning uit alles wat Tsata deed en zei, die tot uitdrukking kwam in snelle blikken en halve ademteugen ter voorbereiding op woorden die nooit over zijn lippen kwamen. Er hing een gespannen sfeer. Allebei wisten ze immers dat dit misschien wel het laatste rustige moment zou zijn dat hun gegund was voor de storm losbrak en hen opslokte, en dat er tussen hen dingen moesten worden uitgesproken die niet konden wachten.

Uiteindelijk vonden ze een plekje waar de grond omhoogliep naar de rotsachtige oever van het meer, die een voet of tien boven het water uitstak. Het meer glinsterde in het scherpe, winterse licht. In de verte voeren jonken langzaam naar de horizon, en op de luchtstromen zweefden haaksnavels, speurend naar vis. Kaiku en Tsata gingen naast elkaar op een omgevallen boom zitten die deels was begroeid met mos, en onder de zacht wiegende blaadjes van de altijdgroene bomen brak dan eindelijk het moment aan dat ze zo lang hadden uitgesteld.

Tsata keek naar zijn handen, zo duidelijk ten prooi aan besluiteloosheid dat Kaiku er een beetje om moest lachen. Dat brak de spanning: hij glimlachte terug.

'Jouw volk is niet goed in het verbergen van gevoelens,' zei Kaiku. 'Zeg het maar.'

'Ik durf niet goed,' antwoordde hij, en hij keek onzeker naar haar op om haar reactie te peilen. 'Ik ben bang dat ik nog steeds niet genoeg weet van jullie gewoonten, en jullie Saramyriërs hechten erg veel waarde aan etiquette.'

'De meeste mensen wel, ja. Ik heb vaak het gevoel dat ik het een stuk minder belangrijk vind. Mishani houdt me regelmatig voor dat ik vreselijk onbeschaafd ben.' Ze keek hem met een tedere blik in haar ogen aan. Aan de ene kant wilde ze horen wat hij te zeggen had, aan de andere kant ook niet. 'Eerlijkheid is beter.'

'Maar dat is een van de dingen die ik niet begrijp aan jouw volk. Je zegt dat je eerlijkheid op prijs stelt, maar dat is zelden zo. Jullie zijn zo gek op ontwijkende uitspraken en antwoorden dat jullie moeite hebben met eerlijkheid.'

'Draai niet zo om de hete brij heen, Tsata,' zei ze, niet onvriendelijk. 'Dat is niets voor jou.'

Uiteindelijk schudde hij zijn hoofd alsof hij een lastige vlieg wilde verjagen, en vouwde zijn handen. Kaiku zag dat de lichtgroene, langwerpige tatoeages op zijn vingers prachtig samenvielen als hij dat deed.

'Ik kan dit niet op jouw manier,' zei hij. 'Als dit...'

Kaiku's geduld was op. 'Tsata, verlang je naar me of niet?'

Dat was zo recht voor z'n raap dat zelfs hij ervan schrok. Hij draaide zich naar haar om, en in de fractie voordat hij antwoordde, prentte ze dat beeld van hem in haar geheugen. Zo wilde ze de herinnering bewaren aan die laatste momenten van onzekerheid voor er zekerheid zou ontstaan over de aard van hun relatie. Dit beeld zou ze onthouden om zichzelf te wapenen tegen zijn antwoord.

Dat antwoord, toen het eindelijk kwam, luidde echter: 'Ja.'

Er viel een korte stilte.

'Maar voor jou is het niet zo eenvoudig,' ging hij verder. 'Of wel soms?'

Kaiku boog het hoofd een beetje, zodat haar haren voor de linkerkant van haar gezicht vielen en haar afschermden. 'Eenvoud is voor mijn volk een moeilijke zaak,' zei ze.

Opeens werd ze boos. Ze voelde zich door zichzelf verraden. Goden, had ze dan niet lang genoeg op dit moment moeten wachten? Ze wist wat ze voor hem voelde. Ze had het niet willen toegeven, maar eigenlijk wist ze het al sinds die weken, vier jaar eerder, toen ze in de Xaranabreuk op afwijkenden hadden gejaagd en de wevers hadden bespioneerd. Het gevoel was niet plotseling gekomen, maar zo geleidelijk dat ze het in eerste instantie niet had herkend. In de tijd dat hij aan de andere kant van de zee had gezeten, was ze er bijna in geslaagd het af te doen als een bevlieging. Bijna. Sinds hij was teruggekomen, sinds die kus in het woud, wist ze wat het in werkelijkheid was. In sommige opzichten was hij echter heel moeilijk te doorgronden, en ze had nooit zeker geweten of dat gevoel wederzijds was geweest. Tot op dit moment.

Het was echter heel anders dan ze zich had voorgesteld. In plaats van een vloed van blijdschap, opluchting, bevrijding, ervoer ze slechts een afschuwelijke vermoeidheid, een zure smaak in haar mond nu allerlei mogelijkheden waren verdwenen. Nu ze zonder enige twijfel wist dat hij naar haar verlangde, stuitte ze op alle muren die ze in de loop van de jaren zorgvuldig om haar hart had opgetrokken, en die ze telkens als ze was gekwetst had versterkt. Nu ontdekte ze dat ze zo stevig waren geworden dat ze ze niet zomaar kon afbreken.

'Tsata, het spijt me,' zei ze. 'Je verdient een duidelijker antwoord.'

Hij keek weer naar zijn handen. Kaiku rechtte haar rug, streek haar haren achter haar oor en draaide zich naar hem om. Met zijn hand in haar beide handen zocht ze naar woorden die niet sentimenteel of kwetsend zouden klinken, maar ze was er nooit goed in geweest om zichzelf op die manier uit te drukken.

'Ik verlang ook naar jou, Tsata,' zei ze. 'Echt waar. Dat is nu slechts een schrale troost voor je, denk ik, maar ik wil dat je het weet. Twijfel daar nooit aan, wat er ook gebeurt.' Even wist ze niet meer wat ze moest zeggen. Toen koos ze voor een andere tactiek. 'Vanaf het begin is alles wat ik goed en stabiel achtte me uit de vingers geglipt. Mijn familie, mijn vrienden, mijn... relaties. De Rode Orde is ook een teleurstelling geworden. Misschien kan ik zelfs de Libera Dramach niet meer vertrouwen. Ik durf er in elk geval niet van uit te gaan.' Ze omklemde zijn hand nog steviger, alsof ze hem wilde dwingen het te begrijpen. 'Ik begon net van Tane te houden toen hij me werd afgenomen. Ik ben verraden door Saran – door Asara – op het moment dat ik begon te geloven dat er iets tussen ons kon groeien. Daartussen zijn er nog een paar mannen geweest, van wie ik niet zo hartstochtelijk hield, maar ook die relaties zijn uitgelopen op verraad of teleurstelling.'

Hij keek nu niet meer naar zijn handen, maar naar haar.

'Telkens als ik iets of iemand in mijn hart toelaat, houd ik er een nieuw litteken aan over,' zei ze met een smekende klank in haar stem, vragend om zijn vergiffenis. 'Ik wil alleen zijn, niemand nodig hebben, maar als ik dan naar Asara kijk en hoe zij daardoor is geworden, weet ik dat dat ook niet de oplossing is. Maar ik kan niet nog een wond verdragen, Tsata. Ik kan mezelf niet toestaan van je te houden, om je vervolgens in de strijd te zien sterven, of je te zien terugkeren naar je vaderland, of te zien dat je een andere vrouw vindt. Jullie geloven niet in monogame verbintenissen.'

'Nee,' prevelde hij. 'Maar jij wel. En voor mij zou dat voldoende zijn.'

Ze fronste haar wenkbrauwen. 'Wat bedoel je daarmee?'

'Het is niet zo ongebruikelijk als je denkt,' zei Tsata. 'Mijn volk woont al jaren in de buurt van Saramyrese nederzettingen. Het is al eerder gebeurd dat een Tkiurathi een monogame verbintenis is aangegaan met een Saramyriër. Sommigen zijn zelfs getrouwd. Het is een kwestie van persoonlijke voorkeur, van een andere invulling geven aan de pasj.'

'En zou je dat voor mij doen?'

'Ja,' zei hij. Hij staarde naar het meer. 'Ik heb... lang getwijfeld. Normaal gesproken zou ik mijn gevoelens al eerder hebben uitgesproken, zelfs al wist ik nog niet of ik er iets mee wilde doen. Maar dat zijn onze gewoonten, niet die van jou. Ik wist dat het jou in verwarring zou hebben gebracht en dat ik je naar alle waarschijnlijkheid van me zou hebben vervreemd, dus heb ik gezwegen. Ik wist niet of het ooit iets kon worden tussen ons. Ik dacht dat de verschillen tussen onze culturen te groot waren. Maar in het woud, toen ik zag dat je het bij die soldaat voor ons opnam, en toen je Peithre weigerde achter te laten...' Zijn stem stierf weg, en hij draaide zich weer om en keek haar aan. 'Toen wist ik het.'

Nu voelde ze het eindelijk, als een toenemende druk die zich vanuit haar borst verspreidde, een warme golf die haar overspoelde. Het overviel haar zo dat ze ervan moest zuchten, een korte ademtocht die veranderde in een onwillekeurige glimlach. Het duurde echter maar even, want ze onderdrukte het, omdat ze wist waar het toe zou leiden.

Heb ik eigenlijk wel een keuze, dacht ze. Als ik deze man afwijs, van wie ik weet dat ik er, meer dan bij wie ook, op kan vertrouwen dat hij me niet zal voorliegen, hoe zal de rest van mijn leven er dan uitzien?

Ze beet zachtjes op de binnenkant van haar lip en sloot haar ogen. Kon ze zo leven, immer op haar hoede, veilig en gevoelloos? Of was dat het begin van een neerwaartse spiraal waaraan ze niet zou kunnen ontsnappen? Als ze deze oorlog overleefde, had ze een lang leven voor zich. Zelfs de zusters wisten niet precies hoe lang. Misschien wel eeuwig.

En als je deze man in je hart toelaat, kun je het dan verdragen hem oud te zien worden terwijl jij jong blijft?

Dat was een vraag die ze nu niet onder ogen wilde zien. Hij was in een algemenere vorm al eerder bij haar opgekomen, maar was te overweldigend om te kunnen bevatten. Wat was het alternatief? Nogmaals, er was er maar een: zichzelf afsluiten, altijd alleen blijven, afgesneden van de rest van de wereld. Een afgezonderd bestaan waarin ze alleen veilig met andere leden van de Rode Orde kon omgaan, omdat die net als zij leeftijdloos waren. Dat was ook geen optie. Uiteindelijk leidden alle wegen naar pijn. Het was slechts een kwestie van tijd.

'Tijd,' mompelde ze zachtjes, zo zacht dat Tsata het nauwelijks verstond. Zijn verwarring was zichtbaar op zijn gezicht. 'Geef me tijd... om hierover na te denken.'

Hij wilde nog iets zeggen, maar bedacht zich toen, trok zijn hand los en stond op. Kaiku volgde zijn voorbeeld. Zo bleven ze even staan, gevangen in dat moment waarin ze geen van beiden echt afscheid wilden nemen en het daarbij wilden laten. Toen drukte Kaiku snel een kus op zijn lippen en liep het bos in, hem alleen achterlatend. Ze keek niet om. Ze wilde niet dat hij de tranen zou zien die in haar ogen opwelden.

De Tkiurathi's reisden snel en sleepten weinig met zich mee. Tegen de avond hadden ze alles wat ze nodig hadden voor de reis naar Lalyara uit het dorp verzameld. Cailin had geregeld dat de schepen op hun bestemming zouden worden bevoorraad voor wat daarna zou volgen. Binnen een dag was het dorp leeg en verlaten, waren de vuren gedoofd en de tentflappen van de repka's dichtgebonden. Ze verzamelden zich in een vallei ten noorden van het tempelcomplex, klaar om bij het vallen van de avond te vertrekken. Tientallen zusters zouden hen vergezellen, onder wie Cailin zelf. Ook Kaiku ging mee.

Nadat ze Tsata had gesproken, liep ze de rest van de dag haastig door haar huis heen en weer om de laatste voorbereidingen te treffen en te controleren of alles in orde was. Ze wist niet of Mishani snel zou terugkeren, dus moest ze ervan uitgaan dat de woning een hele tijd leeg zou staan. Ze ruimde op en maakte schoon, pakte haar tas twee keer opnieuw in, bad kort bij het binnenaltaartje, maakte eten en at het met snelle, nerveuze happen op. Eigenlijk wilde ze vooral bezig blijven, zodat ze geen tijd zou hebben om na te denken. Ze had haar pad gekozen. Ze zou er niet van afdwalen. Ze ging naar Adderach, waar de wieg van de wevers stond. Haar eed aan Ocha, die ze lang geleden had afgelegd, eiste dat van haar. Al het andere – werkelijk alles – kon wachten. Eerst moest ze afrekenen met de wevers, en als ze een kans had om hen te vernietigen, hun macht te breken, hoe klein ook, dan moest ze die aangrijpen. De geesten van haar familie zouden haar anders nooit vergeven.

In een vlaag van verbittering overwoog ze het gewaad van de Rode Orde niet mee te nemen, maar ter plekke te verbranden. Nu het er echter op aankwam, wilde ze het liever niet vernietigen. Hoewel het een verbond symboliseerde dat wat haar betrof niet meer bestond, kon ze niet ontkennen dat ze er een zeker gevoel van macht en gezag aan ontleende, en in Adderach zou ze al haar moed nodig hebben. Zolang als de oorlog duurde was ze nog nooit zonder die kledij ten strijde getrokken.

Goed dan, dacht ze. Ik trek het wel weer aan. Tot de wevers er niet meer zijn.

Het laatste wat ze meenam, was het masker, dat op zijn vaste plek in de kist lag. Ze griste het er vol afschuw in één snelle beweging uit en propte het in haar rugzak. Toen vouwde ze de flap erover en maakte die vast.

Ze stond op het punt te vertrekken toen ze buiten een belletje hoorde. Ze deed de deur open. Het was Lucia, met achter zich twee zusters die als lijfwachten fungeerden.

'Mag ik binnenkomen?' vroeg Lucia. Kaiku liet haar binnen. Ze wachtte af of de zusters achter haar aan kwamen, maar schoof de deur dicht toen ze bleven staan. Het was binnen bijna helemaal kaal nu zelfs de minimalistische meubels waren weggezet. Lucia liep een eindje de kamer in, bleef even met haar rug naar Kaiku gekeerd staan en draaide zich toen om.

'Ga je weg?' vroeg ze. 'Nu al?'

'Ik sta net op het punt te vertrekken,' zei Kaiku.

'Ik heb het net pas gehoord,' zei Lucia.

'Je was bij de vergadering,' zei Kaiku. 'Je wist dat de Tkiurathi's gingen.'

'Maar ik wist niet dat jij meeging,' antwoordde Lucia. 'Wilde je weggaan zonder afscheid te nemen?'

Kaiku nam haar aandachtig op. Lucia's lichtblonde haar begon wat langer te worden, nadat ze het al die jaren jongensachtig kort had gehouden. Kaiku vroeg zich af wat dat betekende, als het al iets betekende, als er ook maar iets was wat nog iets betekende.

'Ik dacht dat het je niet zou interesseren,' zei Kaiku eerlijk, en ze was verbaasd te horen hoe wreed dat klonk.

De uitdrukking op Lucia's gezicht maakte duidelijk hoezeer die opmerking haar stak. 'Dat is niet eerlijk, Kaiku.'

'O, nee? Sinds je bezoek aan de Xiang Xhi lijkt het alsof je me niet meer wilt kennen. Wat heb ik misdaan, dat ik zo'n behandeling heb verdiend?'

'Jij zou toch moeten weten dat ik bepaalde... zaken heb waar ik mee in het reine moet komen,' antwoordde Lucia. 'Ik had juist van jou een beetje meer coulance verwacht.'

Kaiku was verbijsterd over haar toon: dit was niets voor de Lucia die ze kende. Ze klonk ronduit schril.

'Dat moet je me dan maar vergeven,' zei Kaiku. Het was een nonchalante verontschuldiging, zonder veel waarde. 'Maar hoe moet ik dat weten als je niet eens met me wilt praten? Voordat we het woud binnengingen, was je tenminste nog jezelf, al was je niet altijd even helder. Maar na die tijd ben je veranderd. Ik weet nu niet meer zo goed wie je bent en wat je wilt.' Ze verzachtte haar stem een beetje, beseffend dat ze wel erg hard van leer trok. Door de emotionele ontberingen van de laatste dagen en haar zenuwen bij het vooruitzicht weg te moeten, reageerde ze te ongevoelig. 'Wat is er daar met je gebeurd?' De bezorgdheid die in haar stem doorklonk brak Lucia uiteindelijk. Opeens wierp ze haar stekelige houding af en leek ze weer de oude te worden. Ze vertelde Kaiku wat de geest tegen haar had gezegd over het ware doel van de wevers en de scheidende sluier. Ze zei echter niets over de prijs die zou moeten worden betaald voor de hulp van de geesten.

Kaiku luisterde. Het klonk in haar oren allemaal merkwaardig onbelangrijk, en onthullingen die haar als mokerslagen hadden moeten raken, drongen nauwelijks tot haar door. Het reikte allemaal te ver: het had geen invloed op haar doel. Het was echter duidelijk dat Lucia iets verzweeg, en toen ze uitgepraat was, zei Kaiku: 'Er is nog iets wat je me niet verteld hebt.'

'Dat is tussen mij en de Xiang Xhi,' zei Lucia.

Toen viel er even niets meer te zeggen.

'Het spijt me dat ik zo onbeschoft deed,' zei Kaiku, oprecht deze keer. 'Je staat onder grote druk, en het is een last die je niet kunt of wilt delen. Het was onbeleefd van me om weg te gaan zonder afscheid te nemen.'

'Laten we maar vergeten dat het gebeurd is,' zei Lucia. 'Ik wil dat je weet dat het niet mijn bedoeling was om zo onaardig tegen je te zijn de afgelopen dagen, en dat alles wat ik in het emyrynndorp tegen je heb gezegd nog steeds geldt. Ik wil niet dat ons laatste afscheid wordt bezoedeld door rancune.'

'Waarom denk je dat het ons laatste afscheid is?' vroeg Kaiku. De vraag was met opzet luchtig gesteld, om de rilling van angst te weren die ze ervoer toen ze Lucia's woorden hoorde.

Lucia gaf geen antwoord, maar liep op Kaiku af en omhelsde haar zachtjes. Dat was erger dan alle antwoorden die ze had kunnen verzinnen.

'Lucia, wat is er toch?' fluisterde Kaiku, opeens doodsbang. 'Wat weet jij dat ik niet weet? Waarom vertel je het me niet?'

Lucia liet haar los, en haar lichtblauwe ogen waren vervuld met verdriet en mededogen.

'Vaarwel,' fluisterde ze. Ze liep weg.

Kaiku wilde haar terugroepen, een antwoord op haar vraag eisen, maar ze kon niets bedenken waarmee ze Lucia van gedachten zou kunnen doen veranderen. Diep vanbinnen wilde ze dat pure moment niet verpesten met boosheid en schrille smeekbedes. Ze voelde zich bedrukt, alsof er een onzichtbaar, onvermijdelijk iets op haar drukte waar ze niets van begreep, en tegen de tijd dat ze zich voldoende had hersteld, was de deur al dichtgeschoven en was Lucia verdwenen.

Een tijdje bleef Kaiku in het lege huis staan. Het voelde nu aan als een graftombe. Ze kon het niet meer verdragen, dus griste ze haar rugzak van de grond en slingerde die over haar schouder. Vervolgens verliet ze haar huis en ging op weg naar de vallei waar de Tkiurathi's zich verzamelden.

Toen ze over het zandpad wegliep, was ze zich er opeens van bewust dat ze het huis wellicht nooit meer zou terugzien. Ze keek niet om.

◎ 24 ◎

De reis vanuit Araka Jo – om de noordoever van het Xemitmeer heen naar het westen, langs de zuidelijke grens van het Xuwoud – werd in alle haast afgelegd, want ook Mishani had hun niet kunnen vertellen wanneer Lalyara precies zou worden aangevallen. Met hun daden hadden de wevers duidelijk gemaakt dat ze van plan waren de vloot, die gevangen lag in de haven, te vernietigen. De Tkiurathi's hoopten er op tijd te zijn om zich al vechtend een weg door de barricade van weverschepen te banen en weg te varen. Toen ze nog enkele dagreizen van hun bestemming verwijderd waren, bereikte hen het bericht dat het weverleger was gesignaleerd. Het rukte snel op richting Lalyara. De rest van de reis werd in een moordend tempo afgelegd, maar de Tkiurathi's waren ongelooflijk fit, gehard als ze waren door de gevaren in hun vaderland, en ze konden razendsnel vooruitkomen als het nodig was. Ze bereikten Lalyara maar heel kort voordat de mist kwam opzetten, en meteen werden er voorbereidingen getroffen om de schepen die aan de kade op hen wachtten te laten uitvaren.

Ze waren snel, maar niet snel genoeg.

Ontploffingen. Het gekraak van hout en het wilde geklots van water tegen de stenen van het dok. Mannen en vrouwen die roepend naar elkaar langs Kaiku heen renden; de sensatie van een logge beweging toen een van de reusachtige schepen rechts van haar bij de pier wegvoer, de zware plons toen de loopplank in zee werd geworpen. Een onregelmatig geweersalvo in de verte. Zout in de lucht, koude waterdruppels in haar gezicht, de geur van vuur en bloed, en overal die afschuwelijke, verstikkende mist.

De feya-kori's waren gearriveerd.

Er heerste complete chaos in de haven. Zeelui klauterden omhoog langs de in mist gehulde tuigage van hun schepen, gehoorzamend aan gebrulde instructies. De jonken waren niet meer dan dreigende schimmen. Tkiurathi's stommelden loopplanken op en verdrongen zich op de dekken van de schepen, terwijl dokwerkers de trossen doorkapten en de kustwind de gehesen zeilen deed opbollen. Kaiku zette zich schrap tegen de onstuitbare stroom van mannen en vrouwen en keek naar het noorden met rode ogen die probleemloos de mist doorboorden.

Daar waren ze, op de top van een verre helling. Onvermurwbaar als een vloedgolf verhieven ze zich boven de noordelijke muur van de stad. Het waren er twee, dezelfde twee die Juraka en Zila hadden vernietigd: zwarte gestalten, kolkende gierkarren van Weefseldraden. Hun akelige gekreun galmde boven de daken terwijl ze de muur aan puin sloegen. En hoewel ze het niet kon zien, wist ze dat de afwijkenden de stad binnenstroomden.

Er vloog iets over haar hoofd, en ze kromp ineen; het raakte een paar straten verderop een pakhuis, waar een hele muur uit werd geslagen. Op zee hoorde ze het gebulder van kanonnen. Het verdedigingsgeschut moest blind worden afgeschoten, want niemand kon door de mist van de feya-kori's heen kijken. De weverschepen waren nu dichter genaderd, want de bemanning had genoeg van de blokkade en kende geen angst voor de wapens van de tegenstanders. De wevers fungeerden als hun ogen, en ze zaaiden dood en verderf in de stad met behulp van een nieuw soort artilleriekogel, die zwaarder en explosiever was dan de munitie die het keizerrijk in de voorbije jaren had gebruikt.

Nog maar de helft van de jonken was uitgevaren, en er moesten er nog vele volgen.

Kaiku voelde een kanonskogel aankomen, berekende intuïtief de baan die hij aflegde en besefte dat hij midden op het dok terecht zou komen. Ze wilde er net iets aan gaan doen toen een van de andere zusters haar voor was. Midden in de lucht verloor de kogel snelheid, en hij viel in de golven.

Weer een, en nog een: twee tegelijk kwamen er nu aan. Ze schakelde er een uit volgens de methode die haar metgezel had gebruikt, zonder het omhulsel te breken en de gelei eruit te laten, die in brand zou vliegen zodra hij met de lucht in aanraking kwam. De tweede werd op dezelfde manier tegengehouden.

Nog twee, en daarna nog twee. De weverschepen waren duidelijk binnen schootsafstand.

Drie projectielen vielen zonder schade aan te richten; de vierde niet. In de haast liet een van de zusters hem afremmen op het moment dat hij zich boven een schip bevond dat op het punt stond om uit te varen. Hij dook omlaag en sloeg tegen de mast aan scherven. Verscheidene zeelui en Tkiurathi's vielen met hun handen tegen hun gezicht of lichaam gedrukt op het dek, doorboord door brandende hardhouten splinters. De mast viel traag om, met brandende zeilen die een spoor van rook achterlieten. De mannen die zich eronder bevonden, hadden niet genoeg plaats en tijd om zich uit de voeten te maken. Er brak verwarring uit op het hele schip: sommigen maakten dat ze wegkwamen, anderen deden hun uiterste best de gewonden te helpen, en ondertussen kwamen er nog meer projectielen aan, die met dodelijke snelheid door de mist suisden.

((Dit houden we niet vol)) zei Cailin uitsluitend tegen Kaiku. *((De afwijkenden naderen snel. We kunnen ons niet tegen hen én de kanonnen verdedigen))*

((Dan moeten we de zee op, ervoor zorgen dat die schepen iets anders krijgen om zich druk om te maken)) dacht Kaiku fel, haar boodschap verwoordend in een reeks beelden: brandende schepen, stervende mannen, verschroeide handen en smeltende maskers.

((Akkoord. Ik wil dat jij met het volgende schip uitvaart. De eerste schepen zetten op zee al de aanval tegen onze vijanden in))

Kaiku zond haar bij wijze van reactie een mengelmoes van opstandige emoties, waarmee ze aangaf dat ze zou gaan als zij daar verdorie klaar voor was, en dat ze zich niet door Cailin liet koeioneren. Diep vanbinnen wilde ze echter niets liever dan het dok verlaten, waar ze in feite niet meer kon doen dan de kogels van de vijand onderscheppen. Verdediging was niet haar stijl.

((Dan vraag ik het je, Kaiku)) zei Cailin prikkelbaar. *((Wil je alsjeblieft met het volgende schip meegaan?))*

((Goed)) zei ze, want op dat moment zag ze Tsata een pier oprennen, en daarmee was haar laatste reden om aan land te blijven verdwenen.

Ze baande zich een weg naar het schip waar Tsata aan boord was gegaan. In het noorden waren de feya-kori's zoals gewoonlijk druk bezig alles om zich heen lukraak te vernielen, maar ze waren duidelijk in een rechte lijn op weg naar de haven. Een kanonskogel scheerde boven haar hoofd door de lucht, maar hij vloog over de haven heen en de zusters maakten geen van allen aanstalten om hem tegen te houden. Hij sloeg dwars door het koepeldak van een tempel heen, waarop het omringd door dikke rook en hoge steekvlammen instortte.

Er kwam nog een projectiel door de verdediging van de zusters heen, deze keer omdat er domweg te veel artilleriekogels moesten worden tegengehouden. Hij sloeg in op het dok, midden tussen een massa mensen, overwegend Tkiurathi's. De ontploffing reet lichamen uiteen, deed afgerukte ledematen over de gebarsten stenen tegels stuiteren. Mannen klauwden naar hun verblinde ogen, vrouwen lagen op de grond, spartelend met dichtgeschroeide vleesstompen die ooit ledematen waren geweest.

Even kneep Kaiku vol afschuw haar ogen dicht, maar ze kon geen tijd verspillen aan ontzetting of medeleven en baande zich snel een weg naar de loopplank. Overal om haar heen strompelden mannen die de gewonden van het brandende schip ondersteunden. Ze rook de stank van pijn, vermengd met de smerige, giftige reuk van het feya-kori-miasma, en gebruikte die om haar haat aan te wakkeren. Ze maakte zich los uit de mensenmassa, glipte de pier op en ging aan boord van de jonk.

Er was op het dek maar weinig bewegingsruimte. De zeelui schreeuwden tegen de Tkiurathi's dat ze benedendeks moesten gaan, maar er waren er maar weinig die aan dat verzoek gehoor gaven. Ze waren geen zeevaarders en vonden het geen prettig idee om vast te zitten in een houten doos die elk moment tot zinken kon worden gebracht. Ze zocht naar Tsata, maar te midden van die vele getatoeëerde en gecamoufleerde mensen was dat een hopeloze onderneming.

Overal langs de kade werden nu schepen bevrijd van hun meertouwen. De overgebleven schepen liepen snel vol, en Kaiku vermoedde dat ze kort na elkaar zouden vertrekken, want de zeelui wisten dat ze geen tijd meer te verliezen hadden. Het gebulder van de kanonnen galmde door de lucht en leek dichterbij dan ooit.

Toen klonk op de kade opeens het geknal van geweren, nu de soldaten van Lalyara het vuur openden op de afwijkenden. De zeelui aan boord van Kaiku's schip brulden het 'trossen los', en de zeilen ontvouwden zich langs de masten toen de lijnen werden ingehaald. De Tkiurathi's aan boord zochten naar doelwitten voor hun kogels toen de afwijkenden verschenen.

Reusachtige ghauregs leidden de aanval. Ze stortten zich op de verdedigers aan de noordzijde van de kade en wierpen ze als kapotte marionetten van zich af. Vlak achter hen aan renden schellers, die met een keelachtig gekoer mannen besprongen, onderuithaalden en verminkten; ertussendoor schoten skrendels heen en weer, bijtend en wurgend. Met pure, suïcidale overmacht verpletterden ze de voorste linies. Zelfs na vier jaar hadden de Saramyrese soldaten nog moeite met deze vijanden, die niets om hun eigen leven gaven. Toen openden de Tkiurathi's het vuur op de schepen en werden de roofdieren door een vernietigende regen van kogels aan flarden gereten. De afstand was echter groot, en er bleven er genoeg in leven om het op te nemen tegen de overgebleven soldaten. Een leegstaand bordeel aan de haven werd precies in het midden geraakt door een van de weverkanonnen, en de gevel barstte in brandende brokstukken uit elkaar. Zwaarden werden getrokken, geweren knalden en de soldaten verdedigden zich met hand en tand, maar ze wisten dat ze reddeloos verloren waren. Ze offerden hun leven op zodat de schepen konden ontkomen. Ze hadden het bevel gekregen hier stand te houden, en dat zouden ze tot hun laatste snik doen.

Kaiku kon de trage, logge bewegingen van de jonk voelen nu die de wind in de zeilen kreeg en van de laatste meertouwen werd bevrijd. Ze drong zich tussen de mensen door, met haar gedachten verdeeld tussen de communicatie met de zusters en de inkomende kanonskogels. Ze liet haar kana naar Tsata zoeken door de band tussen hen te volgen, de emotionele verbinding die binnen het Weefsel tastbaar was.

Ze voeren al weg van de pier toen ze hem vond. Hij vulde net de kruitkamer van zijn geweer bij met buskruit uit een buidel. Rechts van hen voer een schip dat net voor hen was uitgevaren, een reusachtige, wiegende schaduw in de mist die steeds meer vaart kreeg. Tsata zag haar niet toen ze op hem afliep; hij spande geconcentreerd de haan van zijn geweer en richtte het op de afwijkenden die de haven binnenvielen, om ze een voor een om te leggen.

Een van de jonken wist niet snel genoeg te ontsnappen aan de vloedgolf van slagtanden en klauwen, en de wezens zwermden over de loopplank naar het schip, maar toen kwam het in beweging en raakte de plank los. Hij viel in zee, met wezens en al. De paar die aan boord waren gekomen, werden gedood, maar ze sleurden drie keer zoveel verdedigers met zich mee.

Kaiku fronste haar wenkbrauwen terwijl ze zich richtte op een nieuw salvo van de weverschepen. Het aantal projectielen dat op de haven werd afgeschoten werd minder, want de wevers richtten hun kanonnen nu op de jonken die door de blokkade heen wilden breken. Een van de feya-kori's trok inmiddels steeds sneller zijn spoor van verwoesting naar de haven, dwars door de gebouwen van de stad heen. Hij bewoog traag, maar niet traag genoeg naar Kaiku's zin, en hij leek te weten dat de schepen op het punt stonden te ontsnappen. Hij kwam recht op ze af.

Toen hadden ze de pier achter zich gelaten en voeren ze door de wateren van de haven. Sommige afwijkenden stortten zich op de jonken, ketsten af op de scheepsrompen en vielen in het water, waarna ze moeizaam wegzwommen. Andere werden van de kade het water in geduwd door hun roekeloos oprukkende metgezellen.

Ze waren nu echter buiten het bereik van de afwijkenden. Het laatste schip was uitgevaren, en de soldaten die op de kade waren achtergebleven – onder wie enkele tientallen Tkiurathi's die er niet in waren geslaagd aan boord van een schip te komen – werden door de wevermonsters aan mootjes gehakt. Gelukkig werd het tafereel verhuld door de mist, die steeds dichter werd naarmate ze verder bij het bloedbad vandaan voeren.

Even hield het bombardement vanaf de zee op, en in dat korte respijt legde Kaiku haar hand op Tsata's blote schouder. Hij droeg zoals altijd een mouwloze tuniek van grijs hennep, bedekt met borduursel in traditionele patronen. Hij draaide zich niet om, maar legde zijn hand op die van Kaiku terwijl hij naar de snel vervagende contouren van de kade keek.

Een plotselinge waarschuwing in het Weefsel verstoorde haar kortstondige rust, en ze richtte er haar aandacht op. Het was een van de zusters, die had opgemerkt dat de naderende feya-kori van richting was veranderd. Hij was niet meer op weg naar de haven, maar naar de zee zelf. Kaiku hoorde het felle gesis van de mist, het woeste kolken en borrelen van het zoute water op het moment dat de feya-kori het aanraakte. Een grote golf deed hun jonk naar links overhellen. Vlak daarna voelde Kaiku de deining onder het schip door trekken.

Ze rilde toen ze de zwarte Weefselgestalte van de demon door de golven zag waden. Hij wilde de schepen onderscheppen.

Er klonk een sombere kreun in de mist, schrikbarend dichtbij, en er ontstond paniek op het dek. Het schip dat vlak voor hen van de kade was weggevaren, bevond zich nog steeds vlak bij hen aan de stuurboordzijde. Een plotselinge windvlaag verjoeg even de mist, en de enorme gestalte van de demon doemde op uit het water, omringd door opspattend water en stoom. Het gif droop uit zijn mond; zijn onheilspellende gele ogen zagen er in het waas dof uit. Hij strekte zich uit, stak zijn grote armen omhoog en liet zich met een klap boven op de jonk naast die van Kaiku vallen.

Onwillekeurig slaakte ze net als de anderen op haar schip een kreet van ontzetting toen de feya-kori de romp van het andere schip in één logge beweging doormidden brak. De kiel begaf het met een bulderend gekraak; de zee leek te ontploffen toen de armen van de demon dwars door de jonk heen gingen en op het oppervlak klapten, want het schuim en het water spatten in een kolossale fontein op. Weer sloeg er een golf tegen hun schip, zodat het angstwekkend scheef kwam te hangen. Kaiku klemde zich vast aan de reling, bang dat ze zouden omslaan. Verschillende mensen werden overboord geslagen. Vervolgens sloeg het schip zo snel door naar de andere kant dat er nog een paar mensen gillend in de golven werden geworpen. Kaiku werd bijna tegen de reling verpletterd door de mensen die over het door de mist bevochtigde dek tegen haar aan gleden. Ze kon haar blik niet losrukken van de resten van de jonk, waarvan de twee helften naar elkaar toe leken te duiken, met zeilen die in brand waren gevlogen door de aanraking van de feya-kori. Zwartgeblakerde lichamen en nog levende mannen en vrouwen vielen er aan alle kanten vanaf, want langzaam en onstuitbaar kantelde het dek omhoog. De voorste helft kreeg niet eens de tijd om te zinken, want de feya-kori verhief zich opnieuw en sloeg het bruut aan splinters.

Kaiku wendde haar blik af. Ze kon het tafereel echter niet buitensluiten, want het speelde zich ook af in het Weefsel, en ze was zich bewust van alles om zich heen. De doodskreten van de drie zusters die aan boord waren geweest golfden over haar heen.

Hun eigen jonk rechtte zich langzaam maar zeker en doorkliefde de golven, de demon tussen de wrakstukken achterlatend. Ze kon het gebrul van de kapitein horen, die zijn bemanning onverstaanbare bevelen gaf en met grof geweld tot actie aanspoorde. De wind voerde hen mee naar de mond van de haven, en ze kregen snel vaart. De feya-kori maakte geen aanstalten om hen te volgen. Ze voeren inmiddels in water dat te diep voor hem was. In plaats daarvan draaide hij zich met een langgerekte, diepe kreun om naar de haven, waar hij langzaam werd opgeslokt door de mist.

De Tkiurathi's op het dek zwegen. De wind joeg door de tuigage en deed randen van de waaierachtige zeilen klapperen. Teruggaan om de overlevenden op te halen had geen zin. De feya-kori was misschien nog steeds in de buurt, en ze zouden er geen tweede keer aan kunnen ontkomen. Een sluier van rouw daalde neer op het schip.

De stilte hield echter niet lang stand, want ergens voor hen uit klonken opnieuw de kanonnen, en overal om hen heen plonsden kanonskogels in de zee.

'Kanonnen gereed!' brulde de kapitein.

((Zoek de wevers en val ze aan)) beval een zuster die naast de kapitein stond. *((Verblind hun schepen))*

Kaiku kon de slordige scheepslinie nu zien die voor hen uit de weg blokkeerde, als bakens van goudkleurig licht in het Weefsel. Sommige schepen van de zusters bevonden zich al aan de andere kant van die linie, andere glipten er juist tussendoor, en ten minste een ging in een zee van vlammen ten onder. De dichtstbijzijnde vijand lag voor hen uit op het water te wachten: ze zouden het aan de stuurboordzijde passeren als ze deze koers aanhielden. De bemanning bestookte hen met een onthutsend gebrek aan precisie met kanonskogels.

Er was geen wever aan boord.

((Iemand heeft al met dit schip afgerekend)) zei Kaiku tegen haar zusters. *((Breng de kapitein op de hoogte))*

Nonchalant vernietigde ze de projectielen die te dichtbij kwamen en richtte toen weer haar aandacht op het vijandelijke schip. De mannen aan boord wisten dat ze er waren – de stem van de kapitein had zelfs door de mist heen hun oren bereikt – en ze konden het gekraak horen van het grote, logge schip dat door de golven kliefde. De mist verborg echter alles.

Kaiku hield haar adem in toen ze langszij kwamen. Het andere schip was vlakbij, zo dichtbij dat Kaiku, die hen via het Weefsel duidelijk zag, niet kon geloven dat ze hen niet opmerkten. Ze kon elke afzonderlijke man op het vijandelijke schip onderscheiden, kon hun bezorgdheid voelen terwijl ze in de mist tuurden, alert op een glimp van hun tegenstander. Anderen waren druk bezig de kanonnen te laden.

Toen: een windvlaag, en de mist week uiteen. Ze zag de bezorgdheid omslaan in ontsteltenis toen ze de reusachtige schaduw in het oog kregen die langs hen heen gleed.

'Kanonnen aan stuurboord!' riep de kapitein. 'Vuur!'

Met een oorverdovend gebulder barstte de artillerie van de jonk los, en de flank van het vijandelijke schip ging in vlammen op. Kartets roffelde tegen de kiel en trok een lange voor vol splinters. De kanonnen braakten brandende gelei uit over het dek, de zeilen en de bemanning, die het uitkrijste van paniek toen hun huid en haar in brand vlogen. Aan de andere kant van het schip klonk een geweldige explosie, die een regen van splinters naar buiten blies en een gapend gat achterliet. Al na één boordsalvo van dichtbij was het vijandelijke schip onherstelbaar beschadigd, en in de hopeloze strijd om het schip te redden was een eventuele vergeldingsactie al snel vergeten. Kaiku's schip gleed voorbij. Het vaartuig van hun tegenstanders hing vervaarlijk scheef en begon al te zinken, toen het door de mist werd opgeslokt.

'Zijn we buiten gevaar?' vroeg Tsata zachtjes aan Kaiku.

'Nog niet,' antwoordde ze. 'Er zijn nog twee schepen onderweg om ons te onderscheppen. En zij hebben wevers bij zich, dus ze kunnen ons zien.' Ze zweeg even. 'Een van hen is van richting veranderd en vaart nu op een ander schip van ons af.' Opnieuw speurde ze het water af en luisterde naar de verslagen van de zusters die al door de linie heen waren. In de verte klonken daverende explosies in de mist. 'Als we dit kunnen passeren, zijn we veilig. Dan zijn we op de open zee.'

'Kunnen we het ontwijken?'

'Dat denk ik niet,' antwoordde Kaiku. 'Wij zijn zwaarder beladen. Breng de anderen op de hoogte; we zullen onze geweren misschien nodig hebben.'

Tsata liet zijn kin even zakken en gaf toen aan degenen die het dichtst bij hem stonden in rap Okhambaans door wat ze had gezegd. Zij deden vervolgens hetzelfde bij hun buren.

'Nu moet je me even niet storen,' zei Kaiku, die de wevers naderbij voelde komen. 'Ik moet me concentreren.'

Ze schakelde haar normale zintuigen bijna volledig uit, liet slechts genoeg tot zich doordringen om zich vaag bewust te kunnen blijven van haar omgeving. Toen vervlocht ze haar volledige bewustzijn met het Weefsel. Ze sloeg de handen ineen met twee andere zusters die aan boord van hetzelfde schip waren. Gedrieën bouwden ze verdedigingswerken en versterkten ter voorbereiding hun stellingen met valstrikken, barrières en doolhoven. Het was een prachtige, instinctieve, harmonieuze samenwerking. Opeens betrapte Kaiku zichzelf op de gedachte dat ze dat zou missen als ze de Rode Orde voorgoed de rug toekeerde.

Toen vielen de wevers aan en barstte de strijd los.

Terwijl het onzichtbare conflict zich afspeelde in een dimensie die zij niet konden waarnemen, tuurden de mannen en vrouwen aan boord van de jonk in de mist. Een van de zusters had zich niet in het strijdgewoel gemengd, want zij fungeerde als de ogen en oren van de kapitein en hield hem op de hoogte van de positie van de vijand. In de verte was nu gekraak hoorbaar, en het ruisen van zeilen. Het voorhoofd van de kapitein stond strak gespannen. Hij wist dat ze zich geen ernstige averij konden veroorloven als ze de lange zeereis wilden overleven die voor hen lag als ze hier veilig doorheen kwamen. Tussen hier en daar was er geen haven waar ze konden aanleggen om reparaties uit te voeren. Ze moesten dit treffen met overmacht winnen.

Aan boord van het schip kroop de tijd al voorbij, maar in het Weefsel verstreek hij nog veel trager. Kaiku schoot haastig heen en weer en bestookte de drie wevers met spiralen en knopen terwijl de andere zusters nieuwe verdedigingswerken voor de oude optrokken. Ze wonnen langzaam maar zeker terrein, brachten de vijand in verwarring en dwongen hen zich terug te trekken, waarna ze hun positie versterkten en verder oprukten. Een van de wevers was een zwakke schakel, en Kaiku viel hem meedogenloos aan. Ze vermoedde dat hij een deel van zijn bewustzijn had behouden om de kapitein instructies te kunnen geven. In tegenstelling tot de zusters hadden zij niet de luxe van een extra strijdkracht. De wever bouwde ontoereikende doolhoven, die Kaiku telkens weer aan flarden reet, waardoor ze hem achteruit dwong naar het schip. Daardoor hadden zijn metgezellen geen dekking meer, tenzij ze zich zelf ook terugtrokken. Als bij stilzwijgende afspraak was zij de aanvaller van de groep; haar zusters verleenden haar dekking en steun. Langzaam maar zeker werden de wevers teruggedrongen.

'Ze sturen aan op een salvo vanaf boord,' mompelde de zuster die de kapitein vergezelde.
De kapitein vloekte binnensmonds. Hij hoopte op een briljante inval, maar hij kreeg er geen. Aangezien beide kapiteins wisten waar de ander zich bevond, hadden ze elkaar net zo goed op een heldere dag kunnen aanvallen. Ze konden niet vluchten, konden zich niet verbergen. Op basis van wat hij over weverschepen wist, schatte hij in dat de kansen met een salvo vanaf boord te winnen ongeveer gelijk lagen. Hij betwijfelde echter of hij ervan af zou komen zonder

noemenswaardige schade aan zijn jonk, wat inhield dat het schip uiteindelijk toch een keer zou zinken. De kanonnen waren geladen, de mannen stonden klaar. Hij kon alleen maar afwachten en hopen.

Hoewel ze bijna volledig in beslag werd genomen door de strijd in het Weefsel, was Kaiku zich vaag bewust van de twee gouden schepen, opgebouwd uit miljoenen draden, die onstuitbaar op elkaar af gleden. Kaiku had geraden wat de kapitein al wist: dat ze hier niet zonder schade en verlies van levens aan zouden ontkomen.

Intussen wist ze wat ze aan de wevers had. Ze waren jong, onhandig en arrogant, waardoor ze domme fouten maakten die ze kon uitbuiten. De schepen naderden elkaar, een proces dat in het Weefsel tergend traag leek te gaan. Nog even, dan zouden ze op gelijke hoogte met elkaar zijn en zou het vuur losbarsten.

Het was tijd om alle voorzichtigheid te laten varen. Ze zond een opdracht naar haar zusters, en meteen leek het Weefsel te ontploffen: het leek wel een sneeuwstorm van draden die alle kanten op zwiepten, sneller dan het oog kon volgen. De wevers deinsden terug, want deze tactiek hadden ze nog nooit meegemaakt en ze wisten niet hoe die hen kon schaden.

Het was echter niet bedoeld om hen te schaden, maar om hen af te leiden. Snel en subtiel als een vlijmscherp mes gleed Kaiku op hen af.

'Vijand aan bakboord!' brulde de uitkijk toen het gevaarte in de mist opdoemde. Het voer hun op een afstandje tegemoet, te ver weg om te kunnen enteren. De flank was één lange rij bewerkte kanonnen, die leken op gapende metalen demonen. Langzaam gleed het schip langszij, zodat in een snelle opeenvolging geschutpoorten en schimmige gestalten met wapens te zien waren. Net als de zeelui van het keizerrijk wachtten ze op het moment dat alle kanonnen op hun vijand gericht zouden zijn.

'Vuur!' riep de kapitein van het weverschip, precies tegelijk met de kapitein van de jonk. Op dat moment ontplofte de volledige stuurboordkant van het vijandelijke schip. Het helde ver over, zodat de kanonnen hun kogels in het water schoten, onder de kiel van Kaiku's jonk door. De zeelui gleden schreeuwend over het dolboord de zee in. Nu hadden de kanonniers van de jonk een vrij schootsveld op het ongepantserde dek. In een wolk van rook, vlammen en zaagsel schoten ze het aan gruzelementen.

Het was allemaal zo snel voorbij dat de opvarenden nauwelijks konden geloven dat ze er zonder kleerscheuren van af waren gekomen. De Tkiurathi's hadden hun geweren niet eens hoeven afvuren. Ze keken toe terwijl het verwoeste schip onderging en degenen die de eerste aanval hadden overleefd met zich mee zoog. Net als de andere twee schepen die ze hadden zien vergaan, leek het bij hen weg te glijden, om uiteindelijk te worden opgeslokt door de smerige mist. Kaiku knipperde met haar ogen, keek om zich heen en beantwoordde Tsata's blik met haar vuurrode ogen.

'Jij?' vroeg hij.

'Ze moeten hun munitie eens wat veiliger leren opbergen,' zei ze.

Het schip zeilde verder, terwijl de mist om hen heen optrok en eindelijk plaatsmaakte voor een heldere winterdag. Overal om hen heen lag de open zee te glinsteren in het licht van Nuki's oog, en daar waren de schepen van Lalyara, twaalf in getal, die met een flinke vaart naar de horizon voeren.

◎ 25 ◎

Rijksvoogd Avun en Weefheer Kakre stonden naast elkaar op een balkon aan de zuidgevel van de keizerlijke vesting. Ze keken over de stad uit naar het punt waar de Jabaza en de Kerryn samenkwamen in de Zan, op een plek die de Raas werd genoemd. Ooit had op het zeskantige eiland in het midden een enorm standbeeld van Isisya gestaan dat in de richting van de keizerlijke vesting keek, maar dat was verleden tijd. Op een ander moment zou Avun misschien blij zijn geweest met het gemis; want hij kon die beschuldigende blik slecht verdragen. Vandaag had hij echter het gevoel dat het hem niet had kunnen deren. Hij was goedgemutst en alles liep gesmeerd.

Zelfs Kakre leek met hem in zijn nopjes te zijn. De aanblik van de vele gemechaniseerde weverschuiten die zich op de rivieren van de stad verzamelden was zeer indrukwekkend, net als de horde afwijkenden die uit hun ondergrondse verblijven werden gehaald en door in zwarte mantels gehulde nexussen aan boord werden gedreven. En dat was nog maar het staartje van de hele onderneming: het merendeel was al in oostelijke richting stroomopwaarts via de Kerryn naar de Rahn gevaren. Vanaf dat punt zouden de troepen langs de Xaranabreuk en met een lus in het westen om het Azleameer heen trekken, om vervolgens in zuidelijke richting door te stoten in het vijandelijke gebied, richting Saraku. De feya-kori's zouden zich onderweg bij hen voegen, zes in totaal, waaronder de twee die enkele weken eerder Lalyara hadden aangevallen. Die twee waren nu gehard en hadden minder tijd nodig in hun walmputten op krachten te komen. Het leek erop dat de smetdemonen alleen maar sterker werden naarmate ze ouder werden.

Het voorspel was voorbij. De legers van het keizerrijk, aan het wankelen gebracht door de nederlagen bij Juraka, Zila en Lalyara, wisten niet waar de volgende aanval vandaan zou komen. Ze moesten hun leger verspreiden in een poging zoveel mogelijk terrein af te dekken. Avun zou als een zwaard door hen heen snijden en hun hart doorboren. Tegen de tijd dat ze hun troepen in Saraku kregen, zou het al te laat zijn. De wevers zouden bij de rivier de Ju een front in stand houden om zo de moeraslandsteden Yotta en Fos af te snijden, die vervolgens zouden worden vernietigd door de wevertroepen in Juraka. Na een korte adempauze, waarin ze een stad als Saraku gemakkelijk bezet konden houden, zouden ze naar het westen uitvallen. Vanaf dat moment zou het leger van het keizerrijk niets meer tegen hen kunnen uithalen. In het beste geval konden ze zich opdelen in guerrillatroepen en een luis in de pels van de wevers worden, maar de wevers zouden de oogst in handen krijgen. De keizerlijke legers zouden verhongeren en worden opgejaagd tot er niets meer van over was.

Dan zou het voorbij zijn. De woestijnlanden konden niet zonder hulp standhouden. Ook zij zouden snel vallen.

Zelfs de Weefheer leek die dag opgewekt, voor zover zo'n wezen opgewekt kon zijn. Hij was tevreden over Avuns vorderingen nu eindelijk de actie werd ondernomen die hij juist achtte. Vanaf het begin had hij weinig geduld gehad met Avuns tactieken. Zodra ze de feya-kori's onder controle hadden, wilde hij al de genadeslag uitdelen. Avun stond zichzelf een wrange glimlach toe. Dwazen. Als hij er niet was geweest, zouden ze er nu niet zo goed voor hebben gestaan.

Die gedachten herinnerden hem aan zijn confrontatie met Kakre, toen hij de Weefheer had weten te overtuigen van zijn waarde. Kakre leek het te zijn vergeten, of anders deed hij alsof. Het maakte niet uit. Kakre had het onderspit gedolven. Het zou veel te veel moeite hebben gekost om Avun te verwijderen, en die kon hij zich niet getroosten nu ze nog maar zo weinig tijd hadden.

Waar Avun echter nog veel blijer om was, was het gedrag van zijn vrouw. Sinds die dag dat ze op waarachtig miraculeuze wijze was hersteld van haar ziekte, leek ze een ander mens. In het openbaar was ze net zo stil en gedwee als voorheen, maar als ze alleen waren, was ze een stuk minder ingetogen. Opeens zat ze boordevol hartstocht, en nadat ze jarenlang totaal geen seksuele interesse in hem had getoond, leek ze nu vrijwel onverzadigbaar, al was ze nog steeds niet bepaald wild. Zolang er geen sprake van was, had Avun zichzelf ervan overtuigd dat hij geen behoefte had aan het minnespel. Hij was nooit zo op seks gericht geweest: hij werd niet snel opgewonden en gaf niets om de verleidingskunsten van vrouwen. Na al die tijd ontdekte hij echter dat het genot dat het lichaam van zijn vrouw hem kon verschaffen opeens weer immens aanlokkelijk was. Hij wilde het niet graag toegeven, maar hij voelde zich er mannelijker door.

De volgende dag zou hij samen met Kakre vertrekken en zich als generaal bij het leger voegen. Eerst had hij echter iets anders om naar uit te kijken. Tot voor kort had hij Muraki zowat moeten bevelen met hem de maaltijd te nuttigen, maar nu had ze hem tot zijn grote vreugde zelf uitgenodigd. Ze had iets te vieren, en toen ze vertelde waarom, kreeg hij ook zin in een feestje.

Eindelijk had ze haar boek af.

De wind geselde het Tchamilgebergte en joeg achter zijn eigen staart aan tussen de kale pieken en valleien die de ruggengraat van Saramyr vormden. De mannen van de woestijn bleven een stuk lager, want in de winter lag er in de hoge passen sneeuw en woedden er sneeuwstormen, maar toch was ook hier de grond berijpt en bitter koud. Weggedoken in dikke bontmantels verdrongen ze zich om de vuren en luisterden bezorgd naar de geluiden van het donker. In de gloed van Iridima en Aurus lag het land er glanzend en scherp bij als gepolijst staal, en de hemel was dicht bezaaid met sterren als speldenprikjes.

Het woestijnleger telde alles bij elkaar zevenduizend man, en ze bedekten de bergflank als een dikke korst van tenten en lantaarns. Ze waren tot op dat moment misschien vijfhonderd man kwijtgeraakt, allemaal als gevolg van aanvallen door de afwijkenden. Ook nu galmden de kreten van de monsters tussen de pieken. Sommige waren duidelijk afkomstig van ghauregs en klembekken, maar andere klonken volkomen onvertrouwd. Het viel niet mee om met een leger door zo'n gebied te trekken, maar het volk van Tchom Rin liet zich voorstaan op zijn uithoudingsvermogen: ze hadden weinig bij zich en droegen slechts een lichte wapenrusting. De rivaliteit tussen de soldaten van verschillende families was verdwenen omdat ze de noodzaak inzagen als een eenheid samen te werken op dit vijandige terrein, en ze waren flink opgeschoten. De aanvallen van de afwijkenden werden echter steeds accurater, en overdag vlogen er hoog boven hen altijd schor krassende gierkraaien.

De wevers wisten dat ze eraan kwamen en wachtten rustig af. Langzaam liep Reki door het kamp terug naar zijn tent: een slanke, bedachtzame man. De wind deed zijn haar om zijn gezicht wapperen. Zijn laarzen knarsten op de levenloze, rotsachtige grond. Weer nam hij in gedachten de gebeurtenissen door die hieraan waren voorafgegaan, zoals hij al honderden keren had gedaan, om ze van alle kanten te bestuderen.

De beraadslaging met de edelen van het keizerrijk en de Libera Dramach was verbazingwekkend snel verlopen, alles in aanmerking genomen. Voor het eerst in zijn leven had Reki echt beseft hoe waardevol de bijdrage was die de wevers – en de laatste tijd de zusters – hadden geleverd, en dat ze die bijdrage, die hij altijd voor kennisgeving had aangenomen, in feite niet meer konden missen. Mannen en vrouwen in Araka Jo, Saraku en Izanzai hadden elkaar dankzij de gave van de zusters recht in de schimmige ogen kunnen kijken tijdens het gesprek, hoewel ze bijna negenhonderd mijl bij elkaar vandaan waren. In nog geen dag was er een overleg afgehandeld, waarbij vele voorwaarden en voorstellen over en weer waren gegaan. Zonder de zusters zou het maanden hebben geduurd, omdat ze dan per brief hadden moeten communiceren of een moment hadden moeten vinden waarop ze allemaal bij elkaar konden komen. Pas toen begreep hij echt waarom de wevers voor zijn voorouders onmisbaar waren geworden en hoe ze in de huidige situatie verzeild waren geraakt.

Toen het aandeel van het woestijnvolk in het plan uiteen was gezet, had Reki daar zonder veel omhaal mee ingestemd. Zonder dat de zusters het wisten, was hij toch al iets dergelijks van plan geweest. Het was hem al snel duidelijk geworden dat ze in Tchom Rin een verloren strijd leverden. Als ze zich alleen maar tegen de afwijkenden bleven beschermen, zouden de wevers uiteindelijk een manier bedenken om hen te verslaan, door een nieuw soort afwijkenden te scheppen, of door demonen te sturen, of door hen gewoon met een overweldigende overmacht aan te vallen. Het was alleen maar verstandig om de aanval te kiezen zolang ze daar nog genoeg mensen voor hadden. Zijn verkenners waren de afwijkenden vanuit Izanzai gevolgd, op zoek naar een bron die ze konden aanvallen. Iedereen die was teruggekeerd, had hetzelfde verteld. Ze konden de exacte plek niet vinden, maar ze wisten wel waar die ongeveer moest zijn:

in de buurt van Adderach. Dat was voor Reki geen verrassing. En terwijl hij druk bezig was geweest om een aanval op Adderach voor te bereiden, had de Rode Orde hetzelfde voorgesteld. Toch kon hij het ongemakkelijke gevoel niet van zich afschudden dat hij en zijn mannen wat de zusters betrof konden worden opgeofferd en dat ze uitsluitend als afleidingsmanoeuvre dienden.

Nou, ze mochten denken wat ze zelf wilden. Hij zou hun wel eens laten zien hoe het woestijnvolk kon vechten. En ook zij hadden zusters, gerekruteerd onder de tientallen die overal in Tchom Rin aanwezig waren, om hen te beschermen tegen de wevers en door de misleidende barrière te leiden die het bergklooster omringde.

Reki hoopte dat hij een eind kon maken aan de bedreiging die Adderach vormde, want dan zouden ze niet langer van twee kanten worden belaagd en konden ze al hun aandacht richten op Igarach in het zuiden. Als de informatie van de zusters juist was, hoefden ze de wevers slechts tot het invallen van de winter tegen te houden, en als ze zich niet meer druk hoefden te maken om Adderach, moest dat lukken.

En dan was er nog Cailins bewering dat de oorlog misschien, heel misschien wel helemaal kon worden beëindigd als de zusters bij de heksensteen konden komen. Het was een poging meer dan waard om die bonus te bemachtigen.

Voorzichtig liep hij tussen de kampvuren door naar zijn tent, onderwijl begroetingen beantwoordend van de soldaten. Die avond voelde hij zich slecht op zijn gemak, want hij had het onplezierige gevoel dat er iets niet klopte. Hij had weliswaar extra wachtposten laten uitzetten, maar dat had zijn angst niet weggenomen. Verwoed probeerde hij het van zich af te zetten en zich bezig te houden met het heden, maar zoals zo vaak dwaalden zijn gedachten af naar Asara.

Vertrouwen wordt ernstig overschat. Een van Asara's favoriete uitspraken. En zij kon het weten. Hij begon namelijk het gevoel te krijgen dat het geen goed idee was geweest om haar te vertrouwen.

Sinds ze hem al die tijd geleden had verlaten, om met een of ander geheimzinnig doel naar Araka Jo te gaan, had hij geen rust meer gehad. In eerste instantie had het hem gek gemaakt dat hij niets wist, dat alles mogelijk was, en toen hij dat niet langer kon verdragen en zijn spionnenmeester op pad had gestuurd om antwoorden te zoeken, werd hij geplaagd door schuldgevoel omdat hij haar verried. Nu was het echter allemaal nog veel erger. Hij had verwacht dat zijn liefde alles zou doorstaan wat Jikiel over het verleden van zijn vrouw kon ontdekken. Toen de spionnenmeester terugkeerde, had hij echter een volkomen onverwachte boodschap.

Asara had helemaal geen verleden.

In eerste instantie was hij ervan uitgegaan dat het aangaf dat ook zijn spionnenmeester zo zijn grenzen had. Ook hij was maar menselijk. Reki had echter veel ervaring met Jikiels vaardigheden en uiteindelijk kon hij zichzelf er niet van overtuigen dat de man domweg had gefaald. Hij was veel te goed; het kon gewoon niet dat hij helemaal niets had ontdekt. Als hij de waarheid over het een of ander niet boven tafel kon krijgen, dan was die waarheid er ook niet, dat wist Reki zeker.

Over Asara was hij niets te weten gekomen. Haar achternaam, Arreyia volgens haar, had geen antwoorden opgeleverd. Het was een veelvoorkomende naam, want hij was erg oud en wijdverspreid. Veel Saramyrese namen waren afgeleid van het oude Quralees, zoals Asara en Lucia, Adderach en Anais, maar er waren ook moderne namen, die in zwang waren gekomen nadat het Saramyrees zich was gaan ontwikkelen, zoals Kaiku, Mishani en Reki. Er waren natuurlijk nog meer Asara's, maar geen van allen voldeden ze aan haar signalement, haar gaven en haar omstandigheden. Jikiel had wel iets gehoord over Asara tu Amarecha, een spionne die al een tijdje voor de Libera Dramach werkte, maar haar had hij uiteindelijk weggestreept. Ze was niet in de woestijn geboren, en Reki's Asara duidelijk wel, tenzij ze haar beenderstructuur, haar huidskleur en de vorm van haar ogen kon veranderen.

Jikiel had zijn spionnennetwerk tot het uiterste benut, maar het mysterie werd alleen maar groter. Geruchten en aanwijzingen werden opgevolgd, maar liepen op niets uit. Hij vroeg om informatie bij degenen die haar kenden uit de tijd dat ze Reki in de keizerlijke vesting voor het eerst had verleid, maar ook die konden hem geen antwoorden geven. Hij informeerde bij scholen en geleerde instituten, want ze was ongelooflijk bereisd en ontwikkeld voor zo'n jong iemand, en dat deed het vermoeden rijzen van een jeugd vol studie of avontuur, of beide, maar er waren geen aanwijzingen te vinden. Vervolgens ging hij ervan uit dat ze een andere naam had aangenomen en zichzelf misschien had vermomd door middel van een andere houding, een ander kapsel, andere kleren. Hij doorzag zulke trucjes meteen; daar was hij zeer bedreven in. Maar nog steeds niets.

Uiteindelijk had hij alle mogelijkheden uitgeput en moest hij vol schaamte toegeven dat hij verslagen was. Hij kon slechts rapporteren dat de vrouw met wie Reki uiteindelijk was getrouwd niet leek te hebben bestaan tot op de dag dat ze voor de deur van de keizerlijke vesting was opgedoken.

Reki piekerde nog steeds over de vraag wat dat te betekenen had, toen hij de bewakers bij zijn tent passeerde – zonder de schalkse glimlach te zien die de een de ander toewierp – en Asara binnen wachtend aantrof.

De tent was hoog en breed genoeg om rechtop in te kunnen staan, maar vanbinnen was hij kaal en spartaans. Er lag alleen een dik bed van dekens en er stond een lamp op het grondzeil. De lamp wierp zijn licht op de rondingen van het lichaam en het gezicht van zijn vrouw, die zich half omdraaide toen hij binnenkwam. Hij was zo verrast door haar aanwezigheid en haar adembenemende schoonheid dat hij even niet wist wat hij moest zeggen.

'Ik had beloofd dat ik terug zou komen, Reki,' zei ze. 'Al moest ik je dwars door de bergen achtervolgen.'

Hij opende zijn mond, maar ze liep op hem af en legde haar vinger tegen zijn lippen. Haar geur en de aanraking van haar huid werkten bedwelmend.

'Er is straks nog genoeg tijd voor vragen,' zei ze.

'We moeten praten,' zei hij zachtjes, want een vage herinnering aan zijn eerdere verbitterde gedachten spoorde hem aan om te protesteren, hoe zwak ook.

'Straks,' zei ze. Ze kuste hem, en hij gaf zijn pogingen om tegen te stribbelen op. Elk moment dat ze weg was geweest, had hij naar haar gehunkerd, en nu ze eindelijk weer bij hem was, kon hij zich niet beheersen. Hun kussen gingen over in strelingen en leidden hen naar het bed, waar ze tot diep in de nacht en voorbij het ochtendgloren hun hartstocht stilden.

Toen Avun de kamer binnenkwam waar Muraki en hij altijd samen aten, kende hij die nauwelijks terug. De tafel van zwarte en rode lak was omringd door vier staande lantaarns, met vlammetjes die in metalen bollen dansten waar patronen in waren uitgesneden om het licht door te laten. Voor de nissen waren prachtige draperieën gehangen die de standbeelden verborgen. In de verste hoek van de kamer stond een zacht rokend komfoor van reukhout, die warmte en de subtiele geur van jasmijn verspreidde. Daardoor leek de kamer niet meer kil en leeg, maar juist warm en intiem. Het eten stond al op het tafeltje, in kommen en mandjes waar de stoom van afsloeg, en Muraki zat op haar knieën op haar plaats in het vlekkerige licht van de lantaarns.

'Schitterend,' zei hij, onverwacht geroerd.

Muraki glimlachte met haar blik afgewend en haar gezicht half verborgen achter haar haren. Aan de andere kant van de drie hoge, gewelfde ramen achter in de kamer was het volkomen donker; de maan en de sterren konden inmiddels niet meer door de dikke rookdeken heen dringen.

Op zijn knieën maakte hij het zich tegenover haar aan het tafeltje gemakkelijk. 'Schitterend,' prevelde hij nogmaals.

'Ik ben blij dat je het mooi vindt,' zei ze zachtjes.

'Wil je iets eten?' vroeg hij. Dat was een ritueel tussen hen geworden. In eerste instantie omdat ze nooit zin had om samen met hem te eten, en later als een wrang grapje over haar vroegere gedrag. Hij haalde de deksels van de mandjes en schepte voor haar op.

'Dus het is af?' vroeg hij. 'Het boek, bedoel ik.'

'Het is af,' antwoordde ze. 'Het is nu op weg naar de uitgever.'

'Je bent vast opgelucht,' raadde hij. Hij wist eigenlijk helemaal niet hoe ze zich op zo'n moment voelde, want ze had het met hem nooit over haar schrijfproces gehad.

'Nee,' zei ze. 'Een beetje bedroefd, misschien.'

Hij hield op met zoutrijst op haar bord scheppen en keek haar verward aan.

'Ik dacht dat je iets te vieren had.'

'Dat is ook zo,' zei ze. 'Maar het is een bitterzoete dag. Dat was mijn laatste boek over Nida-jan.'

Dat verbijsterde Avun. Het leek wel of ze meedeelde dat ze ging ophouden met ademhalen. 'Je laatste?'

Muraki knikte.

Hij gaf haar haar bord en schepte voor zichzelf ook iets op. 'Maar waarom dan?'

Ze schoof het bestek aan haar vingers. 'Zijn reis is ten einde,' zei ze. 'Ik denk dat het tijd is om opnieuw te beginnen.'

'Muraki, weet je dit heel zeker?'

Ze maakte een bevestigend geluidje.

'Maar wat ga je dan doen? Ga je een nieuwe held bedenken om over te schrijven?'

'Dat weet ik niet,' antwoordde ze. 'Misschien houd ik wel helemaal op met schrijven. Vanaf nu ben ik klaar met Nida-jan en is alles mogelijk.'

327

Avun wist niet zo goed wat hij van de stemming van zijn vrouw moest denken en koos zijn woorden zorgvuldig. Hoewel hij het schrijven van Muraki altijd als een bron van irritatie had beschouwd, merkte hij nu dat hij zich zijn vrouw niet anders kon voorstellen, en nu het erop aankwam wist hij niet eens zo zeker of hij wel wilde dat ze ermee zou stoppen.

'Doe je dit voor mij?' vroeg hij. 'Ik wil niet dat je je aan mij aanpast.' Hoe wrang die uitspraak in feite was, ontging hem volledig. Even keek ze hem met een zekere geamuseerdheid in haar blik aan. 'Dit doe ik niet voor jou, Avun,' antwoordde ze. 'Veel te lang heb ik me in mijn eigen veilige wereldje verschanst en de wereld om me heen genegeerd. Vandaag heb ik mijn wereldje afgesloten en ben ik klaar om de werkelijkheid onder ogen te zien.'

Hij zette zijn bord neer, zijn behoedzaamheid zorgvuldig verhullend. Moest hij blij of bezorgd zijn over haar beslissing? Hij wist het niet. Schrijven had altijd zo'n belangrijk deel van haar leven uitgemaakt dat hij bang was dat ze het zonder die bezigheid niet zou redden. En hij zou er niet zijn om haar in de gaten te houden; hij kon de mars van het afwijkende leger nu niet meer tegenhouden, al zou hij dat willen. Na alle moeite die hij had gedaan om zichzelf onmisbaar te maken voor de wevers, kon hij zich niet terugtrekken. Kakre zou hem levend villen.

'Vertel eens,' zei hij om zijn gedachten te verhullen. 'Hoe eindigt het?' Hij schonk voor hen beiden een glas ambergele wijn in.

'Het loopt goed voor hem af,' zei ze. 'Eindelijk vindt hij zijn zoon, in het Gouden Rijk waar Omecha hem mee naartoe heeft genomen. Daar wint hij hem terug, nadat hij Omecha in een raadselspel heeft verslagen. Ze keren terug naar huis en de zoon erkent Nida-jan als zijn vader, want alleen de liefde van een vader had hem ertoe kunnen bewegen zijn zoon tot in het dodenrijk te volgen. En zo wordt de vloek die door de demon met honderd ogen over hem is uitgesproken verbroken.'

'Dat is een erg goed einde,' zei Avun. Toch zette hij er stilletjes vraagtekens bij. Het was voor hem namelijk geen geheim dat zijn vrouw in haar boeken haar verdriet om het verlies van hun dochter had uitgedrukt, een verdriet dat door het gedrag van Nida-jan werd weerspiegeld. Het plotselinge gelukkige einde van het verhaal deed hem vermoeden dat er iets was gebeurd waar hij zich niet van bewust was.

'Kom eens bij het raam staan, Avun,' zei ze, terwijl ze haar wijnglas pakte en haar hand over de tafel heen naar hem uitstak. Verrast door die voor haar zo ongebruikelijke impulsiviteit pakte hij zijn eigen glas en stond samen met haar op. Samen liepen ze door de kamer naar de boogramen die uitzicht boden op Axekami.

Nu het zo donker was, was het miasma in de lucht niet zichtbaar en lag Axekami er vredig bij. Overal brandden lampen, die als een waterval omlaag leken te stromen naar de Kerryn en het Kanaaldistrict. Niet zoveel als vroeger, maar toch nog heel veel. Je kon bijna geloven dat de stad weer net zo mooi was als vanouds.

Muraki draaide zich naar hem om. 'Terwijl ik zat te dromen, ben jij uitgegroeid tot de machtigste man van Saramyr, mijn echtgenoot,' zei ze. Ze kuste hem innig, en er sprak een hunkering uit haar kus die hem duizelig maakte. Hij wilde haar het liefst ter plekke nemen, maar dat durfde hij nog niet, bang dat hij zichzelf in verlegenheid zou brengen door een onzichtbare grens te overschrijden. Na een tijdje maakte ze zich van hem los, keek hem over de rand van haar glas recht in de ogen en nam een slokje wijn. Hij liet zijn arm om haar smalle middel glijden. De woorden van zijn vrouw bezorgden hem een warm gevoel van trots. Het was waar: hij had dit allemaal voor elkaar gekregen, hij had iets van zichzelf gemaakt. Hij nam een slokje uit zijn eigen glas terwijl hij zijn oorlogsbuit, de machtige hoofdstad Axekami, in ogenschouw nam. Hij was tevreden.

Het duurde maar een paar tellen voor hij besefte dat de wijn vergiftigd was, maar toen was het al veel te laat.

Het eerste wat hij ervan merkte, was dat zijn keel en borst zich op afschuwelijke wijze samentrokken, alsof hij dreigde te stikken in een botje. Hij liet Muraki los en greep naar zijn kraag; met de andere hand hield hij dwaas genoeg nog steeds het glas vast, uit een instinctieve weerzin om het te laten vallen. Gapend strompelde hij achteruit, maar hij struikelde over zijn eigen hak en viel op de grond. Het glas viel in zijn hand aan scherven en liet diepe snijwonden achter. Hij voelde een felle, brandende pijn op zijn borst, alsof hij de zon had ingeslikt. Zijn longen reageerden niet op de bevelen van zijn hersenen, weigerden uit te zetten en zich met zuurstof te vullen.

Verblind door dierlijke paniek stak hij wild zijn handen uit naar zijn vrouw, maar Muraki stond bij het raam, haar gezicht gehuld in de schaduw van haar haren, en maakte geen aanstalten om hem te helpen. Vol afschuw en ongeloof sperde hij zijn ogen open. Die blik vol ontzetting was nog steeds op zijn vrouw gericht toen zijn lichaam slap werd en het leven eruit wegvloeide.

Muraki bleef een hele tijd naar hem staan kijken. Ze had verwacht dat er tranen zouden komen, die kwamen niet. Op z'n minst had ze verwacht dat ze zou worden verteerd door schuldgevoel of spijt, maar ook dat voelde ze niet. Als ze deze scène had geschreven, dacht ze, zou ze hem niet zo emotieloos hebben gemaakt. Het echte leven was oneindig veel vreemder en onvoorspelbaarder dan het leven dat ze in gedachten leidde.

Ze wendde zich af van haar echtgenoot en keek uit over de stad. Ze kon de zure, olieachtige stank van het miasma ruiken, die zelfs de jasmijngeur uit het komfoor overstemde. Ze was er nooit echt aan gewend geraakt. Haar lippen tintelden op de plek waar het gif ze had geraakt, maar ze had geen wijn in haar mond laten lopen. Het was eenvoudig geweest om via Ukida aan het gif te komen; ze hoefde hem alleen maar een bevel te geven, en hij gehoorzaamde. Hij was trouw genoeg om haar geheim te bewaren en niet te vragen waar ze het voor nodig had.

Ze wierp nog een korte blik op het lijk van Avun, in een laatste poging om gevoel in haar binnenste op te roepen. Haar hernieuwde hartstocht voor hem was niet gespeeld geweest. Ze wilde genieten zolang dat nog kon, en ze wilde hem ook gelukkig maken. Ze vond dat hij dat toch minstens verdiende voor ze hem vermoordde.

Ze besefte wat er nu zou gebeuren. De wevers zouden wraak nemen, zouden haar gedachten binnenstebuiten keren tot ze alles wisten over haar geheimtaal, Ukida en Mishani's bezoek. Ze zouden weten dat hun plannen waren uitgelekt en ze aanpassen.

Dat kon ze niet laten gebeuren. Vanaf het moment dat ze had besloten haar man te vermoorden, had ze geweten dat ze zelf ook moest sterven. Die wetenschap had ze als enorm bevrijdend ervaren.

Ze moest denken aan haar dochter, en aan wat ze had gezegd tijdens die korte, kostbare momenten dat ze samen waren geweest, die paar momenten na tien vreselijke jaren waarvan ze Avun de schuld gaf.

We bevinden ons nu in verschillende oorlogskampen, moeder, en uiteindelijk moet een van de partijen winnen. Ik denk niet dat degene die deel uitmaakt van de verliezende partij het zal overleven. Daarvoor zijn we er allebei te nauw bij betrokken.

Ze had gelijk. Die gave om meteen tot de kern van de zaak door te dringen had ze altijd al gehad. Dan moest Muraki maar verliezen, want ze kon de gedachte niet verdragen dat haar dochter een dergelijk lot moest ondergaan.

Avun had het inderdaad slim geregeld: hij had de machtsbasis van de wevers zodanig ingericht dat veel van hem afhing. Zorgvuldig had hij zijn oorlogstactiek voor zich gehouden, zich niet in de kaarten laten kijken, en ervoor gezorgd dat er niemand was die hem zomaar kon opvolgen. Zijn dood zou een grote klap zijn voor de wevers, op het slechtst denkbare moment. En op grond van wat ze over Kakre wist, dacht ze niet dat hij zijn aanval nu zou afbreken, wat voor geruchten er ook de ronde zouden gaan doen over wat er vanavond in deze kamer was gebeurd. De afwijkenden zouden volgens plan ten strijde trekken, en hun vijand zou hen opwachten.

Zou het uiteindelijk allemaal de moeite waard zijn? Dat konden alleen de goden zeggen. In de echte wereld was niets zeker.

Ze zuchtte diep en richtte haar blik weer op de nacht, de ondoordringbare duisternis zonder manen of sterren. Wat was het toch een kille, sombere gevangenis die haar echtgenoot voor haar had gecreëerd. Ze gaf sterk de voorkeur aan haar dromen.

Muraki dronk haar glas leeg, en al snel droomde ze weer.

◎ 26 ◎

In het westen ging Nuki's oog onder en zette de katoenpluisjes van wolken in vuur en vlam. Het geel en rood getinte oppervlak van de rivier de Ko glinsterde onrustig. Het was een ongewoon warme dag geweest voor die tijd van het jaar, maar het volk van Saramyr was er blij om: de winter was nu immers bijna ten einde en dit was het eerste teken van de naderende lente. De temperatuur daalde snel nu Nuki zich terugtrok achter de wereld, bang voor het tumult dat de maanzusters zouden veroorzaken als ze de hemel veroverden. Want vanavond zouden de banen van de manen elkaar in een stompe hoek kruisen en zouden ze met hun nagels over de duisternis krassen. Er kwam een maanstorm opzetten, een uitzonderlijk lange en felle.

De maanstorm zou een toepasselijk apocalyptisch decor vormen, dacht Yugi, voor de ophanden zijnde strijd. Hij stond met de teugels van zijn paard in zijn hand op een heuveltje een stukje ten zuiden van de rivier en keek naar het noorden. Wachtend op de afwijkenden.

Het gebied ten noorden en ten zuiden van de Ko bestond uit glooiende heuvels, vloeiende lijnen van toppen en dalen die in het westen tot aan het Xuwoud liepen, twintig mijl verderop, en in het oosten vlakker werden tot aan de oevers van het Azleameer, eveneens twintig mijl verderop. Daartussenin bevond zich de Sakurikabrug, een stevige overspanning van hout en steen die de oevers van de rivier met elkaar verbond. Het was een eenvoudig bouwsel, lang niet zo rijk bewerkt als veel andere bruggen in Saramyr, en werd weinig gebruikt. De bruggenhoofden, boogvullingen en leuningen waren in een verbleekte terracottakleur geschilderd, die mooi paste bij het honingkleurige vernis op het hout, maar verder waren er geen versieringen aangebracht. De brug was in het verleden gebouwd tijdens een militaire campagne, om troepenbewegingen ten westen van het Azleameer te vergemakkelijken, maar er was nooit een weg naartoe aangelegd. De dunne strook land die ingeklemd lag tussen het Xuwoud, het Azleameer en de Xaranabreuk werd in die tijd als te gevaarlijk beschouwd voor een handelsroute. Toch was de brug altijd goed onderhouden, want het was ten oosten van het woud de enige plaats waar je de rivier kon oversteken, en hij was bovendien zo breed dat er twintig mannen naast elkaar overheen konden marcheren.

Hier hoopten de troepen van het keizerrijk de oprukkende wevers tegen te houden.

Yugi was misselijk. Kon hij maar wat amaxawortel roken om de scherpe kantjes van zijn angst af te halen. In plaats daarvan keek hij maar naar het tafereel dat zich voor hem ontvouwde: de zee van wapenrustingen, zwaarden en geweren. In de heuvels aan weerszijden van de brug waren enkele artillerieposities uitgegraven die waren volgestopt met mortieren en kanonnen, en zelfs met oude blijdes en ballista's die ze hadden weten te bemachtigen. Op het vlakke terrein ertussenin wemelde het van de soldaten, die bijna alle overgebleven hooggeplaatste families en de Libera Dramach vertegenwoordigden. Hun wimpels hingen er in het zwakke briesje slap bij.

In het midden van de brug was een barricade van spiesen gebouwd. Daarachter stonden soldaten te wachten. Onder hun voeten, goed verborgen onder de brugboog, waren genoeg explosieven aangebracht om het bouwsel tot splinters op te blazen.

'Goden, ik kan niet tegen dat eeuwige wachten,' mompelde Yugi tegen degenen die vlakbij stonden: een paar generaals, een zwartharige zuster die met haar gezichtsgrime voor een tweelingzus van Cailin kon doorgaan, barak Zahn, Nomoru, Mishani en Lucia. De paarden trappelden en hinnikten onrustig; overal klonk het gekraak van wapenrustingen en het gedempte gehoest van mannen.

'Weten we eigenlijk wel zeker dat ze deze kant op komen?' vroeg Mishani. Het gaf wel aan hoe gespannen ze was, dat ze zo'n overbodige vraag stelde. Ze was al op de hoogte van de berichten die de verkenners hadden gestuurd.

'Ze komen eraan,' zei de zuster. Haar ogen waren rood.

Yugi wierp een vluchtige blik op Lucia. Haar gezicht was uitdrukkingsloos. De vijand moest op tijd zijn. Er waren betere plaatsen waar ze de afwijkenden hadden kunnen opvangen, verder naar het zuiden, waar ze in hinderlaag konden gaan liggen en het terrein veel gemakkelijker konden verdedigen. Maar zonder Lucia konden ze niet winnen, en zij had erop gestaan dat ze de dreiging hier het hoofd zouden bieden. Vannacht, zo hadden hun geleerden beloofd, zou de maanstorm losbarsten, en vannacht zouden de afwijkenden – die gestaag waren opgerukt, nauwgezet in de gaten gehouden door verkenners die zich overal langs hun pad hadden opgesteld – de rivier bereiken. Vannacht, op deze plaats, zou Lucia de geesten oproepen om hun land te verdedigen.

Ze konden slechts bidden dat Lucia precies wist wat ze deed, want zonder de interventie die zij had beloofd, zouden ze niet lang stand kunnen houden. Vele duizenden levens hingen af van de belofte van een meisje dat nog maar net volwassen was geworden. Yugi vond dat ze nu alle reden hadden om een beetje zenuwachtig te zijn.

Niet voor de eerste keer vroeg Mishani zich af wat ze hier eigenlijk deed. Voor iemand die zich zo liet voorstaan op haar zelfbeheersing en nuchterheid, deed ze de laatste tijd ontzettend onbesuisde dingen. Eerst haar bezoek aan Muraki, en nu dit.

Maar als ik niet zo onbesuisd was geweest, zouden we deze kans niet eens hebben gekregen, dacht ze. O, moeder.

Ze haalde diep adem om de tranen terug te dringen. Nee, ze zou niet weer gaan huilen. Als ze aan die laatste ontmoeting dacht, brandde het verdriet nog altijd in haar binnenste, maar ze was in elk geval blij dat ze het met Muraki had bijgelegd. Als ze vandaag stierf, kon ze daar troost uit putten.

Als ze had geweten dat haar vader en moeder al weken dood waren, zou haar verdriet nog heviger zijn geweest. Maar de wevers hadden dat feit zorgvuldig verborgen gehouden.

Uiteindelijk, dacht Mishani, kwam het allemaal op Lucia neer. Mishani en Kaiku hadden haar tijdens haar jeugd in de Gemeenschap altijd beschermd, en haar behandeld als een jonger zusje. Hoewel ze in de loop van de tijd door omstandigheden uit elkaar waren gegroeid, was die band nooit verdwenen. Kaiku was echter elders nodig, en Mishani wilde Lucia dit niet alleen laten opknappen. Ze wist hoe beïnvloedbaar het meisje was, en hier was niemand die echt om haar gaf. Alleen haar vader Zahn, maar die zou zich in het strijdgewoel begeven. Aan het gevecht kon Mishani niet veel bijdragen, maar ze kon wel Lucia bijstaan. Het zou haar eer te na zijn om haar in de steek te laten.

Eén keer had ze de erfkeizerin bijna vermoord, toen ze een nachtgewaad voor haar had meegebracht waarvan ze dacht dat het was
besmet met knokkelkoorts. Toen het erop aankwam, was ze ervoor
teruggedeinsd, maar ze voelde zich nog steeds schuldig omdat ze met
de gedachte had gespeeld en die bijna ten uitvoer had gebracht. Dit
was wel het minste wat ze voor Lucia kon doen. En als Lucia sneuvelde, zou er binnenkort niet veel meer zijn om voor te leven. Net
als het bezoek aan haar moeder was dit iets wat Mishani gewoon
moest doen, hoe gevaarlijk het ook was. Een morele behoefte die
zich niet liet onderdrukken door verstand of logica.

Je wordt nog impulsief op je oude dag, Mishani, dacht ze wrang.
Links van hen klonk een kreet, die werd overgenomen door een tweede stem, dichterbij. De verspieders zagen door hun kijkglas iets bewegen aan de horizon. Er gingen enkele tellen voorbij, waarin Mishani een kilte voelde die zich door haar lichaam verspreidde. Toen
sprak de zuster.

'Onze vijand is gearriveerd,' zei ze.
Zahn wisselde een blik vol grimmig begrip met Yugi en de generaals.
Zahn was door de raad van hooggeplaatste families unaniem aangewezen als opperbevelhebber. De generaals stegen op en reden naar
hun posities. Yugi keek naar Lucia, die niet reageerde, sprong met
een zwaai op zijn paard en trok Nomoru achter zich. Zahn legde
zijn hand op de schouder van zijn dochter. Ze keek hem aan.

'We zullen vannacht een grootse daad verrichten,' zei hij zachtjes.
'Wees sterk. Ik kom bij je terug, dat beloof ik.'
Met een strak gezicht knikte ze.

'Houd haar in de gaten,' zei hij tegen Mishani, voor hij op zijn paard
sprong. Hij manoeuvreerde het dier naast dat van Yugi, en de mannen omklemden even elkaars arm. Nomoru wendde haar gehavende gezicht naar Lucia en Mishani toe en keek hen met een ondoorgrondelijke blik aan. Toen gaven Zahn en Yugi tegelijk hun paard
de sporen en werd ze weggevoerd, de heuvel af naar het front.
Lucia en Mishani bleven samen met de zuster en een groep lijfwachten op de heuvel achter. Ze keken toe en wachtten af.

De nacht viel al toen de afwijkenden kwamen, als een smerige vloedgolf van slagtanden en klauwen die door de schemering denderde.
Ze verspreidden zich over het heuvellandschap als de schaduw van
een zonsverduistering, nog net niet voluit rennend. Zelfs op die snelheid waren ze zogoed als onvermoeibaar en konden ze lang achter

elkaar zonder veel rust doorgaan. Meer dan eens had het vermogen van de wevers om hun legers zo snel te verplaatsen de legers van het keizerrijk verrast.

Er vlogen geen gierkraaien door de lucht. Net als Lucia's raven waren ze na het donker niet bruikbaar, omdat ze zonder daglicht weinig konden zien. De wevers werden dan ook niet attent gemaakt op het leger dat zich langs de zuidelijke oever van de Ko uitstrekte. Ze merkten het pas toen de voorste gelederen de artillerie op de heuvels konden zien.

De geesten die de weverstrijders aanstuurden waren goed beschermd te midden van de massa soldaten die als kanonnenvoer dienden. Overal verspreid reden nexussen op afwijkende manxthwa's. Naast hen reden wevers, tegen wie de nexussen gebaarden als ze informatie hadden die ze via hun verbinding met de afwijkenden verzamelden. De wevers drongen dan diep door in de geest van hun dienaren, via speciaal daarvoor aangelegde kanalen die het proces vergemakkelijkten, en ontdekten zo wat de nexussen wisten. De wevers praatten met elkaar via het Weefsel en gaven vervolgens bevelen aan de nexussen. Geen moment beseften ze dat zij op hun beurt onderworpen waren aan de wil van de heksenstenen en de maangod Aricarat. Via hun eigen hiërarchische structuur gingen de wevers te werk.

Vanaf het moment dat de troepen van het keizerrijk werden opgemerkt, duurde het hooguit een paar tellen voor de informatie via het afwijkende leger de wevers had bereikt. Er volgde meteen een reactie – een onverwachte. De hooggeplaatste families hadden voorspeld dat de afwijkenden hun pas zouden vertragen en de situatie eerst in ogenschouw zouden nemen. Ze wisten echter niet dat Avun dood was, en dat Kakre nu het bevel had. Kakre pakte alles heel anders aan dan Avun.

Hij gaf zijn bevelen, en de afwijkenden vielen aan.

Duizenden beesten huilden en brulden toen ze door hun menners tot razernij werden gedreven. De kolossale golf van geluid overspoelde de heuvels en bereikte de soldaten van het keizerrijk. Grimmig bleven ze staan, aan de rivieroever, op de flanken van de omringende heuvels of dicht op elkaar op de brug. Ze weigerden zichzelf te onteren door hun angst te tonen, maar ze kregen allemaal een knoop in hun maag toen ze de heuvels zagen, die wemelden van een leger dat vele malen groter was dan dat van hen. Ze dachten aan hun gezinnen, aan fijne, gelukkige momenten, aan onafgemaakte zaken.

Sommigen betreurden hun fouten en hoopten dat de goden hen goed genoeg zouden vinden voor het Gouden Rijk. Sommigen hadden nergens spijt van en wachtten koeltjes op het einde. Anderen voelden het vuur in hun aderen en hunkerden naar de strijd. Sommigen voelden zich nobel, trots dat ze hier deel van mochten uitmaken; anderen waren boos omdat ze hun leven vergooiden, terwijl ze hadden kunnen wegrennen om de nieuwe dag te kunnen aanschouwen, een nieuwe maand, een nieuw jaar, en eergevoel kon hen gestolen worden.

Niemand verbrak echter de rangen, en niemand vergoot een traan, en niemand toonde zijn zwakte. Sommigen zweetten en beefden, of moesten vechten om hun eten binnen te houden, maar ze bleven staan aan de oever van die rivier, terwijl de afwijkenden op hen afstormden en met elke tel die verstreek dichterbij kwamen.

En nog dichterbij.

De schemering werd verscheurd door het gekrijs van een vuurpijl die omhoogschoot en een spoor van oogverblindend wit vuur achterliet. Toen bulderde de artillerie.

Het eerste salvo trok een streep van opbollende vlammen over de heuvels en reet de voorste linies van de afwijkenden uiteen. In een wolk van zand en vlammen werden verbrijzelde lichamen de lucht in geslingerd; granaatscherven rukten ledematen af en sneden door dikke vachten heen. De enkeling die de klap en de hitte overleefde, werd tegen de grond geworpen, waar hij werd vermorzeld door de op hol geslagen monsters. De hele voorste linie viel en werd in de grond gestampt door de roofdieren erachter, die gewoon doorrenden, dwars door de brandende strepen die de kanonnen hadden veroorzaakt. Op het eerste salvo volgde een tweede, met een iets kleiner bereik. Granaten spuwden brandende gelei uit, mortieren verminkten en verblindden de vijand, en zware blijdes slingerden zakken vol explosieven naar de horde, die midden tussen de monsters op de grond vielen en ontploften, zodat er lijken alle kanten op werden geslingerd. De afwijkenden vormden een doelwit dat je niet kon missen, en elke granaat of bom maakte zeker tien slachtoffers. Honderden afwijkenden sneuvelden bij die eerste salvo's, maar het was als een druppel op een gloeiende plaat. De golf was onstuitbaar.

De artillerie vuurde nog steeds onophoudelijk toen de afwijkenden de Ko bereikten. Nu richtten ze niet langer op de voorste rand van de horde, maar vuurden hun projectielen in het wilde weg af op de aanzwellende massa, ervan overtuigd dat ze met geen mogelijkheid mis konden schieten. Het oorverdovende spervuur werd een achtergrondgeluid bij het bloedbad, opgenomen in een onophoudelijk gehuil en gebulder; de grond veranderde in een bloederige loopgraaf vol lichaamsdelen, een rood, omgeploegd, verschroeid veld. Maar de soldaten van het keizerrijk hadden grotere zorgen: de afwijkenden hadden hen bereikt.

De wezens renden de Sakurikabrug op en waadden de rivier in, zonder zich door iets of iemand te laten tegenhouden. De spiesenbarricade in het midden van de brug schakelde de eerste tientallen afwijkenden uit, maar viel toen om: ze wierpen zich er gewoon met misselijkmakende kracht tegenaan, tot zij het onder hun gewicht begaf. Hun broeders zwermden over de doorboorde lijken heen.

De soldaten van het keizerrijk stonden op een rij op de brug klaar om ze op te vangen. Achter geknielde zwaardvechters stonden geweerschutters, die over hun schouders heen het vizier richtten. Een regen van kogels maaide de voorste gelederen van de afwijkenden als koren neer. Toen werden de zwaarden getrokken en barstte de strijd echt los.

De man-tot-monstergevechten waren afgrijselijk fel. De enorme, ruig behaarde ghauregs stortten zich op de soldaten, wierpen ze van de brug af het water in, of tilden hen op en beten hun hoofd eraf. Skrendels renden over de leuningen van de brug en wierpen zich krabbend en bijtend midden tussen de gelederen van de verdedigers, die ze de ogen uitstaken en wurgden. Schellers lieten hun valse gejoel horen terwijl ze toesprongen en uithaalden met hun klauwen. Andere wezens vochten al even fel, nachtmerrieachtige monsters met een benige huid en kartelige tanden, die zo vreemd waren dat er geen diersoort in te herkennen was.

De soldaten hakten en sneden, maar een op een waren de afwijkenden sterk in het voordeel. De natuurlijke bepantsering van de schellers deed zwaarden afketsen; door de taaie huid en de dikke vacht van de ghauregs was het moeilijk ze echt te verwonden, en hoe dan ook, je kon ze alleen uitschakelen door ze in een belangrijk orgaan te raken. De skrendels waren zo snel dat je ze nauwelijks kon raken, en de soldaten stonden zo dicht opeengepakt op de brug dat ze maar heel beperkt de ruimte hadden. Ze konden dan ook niet wild om zich heen slaan zonder elkaar te raken. De afwijkenden rukten op; de soldaten vochten en sneuvelden. De brug werd glibberig van het bloed en raakte bezaaid met lichamen naarmate de mannen van het keizerrijk verder werden teruggedrongen.

En in de rivier onder de brug zwommen afwijkenden naar de overkant.

'Het is tijd, Lucia,' zei Mishani zachtjes.
Lucia deed alsof ze haar niet had gehoord. Ze kon net zo goed als Mishani zien wat er in de diepte gebeurde. Vanaf hun uitkijkpunt op de top van de heuvel leek de strijd merkwaardig ver weg en onbetekenend in het laatste daglicht, en was de dood zo ver dat hij niet reëel leek. Nuki's oog was nu helemaal verdwenen, zodat er alleen nog een zachtblauwe gloed aan de hemel was overgebleven, waar de sterren al doorheen schemerden. De drie manen, alle vol, waren aan dezelfde horizon opgekomen en bewogen langzaam naar elkaar toe. Hun onstuitbare bewegingen hadden iets griezelig kwaadaardigs en doelbewusts.
Om hen heen stonden vier lijfwachten die hun best deden om niet te kijken naar Lucia of de zuster die naast haar stond. Mishani wachtte op een reactie op haar opmerking, maar toen die niet kwam, keek ze de jonge vrouw aan haar zijde aan.
'Lucia, het is tijd,' zei ze weer.
Langzaam richtte Lucia haar blik op Mishani, met ogen vol onuitgesproken verdriet. Even werd Mishani getroffen door een afgrijselijke gedachte: dat Lucia zou opbiechten dat het allemaal gelogen was, dat de geesten hen helemaal niet te hulp zouden komen. Maar wat ze uiteindelijk zei, was al zorgwekkend genoeg.
'Wat er hierna ook gebeurt, Mishani, denk niet te slecht over me,' prevelde ze. 'Ik heb een keuze moeten maken die ik niemand toewens.'
Mishani gaf geen antwoord. Ze voelde aan dat dat niet nodig was. Er was trouwens toch geen tijd om het hierover te hebben, want de afwijkenden waren de rivier bijna overgestoken. De soldaten op de zuidelijke oever bestookten ze met geweerkogels, maar er waren er meer dan ze konden tegenhouden.
Lucia boog haar hoofd en sloot haar ogen.
De verandering in de lucht kwam onmiddellijk en was meteen merkbaar. In eerste instantie dacht Mishani dat de maanstorm losbarstte, nog voordat de reusachtige hemellichamen op één lijn stonden. Het gevoel leek erop, maar het was toch anders. De lucht leek te verstrakken, strekte zich uit tot alle zintuigen en bracht een gevoel van ontwrichting met zich mee, de vreemde indruk dat je ogen en oren losstonden van je geest. De wind zwol aan, eerst in vlagen, maar groeide toen uit tot een grillige storm, die van alle kanten leek te ko-

men. Lucia's blonde lokken, die inmiddels een beetje wilder en langer waren, geselden haar wangen; Mishani's pas afgeknipte haar ontsnapte aan de met juwelen versierde kammetjes die ze had gebruikt om het in te tomen en sloeg tegen haar gezicht. Ze dacht bewegingen te zien aan de randen van haar blikveld: slanke, schimmige gestalten die tussen de lijfwachten door schoten die hen omringden. Maar het waren geestverschijningen, en als ze hun blik erop trachtten te richten, waren ze verdwenen.

Het oppervlak van de rivier werd een wirwar van golfjes, kil glinsterende rimpels die achter elkaar aan joegen als de wind van richting veranderde. De afwijkenden zwommen nietsvermoedend verder, dwars door de trage stroming van de Ko heen.

Toen klonk er gehuil, dat hoog boven het slagveld opsteeg, en verdween de eerste onder water.

Opeens was de rivier bedekt met witte schuimkoppen. De afwijkenden begonnen te janken, te krijsen en te loeien terwijl hun metgezellen omlaag werden gezogen. Het witte schuim kleurde roze. Spookachtige gestalten, lenig als palingen, doken en gleden tussen de afwijkenden door. Ze zigzagden, scheerden en wendden, wikkelden zich stevig om hun slachtoffers heen en sleurden ze met zich mee onder water. De afwijkenden spartelden en kronkelden, maar dat hielp niet. De riviergeesten kregen ze allemaal te pakken, en niet een bereikte er levend de overkant.

Sommige afwijkenden, die zo bang waren voor de geesten dat zelfs de nexussen ze niet meer konden aansporen, probeerden op de rivieroever halt te houden, maar de monsters achter hen hadden zo veel vaart dat ze vielen, hun metgezellen lieten struikelen en samen met hen het water in gleden. Zo sneuvelden er nog honderden, verdronken in de Ko, totdat de nexussen de horde onder controle kregen en de aanval afbraken. Langzaam maar zeker zakte het tempo, tot het afwijkende leger helemaal stilstond. De enige manier waarop ze nu konden oversteken, was via de Sakurikabrug, en daar was de ruimte maar heel beperkt. Nog steeds werden ze meedogenloos bestookt met onophoudelijk artillerievuur, maar de monsters besteedden geen aandacht aan het bloedbad dat in hun midden werd aangericht, en telkens als er een gat ontstond in de horde, werd dat meteen opgevuld door nieuwe soldaten.

Toen ze zagen dat hun vijand staande werd gehouden, werd afgeremd, klonk er een triomfantelijk gejuich uit de kelen van de keizerlijke troepen, dat werd overgenomen door de lijfwachten die bij

Lucia en Mishani op de heuvel stonden. Ze staarden haar vol angst, verwondering en een zekere verafgoding aan, en hoewel ze het met gesloten ogen niet kon zien, voelde ze hun emotie.

'Het spijt me,' fluisterde ze, zo zachtjes dat alleen Mishani het hoorde, en Mishani voelde een kille klauw van angst die zich om haar hart klemde.

De lucht gonsde door het onzichtbare gevecht dat de zusters en de wevers leverden. De reikwijdte van hun strijd was onvoorstelbaar. In deze botsing, waarin ze met meer tegenover elkaar stonden dan ooit tevoren, probeerden ze niet alleen elkaar te doden, maar ook het strijdperk te beïnvloeden. De wevers staken hun onzichtbare tentakels tastend uit, op zoek naar Lucia, hoewel zij door haar ongebruikelijke gaven onzichtbaar voor hen was. Ze reikten naar de geesten van de mensen, in een poging generaals tot overhaaste beslissingen te verleiden, en soldaten zover te krijgen dat ze hun strijdmakkers aanvielen of hun kanonnen zodanig verplaatsten dat ze hun eigen bondgenoten raakten. De wevers deden hun uiterste best om de artillerie uit te schakelen die onder hun troepen zoveel slachtoffers eiste, omdat zij zelf geen afstandswapens hadden om mee te vechten, maar de zusters slaagden er tot nu toe keer op keer in hun plannen te verijdelen.

Toch waren er nog steeds te veel kansen, te veel mogelijkheden. Vroeg of laat zou er iets doorbreken.

Yugi, Nomoru en barak Zahn bekeken de strijd op de brug vanaf de ruggen van hun paarden. Ze stonden bij de rivieroever, midden tussen de mannen maar buiten het bereik van het gevecht. Hier stonden enkele soldaten en een zuster in een kring om een geniesoldaat die op zijn hurken zat, met zijn lantaarn bij het uiteinde van een lont. De lont liep door een lange, dunne pijp die vlak onder de grond was begraven. Aan het eind van de pijp, vlak bij de brug, kwam hij weer tevoorschijn, en daar was hij verbonden met een pakket verborgen explosieven. Als dat pakket tot ontploffing werd gebracht, zouden de andere pakketten die over het bouwwerk waren verdeeld volgen en werd de brug vernietigd. Voor het geval er iets misging, zat er vlakbij nog een geniesoldaat bij een tweede lont.

De afwijkenden verdrongen zich nu op de brug, en hoewel ze terrein wonnen, lieten de soldaten ze een hoge tol betalen voor elke duim die ze veroverden. De planken van de brug waren glibberig van het lichaamsvocht en de strijders gleden onder het vechten re-

gelmatig uit. Aan beide kanten liepen strijdkrachten vreselijke verwondingen op doordat zwaarden en klauwen door vlees heen sneden. Soms werden ledematen in één welgemikte klap afgehakt, maar
meestal niet. Mannen werden van oksel tot dij opengereten, schellers scheurden gezichten van schedels, ghauregs werden uitgeschakeld als hun pezen werden doorgesneden. De wreedheid van het gevecht tussen man en monster was ongeëvenaard.

'Zeg dat ze zich moeten terugtrekken,' zei Zahn tegen de zuster. 'We
gaan de brug opblazen.'

Woordeloos gaf de zuster het bevel door aan een van de anderen,
die zich dichter bij het front bevond en de generaal die ze vergezelde op de hoogte bracht. Het aanzwellende gejammer van een wind-
alarm was het teken dat de soldaten zich moesten terugtrekken, en
ze liepen dan ook meteen sneller achteruit, waardoor ze meer afwijkenden op de brug toelieten.

'Steek maar aan,' zei Zahn tegen de geniesoldaat, die de vlam bij de
lont hield. Sissend ontbrandde die, en de vonk verdween in de mond
van de buis, waar hij zich al brandend een weg baande door de duisternis. Elders werd de tweede lont ook meteen aangestoken.

De soldaten hadden zich inmiddels tot voorbij de zuidelijke rand van
de Sakurikabrug teruggetrokken, en nu hielden ze weer stand, gesteund door geweerschutters, die de langere ghauregs een voor een
door de kop schoten.

De vonk verliet de buis en liep omhoog langs een van de boogvullingen van de brug, vergezeld door de tweede, die langs een andere
lont zijn eigen pad aflegde. Twee piepkleine lichtjes in de duisternis,
die allebei op hetzelfde doel afsnelden. Zodra de brug was ingestort,
hoefden ze zich alleen nog maar zorgen te maken over de feya-kori's, want dan kon de rivier helemaal niet meer worden overgestoken. En de smetdemonen hadden zich nog niet laten zien.

De tweede vonk haalde de eerste in, en ze bereikten gelijktijdig het
verborgen pakket.

En doofden uit, slechts een paar duim voor het einde van de lonten.
Yugi's ogen waren niet scherp genoeg om te kunnen zien dat de lonten waren gedoofd, maar het duurde niet lang voor hij besefte dat
de bommen niet waren afgegaan. Hij zag de gelederen van de soldaten aan het eind van de brug doorbuigen onder de druk van de
roofdieren en wist dat ze niet lang meer zouden standhouden.

'Wat is er gebeurd?' riep hij. 'Waar blijft onze godenvervloekte ontploffing?'

'De wevers,' zei de zuster met een afwezige blik in haar rode ogen. 'Hartbloed. De wevers hebben de lonten weten te bereiken voor we ze konden tegenhouden. Ze zijn langs ons heen geglipt. Een truc... een truc waarvan we niet wisten dat ze erover beschikten.'

Ontzet keek Yugi weer naar de brug, waar de linie eindelijk brak. De afwijkenden stroomden door het ontstane gat en verspreidden zich als een olievlek over de zuidelijke oever, waar ze begonnen te moorden.

⊚ 27 ⊚

'Vernietig hem!' riep Yugi. 'Die brug moet kapot!'
De zuster tot wie die woorden waren gericht, hoorde hem nauwelijks. Ze was samen met de anderen al druk bezig om dat voor elkaar te krijgen. De lonten mochten hun werk dan niet hebben gedaan, de zusters konden de explosieven vrij gemakkelijk zelf tot ontploffing brengen. Sterker nog, ze konden de brug ook zonder explosieven vernietigen. Dat was altijd bedoeld geweest als laatste redmiddel, voor het geval alle andere methodes faalden.
De wevers hadden echter geraden hoe belangrijk de Sakurikabrug was in het strijdplan van het keizerrijk, en ze waren hun voor geweest. Door valse beelden van zichzelf te creëren hadden ze de zusters doen geloven dat ze precies wisten waar al hun vijanden zich bevonden, terwijl er in werkelijkheid een aantal onopgemerkt via het Weefsel naar de brug was geglipt. Daar hadden ze de explosieven aangetroffen, en de lonten gedoofd. De zusters hadden er niet op gerekend dat hun tegenstanders zo behendig zouden samenwerken – een grove misrekening. Voor ze iets konden uitrichten, hadden de wevers een beschermend web gevormd dat de hele brug omspande. Ze gaven zelfs hun pogingen om de rest van het strijdperk te beïnvloeden op om het bouwwerk veilig te stellen. De zusters zwermden om hen heen, prikten naar hen, deden uitvallen en trokken zich weer terug, maar de wevers hadden zich naadloos met elkaar verweven en hadden geen enkele maas opengelaten. De zusters hadden hun gelijke gevonden.
'Dat kunnen we niet,' zei de zuster die het dichtst bij Yugi stond. 'We kunnen hem niet vernietigen.'

Vloekend keek Yugi over de hoofden van de soldaten naar de plek waar de afwijkenden een nieuw bloedbad onder de soldaten aanrichtten. Van dichtbij hadden de roofdieren het voordeel dat ze lichamelijk veel sterker waren; om ze te verslaan, moest je ze op afstand houden, zodat ze met mortiergranaten en kanonskogels konden worden bestookt. Dat was het geheim. Hij keek achterom naar de heuvel waar Lucia op stond, maar het was inmiddels te donker om haar te kunnen zien.

Waar wacht ze op, dacht hij boos. Als ze niets beters kan verzinnen dan alleen die riviergeesten, zijn we ten dode opgeschreven.

'De artillerie,' zei Zahn. 'Ze richten zich op de artillerie.'

Yugi keek om en zag dat hij gelijk had. De afwijkenden baanden zich een weg naar een van de heuvels met een artilleriepositie, van waaruit de afwijkenden aan de overkant van de rivier nog steeds stelselmatig werden uitgemoord. De uitval eiste een hoge tol, want ze waren nu kwetsbaar voor aanvallen in de flanken. Omdat ze nu eenmaal een grote overmacht hadden, wonnen ze echter toch terrein.

Een deel van de artillerie was nu op de brug gericht; via de zusters had het nieuws over de mislukte bomaanslag zich verspreid. De granaten die in de buurt kwamen, werden echter door de wevers uit de lucht geplukt en vielen in de rivier zonder schade aan te richten.

Yugi en Zahn keken elkaar ijzig aan. 'Verdedig jij de artillerie,' zei Yugi. 'Dan herover ik de brug. We moeten ze op de noordelijke oever zien te houden.'

Zahn knikte. 'Mogen Ocha en Shintu welwillend op je neerzien,' zei hij. Toen gaf hij zijn paard de sporen en reed weg, vergezeld door zijn lijfwachten. Yugi kon de kreet horen waarmee hij zijn mannen opriep zich achter hem te scharen, en een flink aantal soldaten voegde zich bij hem toen hij haastig op de vijand afging om die de pas af te snijden.

Yugi keek over zijn schouder naar Nomoru. 'Kun je op de rivieroever een plek vinden van waaruit je de explosieven kunt raken?'

'Ze zijn verborgen onder de brug. En het is donker. Zal niet meevallen,' zei Nomoru. Ze liet zich achter hem van het zadel glijden. 'Ik zal mijn best doen.'

'Vergeet de wevers niet. Die kunnen een geweerkogel tegenhouden.'

'Wij staan klaar,' zei de zuster. 'Granaten kunnen ze gemakkelijk onderscheppen, maar een geweerkogel is kleiner en sneller. Die krijgen we er misschien wel doorheen.'

Nomoru slingerde haar geweer om haar schouder, wierp de vrouw met het beschilderde gezicht een geringschattende blik toe en keek op naar Yugi. Haar ogen stonden uitdrukkingsloos.

Zijn blik gleed over het stralenpatroon van littekens op haar gezicht. 'Ik zal een vuurpijl afsteken.' Hij klopte op zijn riem, waar een onschuldig uitziend cilindertje aan hing. 'Aarzel niet.'

'Begrepen.'

Ze bleven nog even staan. Er moest nog iets worden gezegd, maar ze deden het geen van beiden. Toen gaf Yugi zijn paard de sporen en reed op het vaandel van de Libera Dramach af, die zich vlak bij de opgang naar de brug bevond.

Toen hij tussen de soldaten door reed en de stank van zweet, leer, zwaardolie, rook, bloed en dood rook die door de wind werd meegevoerd, kon hij het gevoel niet van zich afschudden dat dit allemaal maar een droom was. Door de ontwenningsverschijnselen van de amaxawortel – hij had die avond geen kans gezien om iets te roken – en de aanwezigheid van de geesten die de lucht deed tintelen, leek alles in een dempend waas gehuld te zijn. Het leek net of ze allemaal meededen aan een soort spelletje, waarin het niet ging om levens, maar om iets veel onbelangrijkers. Hij kon gewoon niet bevatten hoeveel mensen hier vandaag zouden sterven, en al waren gestorven. Die traag opkomende onwerkelijkheid had hem al eerder bedreigd, maar hij had nog nooit als generaal deelgenomen aan zo'n wijdverbreide strijd. Hij kon een oorlog domweg niet bevatten, en de enige manier waarop hij ermee kon omgaan, was door er helemaal niet aan te denken.

Hij bereikte het vaandel. In het groene licht van de manen werden gezichten naar hem opgeheven, ogen afwachtend op hem gericht. Het leek gemakkelijker om gewoon te doen wat hij moest doen dan om er nog langer over na te denken. Hij stak zijn zwaard in de lucht en schreeuwde: 'Libera Dramach! We heroveren de brug!'

Het goedkeurende gebulder, woest en luidkeels, was zo oorverdovend dat hij ervan schrok. Zijn zintuigen werden scherper, zijn bloed begon te gonzen en het waas trok weg. Opeens zag hij alles ongelooflijk duidelijk. De wind geselde hem en liet de reep stof die hij om zijn voorhoofd had als een vlag achter hem aan wapperen.

'Voorwaarts!'

De soldaten stroomden in een bedwelmende golf om hem heen, en hij liet zich erdoor meevoeren, niet in staat de felle kreet die over zijn lippen kwam te doen verstommen. Voor hem uit weken de gelederen uiteen, of ze sloten zich aan bij de aanval. De Libera Dra-

mach ramde op de afwijkenden in, met een doffe dreun van lichamen tegen wapens.

Yugi was een van de vele mannen te paard, en zij reden achter de
voorste linies aan met hun geweren tegen hun schouders om vanaf
die voordelige hoogte de afwijkenden van dichtbij neer te schieten.
Hij herlaadde, vuurde, herlaadde, vuurde, trok tussen de schoten
door de haan van zijn geweer in een vloeiende beweging naar achteren en stuurde zijn rijdier met zijn knieën. Zijn schoten raakten
hun doelwitten met verpletterende kracht en zonden fonteintjes van
donker bloed omhoog: een ghaureg ging neer met een gat in de zijkant van zijn keel, een feyn kreeg een kogel in zijn kop en zeeg op
de grond, en hij schoot drie kogels in de bult van een uitzinnige furie voor hij eindelijk iets vitaals raakte en het monster doodde. Hij
had geen tijd om aan iets anders te denken dan aan het richten en
afvuren van zijn geweer, tot er een droge klik klonk en hij gedwongen was de kruitkamer te openen en bij te vullen.

Daar was hij net mee begonnen toen hij een duw van opzij kreeg en
zijn paard met een schreeuw van angst boven op een groep mannen
dreigde te vallen. Yugi's geweer viel uit zijn hand toen hij probeerde zijn evenwicht te bewaren, maar zijn paard wist op de een of andere manier overeind te blijven. Het betekende slechts uitstel van
executie, want een ghaureg die zich een weg door de soldaten heen
had gebaand, greep het hoofd van het paard met beide handen vast
en brak met een felle beweging zijn nek.

Hij had echter van de twee mogelijke tegenstanders de verkeerde uitgekozen om als eerste uit te schakelen. Yugi trok razendsnel zijn
zwaard en zette al zijn gewicht achter een neerwaartse hakbeweging.
De beide armen van de ghaureg werden ter hoogte van de ellebogen
afgekapt, en brullend van pijn deinsde hij achteruit, tot iemand een
dolk in de glanzende zwarte nexusworm stak die aan zijn nek vastzat.

Yugi zag zijn tegenstander niet sneuvelen. Hij voelde het paard onder zich wegzakken en probeerde zich los te worstelen uit het zadel.
Het was meer geluk dan wijsheid, maar hij slaagde erin net op tijd
weg te springen en door te rollen, voordat het paard met een klap
op de grond viel. Hij kwam tot stilstand tegen de benen van een soldaat, die hem overeind sleurde voor hij kon worden vertrapt.

'Ben je gewond?' vroeg de man bruusk. Yugi schudde zijn hoofd, en
de man gaf hem een stevige klop op zijn schouder. 'Kom op dan! We
moeten een brug heroveren.'

Yugi schepte moed uit de merkwaardig ontroerende bravoure van de soldaat, grijnsde en drong zich naar voren, op de hielen gevolgd door de ander. Op het punt waar de legers elkaar troffen, leken de linies wel vloeibaar, wild golvend telkens als er mannen of afwijkenden vielen en de overwinnaars naar voren drongen om het gat op te vullen. Daar in het gedrang in plaats van hoog erboven op de rug van een paard, was de stank van zweet en het opgesloten gevoel overweldigend. Yugi was echter zo opgefokt door de adrenaline dat het hem niets kon schelen.

Hij zag een man vlak voor zich sneuvelen, en in zijn plaats verscheen een chicha, een nachtmerrieachtig wezen dat leek op een reusachtige spin met vier poten. Het had een kop vol kromme ramshoorns en een langwerpige, snavelvormige kaak vol kleine, scherpe tandjes. Hij stapte in het gat dat de gevallen man achterliet terwijl hij zijn zwaard, dat kil blonk in het maanlicht en waar het bloed van zijn vorige slachtoffer vanaf spatte, al een wijde boog liet beschrijven.

De afwijkende haalde naar hem uit met zijn voorpoten, en nu pas besefte hij dat er over de hele lengte messcherpe randen van chitine aan zaten. Snel trok hij zijn lichaam opzij, en de voorpoten van het monster schampten over de leren wapenrusting op zijn borst, waar ze een diepe groef in achterlieten, maar niet doorheen kwamen. Meteen draaide hij zijn zwaard, zodat hij één poot kon afhakken. De chicha deinsde werktuiglijk terug voor de pijn. Die fractie van een seconde gebruikte hij om met een felle zijdelingse slag de flank van het wezen open te rijten, zodat zijn inwendige organen er stomend uitstroomden. Huiverend zeeg het monster op de grond, in de greep van de naderende dood.

Rechts van hem zag hij een snelle beweging te midden van de wirwar van zwaarden en tanden. Hij draaide zich net op tijd om om de furie aan te zien komen die over de lichamen van de gevallenen op hem afkwam, als een muur van spieren en slagtanden. De lijken verschoven echter onder diens gewicht en hij struikelde, waarna hij bijna doormidden werd gekliefd door een krachtige bovenhandse slag van de soldaat die zich naast Yugi bevond. Het gebroken lichaam gleed door tot aan Yugi's voeten, met het zwaard nog in zijn ribben. Yugi wrikte het wapen los en gooide het terug naar zijn redder, die bij wijze van bedankje snel naar hem salueerde en vervolgens door het strijdgewoel werd opgeslokt.

Vanaf dat punt verloor Yugi alle besef van tijd. Zijn verleden en toekomst voegden zich samen tot dat ene moment waarin hij nog leefde, waarin de pijn in zijn lichaam dof, veraf en onbeduidend was en zijn spieren en geest zich uitsluitend met zijn zwaard bezighielden. Hij stak en hakte, niet uit een bewust verlangen om te doden, maar omdat hij zijn vijanden op die manier kon beletten hem te doden. Hij bewoog volgens patronen die het gevolg waren van jarenlange oefening, duikend, hakkend en parerend zonder erbij na te denken waar hij de volgende slag moest plaatsen, of hoe vaak hij al aan de dood was ontsnapt sinds deze veldslag was begonnen; als hij dat deed, zou zijn moed hem in de steek laten en zou hij worden verpletterd. Op een gegeven moment werd hij zich bewust van zijn verwondingen, diepe sneeën waarvan hij had gedacht dat het oppervlakkige krasjes waren, en het warme bloed dat over zijn huid stroomde. Hij negeerde ze. Hij had geen andere keus.

Toen viel er een gat in het maanverlichte schimmenspel van gedrochten tegenover hem, en zag hij het begin van de brug, nog geen veertig voet verderop.

Die aanblik zette hem aan het denken. Hoe lang vocht hij al? Hoe ver waren ze gekomen? Hij werd zich bewust van het geschreeuw en gegil van de mannen om hem heen, maar er was één overheersende klank: de klank van opstandigheid. Andere soldaten waren hun versterking komen bieden, mannen die maar al te graag met hun zwaard wilden bijdragen aan een gewonnen zaak, en die extra steun had de rest hernieuwde kracht geschonken. Nu ze de brug naderden en de afwijkenden op de zuidelijke oever van de Ko werden afgesneden van de versterkingstroepen, kwamen de andere soldaten met hernieuwde geestdrift naar voren om de wezens naar de oever en in het water te drijven. De geesten richtten opnieuw een slachting aan en verdronken ieder levend wezen dat binnen hun bereik kwam. Yugi proefde koude, natte aarde op zijn lippen. De spanning in de lucht nam toe, leek aan hen te plukken in een poging hen op te tillen. Nog even en de maanstorm barstte los.

Yugi wilde die brug hebben. Met een kreet die meer als een gil klonk vocht hij verder, en zijn mannen vochten met hem mee.

Nomoru rende gebukt door het duistere woud van soldaten op de zuidoever, waarbij ze er steeds voor zorgde dat ze achter de rijen schutters bleef die het ene schot na het andere over de rivier afvuurden. Ver achter haar was een verwoede strijd gaande op een van de heuvels, waar Zahn stelling had gevat tegen de afwijkenden die het op de artillerie hadden gemunt. Nu Yugi gestaag optrok en langzaam maar zeker de toevoer vanaf de Sakurikabrug afsneed, raakten de wezens geïsoleerd. Daardoor konden ze nu stelselmatig vanaf alle kanten worden uitgeroeid. Nomoru kon niet over de hoofden van de soldaten heen kijken, maar ze hoorde de berichten die door de zusters onder de troepen werden verspreid.

Dwaas, dacht ze. Hij jaagt zichzelf nog de dood in.

Ze bedoelde Yugi. Ze vond hem niet het type voor heldendaden, en ze vermoedde dan ook dat de verhalen die de ronde deden behoorlijk waren aangedikt om het moreel op te vijzelen, maar toch zat het haar dwars. Terwijl ze langs de rivier glipte, omringd door het geknal en geratel van geweervuur, vroeg ze zich af hoe ze zich zou voelen als hij inderdaad sneuvelde. Het zou haar waarschijnlijk niet zoveel doen, moest ze toegeven. Hun verhouding tot nu toe was erg plezierig geweest, maar meer ook niet. Nomoru was opgegroeid te midden van de verdorvenheid en het onzekere bestaan in het Armenkwartier van Axekami, waardoor ze een dikke laag eelt op haar ziel had. Sterfgevallen raakten haar niet zo. Ze liet geen enkel gevoel te diep doordringen. Dat was geen bewuste beslissing geweest, maar zo was ze nu eenmaal en ze had er nooit behoefte aan gehad om er vraagtekens bij te stellen of te proberen er iets aan te veranderen. Haar bestaan was gelijkmatig, zonder pieken van wild geluk of dalen van diepe rouw. Overleven, dat was haar devies, en als je wilde overleven kon je je eigenlijk geen emoties veroorloven.

Ze richtte haar aandacht weer op haar taak. Inmiddels was ze al een heel eind langs de rivieroever gelopen, bij de brug vandaan. De explosieven waren zorgvuldig verborgen. Daardoor vormden ze een lastig doelwit, want ze waren helemaal weggestopt in de hoeken van het metselwerk. Nomoru, die over het instinct van een scherpschutter beschikte, had goed gekeken waar ze zaten en zocht nu naar de ideale hoek om er een schot op te lossen.

Nou ja, eigenlijk was dat niet helemaal waar. De gemakkelijkste plek was natuurlijk pal naast de brug, maar ze was echt niet van plan om zo dicht bij de Sakurikabrug in de buurt te zijn als die de lucht in ging.

Toen ze dacht dat ze de juiste plek had bereikt, glipte ze tussen de schutters door. De oever liep steil af naar het water, dus klauterde ze voorzichtig naar beneden en ging op haar hurken zitten, zodat ze buiten het bereik van de geweren was die vlak boven haar werden afgevuurd. De rivier de Ko, die slechts een voet of twee bij haar vandaan lag, was nu weer kalm, hoewel het oppervlak nog steeds eerst de ene en dan de andere kant op rimpelde door de onvoorspelbare wind. Nomoru wierp er een behoedzame blik op. De riviergeesten hielden zich daar nog steeds schuil. Ze vermoedde dat ze haar meteen te grazen zouden nemen als ze het water zelfs maar aanraakte. Ze zette het van zich af en ontspande zich. Alles om zich heen negeerde ze: de dreiging van de rivier, de salvo's die boven haar hoofd werden afgevuurd, de drukkende sfeer nu de maanstorm naderde. Ze negeerde het eindeloze spervuur van de artillerie, het gekletter van zwaarden in de verte en het gebrul van de ghauregs en furiën. Rustig zette ze het geweer tegen haar schouder.

Goden, wat was het donker. Het groene, staalachtige licht, dat toch fel genoeg was nu er drie volle manen aan de onbewolkte hemel stonden, was maar nauwelijks toereikend. Als de maanstorm losbarstte, kon ze het wel vergeten. Ze berekende waar de explosieven zich volgens haar bevonden en liet haar blik via het vizier over de eerste paar boogvullingen glijden, om hoog in de hoek van een van de andere te stoppen. Daar. Daar moest een pakket zitten. Ze verplaatste het geweer een klein stukje en richtte op een andere plek. En daar nog een. Ze kon ze in het donker niet zien zitten, maar tenzij ze op de een of andere manier waren verplaatst, moesten ze zich daar bevinden. Ze kon er maar twee raken; de andere werden afgeschermd door het bouwwerk.

De meeste mensen zouden het onmogelijk hebben geacht. Maar Nomoru hield wel van een uitdaging.

Het conflict rond de brug, tussen de wevers en de zusters, was zo hevig dat Yugi de lading in de lucht kon voelen. Inmiddels zag hij er eerder uit als een trol dan als een man: hij was van top tot teen bedekt met bloed en modder, en alleen een dierlijke razernij hield zijn spieren nog in beweging. Ze deden inmiddels geen pijn meer; hij was over de vermoeidheid heen. Zijn slagen waren weinig subtiel en onhandiger dan voorheen, maar werden uitgevoerd met een wreedheid waartoe hij zichzelf nooit in staat had geacht. De kreten van de mannen galmden in zijn oren en hij kon hun enorme geestdrift voelen. In een ver, rationeel hoekje van zijn geest besefte hij dat ze zich door hem lieten inspireren, maar waarom, dat was hem niet duidelijk. Hij wist alleen dat hij vocht aan de kop van een reusachtige colonne soldaten die een heel eind was doorgedrongen in de kluit afwijkenden op de zuidoever, en dat hij op een gegeven moment, toen hij zijn voet tussen de glibberige lijken door omlaag had gewurmd om zich op de grond schrap te kunnen zetten, hout had gevoeld in plaats van zand. Hij had de brug bereikt.

Dat besef herinnerde hem aan iets waar hij tot op dat moment niet meer aan had gedacht. Nomoru. Hij stak zijn hand uit naar de vuurpijl aan zijn riem, maar zodra hij zijn aandacht liet afleiden van de strijd, raakte hij bijna zijn hand kwijt aan een wezen met een staart als een zweep. Hij werd op het nippertje gered door een van de mannen die aan zijn zijde vocht.

'De brug! De brug!' riep iemand, en er steeg een luid gejuich op. Toen werd Yugi van achteren voortgestuwd door de soldaten van het keizerrijk, die massaal oprukten.

'Nee! Nee! Hier blijven!' wist hij te roepen, maar zijn stem werd niet gehoord. Een groepje afwijkenden op de brug deinsde terug voor de krachtige stoot en sleurde een aantal andere monsters met zich mee in hun val. Yugi probeerde de mannen tegen te houden, maar dat was onbegonnen werk. Hij moest zich maar door de golf laten meesleuren.

Hij onthoofdde een ghaureg met een dubbelhandige slag en draaide zich toen snel om om met het gevest van zijn zwaard de kaak van een skrendel te breken. In de drukte vergat hij wat hij had moeten onthouden: er was geen tijd om aan iets anders te denken dan aan de strijd. Gevangen in een kolkende, ziedende wereld van chaos, krankzinnigheid en constante beweging kon Yugi maar heel af en toe helder denken, en op een gegeven moment besefte hij dat ze inmiddels een derde deel van de brug hadden heroverd en dat de afwijkenden nog altijd werden teruggedrongen door de soldaten van het keizerrijk, die vochten vanuit een primitieve opgetogenheid over hun eigen heldenmoed.

Waar zou het eindigen? Zouden ze helemaal doordringen tot in de horde afwijkenden, op weg naar een zekere dood, aangespoord door een vals gevoel van onoverwinnelijkheid? Yugi wist het niet, en zelfs als dat zo was, had hij het niet kunnen tegenhouden. Daarvoor waren ze nu te ver gekomen.

Hier was echter een nieuwe vijand, een waar hij geen rekening mee had gehouden. Hij besefte het pas toen de man links van hem opeens stuiptrekkend omviel, terwijl het bloed uit zijn neus en mond spoot. De man die hem wilde helpen, trof hetzelfde lot.

Wevers.

Opeens voelde hij al zijn spieren op slot springen. Dat afschuwelijke gevoel had hij al eerder ervaren, in de Gemeenschap. Toen was hij gedwongen geweest machteloos toe te kijken terwijl zijn vriend en leider Zaelis zichzelf doodschoot. Die keer had het hem alleen maar weerloos gemaakt. Deze keer was het veel erger. Dit was niet zomaar verlamming; hij voelde zijn lichaam beven, een voorbode van een aanval. Nog even, dan werden de stuiptrekkingen zo hevig dat zijn botten zouden breken en zijn organen zouden worden verpletterd. Zijn val werd gebroken door de ruwe vacht van zijn dode vijanden, maar zijn ogen rolden wild in hun kassen.

Toen was het opeens voorbij, werd hij losgelaten. Overal om hem heen zag hij stampende voeten. Het bloed droop van zijn lippen. Maar hij was niet dood. Misschien kwam het door een kentering in de strijd in het onzichtbare rijk dat de wever die op het punt had gestaan hem te doden werd afgeleid. Misschien was hij gedwongen zijn aandacht ergens anders op te richten. Hij hoorde om zich heen echter overal het gegil van stervende mannen, en vlakbij zag hij iemand vallen met melkwit schuim dat tussen zijn opeengeklemde tanden vandaan kwam.

Hij hoefde niet na te denken. Alles, alles was beter dan de aanraking van een wever. Hij rukte de vuurpijl van zijn riem en rukte de dop van de cilinder. Daarbovenop zat een reep ruw papier, dat kon worden afgestreken tegen een tweede reep op de onderkant van de cilinder, zodat de lont door middel van wrijving kon worden aangestoken. Hij streek hem af.

Een regen van vonken schoot uit de cilinder. Liggend op een laag lijken, in een kring van helwit licht, omringd door de stampende voeten van soldaten, stak hij met onvaste hand de vuurpijl uit.

Het buskruit vatte vlam en de vuurpijl schoot gillend de lucht in. De hitteterugslag schroeide het vlees van zijn hand.

Nomoru had gezien dat de troepen van het keizerrijk zich een weg naar de brug hadden gevochten. Toen ze de vuurpijl zag, zag ze dat die uit de voorhoede van het leger afkomstig was, en ze besefte dat Yugi hem had afgestoken.

Ze aarzelde geen moment. Vier keer snel achter elkaar vuurde ze haar wapen af, herladend tussen de schoten: twee op haar tweede keuze, ter afleiding, en twee op het grootste pakket explosieven, dat Yugi als eerste had willen laten afgaan.

De zusters hielden woord en stonden klaar zodra het signaal werd gegeven, maar ook al deden ze hun uiterste best, de wevers slaagden er toch in om de eerste twee geweerkogels tegen te houden. Ze werden midden in de lucht tegengehouden voor ze hun doel bereikten.

Twee was echter niet genoeg.

De Sakurikabrug ontplofte, werd in een reusachtige bal van vlammen en rook over de hele lengte aan splinters geblazen. De klap trok lange sporen van wit schuim over het wateroppervlak en zond tollende houten planken en brokken steen hoog de lucht in, die vervolgens in het water plonsden of tussen de legers op de beide oevers terechtkwamen. De mannen en afwijkenden die zich op de brug bevonden toen die de lucht in ging, waren op slag dood, en aan weerszijden vielen nog eens tientallen doden en gewonden, geveld door brandwonden en andere verwondingen. Nog meer werden er door de luchtverplaatsing op de grond geworpen. De dreun rolde over de heuvels en echode nog lang na in het nachtelijke duister.

De veroorzaker van die verwoesting legde haar geweer neer en keek naar de paar deerniswekkende, brandende stukjes hout die nog over waren. Ze overwoog iets te zeggen, een paar korte zinnen bij zichzelf te prevelen ter nagedachtenis aan de man die ze zojuist had gedood. Dat had echter weinig zin, dus zweeg ze. Ze klauterde langs de oever omhoog en dook tussen de schutters door, waarna ze verdween tussen de gelederen.

Zahn had net de laatste afwijkenden om hem heen afgemaakt, toen het vuur op de rivier oplaaide. Hijgend, nat van het zweet, hield hij zijn paard in en keek langs de heuvel omlaag. Achter hem dreunden nog steeds de kanonnen en de mortieren, en de blijdes kraakten terwijl ze projectielen wegslingerden die grote gaten sloegen in de eindeloze zee van roofdieren op de andere oever. Ze waren nu veilig. Eindelijk was de brug weg. De vijand zat vast op de noordelijke oever van de Ko. Ze hadden slechts twee mogelijkheden: zich terugtrekken en een andere manier zoeken om de rivier over te steken – een reis van vele honderden mijlen, want in het westen lag het Xuwoud en in het oosten het Azleameer – of afwachten hoe lang de riviergeesten hen tegenhielden.

Toen hoorde hij de mannen om hem heen kreten slaken, en zag hij dat de wevers eindelijk hun grootste wapen hadden ingezet.

Ze verhieven zich boven de toppen van een heuvel in de verte, als schaduwen aan de horizon, maar hun gloeiende ogen waren van mijlenver al te zien, en ze straalden in het donker. Langzaam en log kwamen ze dichterbij. Ze leken te groeien naarmate ze verder de heuvel afdaalden, en toen ze onderaan waren, waren ze zo groot als belegeringstorens.

Feya-kori's. Zes stuks.

Mishani en Lucia stonden samen op de top van een andere heuvel. Het begon zachtjes te regenen, en de kille druppeltjes streken langs hun huid en drongen door tot in hun kleren. Donkere vlekken verspreidden zich over de stof.

'Yugi is dood,' zei Lucia, nog steeds met haar ogen gesloten en haar hoofd gebogen. Mishani keek vragend naar de zuster, die bevestigend knikte. Het nieuws raakte haar nauwelijks. Het was een feit, het betekende niets. Als ze tijd had, zou ze wel om Yugi rouwen, maar hij was nooit een goede vriend van haar geweest.

'De feya-kori's zijn onderweg,' zei Mishani, maar haar woorden gingen verloren in de wind. Ze keek naar de hemel, waarin de manen elkaar naderden. De kolkende wolken werden allemaal naar het punt gezogen waar de hemellichamen zouden samenkomen. Mishani voelde haar zintuigen steeds strakker trekken; het zou nog maar heel kort duren voor de storm losbarstte.

'Weet ik,' zei Lucia.

De regen werd heviger en de aanzwellende wind floot over het slagveld. Het gekreun van de naderende feya-kori's galmde in hun oren.

'Lucia...' zei Mishani zachtjes.

'Nog niet,' antwoordde ze.

'Ze komen nu erg dichtbij, Lucia.'

'Nu nog niet!'

Het heuvellandschap werd verscheurd door een afschuwelijk gekrijs, dat Mishani deed huiveren, en een felle paarse bliksemschicht doorkliefde het nachtelijke duister. De hemel barstte los in een donderend geraas. De wind huilde, teisterde hen, en de regen striemde zo hard dat het pijn deed. Lucia hief haar gezicht op en draaide het in de richting van de wolkbreuk. Boven hen vormden de manen een ongelijke driehoek, door ziedende wolken doorsneden.

Lucia's ogen gingen open.

'Nu.'

⊚ 28 ⊚

De mannen om Lucia heen deinsden vloekend van angst voor haar terug toen ze eindelijk alle beschikbare geesten opriep voor de strijd. Zelfs Mishani strompelde weg, geschrokken door het wezen dat Lucia's plaats leek te hebben ingenomen. Haar gezicht was niet langer mooi en naïef, maar sluw, kwaadaardig, angstaanjagend. De lucht leek dik te worden, moeilijk om in te ademen, en smaakte naar ijzer. Mishani keek om zich heen en zag dat Lucia niet de enige was die er anders uitzag: de gezichten van de soldaten waren spichtig en hatelijk, en het beschilderde gelaat van de zuster stond feeksachtig en wraakgierig. Een subtiel gefluister, vol beloften van half ingebeelde verschrikkingen, klonk in Mishani's oren. Schichtige gestalten verzamelden zich in de schaduwen van de manen. De aanwezigheid van de geesten vervormde het waarnemingsvermogen, en ze waren nog nooit zo sterk aanwezig geweest als nu.

Lucia stond doodstil met haar armen losjes langs haar lichaam en haar gezicht naar de striemende regen gekeerd alsof het een verzachtende balsem was, snel knipperend met haar ogen tegen het water. Ze was tot op de draad doorweekt. Mishani, die maar klein en licht was, moest haar uiterste best doen om in de harde wind overeind te blijven. Ze schermde haar ogen af met haar hand en keek angstig toe. Nu sloeg er stoom van Lucia's kleren af, dunne mistsliertjes die zich samenpakten en dikker werden, tot Mishani besefte wat ze precies zag.

Er rees iets uit haar op.

De Xiang Xhi maakte zich uit Lucia's lichaam los. Hij ontvouwde zich, als de vleugels van een mythische demon die zich dreigend spreidden, en door zijn onmogelijk lange vingers leek hij nog het meest op een graatmagere vleermuis van mist. De dunne, kalkwitte gestalte, een schaduw van nevel, zat als een spookachtige incubus vast aan haar onderrug en overhuifde haar met zijn handen, alsof hij een parasol wilde vormen. Zijn gezicht was een vage veeg waarvan je niet kon vaststellen hoe groot hij was, want telkens als je ernaar keek, leek hij te veranderen. De soldaten krompen ineen en een enkeling ging ervandoor, niet in staat die overweldigende aanwezigheid te verdragen.

Mishani zou er ook vandoor zijn gegaan, als Lucia er niet was geweest. Ze had echter gezworen dat ze het meisje dat ze ooit als een zusje had beschouwd niet in de steek zou laten, dus bleef ze, gevangen tussen eergevoel en angst.

De feya-kori's stieten een lange, dissonante grom uit, die weergalmde tussen de heuvels en luid genoeg was om de zwaarden in hun schedes te doen trillen. Ze hadden hun tegenstander in het oog gekregen en daagden hem uit.

De Xiang Xhi hief zijn handen en spreidde zijn stakerige vingers. Lucia opende haar mond, en de schrille kreet die ten antwoord over haar lippen kwam, verplaatste zich als de schokgolf van een bom. Mishani sloeg haar handen voor haar oren en wankelde achteruit, zo krachtig was het geluid.

De legers bleven staan. De artillerie zweeg. Het nachtelijke duister verdiepte zich toen een wolkendeken zich snel vanuit de drie-eenheid van manen verspreidde, de onderkant verlicht door de bliksem. Er klonk een gerommel in de aarde, eerst zo zachtjes dat het nauwelijks hoorbaar was, maar toen steeds luider en dreigender. De wind was inmiddels tot stormkracht aangewakkerd, zodat de mannen zich niet langer staande konden houden, en in de legers van zowel het keizerrijk als de afwijkenden ontstond chaos. Mishani liet zich op haar knieën op de grond vallen en zette zich zo goed en zo kwaad als het ging schrap tegen de heuvel. Lucia's lijfwachten glibberden en gleden over de grond en klampten zich aan elkaar vast om overeind te blijven. Alleen de zuster bleef fier overeind, want de wind loeide om haar heen, maar raakte haar niet.

De afwijkenden maakten zich snel uit de voeten toen de feya-kori's op handen en voeten tussen hen door struinden. Sommige monsters werden door de wind of door hun metgezellen in het pad van de demonen gedreven en werden als kevers verpletterd, of verbrandden door het smerige, verderfelijke slijm dat van hen af droop. De feya-kori's liepen nauwelijks gehinderd door de storm gestaag door.

Het gerommel was inmiddels oorverdovend, en de aarde begon licht te schokken. De soldaten baden luidkeels tot de goden en verbraken bijna de gelederen om ervandoor te gaan, maar hun generaals blaften hun iets toe, en hun ongeëvenaarde discipline hield hen tegen.

De hemel krijste en rommelde. Een kromme bliksemschicht sloeg in de flank van een van de feya-kori's en sloeg er een gat in, waardoor er grote klodders brandend zuur over de afwijkenden heen spatten. De demon kreunde en deed een wankele stap opzij, maar ging toen gewoon verder in de richting van de rivier. Het slijm op zijn lichaam stroomde in het gat en dichtte de wond.

Mishani keek toe, ineengedoken tegen de storm en onder de modder, terwijl er nog meer bliksemschichten uit de wolken schoten, zo snel als de flitsende tongen van honderd slangen. Elke bliksemschicht ging vergezeld met een daverende klap die pijn deed aan haar oren en haar angstig ineen deed krimpen. De wereld was gek geworden: overal was er herrie, het donderen en krijsen van de hemel, het onophoudelijke gebulder van de aarde, het beven van de grond, de snoeiharde wind en de meedogenloos striemende regen. En de desoriënterende aanwezigheid van de geesten en de maanstorm maakte het allemaal nog een graadje erger. Het maakte haar bang en paranoïde. Als ze op dat moment had geweten waar ze zich kon verschuilen, zou zelfs haar eergevoel haar niet hebben kunnen overhalen om aan Lucia's zijde te blijven, maar ze kon nergens naartoe.

De feya-kori's werden keer op keer geraakt, uit hun evenwicht gebracht door de bliksem. En nu haperde hun opmars, want de inslagen deden pijn, en hoewel ze nog steeds stug doorliepen naar de rivier, struikelden ze regelmatig en krompen ze ineen onder het spervuur. Mishani, die tussen de lokken van haar doorweekte haar heen keek, zag geesten in de bliksem, vuig grijnzende gezichten, geschetst in kartelig licht dat in de duisternis werd gegraveerd, die maar langzaam wegtrokken. En dat niet alleen: het gehuil van de wind was van toon veranderd en klonk steeds meer als het geluid van stemmen, vervormd gemompel, gekoer, onzinnig gekrijs. Het was allemaal nauwelijks te beschrijven, maar het leek wel een soort taal. Goden, laat het ophouden, laat het ophouden!

De bliksem kon de feya-kori's wel een beetje afremmen, maar hun wonden sloten zich vanzelf weer. En de wind kon ze slaan en duwen, maar ze waren te groot en zwaar om zomaar omver te stoten. Onstuitbaar liepen ze door naar de rivier.

Ver achter in de gelederen van het afwijkende leger, aan het zicht onttrokken, was Weefheer Kakre aan het werk, omringd door zijn gevolg van ghauregs. Van zijn geest was niet veel meer over, want de verbindingen in zijn hersenen waren samengesmolten en beschadigd door de onmogelijke taak die hij moest verrichten: zes feya-kori's in toom houden. Maar zolang hij bij de demonen was, met hen en de andere wevers verbonden, bleef hij helder. Hij had zich ondergedompeld in het geheel en sprak er grote delen van aan. Als dit allemaal achter de rug was en hij zich losmaakte van het web dat ze hadden geweven, zou hij nog slechts een raaskallende gek zijn.

Zijn beoordelingsvermogen had het al lang geleden begeven. Omdat hij geen macht uit handen wilde geven, had hij zichzelf de belangrijkste positie toebedeeld van alle wevers die hun gaven hadden gebundeld om het eerste tweetal smetdemonen op te roepen en te sturen. Met deze grotere bundeling had hij dat weer gedaan, hoewel het zijn macht, en die van welke wever dan ook, ver te boven ging, maar dat zouden ze naderhand pas beseffen, als ze zich van elkaar losmaakten. Voorlopig werd hij helemaal in beslag genomen door de feya-kori's, die hij zijn wil probeerde op te leggen.

De inslagen die de demonen pijn deden, deden ook Kakre pijn, net als de andere wevers die met hem verbonden waren en zich her en der verspreid over het slagveld schuilhielden. Kakre gaf echter niets om de pijn, of om de afwijkenden die door de demonen werden vertrapt. Zonder Avun was er niemand die het nodig vond zuinig te zijn op de wevertroepen. Ze hadden immers een overweldigende meerderheid, en zelfs het enorme leger dat zich tegenover hen had opgesteld had hen niet kunnen tegenhouden zonder de inzet van de geesten.

De feya-kori's wisten echter wat ze daaraan moesten doen. Lucia was voor de wevers onaantastbaar, maar de demonen konden de Xiang Xhi voelen als een baken.

Ja, Kakre doorzag het plannetje van het meisje maar al te goed. De Xiang Xhi wás het Xuwoud: hij was er inmiddels zo mee verbonden dat hij zijn thuishaven niet kon verlaten, tenzij een gastheer hem met zich meedroeg. En net als voor de demonen was hij voor de geesten een baken; Lucia was gedwongen geweest hem hiernaartoe te brengen, zodat de geesten er massaal op af zouden komen.

Had zijn voorganger haar maar gedood toen hij de kans had. Maar hoezeer de geesten ook hun best deden, ze konden zijn demonen tot nu toe niet vernietigen. De feya-kori's ontleenden kracht aan de smet die zich over het land verspreidde, en die tegelijkertijd hun tegenstanders verzwakte. Misschien waren ze zo sterk dat geen enkele macht in Saramyr ze staande kon houden. Ze hoefden alleen Lucia maar te bereiken en dan zou het voorbij zijn. Dan zou de laatste hoop van het keizerrijk vervlogen zijn.

Achter zijn masker vertrok Kakres gezicht zich in een krankzinnige grijns.

Het gerommel werd ondraaglijk, en de aarde spleet open.

Het kabaal was verschrikkelijk. De grond beefde nu zo hevig dat de soldaten omvielen en zich aan elkaar vastklampten om overeind te blijven. De artillerie schoof uit positie; mortieren vielen om. Ten noorden van de Ko viel er opeens een reusachtig stuk land weg. Met een knarsend gebulder en in een wolk van stof zakte het weg. Honderden afwijkenden vielen krijsend in de diepte. Een fractie later spoot er een enorme waaier van vloeibaar gesteente de lucht in, een woest gordijn van zwarte rook en vlammen.

Mishani, die bijna gek werd van angst, wist niet goed of het grote, kakelende gezicht dat ze in het vuur meende te herkennen echt of ingebeeld was.

De rook van de ontploffing verspreidde zich over het slagveld, gegeseld en uiteengerafeld door de wind. Toen het vloeibare gesteente op de grond spatte en daar dood en verderf zaaide, dacht Mishani gestalten te zien in de rook: snelle, schichtig bewegende wezens die op apen leken. In eerste instantie dacht ze dat het skrendels waren, maar ze bewogen zich schokkerig, alsof ze flakkerden, en ze waren nooit precies op de plaats waar ze ze verwachtte. Ze schoten tussen de afwijkenden door, besprongen ze, bukten zich om te bijten en sprongen weer weg. De afwijkende roofdieren waren helemaal in paniek; zelfs de nexussen konden ze niet meer onder controle houden. En nog steeds beefde de aarde. Overal in het heuvelland ontstonden nieuwe, kleinere kloven, ingezakte voren vol kapotgetrokken gras en grond.

Op één plek trok de rook even op, en het tafereel werd kortstondig verlicht door de flakkerende paarse bliksem. Er bewoog helemaal niets. Het was net alsof de afwijkenden ter plekke waren bevroren. Pas toen ze er een zag afbrokkelen, besefte Mishani dat ze in aarden beelden waren veranderd door de beet van de behendige geesten.

De grond spleet opnieuw open, deze keer onder een van de feya-kori's. Met een luid gejammer viel de demon, en de afgrond verslond hem met een nieuwe fontein van vloeibaar gesteente.

Het leger van de wevers werd afgeslacht. De wind was nu messcherp en sneed de roofdieren en hun menners aan flarden. Het land bokte en steigerde, en in de rook die de afgronden uitbraakten bewogen zich dodelijke geesten. De bliksem speelde over het tafereel en doodde bij elke inslag tientallen roofdieren. Alleen de wevers bleven veilig, omdat hun pantser niet zo gemakkelijk te doorbreken was.

Toch rukten de feya-kori's nog steeds op. Een van hen was gevallen, maar inmiddels hadden de overige vijf de Ko bereikt, waar het ziedde en kolkte van de vluchtende afwijkenden die door de geesten werden verdronken.

Ze kan ze niet tegenhouden, dacht Mishani paniekerig. Al dat geweld, en nog kan ze ze niet tegenhouden!

Lucia verroerde zich niet, had geen last van de regen, de wind en het beven van het land. Haar gezicht was nog steeds naar boven gekeerd, haar ogen waren nu gesloten, haar armen hingen slap langs haar zij. Het duurde even voor Mishani zag dat haar voeten de grond niet eens raakten. Ze hing er ongeveer een duimbreedte boven. Alleen de Xiang Xhi bewoog zich, boog en strekte zijn vingers alsof hij een poppenspeler was. Zijn nevelige lichaam wiegde traag heen en weer boven dat van zijn gastheer. De manen keken toornig op hen neer van achter de kolkende wolkenflarden, en opnieuw werden de feya-kori's bestookt met bliksem.

Toen bleven de demonen staan, pal aan de oever van de rivier. Achter hen werd hun leger uitgeroeid. Overal renden afwijkenden weg, omdat hun menners stierven en hun dierlijke instinct het weer overnam. De demonen besteedden er geen aandacht aan. Hun brandende ogen waren op één plek gericht, op iets onzichtbaars dat ze deed aarzelen.

Mishani kneep haar ogen samen toen ze tegen de storm in keek, en toen zag ze inderdaad iets. Een vreemde glinstering in de regen op de zuidoever van de Ko, een schemering in de lucht alsof de druppelsluiers in kristal waren veranderd. De soldaten deinsden terug voor die plek naarmate het duidelijker zichtbaar werd. Het kristallen gordijn scheurde in drieën, en het licht trok zich samen en verhardde zich tot vaste vormen.

Mishani wist al wat er gebeurde, nog voor het zover was. Ze had dit verhaal van Kaiku gehoord, lang geleden.

Het waren de krankzinnige geesten van de maanstorm, de kinderen van de godinnen die de avondhemel regeerden. De Kinderen van de Manen waren gearriveerd.

Ze torenden hoog boven de soldaten van het keizerrijk uit. In Kaiku's verhaal waren ze twee keer zo lang geweest als zij, maar nu manifesteerden ze zich als reuzinnen van veertig voet hoog, net zo groot als de demonen tegen wie ze het moesten opnemen. Ze hadden vrouwelijke vormen en straalden een vergane glorie uit. Hun gewaden waren prachtig rijk bewerkt, maar helemaal versleten, en aan hun polsen en ellebogen hingen oeroude voorwerpen die zachtjes mee wiegden met hun bewegingen. Ze straalden een kille gloed uit, zo helder als die van hun ouders: een grimmig, meedogenloos licht. Ze leken veren te hebben in plaats van haren. Hun gezichten waren echter het ergst, want hun gelaatstrekken waren glad als die van een gedeeltelijk gesmolten wassen masker, en ze leken telkens te vervagen en te veranderen. Alleen hun ogen bleven op hun plaats, volslagen zwarte gaten waarin je een verpulverende glimp van het oneindige kon opvangen.

Nu liet de discipline de soldaten in de steek: ze sloegen op de vlucht voor de monsterlijke wezens. Maar de geesten waren niet in hen geïnteresseerd. Hun oneindig diepe ogen waren gericht op de feya-kori's, en ze haalden smalle zwaarden onder hun gewaden vandaan die een wreed licht uitstraalden.

De bliksem flitste en de hemelen krijsten toen de demonen en de geesten elkaar over de rivier heen aankeken. Toen sprongen ze er allemaal tegelijk in.

Het treffen was bruut en kortstondig. De feya-kori's waren sterker en bovendien in de meerderheid, maar ze bewogen zich log, terwijl de Kinderen van de Manen soepel als water om ze heen gleden. De feya-kori's sloegen wild om zich heen, belaagd door de riviergeesten, die ze echter nauwelijks opmerkten. Ze wisten de Kinderen echter niet te raken. Toen de tegenaanval kwam, was het effect vernietigend. Mishani zag dat een van de rondtollende geesten de voorpoten van een feya-kori afhakte, zodat de demon voorover in de rivier viel. Een andere werd ter hoogte van zijn middel doormidden gehakt en viel in twee stukken in het stomende, borrelende water. Binnen een mum van tijd waren alle vijf feya-kori's onder water verdwenen en waren alleen de Kinderen van de Manen nog over.

Dat duurde echter niet lang. Met een uitdagend gekreun en kokende dampen die van hun rug en flanken opstegen, rezen de demonen op uit de Ko. Hun lichamen waren weer intact; de delen hadden zich samengevoegd. Het water werd zwart door hun giftige aanwezigheid. De Kinderen bleven roerloos staan. Hun reactie was onpeilbaar.

Toen vielen de feya-kori's aan: met z'n vijven stortten ze zich op één en dezelfde tegenstander. Twee van hen werden aan mootjes gehakt en vielen opnieuw in de vervuilde rivier, maar hun doelwit kon de rest niet ontwijken. De feya-kori's lieten zich boven op het belaagde Kind zakken, en met een oorverdovend gekrijs viel ze op de grond. Haar zusters stortten zich onmiddellijk op de overgebleven feya-kori's en hakten ze met chirurgische precisie aan stukken, maar toen de geest weer overeind kwam, zag Mishani dat haar bewegingen schokkerig waren, dat haar contouren vervaagden en dat haar aura minder helder was. De feya-kori's hadden haar verwond.

En opnieuw herstelden de demonen zich en stonden op, de kleine riviergeesten van zich af schuddend die vergeefse pogingen deden om ze weer onder water te trekken.

Opnieuw stortten de wezens zich op elkaar. Het gespetter dat hun strijd vergezelde klonk als een reeks korte ontploffingen die het gekrijs van de storm overstemden. Zwaarden, nat van de regen, flitsten en sneden door de smerige modder waaruit de feya-kori's bestonden, en de demonen vielen opnieuw in stukken uiteen. Maar de geest die ze hadden verwond was nu trager, en een van de demonen wist haar met een wilde zwaai van zijn knuppelachtige stomp te raken, zo hard dat ze wankelde. Ze flakkerde als een kaarsvlammetje en werd toen weer stabiel, maar het licht dat ze uitstraalde was merkbaar zwakker dan voorheen. Alsof ze net iets minder aanwezig was dan de andere twee.

Ondertussen hadden de overige geesten niet stilgezeten. Het afwijkende leger was zogoed als verdwenen onder de maalstroom. De grond was doorgroefd met spleten, rook kolkte over alles heen, kleine wervelwinden trokken een spoor van vernieling en de bliksem sloeg uit de wolken, maar toch maakten de wevers geen aanstalten om zich terug te trekken. Ze wisten dat ze niet ver zouden komen als ze zich omdraaiden en op de vlucht sloegen. Ze hadden alleen nog een kans als ze Lucia konden bereiken, en dat betekende dat ze de Kinderen moesten passeren. Daarom richtten ze al hun wilskracht op de feya-kori's, terwijl de zusters hun uiterste best deden om de wevers lastig te vallen en af te leiden, maar tussen hen bestond er nog steeds een impasse. Geen van beide partijen kon veel invloed uitoefenen.

Nu hieven de Kinderen van de Manen hun zwaarden en krijsten. Mishani huiverde en sloeg haar handen voor haar oren. Ze was drijfnat en smerig, ze had het ijskoud en zat ineengedoken te rillen, buiten zinnen van angst. De Xiang Xhi hief zijn handen, met de stakerige mistvingers gespreid, en uit Lucia's mond klonk ten antwoord een al even onmenselijke kreet.

Dat had onmiddellijk effect. Mishani kon het boven de storm uit horen. Het geruis van de rivier, dat tot op dat moment een zacht gemurmel op de achtergrond was geweest, zwol aan tot een woest gesis. Ze keek omlaag vanaf de top van de heuvel en zag dat het door regen geteisterde oppervlak van het kolkende water sneller begon te stromen en het witte schuim en de donkere vervuiling stroomafwaarts voerde. Het kabaal werd nog luider, zwol aan tot een diep gebrul, tot de gewoonlijk zo trage rivier was veranderd in een woest stromende vloed die buiten zijn oevers trad. De rivier overstroomde.

Het leger van het keizerrijk – dat een veilige afstand tot de Ko in acht had genomen toen de Kinderen waren verschenen – probeerde zich vlug terug te trekken, maar ze stonden zo dicht op elkaar dat ze niet snel genoeg in beweging konden komen. Aan de randen werd een enkeling meegesleurd door het snel stijgende water. Mannen deden hun uiterste best om hun kameraden te redden, of brachten zichzelf haastig in veiligheid. De afwijkenden trof hetzelfde ongelukkige lot, maar zo dicht bij de noordoever waren er geen overlevenden meer, en het vloedwater speurde alleen de doden mee, en de monsters die in aarden standbeelden waren veranderd.

In de rivier stonden de geesten en de demonen nogmaals tegenover elkaar. Beide partijen hadden zichtbaar moeite om overeind te blijven in het woest stromende water, maar het lukte. De Kinderen krijsten opnieuw en sloegen toe, hakten in op hun vijanden. Vijf feyakori's vielen in stukken uiteen.

Deze keer werd ze echter geen genade getoond. De Kinderen gunden hun tegenstanders geen tijd om zich te herstellen. Ze hakten in op de gevallen demonen in het water; hun zwaarden sneden door het zwarte schuim op de oppervlakte naar de modderige lichamen eronder. Ze gilden van razernij, slaakten opgetogen kreten. Vervuild water en kladders brandend slijm spatten van hun zwaarden alle kanten op. De rivier om hen heen kookte, en de slanke, spookachtige riviergeesten doken en spartelden er als palingen tussendoor. Stroomafwaarts dreef een kloddertje viezigheid naar de oppervlakte, dat even werd meegevoerd, maar toen werd het gegrepen door de riviergeesten en onder water getrokken. Er volgden er nog meer, klodders in alle vormen en maten die langzaam oplosten in het water.

De Kinderen van de Manen slachtten de feya-kori's keer op keer af, en de rivier ving de stukjes op en wierp ze weg, zodat ze zich niet meer aaneen konden hechten. Een hele tijd ging het afschuwelijke geweld door, tot de Kinderen van de Manen een voor een ophielden met hakken en het rivierwater weer helder werd.

Opnieuw hieven ze hun zwaarden en slaakten een kreet die helemaal tot in Saraku hoorbaar was, en als antwoord zetten de geesten die zich met het afwijkende leger bezighielden hun aanval met hernieuwde geestdrift voort. De verdediging van de wevers begaf het toen de feya-kori's vielen: ze hadden zo veel energie in de demonen gestoken dat het verlies ervan de balans deed doorslaan. De zusters verscheurden hen gulzig, en zodra de eerste wevers waren gevallen, keerden de geesten zich ook tegen hen, niet langer bevreesd voor hun macht. Binnen een mum van tijd was er niet een meer in leven.

De wevers waren dood; het afwijkende leger was uiteengeslagen en zogoed als uitgeroeid. Langzaam maar zeker trok de rook op en werd de omvang van de slachting zichtbaar voor de soldaten van het keizerrijk. Er steeg een luid gejuich op, dat aanzwol naarmate steeds meer nieuwe stemmen zich erbij voegden, tot het kabaal zelfs de storm, het rusteloze gerommel van de aarde, de herrie van de maanstorm en het huilen van de wind overstemde. Het gejuich ging langzaam over in een enkel gescandeerd woord: 'Lucia! Lucia! Lucia!'

Ze hadden de wevers verslagen en hun leger volledig in de pan gehakt. Zelfs als de wevers er nu in slaagden een nieuwe strijdmacht op de been te brengen, zou het keizerrijk ertegen opgewassen zijn. Zij hadden immers Lucia, het meisje dat de geesten kon bevelen. Eindelijk had hun redder haar macht getoond. Met haar konden ze Axekami binnenmarcheren en heroveren. Met haar konden ze alles.

Alleen Mishani was echter zo dichtbij dat ze kon zien dat er niet slechts regendruppels over Lucia's gezicht stroomden. Er persten zich ook tranen tussen haar dichtgeknepen oogleden door.

Langzaam richtten de Kinderen van de Manen hun afschuwelijke zwarte blik op de soldaten, en het gejuich verstomde.

'Lucia!' riep Mishani uit. 'Lucia, wat heb je gedaan?'

De eerste bliksemschicht raakte een van de artilleriestellingen en maakte die met de grond gelijk. De top van de heuvel en iedereen die erop stond werden verslonden door een kroon van vlammen. De tweede sloeg midden in het leger in en eiste in één klap zeker tien levens. De soldaten beseften nauwelijks wat er gebeurde, tot de aarde opeens weer harder begon te beven en zich onder hen opende: een lange, kartelige kloof scheurde het heuvellandschap in tweeën, en honderden mannen vielen schreeuwend omlaag. De wind veranderde in een plaatselijke orkaan, die mensen meevoerde en in de rivier slingerde, waar ze door de geesten werden verdronken. Het leger werd volledig uiteengeslagen. Soldaten gooiden hun wapens neer en vluchtten, vertrapten elkaar in hun wanhopige pogingen om te ontsnappen. Vele duizenden mannen, die allemaal alleen nog maar het vege lijf wilden redden van de afschuwelijke, onkenbare machten die zich plotseling tegen hen hadden gekeerd.

De Kinderen van de Manen stapten op de oever, namen het tableau van paniek in ogenschouw en sloegen aan het moorden.

Nu stroomde aan beide kanten het bloed over de oevers van de Ko. De Kinderen sloegen om zich heen met hun zwaarden, die als zeisen door de lichamen van de soldaten sneden. Overal vielen mannen in ongelijke stukken op de grond. De rivier trad hongerig nog verder buiten zijn oevers en zoog de soldaten mee die niet aan het water wisten te ontsnappen. Op de plaatsen waar de bliksem was ingeslagen, lagen zwartgeblakerde lijken waar nog paarse bliksemschichten overheen trokken in een slordige kring. Er steeg weer rook op uit de diepe kloof in de aarde, rook waar van alles in bewoog, en waar die ging, bleven aarden standbeelden achter.

'Lucia!' krijste Mishani, die nog steeds in de modder lag. 'Lucia, hou ze tegen!'

Maar Lucia kon haar niet horen, en de Xiang Xhi besteedde geen aandacht aan haar. Hij zwaaide met zijn handen boven het hoofd van zijn gastheer alsof hij een orkest dirigeerde. De zuster die als Lucia's lijfwacht fungeerde keek van het bloedbad in de diepte naar Lucia en weer terug, met een onzekere blik in haar ogen.

Een soldaat kroop tegen de heuvel op, vechtend tegen de wind en regen, met zijn smekende blik op Lucia gericht.

'Red ons!' riep hij. 'Red uw volk!'

Maar Lucia gaf geen antwoord.

'Waarom helpt u ons niet?' schreeuwde de soldaat.

De Xiang Xhi stak zijn enorme, stakerige handen naar hem uit, omklemde hem en kneep hem met een luid gekraak van botten tot moes. Mishani gilde toen het bloed over haar heen spatte. De verschrikkingen en de angst werden haar te veel. Ze kon niet helder denken en haar lichaam gehoorzaamde niet meer.

Toen schokte Lucia hevig, alsof ze door een onzichtbare kracht in de buik werd gestompt. De Xiang Xhi slaakte een schrille, langgerekte, jammerende kreet. En Lucia viel, stortte ter aarde op de plek waar ze even daarvoor nog vlak boven had gezweefd. Ze zakte ineen als een kapotte marionet. De Xiang Xhi, die nog steeds aan haar vastzat, werd langer en donkerder. Hij reikte naar het westen, strekte zich uit als een schaduw aan het eind van de dag, tot hij het hele slagveld overspande en de horizon bereikte, waar het Xuwoud lag. Toen veranderde het perspectief en was hij verdwenen.

Dat had een onmiddellijk effect op de geesten: ze kwamen tot rust en vervaagden. De rivier werd kalm, trok zich terug en begon langzamer te stromen. De rook uit de kloof bleef niet meer in de lucht hangen, maar zakte weg en verwaaide. De wind ging liggen; de orkaan verdween en maakte plaats voor een zacht briesje. De bliksem hield op.

De stilte deed pijn aan de oren. Alleen de Kinderen van de Manen stonden nog midden in het tafereel van de dood. Ze hadden hun zwaarden laten zakken en keken op naar de manen aan de hemel. De wolken losten op; het onwerkelijke gevoel in de lucht verdween. Zelfs de regen was overgegaan in miezer, die al snel ophield.

De maanstorm was voorbij. De Kinderen flakkerden en verdwenen. De drie manen dreven langzaam uit elkaar aan de opklarende hemel. Mishani lag nog steeds rillend van angst met opgetrokken benen op de grond. Het gevoel dat het gevaar was geweken was zo'n zalige opluchting dat ze er nauwelijks in durfde te geloven. Ze leefde nog, ze leefde nog, hoe uitzichtloos de situatie ook had geleken. Het liefst was ze nog veel langer blijven liggen, maar ze vermande zich. Er was immers een reden voor dat ze hiernaartoe was gekomen.

Lucia.

Op handen en voeten kroop ze naar de plek waar Lucia lag. Een tenger kind, achttien oogsten oud. Haar kleren kleefden aan haar lichaam. En er lag bloed, rood bloed op haar buik, waar de kogel haar had geraakt.

Snikkend zei Mishani haar naam en trok haar naar zich toe, zodat Lucia's hoofd op haar schoot lag. Ze schudde het meisje heen en weer. Lucia's blauwe ogen gingen trillend open, en er lag een afwezige blik in. Ze probeerde te glimlachen, maar moest hoesten. Bloed stroomde uit haar mond over haar kin.

'Het spijt me, moeder,' fluisterde ze. Mishani besefte dat Lucia niet haar gezicht voor zich zag, maar dat van Anais. Nu al werden haar ogen dof.

'Ssst,' zei ze. 'Ssst, niets zeggen.' Ze keek op naar de zuster, die over hen heen gebogen stond toe te kijken. Haar gezichtsschmink was door de regen niet eens uitgelopen. 'Kun je haar niet helpen?' vroeg ze schril.

De zuster schudde bedroefd het hoofd. 'De kracht die haar voor de wevers verborgen houdt, zorgt er ook voor dat ze voor ons onzichtbaar is. We kunnen haar niet bereiken. Ik kan haar niet genezen.'

'Wat heb ik dan aan je?' krijste Mishani. De zuster gaf geen antwoord, en Mishani richtte haar blik weer op Lucia. 'Wat heb ik dan aan je?' fluisterde ze hulpeloos.

'Ik wist het niet,' zei Lucia, die wild om zich heen keek. 'Ik wist niet dat ze er zoveel zouden nemen. Ze hebben er zoveel genomen, moeder. Ze zeiden dat ze er maar een paar zouden nemen. Een paar levens om hun honger te stillen. Omdat ze ons haten. Omdat dat de prijs was die ze verlangden.'

'Och, kind toch,' zei Mishani huilend. 'Maar waarom? Waarom heb je het gedaan? Waarom heb je ermee ingestemd?'

Lucia hoestte opnieuw. Haar kin en borst waren nu vuurrood. Alles was stil. Het leek wel of er in de hele wereld niets anders was dan zij drieën, op de top van die heuvel.

'Ik kon hen niet teleurstellen...' fluisterde ze.

Daar moest Mishani nog harder om huilen. Goden, dat arme kind, die aangewezen redder die tien jaar lang elk moment van haar leven de verwachtingen van de hele wereld met zich had moeten mee torsen. Ze kon toch niet dat woud verlaten zonder in haar opzet te zijn geslaagd, na al die levens die al in haar naam waren opgeofferd? Nee. Ze had het aanbod van de Xiang Xhi aangenomen: een offer in ruil voor de hulp van de geesten. Mishani kon zich nauwelijks voorstellen hoe dat haar moest hebben verscheurd.

En nu lag ze in Mishani's armen met een geweerkogel in haar lichaam. Haar huid was grauw, haar haren waren een en al natte pieken. Haar steeds tragere hartslag was zichtbaar in het kuiltje bij haar sleutelbeen. Haar blik was gericht op iets in de verte, op een plaats waar Mishani haar niet kon volgen.

'Help me, moeder,' zei ze met bevende stem. 'Ik wil niet sterven. Ik wil niet sterven.'

Maar Mishani kon geen antwoord geven. Haar stem werd verstikt door tranen, haar lichaam schokte van het snikken, en ze kon alleen maar huilen toen Lucia een diepe zucht slaakte en haar laatste adem uitblies.

Na een tijdje hoorde Mishani de voetstappen van barak Zahn. Ze keek op. Hij liet zich op zijn knieën zakken, zijn gezicht vertrokken van ongeloof. Hij probeerde Lucia niet van haar over te nemen. Als hij dat deed, moest hij toegeven dat het echt was, dat dit echt was gebeurd, dat hij zijn dochter voor de tweede keer was kwijtgeraakt, ditmaal voorgoed.

Mishani vroeg zich af hoe de geschiedschrijvers op een dag dit verlies zouden rechtvaardigen. Zouden ze vinden dat het de hoge tol waard was geweest dat het leger van de wevers was tegengehouden? Nee, zelfs dat zou niet helpen. Dat je de vijand vernietigde was natuurlijk prachtig, maar het leger van het keizerrijk was net zo goed vernietigd. Er waren nu nog maar net genoeg mannen over om het land te verdedigen. Dat kon natuurlijk ook van de wevers worden gezegd, maar de wevers konden sneller een sterker leger fokken dan mensen. De twee strijdmachten hadden elkaar uitgeroeid en voorlopig stonden ze quitte, maar de realiteit was dat de wevers op de lange termijn betere perspectieven hadden. Zonder dit leger hadden ze minder voedsel nodig. Ze konden het nog twee, misschien zelfs drie jaar redden met de voorraden die ze hadden. In die tijd konden ze een nieuw offensief op poten zetten, een waartegen geen verweer mogelijk was. Het keizerrijk had slechts een uitstel van executie bewerkstelligd.

Alles hing nu van één ding af. Cailins plan moest slagen. Ze moesten de heksenstenen vernietigen. Dat was hun laatste, hun enige hoop.

De soldaten die het hadden overleefd stonden in een kring om het tafereel op de heuveltop: hun gevallen redder met haar hoofd op Mishani's schoot, de gebroken barak op zijn knieën, de onverstoorbare zuster. Ze voelden zich net zo onzeker als Mishani en durfden voorlopig niet aan de toekomst te denken.

In hun midden stond een magere vrouw met klittend haar en een gemelijk gezicht. Ze bleef even naar het tafereel staan kijken, maar wendde zich toen af. Verdriet en de dood waren niets nieuws voor Nomoru: daarvan had ze als kind voor haar hele leven genoeg gezien. Haar enige zorg was dat niemand te weten mocht komen wie het schot had gelost dat hun geliefde Lucia het leven had gekost. Ook schaamde ze zich een heel klein beetje voor haar belabberde scherpschutterskunst. Ze had immers op Lucia's hoofd gericht.

Toen de dageraad aanbrak, was het slagveld verlaten. De sterrenval die altijd op een maanstorm volgde dwarrelde omlaag als een regen van piepkleine glasscherfjes die glinsterden in het zonlicht. Als Nuki's oog hoog aan de hemel stond, zouden de soldaten van het keizerrijk op zoek gaan naar hun kameraden, vrienden en familie, maar tot die tijd hadden ze zich teruggetrokken, niet in staat de aanblik te verdragen van het slachthuis waarin de oevers van de Ko waren veranderd. De lijken werden niet lastiggevallen door aaseters of vliegen, want de aanwezigheid van de geesten was nog te sterk voelbaar. Ten noorden van de rivier, te midden van de ontelbare duizenden die waren gesneuveld, stond een hoop aarde in de vorm van een kleine, gebochelde man. Zijn gelaat, of wat ervan over was, had de vorm van een gapend gezicht, uitgemergeld als dat van een lijk.

Het beeld bleef tot halverwege de ochtend staan, maar toen droogde het op in de warmte van de zon. Langzaam verschenen er barsten in, en vervolgens brokkelde Weefheer Kakre af, stukje bij beetje, tot er niets meer van hem over was, behalve wat poederige aarde die door de wind werd verspreid.

◎ 29 ◎

Op het voorste dek van de jonk stond Kaiku somber te kijken naar de grijze bergtoppen. Ze trok haar gewaad met één hand strak om haar borst, want er stond een kille zeebries. Eén gedachte was genoeg om het warm te krijgen, maar ze wilde graag lijden. Dat paste bij haar stemming.

De hemel was bewolkt, en hoewel de lente was aangebroken, was daar hier niets van te merken. Voor en achter haar trokken nog twaalf schepen aan hun ankers. Met regelmatige tussenpozen werden er roeiboten te water gelaten, die heen en weer pendelden tussen de schepen en het kleurloze kiezelstrand in het zuiden, een smalle vinger van de Nieuwlanden die zich uitstrekte langs de kustlijn en net ten oosten van de dreigende, scheve flanken van de Aonberg ophield.

Dagenlang waren ze langs de noordkust van Saramyr gevaren en hadden ze niets gezien dan steile, zwarte rotsen, indrukwekkende bergwanden die verticaal uit zee staken en geen enkele mogelijkheid boden om aan land te gaan. Kaiku was elke ochtend aan stuurboord gaan staan om te kijken naar de dunne, donkere rookpluim die uit de vulkaan de Makara naar rechts opsteeg. En nu waren ze op hun bestemming aangekomen, een baai met steenstranden en harde, granieten vlakten die zich enkele mijlen landinwaarts uitstrekten, tot aan de voet van de bergen. Hier zouden ze aan land gaan, hier zouden de zevenhonderd Tkiurathi's ontschepen en in zuidwestelijke richting naar Adderach trekken.

Het leek erop dat Assantua hen tijdens hun reis had beschermd. De maangetijden hadden in hun voordeel gewerkt, net als de wind. En hoewel ze gedwongen waren geweest om een alternatieve route te nemen – ze moesten om Fo heen varen om het veelgebruikte Camarankanaal te vermijden – en af en toe een kleine omweg hadden moeten maken terwijl de zusters hen aan het oog van passerende schepen in de verte onttrokken, waren ze precies op de geplande dag aangekomen. Dat had Cailin hun tenminste verzekerd. Kaiku was de tel allang kwijtgeraakt.

Zelfs voordat Kaiku het nieuws over de pyrrusoverwinning van het keizerrijk en de dood van Lucia had vernomen, was het al een vreselijke reis geweest. Van de tijd erna herinnerde ze zich weinig, en het ongemak en de verveling aan boord van het schip waren in het niet gevallen bij haar verdriet.

Ze zat gevangen op dit schip. Zelfs in haar hut had ze geen privacy, want die deelde ze met twee andere zusters, en dat was nog luxe vergeleken met de omstandigheden in het ruim van de jonken, waar de Tkiurathi's in een veel te kleine ruimte sliepen. Ze maakte er een gewoonte van om de gezichtsgrime van de Orde te dragen, want als ze dat deed, werd ze gewoonlijk met rust gelaten. Vaak zwierf ze 's nachts als een duistere spookverschijning over het dek, en na een tijdje raakten de zeelui aan haar gewend en deden alsof ze er niet was. De andere zusters wantrouwden haar. Cailin had niemand iets verteld over de ruzie die ze in Araka Jo hadden gehad, maar Kaiku liet haar minachting voor hun streven subtiel doorschemeren, en dat konden ze voelen. Cailin bevond zich aan boord van een ander schip en had een ijzige stilte bewaard. Dat vond Kaiku prima.

Als ze echt verbitterd was, kon ze nog wel eens een duister soort voldoening scheppen uit de wetenschap dat Cailin met Lucia's dood van een boegbeeld was beroofd, en dat de Eerste woedend moest zijn geweest toen ze vernam dat haar zorgvuldig gesmede plannetjes voor de toekomst van de Orde in het water waren gevallen. Dat was echter een schrale troost: in het ergste geval was het een tegenslag, en Kaiku wist dat Cailin die zou overwinnen. Als de wevers werden verslagen, zouden de zusters de overwinning opeisen en alsnog de macht grijpen. Kaiku kon zich er niet druk om maken. Waarom zou ze zich nog bezighouden met een wereld die zo vol was met verschrikkingen en verdriet, een wereld die als enige doel leek te hebben keer op keer haar hart te breken? Ze gaf alleen om haar verdriet, en dat koesterde ze zorgvuldig.

Nu keek ze toe terwijl de zeelui de Tkiurathi's aan land brachten. Ze wilden maar al te graag de jonken verlaten, na de martelende omstandigheden waarmee ze tijdens de zeereis te maken hadden gekregen. Ze hadden het weliswaar zonder te klagen verdragen, maar ze vonden het vreselijk om zo beperkt te zijn in hun bewegingen, en de overvolle schepen – die veel kleiner waren dan de enorme vaartuigen waarmee ze vanuit Okhamba de zee waren overgestoken – waren verschrikkelijk benauwend.

Over nog geen week zou het allemaal voorbij zijn. Zeventig mijl verderop, achter de bergen, lag het klooster van de wevers, en daaronder lag de eerste heksensteen. Omdat ze niet precies wisten hoe het gebied eruitzag, konden ze niet met zekerheid zeggen wanneer ze zouden arriveren. Ze hadden echter af en toe contact met de zusters die het woestijnleger vergezelden dat vanuit het zuiden naderde, en zo stemden ze hun plannen op elkaar af. Hun bezigheden in het Weefsel werden zorgvuldig verhuld: elk gesprek werd door verschillende zusters begeleid, om te voorkomen dat de wevers hun locatie zouden achterhalen. Bij hun deel van de onderneming was geheimhouding van doorslaggevend belang.

Als alles volgens plan verliep, zouden de wevers zich met hun troepen uit Adderach laten weglokken om Reki's leger, dat openlijk reisde en allang was opgemerkt, in het zuiden op te vangen. Een aanval vanuit het noorden, vanaf de zee, zouden ze niet verwachten. Kaiku betwijfelde ten zeerste of de wevers de gewaagde uitbraak die de zusters bij Lalyara hadden bewerkstelligd in verband zouden brengen met een dreiging voor Adderach. Voor zover de wevers wisten, wilden ze alleen maar de vloot van het keizerrijk redden en waren ze naar het zuiden gevaren, naar veilige havensteden als Suwana of Eilaza. En trouwens, de wevers wisten niet dat Muraki tu Koli hun plannen had verraden, dat was duidelijk gebleken uit het feit dat ze bij de Ko met open ogen in de keizerlijke hinderlaag waren gelopen. Het vooruitzicht dat het allemaal hoe dan ook ten einde zou komen was een troost voor Kaiku. Ze stond niet stil bij het grijze gebied tussen succes en falen: de wevers zouden worden vernietigd, en anders zij. Ze klampte zich vast aan haar herinneringen aan haar familie, aan Tane, aan Lucia, en gebruikte die om haar haat te voeden. De dood was zo slecht nog niet, als die haar kon redden van de wreedheid van deze wereld.

Eerst moest ze echter nog iets doen. Als ze de misleidende barrière bereikten die de wevers ongetwijfeld om hun klooster hadden opgetrokken, zou ze het masker weer moeten opzetten.

Het zat nog steeds in haar rugzak in haar hut, helemaal onderin, weggestopt tussen de kleren. 's Nachts fluisterde het haar toe, probeerde het haar te verleiden met beloften over haar vader. Er was iets van zijn ziel in het masker getrokken, iets wat het van hem had gestolen; en nu zat er ook iets van haar ziel in. Als ze het opzette, zou ze dan weer de vrede uit haar jeugd kennen, de troost van haar vaders aanwezigheid, het intuïtieve gevoel van veiligheid dat ze daaruit putte? Nee, die luxe zou ze zichzelf niet toestaan. Het was een bedwelmend middel; het zou haar alles aanbieden wat ze wilde, in ruil voor alles wat ze was. Elke keer dat ze het masker opzette, werd het echter moeilijker om er weerstand aan te bieden, en nu ze het al zo lang zo dicht bij zich had, had ze er al ettelijke malen bijna aan toegegeven, in de hoop dat het warme hout van het masker haar een veilige toevlucht zou bieden. Het enige wat haar weerhield, was haar bittere, giftige afkeer van de wevers en alles wat met hen te maken had.

Als ze de barrière bereikten, zou ze het echter moeten opzetten. De zusters konden hem weliswaar zonder veel inspanning passeren, maar dat bood geen garantie dat de wevers de indringers niet zouden opmerken, en dan zou het verrassingselement weg zijn. Er was maar één zekere manier waarop ze onopgemerkt naar binnen konden, en dat was met behulp van het masker.

Dit masker, dat aan haar hele familie het leven had gekost, was nog steeds een van de belangrijkste wapens waarover ze beschikten. Er waren er geen bij gekomen. De maskers die de zusters van dode tegenstanders hadden geroofd, waren te oud en machtig om veilig te kunnen onderzoeken, en zouden de dood betekenen van iedere zuster die het opzette – of haar corrumperen.

Het was dus aan Kaiku. Zij zou zevenhonderd Tkiurathi's en bijna vijftig zusters door de barrière heen moeten leiden. Dat zou veel tijd kosten, en al die tijd moest ze dat afschuwelijke masker dragen.

Haar blik gleed over de bergtoppen, en ze slaakte een diepe zucht. Als het daarna maar over was. Als het daarna dan maar eindelijk over was.

Ze voelde dat er iemand naast haar kwam staan, dus draaide ze zich een stukje om om aan te geven dat ze Tsata had opgemerkt. Hij had haar heel voorzichtig bejegend sinds ze had gehoord dat Lucia dood was, niet wetend of ze wilde dat hij haar troostte of alleen maar met rust gelaten wilde worden. Ze hadden de laatste tijd weinig gepraat. Hij had zich in het ruim met de zaken van zijn volk beziggehouden.

'Hoe gaat het met de Tkiurathi's?' vroeg ze. Haar stem klonk haar vreemd in de oren, ouder dan voorheen.

'Redelijk,' was het antwoord. 'Ze weten hoeveel er op het spel staat sinds de slag bij de Ko. Ze zullen de moed niet opgeven. De reis door de bergen zal ons goeddoen, na al die tijd dat we op deze schepen hebben vastgezeten.'

Kaiku streek het haar uit haar gezicht. 'Wat ga je... naderhand doen?' Ze keek hem aan. 'Als dit allemaal achter de rug is?'

Tsata hield haar blik een hele tijd vast voor hij antwoord gaf. 'Dat hangt ervan af wat er gebeurt als we Adderach hebben bereikt,' zei hij. 'Ik zal niet beweren dat ik er niet over heb nagedacht, maar er zijn te veel factoren.'

Kaiku knikte begrijpend. Hij probeerde haar vraag niet te ontwijken; hij was gewoon eerlijk. Maar hoe eerlijk hij ook was, hij had zichzelf de gewoonte aangeleerd om de Saramyrese gebruiken in acht te nemen als hij met Saramyriërs sprak, en de onuitgesproken gedachte was maar al te duidelijk. Het hing vooral van haar af.

En wat wilde zij eigenlijk? Daar kon ze geen antwoord op geven. De enige die ze naast Tsata nog overhad was Mishani, maar wie zou zeggen waar hun levens hen naartoe zouden leiden? Tsata zou waarschijnlijk met zijn volk teruggaan, en Mishani zou zich bezighouden met iets diplomatieks waarvoor ze veel moest reizen. Voor Kaiku, daarentegen, was er alleen maar een zwart gat, een leegte die zou achterblijven als ze haar belofte van wraak had vervuld. In gelukkiger tijden zou ze het misschien als een tijd van grenzeloze mogelijkheden hebben beschouwd, maar nu zag ze slechts het angstaanjagende verlies van een levensdoel voor zich.

Opeens werd ze boos. Waarom liet hij het nou van haar afhangen? Waarom waren haar beslissingen zo belangrijk voor anderen? Als de wereld dan zo vastbesloten was haar te kwetsen, waarom mocht ze zich er dan niet van losmaken?

Ze besefte dat ze weer toegaf aan haar zelfmedelijden en berispte zichzelf. In die val wilde ze niet trappen. De man die naast haar stond hield van haar, en hij was haar liefde waard. Het was haar schuld dat ze hem die liefde niet wilde geven, niet die van een ander. Er waren dingen die ze tegen hem wilde zeggen, dingen die zo diep in haar binnenste begraven lagen dat ze niet wist of ze de reis naar buiten en de ruwe raderen van de taal wel zouden overleven. Plechtige beloften. Duidelijke, stevige woorden die haar weer konden verbinden met de wereld vol licht en geluk die haar was ontglipt. Op het moment had ze echter het gevoel dat alles om haar heen vreselijk breekbaar en geen lang leven beschoren was. Ze wilde hem die waarheden vertellen, voor het geval een van hen bij het ophanden zijnde conflict om het leven kwam, zodat hij niet onwetend zou achterblijven. Maar ze besefte ook dat ze, als ze níét omkwamen, zou moeten leven met de dingen die ze had gezegd, en daar was ze nog niet klaar voor.

Ze kon er niet over nadenken. Het was een beslissing die ze nog niet kon nemen, gezien alles wat nog zou komen. Na die tijd zou ze wel zien hoe het allemaal uitpakte. Voorlopig dacht ze alleen aan haar wraak en aan het einde dat in het verschiet leek te liggen. De wereld was zo langzamerhand verzadigd door het bloed van alle doden, maar er kon nog wel een beetje bij.

'Ben je klaar om te gaan?' vroeg Tsata uiteindelijk. 'Nog even, dan is het mijn beurt om te vertrekken. Ik zou het fijn vinden als je samen met mij aan land ging.'

'Dan ga ik mijn rugzak uit mijn hut halen,' zei ze. En mijn masker, voegde ze er in gedachten aan toe. Ze kon de opgetogenheid van het monsterlijke ding voelen, als een fluistering aan de andere kant van een muur.

'Dan zal ik op je wachten,' zei hij toen ze al wegliep.

Ze bleef staan en keek achterom. 'Zou je echt op me wachten?' vroeg ze, en aan haar stem kon hij horen dat ze het over iets veelomvattenders had dan deze simpele bootreis. 'Hoe lang?'

'Tot alle hoop vervlogen was,' antwoordde Tsata zonder een spoor van schaamte. 'Tot het me meer pijn deed om bij je te zijn dan om je te moeten missen.'

Toen ze hem dat hoorde zeggen, kreeg Kaiku een pijnlijke brok in haar keel. Ze kon hem niet recht aankijken, en als ze nog langer bleef staan onder die intense blik van hem, zou ze gaan huilen. Ze was ontzettend kwetsbaar, en ze haatte zichzelf erom.

'Ik ben zo terug,' zei ze, en ze ging weg; maar of die woorden bedoeld waren als antwoord op Tsata's opmerking of gewoon te maken hadden met het feit dat ze haar rugzak ging halen, wist ze zelf niet eens.

Het duurde zes dagen voor ze de barrière van de wevers bereikten. Zes dagen voor Kaiku het masker weer opzette. Voor haar gevoel was het een eeuwigheid geleden dat ze zich zo gelukkig had gevoeld.

De losse grond op de bodem van de pas knarste in een regelmatig ritme onder de hoeven van Reki's manxthwa. Hij keek met een blik vol wantrouwen naar de gierkraaien die in het vlakke licht van de dageraad door de lucht cirkelden. Het was volkomen windstil en doods.

Hij reed met zijn hand vlak bij het gevest van zijn nakata. Zijn haar zat in een korte vlecht, zodat het tijdens de strijd niet in zijn gezicht zou wapperen, en daardoor leek zijn litteken een stuk opvallender. Het beige leer van zijn wapenrusting kraakte als hij zich bewoog en zijn gezicht stond grimmig en geconcentreerd.

Reki had al sinds de Tkiurathische troepenmacht aan land was gekomen regelmatig contact met hen, en sinds die tijd was de spanning bij zijn mannen tot een ondraaglijk niveau gestegen. De afwijkenden waren zogoed als verdwenen, afgezien van de gierkraaien die hen hoog vanuit de lucht in de gaten hielden, buiten het bereik van de geweren. Als de schattingen van de zusters klopten, zouden ze nu heel snel op de barrière van de wevers stuiten. De Tkiurathi's waren er 's nachts al met succes doorheen gedrongen en lagen nu net binnen die grens in de bergen te wachten. Niets wees echter op enige tegenstand. Zelfs de schermutselingen die tijdens die eerste weken nogal wat levens hadden geëist, waren opgehouden.

Het was te makkelijk. En deze pas was te gevaarlijk: een ondiepe vallei vol kleischalie en graniet, aan beide zijden beschut door bergtoppen. Na al die dagen waarin ze de grootste moeite hadden moeten doen om begaanbare paden te vinden door het vijandige hooggebergte, zou hij blij moeten zijn dat ze nu ten minste een paar mijl redelijk vlak land voor zich hadden. Zijn mannen waren tot het uiterste gegaan tijdens deze reis en hadden behoefte aan rust, maar daarvoor hadden ze niet genoeg tijd. Hoe verder de dag vorderde, hoe groter de kans dat de Tkiurathi's zouden worden ontdekt door rondzwervende gierkraaien binnen de grenzen van Adderach, en dan zou hun heimelijke plannetje in het water vallen.

Ze moesten dus wel door deze griezelig stille pas heen.

Alle verkenners die hij had speurden het omliggende terrein af, maar ze hadden niets te melden. Toen hij aan de zusters die met hem meereisden vroeg wat dat kon betekenen, konden ze hem geen antwoord geven. Misschien hadden de wevers zich rond Adderach opgesteld. Misschien hadden ze zich zelfs in het klooster verschanst. Dat zou het allemaal heel ingewikkeld maken. Het zou veel moeilijker zijn om de wevers uit hun hol te lokken als ze zich defensief hadden opgesteld, en dan zouden ze bovendien genoeg tijd hebben om in het uiterste geval hun eigen heksensteen te vernietigen. Voor zover Reki had begrepen, zou dat een ramp zijn.

Asara reed naast hem, te midden van het leger van woestijnkrijgers dat behoedzaam over het smalle pad door de bergen trok. Haar manxthwa mompelde, brieste en schudde zijn kop onder het lopen, kennelijk zonder iets te merken van de gespannen sfeer.

Ze probeerde de man aan haar zijde te vereenzelvigen met de jongen die ze lang geleden als spion van de Libera Dramach voor het eerst had verleid. Het had geen zin. Hij was geen groots krijger – hij was vooral erg bedreven in tactiek, en vocht nooit in de voorste gelederen zoals sommige baraks – maar hij zag er wel zo uit. Ooit was hij verlegen en onzeker geweest. Nu was hij een zelfverzekerde man van betekenis, en de mensen voelden dat aan en volgden hem.

Asara was getuige geweest van die verandering, die in hoge mate aan haar te danken was. Dat hij zo'n oogverblindend mooie minnares en later echtgenote had, had wonderen gedaan voor zijn zelfvertrouwen. Ze had hem haar onvoorwaardelijke steun en trouw geschonken, en hij had alles gedaan wat ze voorstelde. Als hij bij haar was, geloofde hij dat hij tot alles in staat was, en omdat hij het geloofde, kon hij het ook. Die vier jaar waren voor haar voorbijgevlogen. Op haar leeftijd ging de tijd steeds sneller, merkte ze. Ze mocht dan het lichaam en gelaat van een godin van twintig oogsten hebben, ze had de ziel van een negentigjarige vrouw.

Alles was nu echter anders. Donkere wolken pakten zich in rap tempo boven hun relatie samen. Hij vroeg telkens naar haar verleden en wilde het er niet bij laten zitten. Zijn liefde voor haar vergiftigde zijn geest. Wel tien verschillende scenario's had hij bedacht, die hij aan haar voorlegde om haar reactie te peilen: wanhopige zinspelingen op hoe haar jeugd er kon hebben uitgezien, alsof ze misschien iets zou verraden als hij op de waarheid stuitte. Het was een obsessie geworden, een worm van twijfel die was uitgegroeid tot een monster dat hem vanbinnen verteerde en zich voedde met zijn tomeloze hartstocht voor haar. Als ze hem niet zo volledig om haar vinger had gewonden, zou hij er misschien in zijn geslaagd met de onzekerheid te leven. Ze had echter heel veel ervaring met mannen en hun gewoonten, en ze wist dat dit aan hem zou blijven knagen tot hij een bevredigend antwoord kreeg of tot een of andere krankzinnige daad werd gedreven. Ze had meegemaakt dat mannen uit frustratie hun partner doodden als ze in de greep van een dergelijke kwelling verkeerden, of zichzelf van een hoge rots hadden geworpen.

Zelfs een leugen zou nu niet meer voldoende zijn. Binnenkort werd het tijd om weg te gaan.

Haar leven bestond uit een lange reeks eindige verhalen, want telkens als haar aard duidelijk werd, moest ze verder trekken. Uiteindelijk werd toch een keer duidelijk dat ze niet ouder werd, of dat ze ongelooflijk snel van verwondingen herstelde, of dat mensen de neiging hadden op mysterieuze wijze te verdwijnen als zij zich ergens vestigde. De slaapdood had de afgelopen weken meermalen toegeslagen, wat onder de manschappen tot consternatie en angst voor een plaag had geleid. Het was onverstandig, maar Asara had honger. Meer honger dan ooit tevoren, zelfs. En ze wist precies waarom. Toen ze minder dan een week geleden midden in de nacht uit haar slaap was ontwaakt, had ze het plotseling begrepen.

Ze verwachtte een kind van Reki.

Zelfs de Libera Dramach, waar sommigen wisten en accepteerden dat ze een afwijkende was, moest ze nu verlaten. Uiteindelijk zou Cailin te weten komen dat Kaiku zich had laten overhalen om haar deel van de afspraak die de Eerste lang geleden met Asara had gemaakt na te komen. Asara hoefde Cailin niet meer te gehoorzamen. Ze had wat ze wilde. Cailin zou echter Kaiku's twijfels delen over de vraag of ze Asara wel een kind mochten laten baren. Het was gewoonweg niet verstandig het risico te lopen dat Asara de eerste zou worden van een ras dat naar believen zijn uiterlijke kenmerken kon veranderen.

Asara was ervan overtuigd dat Cailin haar zou doden als ze er ooit achter kwam. En dat zou ze ook met haar kinderen doen. Daarom zou ze nooit terugkeren naar Araka Jo, en wilde ze nooit meer iets met de Libera Dramach of de zusters te maken hebben.

Waarom ga je dan niet meteen weg, vroeg een nieuw stemmetje in haar hoofd, het stemmetje dat altijd alleen maar als eerste aan haar kind zou denken. Je hebt wat je van hem wilde. Als je aan deze strijd meedoet, kan dat je dood worden, en wat je bij je draagt is te kostbaar om te verliezen. Je hebt nu een plicht om in leven te blijven.

Hoezeer ze dat ook geloofde, ze kon echter niet weg. Ze moest nog één ding doen.

Ergens in het leger klonk een kreet, en meteen richtte ze haar aandacht weer op haar omgeving. Toen ze zag dat iedereen omhoogkeek, volgde zij hun blik, en zag de afwijkenden.

Ze zwermden langs een van de flanken van de pas omlaag: een krioelende massa ruige vacht, leerachtige huid en scherpe tanden, en aan de andere kant kwamen er nog meer, ook van achteren.

'Hoe kan het dat we ze niet hebben gezien?' riep Reki, die snel zijn zwaard trok. Hij wendde zich tot de zuster die vlak bij hem reed. 'Hoe kan het dat jullie dit niet wisten?'

Haar gezicht stond grimmig; ze leek niet verrast of ontzet, alleen maar berustend. 'Ze hebben zichzelf goed leren verhullen,' zei ze.

Reki wierp haar een blik vol afkeer toe en wendde zich toen snuivend van haar af. Aan de flanken van het leger was het geknal van geweren te horen, toen de manschappen zich in verdedigende positie opstelden. De goden mochten weten of ze ook maar enige kans zouden hebben. De afwijkenden bleven maar toestromen, denderden langs de wanden van de pas naar beneden.

'Blijf bij me in de buurt, Asara,' zei hij. Toen prevelde hij een schietgebedje tot Suran, en kwamen de eerste afwijkenden er al aan.

◎ 30 ◎

Nuki's oog zwol aan boven Adderach en wierp zijn bleke licht op de waanzin.

Het oudste klooster van de wevers was een blijk van de krankzinnigheid die hen allemaal op een gegeven moment trof. De andere kloosters hadden weliswaar net zo'n chaotisch uiterlijk, maar ze kwamen niet eens in de buurt van de nachtmerrieachtige creatie die ze hadden gebouwd op de plek waar ze de eerste heksensteen hadden aangetroffen, waar Aricarat hen in zijn netten had gevangen en hen zonder dat ze het wisten aan zijn wil had onderworpen.

Het torende aan de voet van de Aon hoog de lucht in, dat gebouw dat grotendeels uit zandkleurige steen was opgetrokken: een verbijsterende samensmelting van vormen, die samen een bizarre stapel vormde waar een heel eigen verwrongen logica uit sprak. Koepels staken in vreemde hoeken als luchtbellen uit bakstenen constructies in de gekste soorten en maten. Overal stonden scheve of kromme muren, die misschien ooit bedoeld waren geweest om iets te omheinen, maar nooit waren afgemaakt. Onwerkelijk ogende standbeelden, fascinerende en angstaanjagende droombeelden die leken te zijn versteend, stonden her en der om het klooster verspreid of staken eruit. Half afgebouwde wandelwegen begonnen bij het hoofdgedeelte van het gebouw en eindigden in het niets. Overal stonden scheve torenspitsen, als reusachtige kurkentrekkers.

Het klooster strekte zich naar alle kanten uit. De helft ervan was verwaarloosd, net als de buitengebouwen, die ook getuigden van een ongelooflijke grilligheid. De meeste zagen er belachelijk uit, maar uit sommige constructies sprak een vleugje genialiteit waar zelfs de grootste gezonde denkers van het keizerrijk niet aan konden tippen. Waar de ideeën van de wevers vandaan kwamen, wisten ze zelf niet eens. De maskers namen echter iets van hun eigenaren af en gaven dat door, dus er was ook het een en ander van de voorgangers van de wevers in blijven hangen. De kennis die de maskers bevatten – en die vaak het bevattingsvermogen van de wevers ver te boven ging – kwam vaak tot uiting in dromen, visioenen en plotselinge inzichten die de wevers anders nooit zouden hebben gekregen. In de wirwar van onbewust begrip waren de onthullingen als lantaarns in de mist. Sommige waren zo onbegrijpelijk dat degenen die er getuige van waren er alleen maar krankzinniger van werden. Andere echter lagen net binnen het bereik van hun denkvermogen, en daar kon iets mee worden gedaan. Vreemde wiskundige berekeningen, ongehoorde productietechnieken, combinaties van reagentia die tot verbijsterende resultaten leidden, logische patronen: ideeën, ideeën en nog eens ideeën.

De wevers waren geen ideale doorgeefluiken voor hun ongeziene meester, maar uiteindelijk kwamen de resultaten er druppelsgewijs toch uit. Tegenover elke duizend missers stond één moment van opzienbarende helderheid, en daar borduurden de wevers op voort. Onder het anarchistische uiterlijk van Adderach ging een kille, onwrikbare doelmatigheid schuil.

De Tkiurathi's zetten vroeg in de ochtend de aanval in, niet lang nadat het nieuws hen had bereikt dat Reki's strijdkrachten in een hinderlaag waren gelopen. Vlak na het aanbreken van de dageraad waren ze vanaf de barrière richting het klooster geslopen, aan het zicht onttrokken door de vaardigheden van de zusters. Toen de eerste gierkraaien verschenen, werden ze door de Rode Orde afgeleid, zodat ze zich omdraaiden en elders keken. Eén keer bestudeerde een wever het gebied waar zij zich bevonden en streek zijn aandacht als luide ruis over hen heen, maar zijn behendige tegenstanders konden hem gemakkelijk verblinden. De wevers waren duidelijk niet erg op hun qui-vive. Ze volgden Reki en zijn manschappen immers al dagen en wisten precies waar die zich bevonden. Ze waren ervan overtuigd dat ze hun vijand voor het grijpen hadden.

Zoals Cailin had gehoopt, rekenden ze niet op een aanval uit het noorden.

Toen het juiste moment was aangebroken, verlieten de Tkiurathi's hun dekking en renden onder het slaken van woeste strijdkreten op het klooster af. Kaiku rende in de achterhoede met een aantal andere zusters mee. Er waren misschien tweehonderd afwijkenden, verspreid over de rotsachtige omgeving van Adderach, die als wachtposten dienstdeden. Zodra ze de vijand opmerkten, renden ze eropaf om hen te onderscheppen.

Tweehonderd afwijkenden hadden grote schade kunnen aanrichten, zelfs onder zulke geboren krijgers als de Tkiurathi's, maar ze zetten geen gecoördineerde aanval in. Ze stormden gewoon in kleine groepjes op hen af. De Tkiurathi's slachtten ze af.

Kaiku werd overspoeld door een golf van woeste blijdschap toen ze Adderach voor zich uit zag liggen, op het moment dat de helling afvlakte en ze om een uitloper van de kolossale Aon heen kwamen, die zich rechts van haar tot in de grauwe hemel verhief. Nu hun doelwit zo dichtbij was en de strijd voor haar uit was losgebarsten, schudde ze eindelijk de dromerige, sentimentele stemming van zich af die haar al in haar greep had sinds ze de avond tevoren het masker had afgezet. Goden, zelfs nu kon ze zich nog het afschuwelijke genot herinneren, en een stemmetje in haar hoofd probeerde haar ertoe aan te zetten het uit haar gewaad tevoorschijn te halen en op te zetten, omdat ze er veel angstaanjagender en indrukwekkender uit zou zien als ze het droeg. Ze droeg echter al een ander masker: dat van de Rode Orde. Ze hield zichzelf voor dat dat voldoende was, en klampte zich aan die gedachte vast om de verlokkingen van dat andere masker te weerstaan.

Even zag ze Tsata aan de rand van de horde, maar al even snel was hij weer verdwenen. Ze ving slechts een korte glimp op van het intens vastberaden gezicht waarmee hij op een groep uitzinnige furiën afstormde, voordat de wevers toesloegen.

De klap was duizelingwekkend. Op zulke razernij hadden de zusters niet gerekend. Hun vijanden stormden als demonen door het Weefsel op hen af, met een krachtdadigheid die Kaiku nog nooit bij hen had meegemaakt. Ze waren boos omdat ze om de tuin waren geleid, zoveel was duidelijk; maar bovenal waren ze boos omdat hier vróúwen waren, die het heiligdom van de man waren binnengedrongen en onuitgenodigd het hart ervan zo dicht waren genaderd. Behalve boos waren ze ook ongelooflijk bang, want ze beseften nu dat ze een fout hadden gemaakt en dat hun tegenstrevers zo dichtbij waren dat ze bij hun kostbaarste bezit konden komen.

Die eerste klap was verwoestend, en de zusters begaven het bijna onder de kracht ervan. Ze konden immers niet al hun aandacht op de strijd richten terwijl ze ook in de tastbare wereld nog het een en ander moesten doen. Ze werden gehinderd door de noodzaak om naar het klooster te rennen: ze moesten al bewegend vechten. De woede van de wevers werkte echter in hun nadeel, want die maakte hen onhandig, en na de schrik over die eerste dreun herstelden de zusters zich en vochten terug door valstrikken en trucjes in hun pad te verweven.

Kaiku werd bewaakt door een groep Tkiurathi's, net als de andere zusters. Hun bewegingen vertelden haar waar ze haar voeten moest neerzetten terwijl ze haar blik op het Weefsel gericht hield. Ze schoot en reeg door de draden heen en verweefde haar inspanningen met die van haar metgezellen, alsof ze een van de tien naalden was die in volmaakte harmonie samenwerkten om een stuk stof te produceren. Het was een bevredigend gevoel als de wevers in hun val liepen of af moesten remmen om ze te ontwijken. Degenen die te traag waren, raakten verstrikt en werden aan stukken gereten door de zusters, of raakten verdwaald in doolhoven zonder uitgang, zodat hun lichamen als kwijlende kasplantjes achterbleven terwijl hun geest eeuwig ronddwaalde.

Cailin had de zusters meedogenloos onderwezen in de tactieken die ze moesten toepassen, en Kaiku voelde dat een aantal leden van de Orde stiekem van de strijd wegglipte om op zoek te gaan naar nexussen. Nu de wevers werden afgeleid, konden de zusters de meesters van de afwijkenden opsporen door de verbindingen te volgen tussen de nexuswormen, die zich zowel in de nexussen als in de roofdieren hadden ingegraven. Dat was een trucje dat ze van Kaiku hadden geleerd. Zij was erin geslaagd het intuïtief te doen toen ze het in de Xaranabreuk voor het eerst had geprobeerd, maar de meeste andere zusters hadden het merkwaardig moeilijk gevonden. Nu hadden ze het echter onder de knie, en de wevers hadden het te druk om hen tegen te houden. Ze volgden de verbindingen naar de nexussen en bliezen hun interne organen op. De sturende geesten achter de afwijkenden doofden uit, en de monsters die niet door de Tkiurathi's waren gedood vluchtten de veilige bergen in.

Op een bepaald moment tijdens het conflict zag Kaiku een diffuse bundel draden die bij hen vandaan leidde in het gouden landschap waarin ze te werk ging. Een hulpkreet in zuidelijke richting. Precies zoals Cailin had voorzien.

De zuster rechts van Kaiku struikelde en viel met een verstikte kreet op de grond. De Tkiurathi's die achter haar liepen vingen haar op en hielden haar overeind, maar Kaiku wist dat het zinloos was. De wevers hadden haar te pakken gekregen. Haar ziel was vernietigd, en haar lichaam was een lege huls die al snel zou ophouden met functioneren nu er geen levensvonk meer was om hem gaande te houden.

Er waren veel wevers, en de zusters waren ver in de minderheid. Maar de zusters waren beter, ook al leken hun tegenstanders met elk conflict nieuwe trucjes te leren. Het zou een zware strijd worden, maar wel een die ze konden winnen. Tenminste, totdat de wevers die zich met de strijdmacht van Reki bezighielden zich erin mengden.

De tijd werkte tegen hen. Ze moesten de heksensteen vinden en erin doordringen voor de andere wevers zich ermee gingen bemoeien, anders zouden ze onder de voet worden gelopen.

Geobsedeerd als ze was door de strijd merkte Kaiku het oorverdovende kabaal van de Tkiurathi's, het gedreun van voeten op de grond en de duizelingwekkende snelheid van de aanval nauwelijks op. De afwijkenden vormden nu nauwelijks nog een bedreiging, dus hoefde ze zich alleen nog druk te maken om de wevers. Toen ze echter het klooster naderde, met zijn barokke, spiraalvormige spitsen die hoog in de lucht staken, begon haar iets anders op te vallen. De heksensteen. Ze kon hem voelen, ook al lag hij nog een heel eind bij haar vandaan. Ze voelde zijn trillingen in de aarde. Bij de kracht die ervan uitging viel die van de andere heksenstenen die ze had gezien volledig in het niet. Het was een giftige, boosaardige aanwezigheid, sterker dan ze ooit had meegemaakt. Als ze hem hier al konden voelen, hoe vreselijk moest het dan wel niet zijn om er vlak voor te staan? Voor het eerst bekroop de twijfel haar.

Ik zal je rust schenken, beloofde het masker dat ze dicht bij haar hart onder haar gewaad had verborgen.

Even aarzelde ze, ze wankelde, en op dat moment schoot een wever door het Weefsel op haar af als een messcherpe rapier. Het was aan Cailins tussenkomst te danken dat de slag werd afgeweerd: ze wond razendsnel draden om de punt van de aanval, alsof ze een hete haardpook in doeken wikkelde. Toen duwde ze hem weg.

((Kaiku, concentreer je)) zei ze berispend. Kaiku voelde een steek van woede omdat ze op haar vingers werd getikt, en gebruikte dat gevoel om het gefluister van het masker uit haar gedachten te bannen. Haat was haar bondgenoot, tegen wie die ook was gericht.

Ze bereikten een van de vele muren van Adderach, een plek tussen twee vleugels die zich kronkelend als hoekige tentakels naar weerszijden uitstrekten. De muur was krom en boog naar binnen. Een ongelijkmatige laag bakstenen, afgewisseld met zo te zien hele rotsblokken, was in een net van mortel gevangen. De Tkiurathi's dromden er verwachtingsvol samen.

((Volg mij)) luidde het bevel, en Kaiku en een aantal andere zusters scheidden een deel van hun bewustzijn af van de strijd in het Weefsel en stuurden dat tollend achter Cailin aan. Ze hechtten zich over de gehele lengte aan de muur, die in een fontein van zandkleurig poeder ontplofte. De restanten vielen naar binnen, zodat er een groot gat bezaaid met puin ontstond.

De Tkiurathi's renden op de bres af en stroomden naar binnen. Kaiku trok zich terug uit het Weefsel en volgde hun voorbeeld. Omringd door getatoeëerde mannen en vrouwen klauterde ze over de onstabiele steenbrokken. Er waren al heel wat wevers gevallen, en de overgebleven zusters konden het gemakkelijk zonder haar af.

Het ochtendlicht scheen ondraaglijk fel op het schaduwachtige interieur van het klooster, waarin de voetstappen en stemmen van de Tkiurathi's luid weerkaatsten. Het grootste deel van de zaal was bezaaid met puin, maar ze kon zien dat hij reusachtig was en dat de muren volkomen ongelijk waren. Aan de ene kant waren ze een stuk hoger dan aan de andere. Een grote, halfronde opening, zo te zien omzoomd met mensenhaar, diende als uitgang. Er waren nog meer openingen, maar die waren net groot genoeg voor een hond. Het verwrongen perspectief bezorgde haar hoofdpijn.

Toen verscheen Tsata, die achter haar aan was geklauterd, opeens naast haar en pakte haar bij de arm. Ze was blij hem te zien, en samen renden ze over het puin verder, terwijl de Tkiurathi's zich door het gebouw verspreidden. Er braken kleine schermutselingen uit toen ze de eerste afwijkenden tegenkwamen die nog binnen waren.

Vanbinnen was Adderach al even krankzinnig als vanbuiten. Kamers versmalden en liepen dood, er waren deuren zonder deuropeningen en de gangen waren net doolhoven. Aan elke ruimte was wel iets vreemds. Ze zagen een kristallen kroonluchter die helemaal niet paste bij de slagerstafel waar hij boven hing – het zag er tenminste uit als een slagerstafel, want er lag overal vers, bloederig vlees. In een kamer zonder deuren stond een standbeeld, twee keer zo groot als een mens, een afgrijselijk lelijke, maar meesterlijk gebeeldhouwde figuur. Ze zagen hem pas toen een van de zusters een gat in de muur sloeg. Een andere kamer was rond, met een vloer die afliep naar een ronde put, en uit de duisternis kwam hongerig gebrul. Weinig van wat ze zagen had een duidelijk doel, en er leken in elk geval geen eetzalen of andere gemeenschapsruimtes te zijn. Wel waren overal tekenen zichtbaar van een haastige evacuatie: overal lag eten en afval, vuren brandden nog, potten vol stoofschotel kookten over, brandende toortsen waren op de grond achtergelaten. Kaiku had verwacht overal golneri's te zien, de piepkleine bedienden van de wevers, maar hoewel de aanwezigheid van kookspullen en hun voetafdrukken in het stof er wel op duidden dat ze er waren, waren ze nergens te bekennen.

Er waren echter wel dode nexussen. Hun uitgerekte lichamen, beangstigend lang en dun en gehuld in zwarte gewaden, lagen er in vreemde hoeken bij. Bloed sijpelde door de ooggaten in hun gladde witte maskers. Kaiku's maag keerde zich om toen ze eraan moest denken wat ze had gezien toen ze hadden gekeken naar wat er achter die maskers schuilging. Tsata, die erbij was geweest, gaf een geruststellend kneepje in haar schouder. Ze legde haar hand op de zijne.

Dat waren dus de nexussen die het kleine verdedigingsleger buiten hadden aangestuurd. En toch leek het allemaal te gemakkelijk. Het waren er bovendien te weinig.

Samen met Tsata en een aantal andere Tkiurathi's rende ze van de ene kamer naar de andere. Vaak waren ze gedwongen op hun schreden terug te keren, gedwarsboomd door de bouwkunst van de wevers, en een enkele keer bliezen ze een muur op als dat mogelijk was zonder dat het plafond naar beneden kwam. Ze kon de aanwezigheid voelen van andere zusters, die zich op de hoger gelegen verdiepingen door de gangen verspreidden en zich al jagend en speurend naar de torenspitsen begaven.

Na een tijdje kwam ze oog in oog te staan met Cailin, die door een andere deuropening met grote passen een zaal binnenliep. In deze kamer waren halfronde metalen schijven in de muren, de vloer en het plafond verzonken, en langs de randen waren tekens gegraveerd die Kaiku niet herkende. Cailin liep voorzichtig om de schijven heen op Kaiku af, vergezeld door de Tkiurathi's die haar bewaakten.

'Hier klopt niets van, Cailin,' zei Kaiku.

'Nee,' antwoordde ze. 'Waar zijn ze allemaal? Waar is het verzet? Ze zijn niet op de bovenste verdiepingen, dat weet ik in elk geval zeker.'

Kaiku tikte met haar voet tegen het steen. 'Ze zijn beneden. Ze hebben zich teruggetrokken en wachten tot wij naar hen toe komen.'

Cailin beantwoordde haar blik. Het was duidelijk dat zij er hetzelfde over dacht. Overal om hen heen gonsde het Weefsel nog van de strijd die langs hun zintuigen streek. Af en toe ging Kaiku een kijkje nemen, maar de zusters hadden alles onder controle.

'Kun je hem voelen?' vroeg Kaiku. 'De heksensteen. Hij maakt me nu al het weven moeilijk; ik kan de indeling van dit vervloekte oord niet zien. Ik kan ook geen weg naar beneden vinden.'

'Er zijn vele wegen die naar beneden leiden,' zei Cailin. 'Ik heb er niet zoveel last van als jij, maar naarmate we dichterbij komen, zal dat wel veranderen, vermoed ik.' Toen zag Kaiku de doorgangen die Cailin in een flits van kennis aan al haar zusters doorgaf. Meteen kwam er een web van informatie terug: de zusters wisten allemaal wat ze moesten doen: de wevers op afstand houden, de rest van de bovenverdiepingen controleren, contact houden met de zusters die aan Reki's zijde vochten, of naar beneden gaan, naar wat er onder Adderach schuilging.

Opeens hield de strijd in het Weefsel op. Als één man trokken de wevers zich terug van het slagveld en keerden terug naar hun lichaam. De verbijsterde zusters maakten aanstalten om hen achterna te gaan, maar Cailin verbood dat.

((Laat je niet meelokken. We gaan naar beneden en nemen het daar tegen hen op))

Het was griezelig stil in Adderach. Er werd nergens gevochten, noch in de tastbare wereld, noch in het Weefsel. Er was geen teken van leven, afgezien van het bonzen van de heksensteen onder hun voeten.

'Kom,' zei Cailin, en ze liep statig weg. Kaiku liep achter haar aan, samen met Tsata en de andere Tkiurathi's. Ze bevonden zich ergens in het midden van het gebouw, dat wist Kaiku wel. Andere zusters waren op weg naar andere punten waar ze naar beneden konden. De Tkiurathi's stroomden er ook naartoe, zodat Adderach en het omringende terrein onbewaakt achterbleven. Ze konden niemand missen, ook geen bewakers op de begane grond die hen konden waarschuwen als er een vijandelijk leger aankwam. Als ze onder in het klooster niet slaagden, zouden ze het alleen maar kunnen overleven als ze wisten te ontsnappen voordat de wevers reageerden op de noodkreet die kort daarvoor was uitgezonden.

Anders zouden ze vastzitten.

Asara schoot, spande de haan en schoot opnieuw. Er waren nog twee kogels voor nodig om de dikke schedel van de klembek te doorboren, maar uiteindelijk wist ze de hersenen te raken. Hij zeeg op de grond. Zijn egelachtige stekels trilden nog even na; toen lag hij stil. Besmeurd met zweet en stof keek ze snel om zich heen, en vond Reki. Hij stond midden in een groep mannen, met zijn nakata getrokken maar nog blinkend schoon; hij werd goed beschermd. De mannen worstelden met nog twee klembekken, stevige monsters bedekt met stekels, met grote slagtanden die uit hun snuit staken. Aan hun stompe voorpoten, die onder hun lichaam uitstaken, zaten drie korte tenen met lange klauwen. Achterpoten hadden ze niet, alleen een korte staart die achter ze aan sleepte. Ze waren wat log, maar konden toch snel uitvallen, en door hun scherpe stekels en dikke pantser waren ze van dichtbij ongelooflijk gevaarlijk.

Ze keek om zich heen. Overal in de pas werd hevig gevochten, maar de kern van woestijnkrijgers hield stand. Dat was grotendeels te danken aan het feit dat het merendeel van de afwijkenden al was vertrokken. In eerste instantie had de overweldigende stortvloed van roofdieren een hoge tol geëist, maar Reki's generaals waren zo verstandig geweest om de verdediging vol te houden tot er een adempauze volgde. Op een onzichtbaar teken, waarvan Asara vermoedde dat het afkomstig was van de wevers in Adderach, had het grootste deel van hun aanvallers zich afgesplitst en was in noordelijke richting door de pas weggegaan. Er waren er echter genoeg achtergebleven om de woestijnkrijgers een hele tijd bezig te houden, en de strijd woedde verder. De situatie was niet meer zo hopeloos, maar het ging verre van gemakkelijk.

Reki keek om zich heen, op zoek naar zijn vrouw, en was zichtbaar opgelucht toen hun blikken elkaar kruisten. In het gewoel waren ze van elkaar gescheiden, maar nu slingerde ze haar geweer over haar schouder, trok een dolk en liep op hem af, waarbij ze de schermutselingen ontweek die zich om haar heen afspeelden.

De klembekken waren eindelijk bezweken aan hun verwondingen, nadat ze drie van Reki's mannen hadden uitgeschakeld, en de overgebleven lijfwachten van bloed Tanatsua hergroepeerden zich om hun barak. Ze weken uiteen om Asara door te laten. Reki bleef even naar haar staan kijken, maar sloeg toen onverwacht zo stevig zijn armen om haar heen dat de lucht uit haar longen werd geperst. Met een grom trok hij zich terug, kijkend naar zijn hand.

Asara pakte met een bezorgd gezicht zijn hand vast. Er zat een diepe snee in zijn handpalm, waar de punt van haar dolk hem had geraakt. 'Voorzichtig, mijn barak,' mompelde ze. 'Straks doe je je nog pijn.' Ze draaide zijn hand om en keek toen glimlachend naar hem op. 'Ik hoop en bid dat je vandaag geen ernstigere wonden zult oplopen.'

'Daar zorgen deze mannen wel voor,' zei hij met een grijns. 'Soms krijg ik zin om mee te doen, maar dat laten ze niet toe.'

Asara haalde een stuk verband uit een zak van haar reiskleding en verbond vakkundig zijn hand. Hij boog en strekte zijn vingers; hij kon alles nog vrij bewegen.

'Waar heb je dat geleerd?'

'Hou op,' zei Asara waarschuwend en met een harde blik in haar ogen. Het tedere moment was opeens voorbij.

Reki opende zijn mond om iets te zeggen, maar deed hem toen weer dicht en wendde zijn blik af. Dit was niet het juiste moment. Hij zou antwoorden uit haar lospeuteren, wat er ook voor nodig was, maar dat kon later ook nog.

Toen hij een waarschuwende kreet hoorde, keek hij net op tijd om om de vijf ghauregs te zien die dwars door een groep soldaten op hem en zijn mannen afkwamen.

'Achteruit!' riep hij, terwijl hij Asara achter zich duwde. Zijn lijfwachten stelden zich op om de dreiging op te vangen. Een van de monsters werd met geweerschoten gedood voordat hij hen kon bereiken, maar de overige vier stortten zich brullend op hen.

Reki's lijfwachten waren de beste krijgers die bloed Tanatsua te bieden had, maar zelfs zij konden niet zomaar een ghaureg doden. Reki struikelde en viel toen zijn mannen achteruit tegen hem aan werden geduwd. Hij krabbelde overeind en zocht naar Asara, maar zag haar in de drukte niet. Zwaarden gonsden door de lucht: een van de ghauregs raakte de vingers van zijn ene voorpoot kwijt. Bij een andere werd de achterpoot ter hoogte van de knie afgekapt, waardoor hij viel. Iemand spleet zijn snuit met een klap van het zwaard in tweeën. Opeens leek Reki's bravoure belachelijk. Hij was geen vechter en wilde niet eens bij een schermutseling in de buurt zijn als hij het kon voorkomen. Maar een lafaard was hij ook niet, en hij weigerde op de vlucht te slaan.

Opeens was overal om hem heen de strijd verhevigd. Iedereen leek dichterbij te komen. Hij keek om zich heen, op zoek naar de vijand, maar hij kon niet over de zwoegende schouders van zijn lijfwachten heen kijken. Ergens gilde een man. Er klonk een geweersalvo. Er ontstond een gat in de menigte, en hij zag een ghaureg die op zijn knieën zat en door een stel soldaten aan stukken werd gehakt.

Toen bewoog het leger bij hem vandaan en had hij weer ruimte. De strijd was niet meer zo dichtbij. Zijn lijfwachten kwamen weer om hem heen staan. De ghauregs waren dood, en kort daarna vertelde een boodschapper hem dat de zusters de overhand kregen over de wevers in de buurt en nu de nexussen doodden die hen teisterden. Het tij begon te keren.

Reki luisterde maar met een half oor. Hij keek steeds wilder om zich heen.

'Waar is jullie barakesse?' vroeg hij op bevelende toon aan de mensen om hem heen. 'Waar is Asara?'

Daar konden ze geen antwoord op geven, en zelf had hij haar niet meer gezien sinds ze door de ghauregs waren aangevallen.

Hij zou haar nooit meer terugvinden. Zelfs niet toen de strijd voorbij was en het overgebleven deel van het leger – nog maar iets meer dan de helft van de oorspronkelijke troepenmacht – doorstootte naar Adderach in de hoop hun bondgenoten daar te kunnen redden. Gek van verdriet bleef hij met een klein gevolg achter en liep door de met lijken bezaaide pas, biddend tot Suran dat ze ondanks alles toch nog leefde.

Misschien zou hij haar wel hebben gevonden, als hij genoeg tijd had gehad. Hij zou elke duim van Saramyr hebben afgespeurd als er ook maar een greintje hoop was geweest. Misschien zou hij haar, als hij haar had gevonden, hebben aangetroffen met het kind dat hij haar had geschonken.

Dat wist Asara echter. Dat was de reden dat ze in de bergen was verdwenen, en dat was de reden dat ze gif aan haar dolk had gesmeerd. Ze had het smeersel afgepakt van de meestergifmenger die maanden eerder met de huurmoordenaar Keroki had samengespannen om haar echtgenoot te vermoorden. Het zou een hele poos duren voor de effecten merkbaar werden, en tegen de tijd dat het in werking trad, zou het te laat zijn om er iets tegen te doen. Het zou zo snel gaan dat zelfs de zusters van de Rode Orde alleen maar konden toekijken.

Barak Reki tu Tanatsua besteedde de laatste momenten van zijn leven aan een wanhopige zoektocht naar de vrouw van wie hij hield, zonder te beseffen dat ze hem al had vermoord, net zoals ze lang geleden zijn zus had vermoord.

☉ 31 ☉

Cailin, Kaiku en de Tkiurathi's bereikten via een schuin aflopende schacht de onderste regionen van Adderach.

Kaiku keek door de tunnel die voor hen lag. Ooit was het een mijntunnel geweest – dat was te zien aan het ruwe steen waar ze zo nu en dan een glimp van opvingen – maar hij was nu bijna geheel bedekt met metaal. Overal langs de muren liepen zwarte pijpen waar een onwelriekende vloeistof uit drupte, en zelfs de vloer was van ijzer of een ijzeramalgaam. Gastoortsen braakten rokerige vlammen uit en waren onderling verbonden door middel van kabels die over het plafond liepen.

De Tkiurathi's wilden graag verder met waar ze mee bezig waren, maar wantrouwden hun omgeving. Zij gingen voorop, met Cailin en Kaiku vlak achter hen aan, vergezeld door Tsata. Kaiku zag hoe zenuwachtig hij was en legde een hand op zijn onderarm toen er even niemand keek.

'Hthre,' zei ze zachtjes tegen hem: de Tkiurathische belofte elkaar door dik en dun te steunen.

Verrast grijnsde hij naar haar. 'Hthre,' antwoordde hij. Het deed er niet toe dat ze het verkeerd zei, dat 'hthre' het antwoord was, niet het aanbod. Het was het gebaar dat hem trof, en hij merkte dat het hem enorm opbeurde in dit afschuwelijke, duistere oord.

Op Cailins aanwijzingen haastten ze zich door de gangen. Kaiku vermoedde dat de Eerste niet precies wist waar ze naartoe moest, want de invloed van de heksensteen was overweldigend en maakte het moeilijk om de juiste weg te vinden. Het was echter een tweesnijdend zwaard, want het vormde ook een duidelijk baken. Ze hoefden alleen maar op de bron van die invloed af te gaan om bij de heksensteen uit te komen.

Nergens was echter een teken van hun vijand te bekennen. Er waren kleine kamertjes, net cellen, soms vol lawaaiige apparaten, soms leeg en kennelijk overbodig. Ze keken in het voorbijgaan naar binnen, maar bleven niet staan. Ze hadden dringender zaken te regelen.

Bij een kruispunt kwamen ze een ander stel Tkiurathi's en een stuk of zes zusters tegen, waarmee hun groep een stuk groter werd. Het was nu veel moeilijker contact te houden: alsof je je in een orkaan verstaanbaar moest maken. De sombere energie onder hen verstoorde het Weefsel, veroorzaakte er chaos. Kaiku hoopte dat de wevers er net zoveel hinder van ondervonden als de zusters, maar eerlijk gezegd betwijfelde ze het.

De zusters en de Tkiurathi's daalden af, verspreidden zich door de schachten van de oude mijn als een mierenleger dat een vijandelijk nest aanvalt. Toch weigerde de vijand nog altijd hun tegemoet te treden.

Cailins groep liet als eerste de gangen achter zich. De benauwende tunnels kwamen uit in een gigantische ruimte, veel groter dan welke zaal dan ook die ooit in Saramyr was gebouwd. Zij was rond en had een plat plafond, en toen de indringers vanuit de tunnel naar binnen stroomden, kwam er een aarzeling in hun tred. Uiteindelijk bleven ze staan, ontzet door het tafereel.

Het was er verstikkend warm en benauwd. De geur van koper hing in de lucht, en er was veel stoom en rook. Er waren twee extra verdiepingen in de zaal aangebracht: brede, ringvormige terrassen die langs de randen liepen, looppaden van metaal. Op de grond stonden ovens te brullen in hun omhulsels, ze wierpen een rode gloed door de ventilatieroosters aan de zijkant en braakten vreemde gassen uit. Apparaten bewogen ratelend en schokkend, steeds weer dezelfde reeks handelingen uitvoerend waar de nieuwkomers niets van begrepen.

Verspreid over de ruimte stonden doorwrochte metalen stellages in concentrische kringen. In de stellages hingen dooraderde, transparante vleeszakken die eruitzagen als de maag van een reuzendier. Daarin waren donkere gestalten zichtbaar, drijvend in vloeistof, verlicht door een groengetinte innerlijke gloed, die er vanuit de verte uitzagen als onduidelijke vegen.

Kaiku liep naar een van de zakken toe, verbijsterd door de omvang van hun ontdekking, en ging op haar knieën zitten om erin te kunnen kijken.

Het was een kind, een peuter nog maar, misschien drie oogsten, maar helemaal uit proportie, met veel te lange botten. Zijn kleine borstkas ging op en neer terwijl hij de vloeistof in- en uitademde. Hij lag op zijn zij, met zijn gezicht naar haar toe, en boven op zijn kale hoofd zat een glinsterend, ruitvormig nexusvrouwtje dat zich in zijn vlees had ingegraven. Kaiku zag een gezicht vol dikke sporen, waar de tentakels van de nexusworm vlak onder de huid naar de ogen, mond en neus liepen. Eromheen waren dunne, paarse haarvaatjes zichtbaar. Zijn ogen waren open, maar ze volgden Kaiku niet als die zich bewoog. Ze waren zuiver zwart.

Een jonge nexus. Hier werden ze gefokt, in deze baarmoeders.

Kaiku staarde als verdoofd naar het wezen in de vleeszak. Cailin kwam naast haar staan.

'Is dit de kennis die ze van hun god krijgen?' vroeg Kaiku. 'Ze spotten met Enyu zelf.'

'Dat is nog niet alles,' zei Cailin met een gebaar naar de andere kant van de zaal.

Kaiku stond op en liep naar de drie grotere stellages toe die verderop stonden. De Tkiurathi's stonden er gedempt pratend omheen. Ze ving een woord op dat ze kende: maghkriins. Dat was het woord dat ze gebruikten voor de wezens die werden gecreëerd door de vleesbeeldhouwers van Okhamba, die zuigelingen in de buik van gevangengenomen vijanden veranderden in monsterlijke moordenaars.

Toen ze de stellages naderde, begreep ze het.

Het was moeilijk vast te stellen wat de wezens die in de zakken hingen vroeger waren geweest, of wat ze zouden worden. Ze bewogen echter onrustig: hier trok krampachtig een been, daar werd een klauw gekromd. Het waren heel jonge afwijkenden, drie van dezelfde soort, maar allemaal verschillend. Een van hen had kleine vinnen over de hele lengte van zijn armen. Een andere ontwikkelde extreem grote tanden, en de laatste was werkelijk een verschrikking met zijn twee gedeeltelijke hoofden die in het midden waren samengesmolten, alsof zijn dierlijke trekken tegen elkaar waren gebotst en zich hadden vermengd. De zakken gloeiden van binnenuit; het was het misselijkmakende licht dat Kaiku herkende als de gloed van de heksensteen.

Ze had gezien wat er gebeurde met de Grensvaders die te lang dicht bij de heksensteen waren geweest. Ze wist dat ook de wevers veranderden als gevolg van de kleine dosis heksenstof in hun masker. De wevers gebruikten stukjes heksensteen om deze wezens, die waarschijnlijk al waren voortgebracht door mutanten, nog verder te laten muteren. Net als de vleesbeeldhouwers wilden ze hun eigen leger vormgeven. Ze ontwierpen afwijkenden door middel van geforceerde mutatie en selectieve fokprogramma's. Waren de klembekken hiervandaan gekomen? En de nexuswormen? De golneri's? Voor Kaiku leek het net of al het geluid in de ruimte zachter werd, tot ze alleen nog haar eigen ademhaling kon horen. De haat in haar binnenste verstikte al het andere. Ze wilde uithalen, alles in dit klooster vernietigen, alle wevers doden en de wereld waarvan ze ooit zo had gehouden verlossen van hun praktijken. Opeens moest ze denken aan Tane, de priester van Enyu die zijn leven had gegeven om Lucia te redden, een man die zijn leven had gewijd aan het begrijpen van de natuur. Dit zou hem verpletterd hebben. Al die tijd, tweeënhalve eeuw lang, hadden de wevers zich bekwaamd in de duistere kunst van het ondergraven van Enyu's plan. Ze hadden deze verderfelijke apparaten gebruikt om haar processen te imiteren en aan hun eigen wensen aan te passen.

Ze voelde een hand op haar schouder.

'We moeten gaan,' zei Tsata. Achter hem kwamen de Tkiurathi's alweer in beweging. Ze liepen door de zaal heen en door de deuropening aan de andere kant naar buiten, met de zusters op hun hielen. Kaiku bleef staan onder de stellage van vervlochten ijzer. Haar schouders stonden stijf van de spanning.

'Cailin,' zei ze, en de Eerste, die vlak voor haar uit liep, bleef staan. Ze zag de blik in Kaiku's ogen en knikte.

Toen de laatste Tkiurathi's de zaal hadden verlaten, bleven ze samen in de deuropening staan, als tweelingzusters die uit elkaar waren gegroeid, schijnbaar verenigd door hun uiterlijk, maar niet door hun gevoel. Het enige wat hen nu verbond, was een gemeenschappelijk doel.

Kaiku maakte een minachtend handgebaar, en de zakken ontploften van binnenuit in een fontein van groene vloeistof. De zakken op de bovenste verdiepingen barstten op hetzelfde moment uit elkaar en braakten hun onontwikkelde lading uit als bij een vroegtijdig afgebroken zwangerschap. Een enorme vloed vruchtwater spetterde over de randen van de looppaden en spoelde om de schoenen van de zusters.

'Veranderde je maar van gedachten, Kaiku,' zei Cailin uiteindelijk.

'Bleef je maar bij ons. We kunnen je kracht goed gebruiken. En je kunt nog zoveel van me leren.'

Maar Kaiku draaide zich om en liep met grote passen achter de Tkiurathi's de gang in, en nadat ze nog even naar de verwoesting had staan kijken, kwam Cailin achter haar aan.

De eerste aanval op de indringers vond kort daarop plaats.

Cailin voelde het als enige. Op de een of andere manier slaagde ze erin het verstorende effect van de heksensteen buiten te sluiten, in elk geval beter dan Kaiku. Kaiku's kana beperkte zich nu tot alles wat binnen haar blikveld lag, want zelfs de muren leken doortrokken met de essentie van de heksensteen en het was ontzettend moeilijk om daardoorheen te weven. Tot nu toe waren er alleen kleine aanwijzingen geweest dat Cailin nog veel meer controle had over haar kana dan zij, want Cailin verraadde haar geheimen niet snel. Maar ze raakte er steeds meer van overtuigd dat de vaardigheden van Cailin en een aantal andere zusters van een geheel andere orde waren.

Wat Cailin voelde, gaf ze versterkt door aan degenen die dicht bij haar waren, en zo ontdekte Kaiku het. Verwarde indrukken van verrassing, pijn en strijd. Toen stilte en het zachte schrijnen van de dood. Cailin zei niets, maar liep verder. De anderen volgden haar.

Later gebeurde het opnieuw, toen ze speurend door alweer een reeks lege ruimtes trokken. Deze keer was de groep zusters en Tkiurathi's groter en was het beeld duidelijker. Afwijkenden overspoelden, ondersteund door wevers, de gangen. Ze vielen systematisch de zusters aan, groep voor groep, gebruikmakend van het feit dat ze zich moesten opsplitsen om het hele complex te kunnen doorzoeken. Daarom hadden ze hen hiernaartoe gelokt. Ze wisten dat ze de grootste kans hadden om te overleven als ze de zusters uitschakelden.

Dat was echter geen gebruikelijke wevertactiek, bedacht Kaiku. Als ze in de meerderheid waren geweest, waren ze wel openlijk in de aanval gegaan. Ze probeerden tijd te rekken tot ze versterking kregen. Ze waren in de verdediging gedrongen.

Zoals Cailin al had gehoopt, hadden ze zich door Reki's manschappen laten weglokken en hadden ze niet genoeg troepen achtergelaten om zichzelf te kunnen beschermen tegen een aanval als deze.

De tweede groep zusters bleek zich niet zo gemakkelijk te laten uitschakelen. De Tkiurathi's vochten fel terug, en de strijd was nog gaande toen Cailin en Kaiku in een hinderlaag liepen.

De afwijkenden stroomden toe uit een zijgang. Ze vulden het kruispunt met hun lichamen en stoven brullend op de Tkiurathi's af. Het had niet veel gescheeld of ze hadden de voorste gelederen volkomen verrast: ze waren vrijwel geluidloos genaderd en de wevers hadden zich zo goed voor de zusters verborgen dat zelfs Cailin hen in deze moeilijke omgeving niet had voelen aankomen. Het zachte gekoer van de schellers had ze echter op het laatste moment verraden. De Tkiurathi's vingen de aanval met zwaaiende slachthaken op.

De twee groepen botsten op elkaar. De gangen waren breed genoeg voor zeven of acht gevechten naast elkaar, maar de afwijkenden klauterden in hun razernij over de strijdende partijen heen naar degenen die zich erachter bevonden. De meeste haalden het niet: hun onbeschermde buiken werden opengereten, zodat hun dampende ingewanden eruit glibberden. De voorste gelederen van de Tkiurathi's begaven het onder het gewicht van de monsters en werden of door hun metgezellen bevrijd, of afgeslacht. De Okhambanen schakelden echter meer afwijkenden uit dan andersom. Met hun tweebladige wapens, een in elke hand, hakten en staken ze erop los en pareerden wat ze konden. De krijgers, zowel de mannen als de vrouwen, beschikten over een griezelig harmonieus bewegingspatroon waardoor hun stoten de mensen om hen heen niet hinderden, zelfs nu ze zo dicht op elkaar stonden.

De wevers hadden één grote fout gemaakt. De Tkiurathi's waren geboren een-op-eenvechters. Hun wapens waren speciaal voor dat doel geschikt en hun vechttechniek was ideaal voor dit soort omstandigheden. Door het leven in het oerwoud hadden ze korte, snelle, beheerste bewegingen ontwikkeld om te voorkomen dat hun wapens verstrikt zouden raken in lianen en bomen. Bovendien was hun reactievermogen volmaakt aangescherpt nadat ze vele generaties lang op een van de vijandigste plaatsen in de Nabije Wereld hadden geleefd. Daar, in die krappe tunnels, weerden ze zich stukken beter dan de afwijkenden, die de vrijheid van de bergen gewend waren.

De Tkiurathi's leken zelf wel dieren als ze vochten, zo primitief en woest waren ze, en ze doken, hakten en moordden tot ze doordrenkt waren met het bloed van hun vijanden.

Kaiku en de zusters hielden zich met de wevers bezig. Het waren er maar vier, en in Kaiku's groep waren er twee keer zoveel zusters. Het was een ongelijke strijd. De zusters vielen aan in een wervelende wirwar van draden waar de verdediging van de wevers niet tegen opgewassen was. Even wisten ze zich staande te houden, maar toen was het voorbij. De zusters drongen diep in de vezels van de licha-men van hun vijanden, en door de energie die bij de splijting vrij-kwam veranderden de wevers in vuurzuilen.

Nu de wevers er niet meer waren, konden ze de nekken breken van de drie nexussen die de afwijkenden aanstuurden. Er brak meteen chaos uit onder de roofdieren. Sommige vluchtten, andere vielen el-kaar aan. Met de rest maakten de Tkiurathi's korte metten.

Kaiku ving een glimp op van Tsata. Hij stond niet ver bij haar van-daan te hijgen, bedekt met bloedspatten, en met een scherpe, inten-se blik in zijn ogen die ze alleen zag als hij vocht. Over het algemeen was hij een rustige, bedachtzame man, maar dit was de keerzijde, deze woeste moordenaar. Even vroeg ze zich af wat dat voor haar toekomst zou betekenen, hoe diep die woestheid was weggestopt en of die zich misschien op een dag tegen haar zou richten als ze bij hem bleef. Was hij daartoe in staat? Hoe kon ze dat weten? Hoe goed kende ze hem nu helemaal?

Tsata voelde dat ze naar hem keek en draaide zich naar haar om. Er trok een steek van schuldgevoel door haar heen, alsof hij wist wat ze dacht. Toen wendde hij zich met een uitdrukkingsloos gezicht af en liep de groep verder de doolhof van gangen in.

In korte tijd werden ze nog drie keer door de wevers aangevallen. Andere groepen zusters, die elders in het complex rondspeurden, werden ook aangevallen door troepenmachten van uiteenlopende grootte. Sommigen werden verrast en gedood; anderen slaagden er-in de aanvallers te doden. Cailins groep, waar acht zusters bij zaten, was sterk genoeg om de wevers te kunnen verslaan, maar andere hadden minder geluk.

Kaiku voelde Cailins stemming verslechteren. Het plan van de we-vers mocht dan een hoge tol eisen, maar het werkte wel. Langzaam maar zeker werden de indringers uitgeroeid, en nog steeds hadden ze geen weg gevonden naar de heksensteen die ergens onder hen lag. Ze konden nog wel een dag door dit uitgestrekte ondergrondse dool-hof dwalen terwijl ze geleidelijk werden uitgeschakeld. Lang voor die tijd echter zouden de versterkingstroepen van de wevers arrive-ren en zich door de mijn verspreiden. Niemand overwoog het op te geven en terug te keren naar de oppervlakte. Ze waren nu veel te dichtbij, maar het vijandelijke leger kon niet meer zo ver bij Adde-rach vandaan zijn.

Ze vernamen dat er nog meer ruimtes waren gevonden zoals de zaal waar Kaiku de zakken had laten ontploffen. Een van de groepen stuitte op een reusachtige verzameling obscure ateliers, smeltovens, pottenbakkersschijven en werkbanken, waar de maskers van de wevers werden vervaardigd. Nergens waren echter Grensvaders te bekennen, want die waren allemaal ergens anders naartoe gebracht, waarschijnlijk samen met de verdwenen golneri's. Ergens vlakbij was er ook een grotere smeltoven, van een geheel andere orde dan die van een smid of een kunstenaar: een monsterlijk apparaat waar een verstikkende hitte vanaf sloeg, met reusachtige vaten vol gesmolten metaal en enorme mallen, waar ze pas geproduceerde pijpen, tandraderen en andere onderdelen voor de wevermachines aantroffen. Een andere groep trof een ruimte vol bulderende apparaten aan die op en neer pompten, en in het midden lag een poel van borrelende modder die een smerig ruikend gas uitwasemde. Opvallend genoeg was er op deze lagere niveaus weinig te merken van de krankzinnigheid van de wevers: hier waren geen kuilen vol lijken, wilde schrijfsels of vreemde beeldhouwwerken. Hier was alleen de kille doelmatigheid van machines, ontworpen door de wevers en gebouwd door de golneri's. Hier in de diepte hield Aricarat de teugels van zijn onderdanen een stuk strakker.

Misschien was het de wil van Shintu, of misschien kwam het door Cailins leiding, maar de groep van Kaiku wist de weg naar beneden te vinden. En toen ze er aankwamen, bleek dat hij werd bewaakt.

Op dat moment bevonden ze zich recht boven de heksensteen: Kaiku kon hem dwars door het dikke gesteente onder hun voeten heen voelen. Ze hadden een muur van ijzer aan het eind van een gang bereikt. Daar leek het tenminste op, maar toen ze beter keken, zagen ze dat het een soort deur was. Cailin legde haar hand ertegenaan en sloot haar ogen. Even later klonk er een luid gekraak, en toen Cailin een stap achteruit deed, ontstond er een spleet in het midden van de muur, die in twee delen weggleed in uitsparingen aan weerszijden.

De ruimte die erachter lag werd schemerig verlicht door enkele gastoortsen. Zij was echter zo groot dat het spaarzame licht alleen maar wat contrast verleende aan de schaduw waarin het achterste deel gehuld was. Het was een ronde zaal, net als de broedkamer waar ze doorheen waren gelopen, en de muren waren van metaal, bedekt met kabels en zware pijpen waar met een zacht gesis als een zucht in een regelmatig ritme stoom uit kwam, alsof de mijn zelf ademde. In het midden van de zaal stond een mechanische toren, geheel gevuld met tandraderen en kettingen. In de toren zat een onopvallende metalen deur.

Ze stapten de ruimte in, verspreidden zich rond de ingang en bestudeerden het vreemde bouwwerk dat voor hen stond.

'Daar is het,' zei Cailin. 'Daarmee kunnen we naar de heksensteen.'

Tsata deed een stap naar voren, maar Kaiku hield hem met een uitgestoken hand tegen.

'Het is te gemakkelijk,' zei ze.

In de schaduw achter in de zaal bewoog iets reusachtigs achter de verhullende toren vandaan. Er waren ook kleinere gestalten bij, die er zelfs in Kaiku's door kana versterkte ogen vreemd troebel uitzagen.

'Een truc!' siste Cailin met een fel handgebaar. De schaduwen trokken samen, en een sluier leek voor hun ogen weg te vallen.

Kaiku verbleekte. Twintig wevers, een stuk of twaalf nexussen en zeker vijftig afwijkenden kwamen uit de duisternis tevoorschijn, van opzij verlicht door het zachte gele schijnsel. En daar achteraan kwam iets wat veel huiveringwekkender was.

Kaiku had al eerder reuzenafwijkenden gezien. Toen ze jaren eerder door Fo was getrokken, was ze bijna door zo'n wezen gedood, en sindsdien waren ze in de bergen regelmatig gesignaleerd. Van zoiets verschrikkelijks als dit wezen had ze echter nog nooit gehoord. Hij had een schofthoogte van zeker twintig voet; zijn huid was zwart en leerachtig, en spande strak over dikke pezen heen. Hij liep op vier poten, met enorm zware, platte voeten die zijn grote gewicht moesten torsen. Zijn kop bestond voornamelijk uit een kaak vol scherpe, kromme tanden die veel te groot waren voor zijn bek, met als gevolg dat zijn kromme snuit een en al diepe littekens en scheuren was. Hij kwijlde hevig: schuimend, melkwit speeksel vermengd met bloed droop op de metalen vloer. Het gelaat was vervormd en asymmetrisch: het ene piepkleine oog zat een stuk lager dan het andere, bijna op zijn jukbeen. Een reeks punten die het midden hielden tussen slagtanden en hoorns staken rondom de bek, op het voorhoofd en uit de onderkaak alle kanten op. Op zijn rug zaten net zulke punten, net als op zijn staart – die slap hing en gebroken leek te zijn – maar er zat geen patroon in. Ze wekten de indruk onbeheersbaar te zijn gegroeid, alsof er vanuit zijn skelet op elke mogelijke plek uitsteeksels door de huid heen waren gedrukt. In zijn nek zag Kaiku een nexusworm, die eruitzag als een natte plek op zijn huid.

Het was een gedrocht, een monster dat was voortgebracht door generatie na generatie van wezens die zich hadden voortgeplant in de mijnen onder Adderach, waar de muterende invloed van de heksensteen onvoorstelbare verschrikkingen had gecreëerd. Hoewel een groot deel van de mijn voor de veiligheid van de wevers afgesloten was en het zelfs voor hen zelfmoord betekende om voet te zetten in de diepste krochten ervan, waren ze erin geslaagd deze te vangen en te temmen, zodat hij deze plek kon bewaken. Hij woonde in een aangrenzende ruimte, die te bereiken was via een duistere doorgang en een lange gang: een grot vol botten die stonk naar muskus en mest.

De wevers schuifelden naar de rand van de lichtkring en bleven daar staan. De roofdieren bleven ook staan, onrustig bewegend. Achter hen gromde de reuzenafwijkende: een laag gerommel diep in zijn borstkas.

Een hele tijd bleven de twee groepen tegenover elkaar staan. Toen deed Kaiku, aangespoord door een gevoel waaraan ze geen naam kon verbinden, maar dat een mengeling was van berusting, woede en een diepgewortelde haat, een stap naar voren. Haar haren hingen voor een van haar beschilderde ogen, en met het andere keek ze uitdagend naar de wevers die zich voor hen hadden opgesteld.

'Jullie staan in de weg,' zei ze.

Het was alsof ze de lont van een vat buskruit had aangestoken. Beide partijen slaakten een oorverdovend gebrul, en de afwijkenden en de Tkiurathi's stormden op elkaar af.

Kaiku dook in het Weefsel, en het tafereel om haar heen vertraagde. De gouden, geborduurde gestalten van de Tkiurathi's en de afwijkenden werden doorzichtig: ze zag het samentrekken en ontspannen van hun spieren, de lucht die door opeengeklemde tanden in hun longen werd gezogen, de minieme verstoringen van de geluidsgolven die ontstonden als hun schoenen en klauwen de vloer raakten. De wevers kwamen snel op haar af, maar ze had hun tactiek meteen door. Ze hadden zich opgesplitst: de helft bewaakte de nexussen en het reuzenmonster, terwijl de rest aanviel. Cailin en de zusters waren bij haar in het Weefsel, en hadden inmiddels in de tijd die het kostte om een gedachte te vormen overlegd en hun eigen tactiek bepaald. Toen schoot Kaiku tollend op de dichtstbijzijnde tegenstanders af. Ze nam het tegen twee tegelijk op. Zodra ze op elkaar botsten, vormden ze een kluwen van draden dat steeds strakker werd, een strakke knoop die pas ontward zou worden als de strijd voorbij was en Kaiku of de wevers dood waren.

Tsata sprong over de zeisvormige klauw heen waarmee de scheller naar hem uithaalde en maakte een felle neerwaartse beweging met zijn kntha. Hij hakte half door de voorpoot van het wezen heen. Door zijn sprong kwam hij een eindje achter het monster terecht, dus liet hij het aan zijn landgenoten over terwijl hij het opnam tegen een ghaureg. Als hij zoals nu in een strijd verwikkeld was, ervoer hij een ongeëvenaarde rust, een volmaakte concentratie die hij bij geen enkele andere bezigheid kon bereiken. Hij zwaaide en sneed met zijn slachthaken, zijn lichaam voerde een dans uit waarmee hij de slagen van zijn vijanden ternauwernood kon ontwijken, en hij voelde de last van zijn gewicht nauwelijks meer. Hij was net als zijn Okhambaanse voorvaderen, en hun voorvaderen, zoals die waren geweest in de tijd voordat de mensheid was beroerd door de beschaving. Hij was een jager, een roofdier, gestroomlijnd en geschapen voor dat ene doel. Bang voor de dood was hij niet. Hij kon simpelweg niet sterven.

De ghaureg reikte naar hem; hij dook onder diens elleboog door en begroef zijn slachthaak tot aan het heft in zijn oksel, in de richting van zijn hart. In een reflex zwaaide het wezen zijn arm naar achteren in een poging hem weg te slaan, maar dat had Tsata verwacht. Hij dook weg, zette zijn voet tegen de ribben van de ghaureg en trok in één snelle beweging het mes los. Het bloed spoot uit de wond en het monster ging neer.

Achter hem knalden geweren, en hij zag een afwijkende waaraan hij geen naam kon verbinden met een verbrijzelde schedel op de grond vallen. De Tkiurathi's hadden, nu ze zich niet meer in de krappe gangen bevonden, genoeg ruimte om afstandswapens te gebruiken zonder dat ze het risico liepen hun eigen mensen neer te schieten. Sommigen schoten van een afstandje afwijkenden dood, maar anderen richtten op de nexussen die zich in de schaduw ophielden, en de wevers hadden hun handen vol aan het beschermen van hun bondgenoten.

Kaiku zag daar helemaal niets van: haar wereld beperkte zich tot de felle strijd in de Weefselknoop, het slagveld waarop zij en de twee wevers zich bewogen. Ze haalden gretig naar haar uit, gesterkt door het feit dat ze in de meerderheid waren. Kaiku verweerde zich nauwelijks. Ze spon ter verdediging een strakke bol om zich heen, midden in de knoop, die haar beschermde tegen de aanvallen van de wevers. Ze bestookten haar voortdurend, plukten aan losse draden en probeerden haar cocon uit te halen. Ze bleef zitten, opgerold als een egel, en bouwde binnen de grenzen van haar verdedigingsmuur aan een constructie. De wevers snapten niets van die plotselinge staking van vijandigheden, maar waren vastbesloten haar te grazen te nemen. Ze vervlochten zich en boorden met gebundelde krachten op haar in. Zelfs Kaiku kon zo'n gezamenlijke aanval niet weerstaan, en haar bal barstte in een zee van losse draden open.

Erbinnenin bevond zich een doolhof, een onontwarbaar kluwen van draden zonder begin en zonder eind, en de wevers liepen er met open ogen in en verdwaalden.

Kaiku bleef heel even kijken om zich ervan te verzekeren dat ze er nooit meer uit zouden komen, en wierp zich toen weer in de strijd. Een van de zusters was gevallen, maar er waren inmiddels ook vier wevers uitgeschakeld. Kaiku liet zich door haar haat en woede leiden. Dit was een strijd die ze niet mochten verliezen. Er hing veel meer van af dan alleen hun leven.

Intussen liet de reuzenafwijkende zich gelden. Brullend en klappend met zijn kaken stampte hij tussen de strijders door. Bij elke stap trilde de metalen vloer. Tkiurathi's zwermden eromheen en deden hun best om hem uit te schakelen, maar hij was gewoon te groot. Het bloed droop van zijn kaken, het bewijs dat hij al zeker tien slachtoffers had gemaakt. De zusters probeerden hem tegen te houden, door zijn hart stil te leggen of hem te verblinden, maar de wevers omringden hem met hun sluwste verdedigingstactieken, en er waren niet genoeg zusters om daardoorheen te dringen.

Tsata was een van degenen die het monster aanvielen. Al zijn inspanningen liepen op niets uit. Hij dook naar voren en probeerde de pezen aan de achterkant van de voorpoot door te snijden, maar zelfs toen hij met al zijn kracht toesloeg, kon hij slechts een ondiep krasje in de huid van het monster maken. Een andere Tkiurathi, links van hem, deed een uitval naar de nexusworm die het monster onder controle hield. De afwijkende zwaaide zijn kop naar links en doorboorde zijn aanvaller, waarna hij hem gillend in de lucht wierp en met een luid gekraak van botten in zijn bek opving.

Vanuit zijn ooghoeken zag Tsata een furie op hem afstormen, en hij sprong net op tijd uit de weg. De zwijnachtige afwijkende schoot langs hem heen, waarna hij het mes van een andere Tkiurathi in de zijkant van zijn kop kreeg. In de vaart werd het wapen losgerukt uit de hand van de krijger, en het monster viel op de grond, terwijl het bloed uit zijn ogen stroomde.

Tsata keek op naar de man die de furie had gedood. Het was Heth. Zijn haar was nat van het zweet en zijn getatoeëerde gezicht glansde. Hij wierp Tsata een ernstige blik toe en maakte toen een hoofdknik in de richting van het brullende monster dat dood en verderf zaaide onder hun metgezellen.

'Ik zal als lokaas dienen,' zei hij in het Okhambaans. 'Zorg jij maar dat je dat monster doodt.'

Tsata hief zijn kin tegen zijn vriend, wetend dat Heth het waarschijnlijk met zijn leven zou moeten bekopen. Ze aarzelden allebei geen moment. Het ging immers om de pasj.

Dwars door het dempende effect van de heksensteen heen ving Kaiku de waarschuwende golf op die door het Weefsel trok. Ze wist al wat die betekende voordat Cailin hem versterkte en verhelderde. Hij was afkomstig van een zuster in een ander deel van het complex, en de boodschap was eenvoudig.

Het vijandelijke leger was gearriveerd en stroomde inmiddels Adderach binnen.

Kaiku voelde de kille greep van angst. Niet bij het vooruitzicht dat ze zou sterven, want de dood vreesde ze inmiddels niet meer. Sterker nog, ze zou hem ergens zelfs verwelkomen. Het kwam door de gedachte dat ze misschien zou falen, en dat terwijl ze op het punt stond haar eed aan Ocha te vervullen en de dood van haar familie te wreken. Ze viel met hernieuwde kracht aan, maar het was hopeloos. De wevers hadden zich verschanst; ze wisten wat de zusters ook wisten. Ze hoefden het nog maar even vol te houden, en dan zouden ze versterking krijgen.

Zo mag het niet eindigen, zei ze bij zichzelf, maar het was een loze gedachte. Ze kon er niets aan veranderen.

((Zusters)) zei Cailin. ((We hebben geen tijd meer))

Dat werd gevolgd door een nadrukkelijke golf van instructies. Kaiku zette er geen vraagtekens bij; ze kon zelf niets beters bedenken. De zusters kwamen als één vrouw in beweging. Ze braken de aanval af, tolden razendsnel rond, gaven valse trillingen af en weefden een scherm van verwarring. Met het deel van haar geest dat zich bezighield met de fysieke strijd die zich in de zaal afspeelde, zag Kaiku dat Cailin een smalle dolk uit haar gewaad trok. Ze had een fractie van een seconde om zich af te vragen wat Cailin ermee wilde doen, tot de Eerste verdween.

Zoiets had ze nog nooit gezien. Zelfs de demonstratie in Araka Jo, toen ze ervoor had gezorgd dat ze er gewoon niet meer was, was niets vergeleken hiermee. Zodra ze verdween, splitste ze zich in het Weefsel op. Haar wezen viel uiteen in losse draden, die als een diffuus kluwen wegschoten, en zich vervolgens op een andere plek weer samenpakten. Keer op keer op keer schoot ze heen en weer door het Weefsel. Ten slotte keerde ze terug naar haar beginpunt en werd weer zichtbaar.

In een oogwenk was ze razendsnel achter de ene wever na de andere verschenen, op het oog gelijktijdig, en elke keer had ze met haar dolk een steek toegebracht. Toen stond ze weer op de plaats waar ze was begonnen. Het hele proces was zo snel gegaan dat je jezelf makkelijk kon wijsmaken dat je het je maar had ingebeeld. Aan de andere kant van de zaal, in de donkere schaduwen, zakten echter acht wevers ineen met een gat achter in hun nek.

Kaiku was met stomheid geslagen. Ze had nooit verwacht dat Cailin tot zoiets in staat zou zijn; geen wonder dat de wevers niet wisten wat hun overkwam. Heel even had ze een glimp opgevangen van de onpeilbare diepten van haar eigen mogelijkheden, van waar ze mogelijk toe in staat zou zijn als ze Cailins aanbod aannam en bij de Orde bleef.

Er was nu echter geen tijd voor dergelijke overpeinzingen. De wevers waren aangeslagen door hun verlies, en de zusters, die de overwinning roken, gingen vol overtuiging in de aanval.

De reuzenafwijkende keerde zijn hoofd met een zwaai in Heths richting toen hij diens kreet hoorde. Zelfs in dat kleine wezentje vergeleken met zijn eigen enorme omvang herkende hij een uitdaging. Met zijn ongelijke ogen tuurde hij naar het vage figuurtje aan zijn voeten. Dat kleine ding begon een kwelling te worden: twee keer al had de afwijkende geprobeerd Heth te pakken te krijgen, maar hij dook telkens uit de weg. Gefrustreerd haalde hij naar hem uit.

Heth kwam in beweging zodra de reusachtige kaken uiteenweken. Toen ze dichtklapten zat hij er niet tussen. De kop van het monster kwam omlaag, waarop Tsata vanaf de zijkant op hem afrende en zijn slachthaak in de nek probeerde te steken, waar de glanzende nexusworm zat. Zijn mes ketste af tegen een van de vele gelaatspunten van de afwijkende, dus was Tsata gedwongen achteruit te springen om te voorkomen dat hij zou worden doorboord, want het wezen hief zijn kop alweer.

Heth rende inmiddels naar een nieuwe positie, en Tsata liep met hem mee, waarbij hij de andere afwijkenden die met zijn broeders in gevecht waren ontweek. Even stond hij zichzelf toe om een blik op Kaiku te werpen, maar die was tussen de andere zusters niet te herkennen en hij had geen idee hoe het hun verging. Hij had maar één doel: dit beest verslaan. En telkens als hij faalde, was Heth gedwongen zichzelf nogmaals als lokaas te gebruiken. Het wezen was al een moeilijk doelwit, maar bovendien was het gewoon te goed bepantserd, waardoor het vrijwel onmogelijk te verwonden was.

Zijn knokkels werden wit toen hij het gevest van zijn kntha stevig omklemde. De volgende keer zou hij niet falen.

De reuzenafwijkende zat nu achter Heth aan en besteedde geen aandacht aan de andere Tkiurathi, die vruchteloos inhakte op zijn poten en staart. Heth wierp Tsata een blik toe, om zichzelf ervan te overtuigen dat hij dichtbij genoeg was, maar op het moment dat Heth zijn aandacht liet afdwalen, sloeg het monster toe.

De enige reden dat Heth wegdook, was dat hij de schrik op Tsata's gezicht zag, en daardoor was hij een fractie te langzaam. Het beest miste hem weliswaar grotendeels, maar zijn kaken sloten zich met een afschuwelijk krakend geluid om de arm die hij te laat introk. Heth gilde; het bloed spoot tussen de tanden van het monster door. De afwijkende schudde hem fel heen en weer, trok hem omver en rukte zijn arm helemaal af.

Toen was Tsata er. Het beest had zijn kop tot vlak bij de grond laten zakken, en meteen wierp Tsata zich op zijn doelwit. Hij voelde pijn oplaaien ter hoogte van zijn ribben: het monster was een klein stukje verschoven, met als gevolg dat hij een van de punten in zijn zij had gekregen. Snel ramde hij zijn slachthaak in het zachte, slijmerige lijf van de nexusworm en draaide hem met een ruk om. Het beest brulde en schokte krampachtig, waardoor Tsata werd weggeslingerd. Enkele afschuwelijke tellen lang zweefde hij door de lucht, om vervolgens met een luide knak tegen de harde metalen vloer te slaan.

Het monster wankelde. Zodra de nexusworm stierf, begaven zijn poten het; hij strompelde opzij en viel met een oorverdovende dreun op zijn flank. Zowel afwijkenden als Tkiurathi's werden onder zijn enorme gewicht verpletterd. De dood van de worm, die zo nauw verbonden was met zijn brein en zenuwstelsel, had tegelijkertijd een hersenbloeding en een hartaanval veroorzaakt, en na een paar hevige stuiptrekkingen slaakte hij een rochelende zucht en bleef roerloos liggen.

De wevers staakten allemaal tegelijk hun verzet. De overgeblevenen hadden zo goed en zo kwaad als het ging hun krachten gebundeld voor een gezamenlijke verdediging, maar uiteindelijk kon die de woeste aanval van de zusters niet meer weerstaan. De zes zusters die nog leefden verscheurden de acht overgebleven wevers, door hen van binnenuit in een brandende regen van vlees en botten uiteen te laten spatten.

Daarna werd het een bloedbad. De zusters richtten zich nu op de nexussen. De in het zwart gehulde wezens gingen als toortsen in vlammen op, geruisloos brandend. Ze toonden geen teken van pijn en maakten geen enkel geluid, maar zegen gewoon brandend ter aarde. De afwijkenden werden gek zodra hun meesters stierven. Sommige sloegen op de vlucht, andere vochten door, maar de Tkiurathi's waren nog altijd met z'n dertigen en de afwijkenden nog maar met de helft. De overgebleven monsters werden door de zusters of de Tkiurathi's gedood. Toen werd het stil. Alsof ze ontwaakte uit een droom, besefte Kaiku opeens dat het gevecht voorbij was.

Er zwol echter een nieuw geluid aan. Het gebrul van een naderende horde, afkomstig uit de deuropening waardoor zij naar binnen waren gekomen. De versterkingstroepen van de wevers waren gearriveerd.

'Verzegel die deur!' riep Cailin, en de zusters reageerden onmiddellijk. Het mechanisme dat de metalen barrière bediende kwam met een ruk in beweging, de twee helften schoven uit de uitsparingen en sloten zich knarsend. Het geluid van de naderende vijand werd steeds luider. Even dacht Kaiku dat ze alsnog zouden worden aangevallen, maar toen klonk er een galmende dreun en zat de deur dicht.

Kaiku wendde zich af, op zoek naar Tsata, en zag hem op zijn knieën zitten, met de ene arm ondersteund door de andere. Ze haastte zich naar hem toe, haar pas inhoudend toen ze vlak bij hem was. Zijn broek was zwart van het bloed dat in een enorme plas om hem heen lag en in de stof was getrokken. Er middenin lag Heth, met een lijkwitte huid en verbleekte tatoeages. Zijn arm was afgerukt, zodat er van zijn schouder alleen een bloederige massa over was waar een wit stuk bot uitstak. Het was duidelijk dat hij dood was.

'Tsata,' zei ze zachtjes, maar toen besefte ze dat ze niet wist wat ze moest zeggen. Hij keek niet op. Het viel haar op dat zijn linkeronderarm een vreemde knik maakte en dat hij hem tegen zijn borst geklemd hield. 'Laat me daar eens naar kijken,' begon ze, maar toen kwam Cailin opeens naast haar staan.

'Kaiku. Kom met me mee, nu,' zei ze. Ze keek neer op Tsata. 'Het zal niet lang duren voor de wevers door die deur komen. We kunnen alle tijd gebruiken die je ons kunt geven.'

'Jullie zullen elk moment krijgen dat we met ons leven kunnen kopen,' zei hij zachtjes. Nog altijd keek hij niet op.

Cailin wierp een laatste blik op Kaiku en liep naar de deuropening in de toren, waar de andere zusters ook al naartoe liepen. Kaiku bleef nog even staan wachten, in de hoop dat haar nog iets te binnen zou schieten wat ze kon zeggen, iets wat toepasselijk was voor dit afscheid. Ze kon echter niet de juiste woorden vinden om haar verdriet uit te drukken, niets wat voldoende zou zijn om zijn leed te verzachten. Uiteindelijk draaide ze zich zonder een woord te zeggen om en liep weg. Ze liep als laatste de toren binnen, en zodra ze binnen was, gebruikte Cailin haar kana om het mechanisme te ontcijferen en in werking te stellen. Met een luid geknars van metaal schoof de deur dicht. Kaiku liet haar blik op Tsata rusten tot ze hem niet meer kon zien.

Met een ruk zette de lift zich in beweging. Ze gleden omlaag, naar de heksensteen.

◎ 32 ◎

Geen van de zusters zei iets terwijl het mechanisme zoemde en piepte. Ze konden in hun buik voelen dat ze daalden, maar ze werden aan alle kanten omringd door het ronde metaal van de lift, waardoor ze alleen maar naar elkaar konden kijken. Met elke tel die verstreek werd de kracht die de heksensteen uitwasemde sterker, feller en intenser. Cailin had de Tkiurathi's niet mee laten gaan omdat ze niet geloofde dat ze zo dicht bij de heksensteen konden overleven, maar nu begon Kaiku zich af te vragen of voor hen hetzelfde gold. Deze heksensteen was vele malen ouder dan die ene die ze lang geleden in de mijn had vernietigd, ouder zelfs dan de steen die in Utraxxa was vernietigd. Het was het hart van een god, en wellicht zou één blik erop al hun dood betekenen.

Na wat een eeuwigheid leek te duren, kwam de lift schokkend tot stilstand. Er viel een gespannen stilte. Toen schoven de deuren open. De overweldigende aanwezigheid van de heksensteen deed de zusters gillend terugdeinzen met hun armen instinctief voor hun ogen geslagen, alsof ze de kracht ervan konden afweren door het schijnsel dat hij uitstraalde tegen te houden. Tot op dat moment had het dikke metaal van de lift hen beschermd, maar nu die scheidingswand verdwenen was, werden ze erdoor weggeblazen alsof het een orkaan was.

Kaiku viel achterover op de harde, koude vloer, haar val brekend met haar arm. Het Weefsel was een maalstroom die zo wild kolkte dat ze er daadwerkelijk door omver werd geduwd. Ze deed haar uiterste best het onder controle te krijgen en zich in de chaos drijvende te houden, voor ze er helemaal door werd weggespoeld. De aanraking van de heksensteen was ongelooflijk smerig en kalkte de gouden draden zwart, als een zuigend moeras van kwaadaardige duisternis. De razernij van Aricarat was tastbaar, een haat zo puur dat die de zusters tot waanzin kon drijven.

Wonderbaarlijk genoeg slaagde Kaiku erin zich lang genoeg vast te klampen om een huid om zich heen te weven, een beschermende cocon die het spervuur in elk geval deels tegenhield. Ze hervond haar richtingsgevoel en liet zich op de maalstroom meevoeren als een schip op stormachtige wateren. Toen ging ze aan de slag om de zusters te redden die daar nog niet in waren geslaagd. Na een tijdje waren ze sterk genoeg om weer te kunnen staan, maar Kaiku's kana werd al zwaarbelast. Ze wist dat ze dit niet lang kon volhouden.

Ze strompelden de lift uit, de zaal van de heksensteen binnen.

De steen was gigantisch: hij torende bijna honderd voet de lucht in en was zeker half zo breed, waarmee hij de hele spelonk vulde. Hij had geen duidelijke vorm. Het was gewoon een massa, een scheve bult van een rots waar overal wortels en uitgroeisels uitstaken. Al die uitsteeksels vormden een krankzinnige massa, alsof ze zich eindeloos hadden vermenigvuldigd tot deze belachelijke overvloed, tot ertussenin nauwelijks enige ruimte was overgebleven. Net als de andere heksenstenen had deze zich in de wand van de omringende grot gegraven, was hij met het gesteente samengesmolten. In tegenstelling tot bij de andere stenen waren er echter zoveel vertakkingen dat je nauwelijks kon zien waar de heksensteen ophield en de grot begon. Hij was bijna volledig opgegaan in zijn omgeving.

In de misselijkmakende gloed van de heksensteen leken de gezichten van de zusters lijkbleek toen ze ineenkrimpend naderbij kwamen, vergezeld door hun scherp afgetekende schaduwen op de gebarsten grond. Een aantal dikke wortels stak hoog boven hen uit, en in vergelijking daarmee leken ze bijzonder nietig.

Cailin rechtte echter haar rug, hief haar gezicht, dat er in het onnatuurlijke licht afzichtelijk uitzag, en liet haar stem door de grot galmen.

'Zusters! Verlos ons land van deze gruwel!'

Kaiku zette zich schrap en liet haar kana erop los. Het reusachtige, pulserende zwarte kluwen overspoelde haar hele wereld en slokte haar op. De aanraking ervan was bijtend als zuur, maar ondanks het brandende gevoel deed ze haar uiterste best om de draden van de heksensteen te ontwarren, zodat ze er grip op kon krijgen en erin kon binnendringen. De straling was zo afschuwelijk dat zelfs de wevers niet zo dichtbij konden komen dat ze explosieven konden plaatsen, zoals ze waarschijnlijk in Utraxxa hadden gedaan. De zusters hoefden alleen maar door het oppervlak heen te breken, en dan zouden ze zich in het web van heksenstenen bevinden, dat hen in staat zou stellen elke steen in Saramyr te bereiken. Elk moment dat ze verspilden, bracht hen echter dichter bij het moment waarop de wevers door de verdedigingsmuur zouden breken die de zusters voor de deur van de kamer boven hen hadden opgetrokken. Dan zouden de Tkiurathi's worden gedood – dan zou Tsata worden gedood – en daarna waren de zusters aan de beurt. De wevers zouden een lift vol afwijkenden naar beneden sturen en dan was het voorbij.

Ze klemde haar kaken op elkaar, woest krabbend en plukkend aan de heksensteen, maar het hielp niet. De frustratie in haar binnenste nam toe. Ze kon in die afschuwelijke massa geen enkele plek vinden waar ze door naar binnen kon: het beschermende pantser was te dik. Geen enkele zuster had zich ooit in een heksensteen geweven, en nu bleek dat ze ernstig hadden onderschat hoe moeilijk dat zou zijn.

Cailin zond hun allemaal een bevel toe, en ze baanden zich al vechtend een weg door de kolkende wanorde en vervlochten zich met elkaar. Als één dunne, vastberaden naald prikten ze in de heksensteen, maar ongelooflijk genoeg kon het ding ertegen. Ze slaagden erin een klein stukje door te dringen, maar toen werd de punt van de naald bot en raakte los. Opnieuw sloegen ze toe, maar zonder resultaat. De zusters probeerden alles uit wat ze konden bedenken. Ze trachtten zichzelf diffuus te maken en erin door te dringen als gas door de poriën in een membraan, ze vielen hem van alle kanten tegelijk aan, ze probeerden hem als een ui te pellen. Niets hielp. De steen bleef onaantastbaar, en ze konden er met de beste wil van de wereld niet eens een kras in maken.

Kaiku was uitgeput. Alleen de mentale aanslag die er op haar werd gepleegd doordat ze bij dat ding in de buurt was, dreigde haar al te veel te worden, en nu ze ook nog moest weven, raakte ze snel door haar reserves heen. Bovendien werd een deel van haar kana aangewend om de schade te repareren die in haar tastbare lichaam werd aangericht. Ze voelde dat de verraderlijke straling van de heksensteen haar veranderde, minieme veranderingen bewerkstelligde, piepkleine kankergezwellen veroorzaakte en ongebruikelijke, onnatuurlijke processen in gang zette. Werktuiglijk repareerde haar kana dat bederf zodra het zich voordeed. Als dat niet was gebeurd, zou

ze binnen de kortste keren net zo zijn geworden als de oudere Grensvaders: een afzichtelijk gedrocht, onherkenbaar verminkt.

Ze liet zich uit het Weefsel vallen en besefte dat ze op haar knieën
op de vloer van de grot zat. Haar benen konden haar kennelijk niet
meer dragen. Ze snakte naar adem en alles deed haar pijn.

Geesten, nee. Niet nu we zo dichtbij zijn. We mogen nu niet falen.
Ocha, keizer der goden, help ons nu als u kunt. Help me mijn eed
te vervullen. Toon me hoe ik aan dit kwaad een eind kan maken.

En inderdaad schoot de oplossing haar te binnen. Het was zo'n vreselijke keuze dat ze hem in eerste instantie niet eens had willen over-
wegen, maar ze hadden inmiddels geen andere mogelijkheid meer.
Ze kon voelen dat de zusters nog altijd vruchteloos tegen de heksensteen beukten en wist dat zelfs Cailins vaardigheden hen hier niet
meer konden helpen.

Ze moest denken aan alles wat er verloren zou gaan als de zusters
hier sneuvelden. Aan alle mooie dingen die ze zich uit haar jeugd
herinnerde: de rinjivogels op de Kerryn, de zon door het gebladerte
van het Yunawoud, het oogverblindend schitterende water in de Mataxabaai. Alles zou nog slechts een herinnering zijn, en uiteindelijk
zouden zelfs die herinneringen vervagen. De hemelen zouden sterven. En als de Nabije Wereld was vernietigd, als hun wereld in een
lijkwade was gehuld, zoals de Xiang Xhi had voorspeld, zou Aricarat zich richten op wat daarachter lag.

Het was te veel, een verantwoordelijkheid die zo groot was dat ze
haar niet kon bevatten. Daarom dacht ze alleen aan Tsata. Als ze
kon, zou ze in elk geval hem redden. Zelfs als het betekende dat ze
haar eigen leven ervoor moest opofferen. Voor de pasj.

Ze haalde het vuig grijnzende rood-zwarte masker uit haar gewaad
en zette het op.

'Kaiku!' gilde Cailin, toen ze zag wat ze deed. 'Kaiku, nee!'

Met het masker op haar gezicht weefde ze.

De wereld barstte uiteen, en er was niets dan waanzin en pijn. Haar
verstand begaf het, logische gedachtegangen verdwenen. Er was helemaal geen Kaiku, geen ziel meer: ze maakte deel uit van alles, was
ondergedompeld, als een zwakke windvlaag in een krankzinnige cy-
cloon.

Ze voelde echter een zachte, maar vasthoudende kracht die aan haar
trok. Ze had geen flauw idee waarom, maar hij bood haar soelaas,
dus ging ze erop af. De uiteengeslagen delen van haar bewustzijn

kwamen langzaam weer bijeen, reikten naar elkaar met strengen van haar gezonde geest en voegden zich rond die warme, gezegende prop van emotie waardoor ze werden aangetrokken, tot ze samenkwamen tot een vaste structuur.

Vader.

Hij was het. Of liever: het was het deel van hem dat het masker al die jaren geleden van hem had gestolen, een indruk van zijn ziel en zijn gedachten die Kaiku intuïtief had herkend en opgezocht. Kon ze die indruk maar vasthouden, koesteren, maar het was slechts een vage herinnering, een gevoel van vertrouwen en veiligheid dat ze een hele tijd geleden al was kwijtgeraakt.

Die de wevers haar hadden afgenomen.

Ze deed haar uiterste best om vat te krijgen op de waanzin om haar heen. Er welde woede in haar op, woede omdat die veilige haven door haar vijanden was gestolen, omdat haar vader zo gebroken was geweest dat hij verkozen had zijn gezin te vergiftigen, zodat ze in elk geval niet in handen van de wevers zouden vallen. Dat hadden zij hem aangedaan. Zij!

Met een kolossale wilsinspanning concentreerde ze zich, tot ze weer Kaiku was.

Ze bevond zich in het masker, in de vezels waaruit het hout en de lak bestonden. En ze bevond zich in het heksensteenstof, piepkleine deeltjes van het reusachtige wezen dat ze wilde vernietigen. Ze maakten deel uit van haar omgeving, vervormden het Weefsel op onnatuurlijke wijze, bezoedelden en schonden haar. Ze zag de zwakzinnigheid die ze veroorzaakten, zag dat ze het Weefsel zodanig braken dat zelfs zij het moeilijk kon bevatten. Geen wonder dat de wevers er uiteindelijk gek van werden. Geen wonder dat de zusters dit nooit hadden aangedurfd. Het was uitsluitend aan twee feiten te danken dat ze niet volslagen krankzinnig was geworden op het moment dat ze er was binnengegaan: dat dit masker nog uitzonderlijk jong en dus zwak was, en dat ze het al eerder had gedragen en eraan gewend was. En aan het feit dat haar vader er ook al eens was geweest.

Ze liet zich wegzakken in de duistere draden van het heksensteenstof. Het waren stompzinnige dingen, gespeend van de schrikbarende haat van Aricarat, maar toch leefden ze. In die piepkleine deeltjes zaten ontelbaar veel oneindig kleine organismen, zo ongelooflijk minuscuul dat Kaiku ze kon voelen, maar niet kon zien. Allemaal bezaten ze echter iets van hun vader, een ingesleten herinnering en een zekere ingehouden macht. Ze hadden allemaal een piepklein vonkje energie, de kracht die planten en dieren in andere gedaanten dwong. Het waren net piepkleine synapsen: afzonderlijk stelden ze niets voor, maar als je ze bij elkaar stopte, vormden ze verbindingen, en door die verbindingen werden ze sterker dan het geheel.

Toen Kaiku ze aanraakte, bloeide het begrip opeens in haar geest op. Eén zo'n organisme kon zich verbinden met een andere en het aantal verbindingen nam exponentieel toe met de groei van het aantal organismen, tot het netwerk zo complex werd dat het bewustzijn kreeg, net als een menselijk brein. De organismen vermenigvuldigden zich eindeloos en werden ongelooflijk talrijk, en met de groei van het geheel van organismen groeiden ook hun intelligentie en hun vaardigheden, tot ze het menselijke bevattingsvermogen ontstegen. En hoe meer organismen zich verzamelden, des te groter werd de energie die ze uitstraalden, en des te sterker verminkten ze alles en iedereen in de buurt.

Ooit hadden die dingen een maan overheerst, tot die door de speer van Jurani was vernietigd. De god was verpulverd en de brokstukken waren op Saramyr neergeregend. Maar de organismen in de rotsblokken hadden het overleefd: zonder bewustzijn of intelligentie, als pasgeborenen, maar ze leefden nog. En sommige stukken, zoals dit brokstuk onder Adderach, waren zo groot dat ze invloed konden uitoefenen op de zwakke geesten van de mensen die ze uiteindelijk aan het licht brachten. Ze ontdekten bloed, iets wat ze op de maan niet hadden gekend, en zetten de organische energie ervan om in de kracht die nodig was om banen aan te leggen. Daarmee veranderden ze de rotsen die hen beschermden zodanig dat de voedingsstoffen die ze nodig hadden om te groeien efficiënter konden worden verspreid. Ze keken het ontwerp af van de wezens die ze hadden ontdekt. Ze creëerden een hart en een bloedvatensysteem en gebruikten die.

Nu ken ik je, dacht ze dreigend. Toen viel ze de heksensteen aan.

Ze barstte los uit het masker en scheurde door het Weefsel op haar ziedende, grauwende vijand af. Ze ving de schrikreacties van de zusters op toen ze langs hen heen schoot, en toen botste ze op de beschermende schil van de heksensteen.

Deze keer was het echter anders. Ze had de ragfijne draadjes ontdekt die het masker met zijn vader verbonden, zoals de dikkere draden de heksenstenen die verspreid lagen door het land met elkaar verbonden. Die draden bereed ze. Ze volgde ze naar binnen, en zo slaagde ze er eindelijk in om in het steen door te dringen.

De heksensteen zond een schel alarmsignaal uit dat haar even verdoofde. Hij was zich van haar bewust, wist dat ze zich in zijn binnenste bevond. Ze kon de miljarden organismen om zich heen voelen, hun verpletterend smerige aanwezigheid. Daar, in de kern, vond ze een knooppunt, een kluwen van strengen die allemaal kronkelend naar een andere, verre heksensteen liepen en ze met het netwerk verbonden, als neuronen in het onpeilbare bewustzijn dat het volk van Saramyr aanduidde met de naam Aricarat.

Toen dreigde de wereld om Kaiku heen opeens uit elkaar te vallen. De draden van het weefsel kronkelden en braken. Vol ontzetting besefte Kaiku wat er gebeurde, en wat er met de heksensteen in Utraxxa was gebeurd. Die was helemaal niet door de wevers opgeblazen. Hij had beseft dat hij gevaar liep en had zichzelf vernietigd.

Nee! Nee! Het was niet genoeg dat deze heksensteen tot stof zou vergaan. Het was niet genoeg als ze hier vandaag de overwinning behaalden. Het moest nu afgelopen zijn.

Terwijl de heksensteen zichzelf overal om haar heen trachtte te vernietigen, hechtte Kaiku zichzelf eraan vast en hield hem bijeen.

Haar geest werd er bijna door verscheurd. De pijn was onvoorstelbaar. Ze werd van alle kanten tegelijk uiteengerukt, en alleen haar ongelooflijke wilskracht zorgde ervoor dat ze niet stapelkrankzinnig werd. Toch weigerde ze los te laten. Ze zou niet toestaan dat de heksensteen barstte. En hoewel ze de pijn niet kon verdragen en de kracht die uit haar losbarstte haar vanbinnen verschroeide, brak de heksensteen niet. Hij schudde en schokte, er ontstonden grote scheuren in het oppervlak en er regenden brokstukken op de zusters neer die ze weg moesten slaan, maar hij spleet niet.

Kaiku, zuster en wever tegelijk, hield hem heel. En met haar laatste energie prikte ze van binnenuit een gat in de beschermende schil, zodat de andere zusters erdoor konden. Gretig stroomden ze naar binnen, trokken door haar en het knooppunt in het hart van de heksensteen heen, en verspreidden zich van daaruit. Via de verbindingen wisten ze de andere heksenstenen in Saramyr te bereiken. Ze binnen te dringen. Ze te infecteren.

Ze te vernietigen.

De eerste schokgolf na de dood van een heksensteen verspreidde zich door het Weefsel en sloeg als een torenhoge vloedgolf over Kaiku heen. Toch hield ze nog vol, toch weigerde ze de heksensteen los te laten. Ze wilde hem pas laten gaan als ze zeker wist dat ze allemaal vernietigd waren. Het was een onmenselijke lijdensweg, meer dan ze kon verdragen, en als ze een stem had gehad, zou ze het hebben uitgeschreeuwd, maar ze hield vol, met een bovenmenselijke krachtsinspanning, sterker dan ze ooit was geweest. Ze had het masker haar wil opgelegd en tegen zijn meester gebruikt, en nu kon ze de kracht die erin besloten lag voor zichzelf opeisen. Zelfs nu probeerde de wereld om haar heen zichzelf nog wanhopig te vernietigen; hij rukte aan haar tot ze het gevoel had dat ze uiteen zou spatten.

Nog steeds hield ze vol. Aan iets anders dacht ze niet meer. Al het andere was onbelangrijk geworden.

Een volgende schokgolf overspoelde haar, en nog een. Aricarat schokte hevig, gekweld, angstig en wanhopig, en zijn doodsstuipen reten door het Weefsel. Een hatelijk, bitter gevoel van bevrediging laaide op in haar hart.

Sterf, dacht ze woest. Sterf voor wat je me hebt aangedaan.

Voor haar ogen trok het Weefsel zich samen tot een stip van oneindige dichtheid. Een fractie voordat het weer terugsprong, besefte Kaiku wat er zou gebeuren. Snel zette ze zich schrap voor de komst van de Weefselwalvis.

Met een geweldige dreun was hij er opeens, zo onvoorstelbaar groot dat hij haar dreigde te verpletteren. Daar hing ze, in het Weefsel, als het middelpunt in een web van miljoenen strakgespannen draden die zich allemaal trachtten los te rukken, en nu werd ze ook nog eens doorboord door de angstaanjagende blik van een van die monsterlijke wezens die door het Weefsel zwierven. Ze was de pijn voorbij: haar geest trilde, op het punt van breken, niet in staat zich onder dergelijke omstandigheden te handhaven. De onbeschrijflijke marteling van het voortbestaan was het enige wat er ooit was geweest, het enige wat er ooit zou zijn, een tijdloze hel waar niets achter lag, en het enige wat er nog van haar over was, was een dunne streng wilskracht die haar opdroeg vol te houden en weigerde te breken.

De heksenstenen stierven. Een voor een spatten ze uiteen, van binnenuit verpulverd door de zusters.

Overal trok nu het Weefsel samen, om even snel weer terug te springen. Nog meer Weefselwalvissen. Kaiku besefte het niet eens. Ze was zich van niets meer bewust; ze was blind voor alles om zich heen. Pure wilskracht, meer was ze niet, want ze had de grenzen van haar lichaam en geest mijlenver overschreden.

De zusters keerden terug; ze voelde hen door zich heen vloeien. Een flinterdun scherfje besef drong tot haar door. De heksenstenen waren allemaal verdwenen, op die ene na die ze nog altijd bijeenhield en die wanhopig zijn best deed om zichzelf aan stukken te rijten. Hij weigerde een indringer te verdragen, ook al was alle hoop de rest van het netwerk te redden allang vervlogen. Dan bestond hij liever helemaal niet.

Het is gebeurd, dacht Kaiku, en ze liet los.

Tsata en de overgebleven Tkiurathi's wachtten in de kamer boven de heksensteen met ingehouden adem af. Ze vreesden dat het een truc was. De enorme metalen deuren schoven open, want eindelijk waren de wevers erin geslaagd het mechanisme in werking te stellen. Er kwam echter niet de vraatzuchtige horde tevoorschijn die de Tkiurathi's hadden verwacht. Integendeel.

Er waren misschien dertig wevers, en die waren allemaal dood. Daarachter waren enkele tientallen afwijkenden onderling slaags geraakt. Sommige sloegen op de vlucht, maar de rest stortte zich op roofdieren van een andere soort. Een stuk of twaalf nexussen stonden er doodstil en met hangende schouders bij, en ondanks hun nietszeggende witte maskers was duidelijk dat er iets in hun binnenste was gedoofd. Tsata keek ongelovig toe terwijl er een door een scheller omver werd geduwd en werd afgeslacht. De nexus reageerde niet eens toen het monster hem verscheurde.

'Vuur!' riep een van de Tkiurathi's, en een regen van kogels daalde neer op de afwijkenden en de nexussen. De afwijkenden die niet dood ter aarde stortten, gingen er jankend vandoor; de nexussen vielen geluidloos om en bleven roerloos liggen.

Tsata, die zijn gebroken arm tegen zijn borst hield en de pijn verbeet, kon alleen maar staren. Toen slaakten de Tkiurathi's een luid gebrul van triomf. Ze beseften eerder dan Tsata wat er was gebeurd.

De heksenstenen waren vernietigd.

Overal in het land had dat hetzelfde effect. De wevers vielen dood neer, als marionetten waarvan de koordjes waren doorgeknipt. De nexussen, die geen bevelen meer kregen, bleven doodstil staan en kwamen niet meer in beweging. Ze hadden geen eigen wil, geen bewustzijn, en de meeste bleven gewoon staan waar ze stonden tot ze van de honger omkwamen, als ze tenminste niet eerst werden verslonden door de roofdieren die ze hadden aangestuurd, of werden afgeslacht door wraakzuchtige dorpelingen. Het duurde heel lang voor het volk van Saramyr begreep wat er was gebeurd op dat moment dat er een god was gedood, maar toen het het vernam, was de vreugde enorm. In de steden barstte een feestgedruis los dat in de geschiedenis nog niet was voorgekomen, want de wereld behoorde weer aan hen toe.

Tsata dacht echter maar aan één ding. Het indrukwekkende apparaat dat de zusters had meegevoerd ratelde en knarste weer om hen terug te brengen. Om Kaiku bij hem terug te brengen. Hij liep naar de deur van het metalen bouwwerk in het midden van de zaal. Zijn broeders kwamen met verwachtingsvolle gezichten om hem heen staan. Eindelijk kwam de lift met veel kabaal tot stilstand en schoven de deuren open.

Er waren vijf zusters, maar ze zaten op hun hurken om een zesde heen, die in Cailins armen lag. Op de vloer van de lift lag een masker dat in tweeën was gespleten. Kaiku's masker.

Cailin keek naar hem op, en haar rode ogen vertelden hem alles wat hij moest weten. Een verdoofd gevoel verspreidde zich door zijn lichaam, tot hij zelfs de pijn in zijn arm niet meer voelde. Hij deed een paar passen naar voren en liet zich bij de gevallen zuster op zijn knieën zakken. In eerste instantie had hij haar niet eens herkend, maar nu wel.

Haar geelbruine haar was helwit geworden en haar ogen waren diep-rood, maar ze was het onmiskenbaar. En toch ook weer niet. Ze haalde nog adem, maar haar gelaat was uitdrukkingsloos. Het leven was eruit verdwenen. Ze was er niet.

'Uiteindelijk heeft ze te veel moeten geven,' zei Cailin zachtjes. Er klonk oprecht verdriet in haar stem door. 'Als je zo intens gebruikmaakt van een wevermasker, kom je er niet zonder kleerscheuren van af.'

'Waar is ze?' fluisterde Tsata, terwijl zijn ogen zich vulden met hete tranen. 'Waar is ze gebleven?'

'Ze is verdwaald in het Weefsel, Tsata. Haar geest is achtergebleven in het Weefsel.'

⊚ 33 ⊚

Er volgde een jaar van moeizaam herstel.

Het keizerrijk kon niet in één dag weer worden opgebouwd, noch zou de hongersnood die het land in zijn greep hield van de ene dag op de andere verdwijnen. Saramyr was als een gewond dier dat zijn ontstoken wonden had schoongelikt: het land genas, maar het was nog zwak, en het was een tergend langzaam en pijnlijk proces.

Tegen alle verwachtingen in ontstond er na de dood van de wevers weinig onrust onder de bewoners. Er was voorspeld dat er rellen zouden uitbreken als het weinige beschikbare voedsel werd herverdeeld en de honger in sommige gebieden heviger zou toeslaan dan in andere, dat een gebrek aan medische voorraden en ondervoeding tot een plaag zouden leiden, die nog meer onlusten zou veroorzaken. Er werd verwacht dat er opportunistische leiders, volksmenners en bandieten zouden opstaan om het machtsvacuüm te vullen, en dat het keizerrijk niet de kans zou krijgen om het verlorene te heroveren. Maar Saramyr was uitgeput. Het had schoon genoeg van oorlog en leed en kon er de energie niet meer voor opbrengen. Ondanks de nijpende toestand was het volk bereid geduld te betrachten. Ze hadden even mogen proeven van een mogelijk alternatief voor het keizerrijk, en daardoor waren ze bereid zo'n beetje alles te verdragen; als die tijd die nu wel een fijne droom leek maar weer terugkeerde.

Hoewel de legers van de hooggeplaatste families waren uitgeroeid en ze nauwelijks genoeg manschappen overhadden om hun grenzen te bewaken tegen de rondzwervende afwijkenden die nu deel uitmaakten van de Saramyrese wildernis, keerden ze terug naar hun landgoederen, waar ze enthousiast werden verwelkomd. De zusters gingen met hen mee. Er waren er nog maar weinig over, gevaarlijk weinig. Cailin had dan wel haar best gedaan om het te voorkomen, ze waren tijdens de oorlog tegen de wevers bijna uitgeroeid. De paar die nog over waren, hielden het land echter bijeen. En als er hier en daar al werd gemopperd over het feit dat de wevers werden vervangen door dergelijke vrouwen, werden ze ruimschoots overstemd door de luidkeelse steunbetuigingen. De zusters hadden immers het land gered, nadat de hooggeplaatste families en zelfs de legendarische Lucia hadden gefaald. Cailin zorgde er wel voor dat iedereen dat besefte.

De troonsbestijging van keizer Zahn tu Ikati was grotendeels te danken aan de steun van de zusters. Cailin had zich ook achter een plooibaarder kandidaat kunnen scharen, maar ze wist dat Zahn het sterkst was, en ze wilde zeker weten dat ze aan de kant van de winnaar stond. Zijn oude bondgenootschappen met de minder belangrijke families hadden standgehouden, ondanks de oorlog, en de generaals kenden hem als een groot krijger en tacticus. Zijn tegenstanders beweerden dat hij een gebroken man zou zijn na de dood van zijn dochter – dat was immers al eerder gebeurd, toen hij had geloofd dat ze niet meer in leven was – maar Zahn verraste vriend en vijand. Hij was natuurlijk verdrietig, maar hij wist dat het deze keer geen twijfel leed dat Lucia was gestorven en dat ze nooit meer terug zou komen. Hij werd grimmig en kil, maar keerde niet in zichzelf. Hij kende geen greintje mededogen meer en was soms zo streng dat het grensde aan wreedheid, maar hij was bij zijn volle verstand. De adel geloofde dat ze een krachtige leider nodig hadden om de wederopbouw van het land ter hand te nemen. Zoals gewoonlijk werd er heel wat gekonkeld, maar uiteindelijk besteeg Zahn de troon.

Wat Cailin betrof: zij ging in de keizerlijke vesting wonen en broedde op haar plannetjes. Om haar heen werd Axekami opgebouwd: de walmputten werden vernietigd, de indrukwekkende tempels werden herbouwd, de Zwarte Garde werd ontbonden. Dat interesseerde haar echter weinig. Zoals altijd dacht ze alleen maar aan haar Orde.

Met het wegtrekken van de smet in het land werden er ook minder afwijkenden geboren, wat betekende dat er binnenkort niemand meer bij zou komen die met kana kon werken. Er zou een tijd aanbreken dat ze de zusters zou toestaan zich voort te planten, onder zeer gecontroleerde omstandigheden en met zorgvuldig geselecteerde stamvaders. Zonder de wevers hadden ze in het Weefsel geen concurrentie meer, dus leken ze relatief veilig te zijn. Op een dag zou dat echter misschien veranderen, en dan moest ze erop voorbereid zijn. De Rode Orde zou groeien en haar activiteiten uitbreiden; de vermogens van de zusters zouden groeien. Ze zouden verweven raken met de maatschappij en onmisbaar worden, meer nog dan de wevers. Wie zou zeggen wat er over een eeuw, over tien eeuwen mogelijk zou zijn? Zouden ze dan een soort goden zijn geworden? Of zouden ze verdwijnen, verleden tijd worden? Misschien zou ze het niet meer meemaken; misschien zou haar kana uitgeput raken en zou ze uiteindelijk toch oud worden en sterven. Misschien zou ze er nog zijn als de wereld verging, zoals de Xiang Xhi had voorspeld, en alles in vlammen zien opgaan. Of misschien was ze tegen die tijd zelfs wel ergens anders.

Ze moest denken aan de Weefselwalvissen, en wat die hadden achtergelaten voor ze vertrokken, en wist dat ze niet eeuwig veilig zouden zijn.

Zo kwam het dat haar gedachten steeds vaker afdwaalden naar de leegstaande weverkloosters, die door de zusters waren verzegeld en omringd met verdedigingswerken. Steeds vaker vroeg ze zich af wat daar te vinden was, welke geheimen daar schuilgingen die ze kon gebruiken om zichzelf en haar soortgenoten te beschermen.

Steeds vaker dacht ze na over de machines.

Van de duizend Tkiurathi's die in de nadagen van de oorlog naar Saramyr waren gereisd, waren er nog tweehonderd over. Zeventig daarvan keerden terug naar Okhamba om te vertellen wat er was gebeurd. De rest bleef.

Voor hun aandeel in de vernietiging van Adderach schonk keizer Zahn hun een stuk land. Op Mishani's verzoek kregen ze een klein deel van de westkust toegewezen, ten noordoosten van Hanzean en net ten zuiden van de gebieden die al generaties lang in handen van bloed Koli waren. De lage edelman die er de eigenaar van was geweest, was een van de vele slachtoffers van de oorlog geworden en zijn grond was door de wevers in beslag genomen. Daar bouwden de Tkiurathi's een kleine nederzetting van repka's en wankel uitziende woningen op hoge stelten en palen, met hangende looppaden en touwbruggen tussen de bomen. Daar leidden ze hun eigen leven en ze verbijsterden de plaatselijke Saramyriërs met hun vreemde, exotische gebruiken en denkbeelden.

Mishani begreep nooit zo goed waarom het merendeel van de Tkiurathi's had besloten te blijven. Op grond van wat ze over hen te weten was gekomen, vermoedde ze dat het gewoon een gril was, dat er geen diepgaande reden voor hun beslissing was, behalve dat ze er zin in hadden. Alleen voor Tsata was het anders. Hij had een reden om te blijven.

Mishani was teruggekeerd naar de Mataxabaai toen de hooggeplaatste families de macht weer grepen. Ze was immers nog altijd de erfgename van bloed Koli, en nu haar vader en moeder dood waren, had ze het recht om in haar ouderlijk huis te gaan wonen. De positie van bloed Koli was veel zwakker dan voorheen Zodra het keizerrijk overeind krabbelde, werd hun namelijk veel macht afgenomen. Een groot deel van hun leger had zich bij de Zwarte Garde aangesloten, waarvan de leden vanwege hun misdaden werden geëxecuteerd. Toch had bloed Koli nog steeds zeer belangrijke contacten, met name bloed Mumaka, dat de handel tussen Okhamba en Saramyr weer had hervat en broodnodige voorraden van het Koloniale Koopvaardijconsortium aanleverde om de hongersnood te verlichten. Mishani had even overwogen om bloed Mumaka van zijn verplichtingen jegens haar familie te ontslaan, uit dankbaarheid voor wat Chien in het verleden voor haar had gedaan, maar ze had uiteindelijk besloten het niet te doen. Bloed Mumaka had het conflict aan de andere kant van de zee uitgezeten, en ze mochten dan machtig zijn, ze hadden zich niet eervol gedragen. Bovendien kon Mishani, als hoofd van een hooggeplaatste familie, alle meevallers die ze kon krijgen goed gebruiken.

Natuurlijk was ze verdrietig toen ze hoorde dat haar ouders dood waren, maar dat sleet. Er was een andere bron van droefheid die in de loop van de tijd niet minder werd. Mishani had het namelijk op zich genomen om voor Kaiku te zorgen, en elke dag werd de wond in haar hart opnieuw opengereten als ze haar vriendin lusteloos om haar huis heen zag dwalen.

Tsata bezocht Kaiku elke dag vanuit de Tkiurathische nederzetting. Als het mooi weer was, ging hij met haar wandelen, en hij praatte vaak tegen haar, ook al gaf ze geen antwoord. Als een geest zweefde ze aan zijn zijde voort, niets begrijpend van wat hij zei. Soms keek Mishani vanuit het huis naar hen, naar die twee verre gestalten op de rand van de rotsen. Tsata's gebroken arm was keurig genezen en in lichamelijk opzicht had hij niet geleden onder zijn ervaringen in Adderach. Net als Mishani had hij wonden van een geheel andere orde opgelopen.

Soms wenste ze dat Kaiku gewoon was gestorven op die dag dat ze de heksensteen had vernietigd. Alles zou beter zijn geweest dan deze kwelling. Kaiku was zich bewust van haar omgeving, kon bepaalde gewoonten aanleren en reageerde op bepaalde situaties, maar haar ziel was uitgewist.

Mishani liet haar alleen door het huis en over de rotsen bij de baai zwerven. Kaiku had laten blijken dat ze prima in staat was te voorkomen dat ze zichzelf pijn deed. Ze kleedde zich uit eigen beweging aan, at als ze eten voorgeschoteld kreeg, en ging naar bed om te slapen als ze moe was. Ze zei echter niets, toonde nergens interesse in en gaf er geen blijk van dat ze nog over enige intelligentie beschikte, afgezien van het primitieve denkvermogen van een dier. Als ze wakker was, schuifelde ze doelloos rond of zat in het niets te staren. Haar aanwezigheid was verontrustend, maar Mishani verdroeg het lijdzaam, en hoewel ze het doorlopend druk had, maakte ze altijd tijd vrij om tegen Kaiku te praten of een boek aan haar voor te lezen. Het was echter al lang geleden dat ze enige hoop had gekoesterd dat haar vriendin zou terugkeren van waar ze was. Hoewel Kaiku's kana nog steeds voor haar zorgde, en haar gezond, sterk en fit hield, onderhield het een leeg huis, wachtend op de vrouw des huizes, die nooit meer thuis zou komen.

Haar haren bleven wit vanaf de dag dat ze haar verstand was verloren, en haar ogen raakten die dieprode kleur niet meer kwijt. De zusters en zelfs Cailin deden wat ze konden, maar dat leverde uiteindelijk niets op. Nu ze niet meer met haar lichaam verbonden was, konden ze haar in het eindeloze Weefsel onmogelijk opsporen: het was alsof ze in alle oceanen van de wereld zochten naar één bepaalde vis.

'Ze moet zelf de weg terugvinden,' zei Cailin tegen Mishani. Niemand was daar echter ooit in geslaagd, en stilletjes achtte ze het onmogelijk.

Van tijd tot tijd ging Tsata op reis, op zoek naar een medicijn, een heelmeester. Terwijl hij weg was, gingen de andere Tkiurathi's om de beurt in zijn plaats bij Kaiku op bezoek. Hij zocht naar zowel Saramyrese als Okhambaanse remedies, en slaagde er zelfs in een Muhd-taal uit het verre Yttryx over te halen om langs te komen en zijn exotische kunsten op haar uit te proberen. Zijn gezangen, toverdrankjes en kristallen haalden echter niets uit, en Kaiku bleef een lege huls zonder ziel. Elke keer probeerde Tsata het gewoon opnieuw. Na een jaar wilde Mishani tegen hem zeggen dat hij de onmogelijke, uitputtende taak die hij zichzelf had gesteld moest laten voor wat die was: hij had immers nog een heel leven voor zich. Maar ze vond het vreselijk dat ze dat zelfs maar durfde te denken, en bovendien wist ze dat hij toch niet zou luisteren. Of het nu kwam door een herinnering aan liefde die hij met zich meedroeg, of door trouw aan een metgezel die hem door zijn overtuigingen werd opgelegd, hij zou het nooit opgeven.

Toen de lente van het tweede jaar na de vernietiging van de heksenstenen overging in de zomer, was Kaiku nog steeds niet terug.

Ze sliep in een kamer aan de achterkant van het huis van de familie Koli, dat in westelijke richting over de klippen uitzicht bood op de baai. Vroeg in de ochtend baadde haar kamer in het zonlicht dat laag over het land scheen en door de ragfijne sluier die voor haar raam hing naar binnen drong, en de drukkende hitte die hartje zomer gebruikelijk was kondigde zich aan. De muren waren van koele steen en de vloer was van koraalrood marmer. Ze lag op een eenvoudige slaapmat in het midden van de kamer en droomde nergens over.

Mishani en haar bezoekster bleven in de deuropening naar haar staan kijken.

'Dit is Kaiku,' zei Mishani.

De vrouw knikte. Ze was lang, slank, en beeldschoon, had de smalle, scherpe gelaatstrekken van een Nieuwlander en straalde een koel soort elegantie uit. Haar zomergewaad was lichtblauw met wit en haar huid was bleek. Ze droeg haar haren in gevlochten lussen, een dracht die in het noordoosten erg in zwang was, maar in het westen nooit was aangeslagen.

'Laat u ons alstublieft alleen,' zei de vrouw.

Mishani gehoorzaamde, zonder precies te weten waarom. De komst van deze vreemde, zo vroeg in de ochtend, was in elk geval heel merkwaardig, net als haar verhaal: ze was een genezeres die over Kaiku's toestand had gehoord en was gekomen om haar te helpen. Ze was op een wagen getrokken door manxthwa's aangekomen, met achterin haar twee kinderen, een tweeling: een jongen en een meisje die zo te zien ongeveer zes oogsten oud waren. Ze speelden met de kinderen van de bedienden in de enorme, in plateaus opgedeelde tuin die helemaal tot aan de rand van de klippen doorliep, waar ze door enkele volwassenen in de gaten werden gehouden.

Mishani vond eigenlijk dat ze de vrouw niet moest vertrouwen, maar kon geen reden bedenken waarom iemand Kaiku iets zou willen aandoen. En hoewel ze het tegenover zichzelf niet wilde toegeven, wenste ze diep vanbinnen bijna dat iemand dat wél zou doen. Als dit onmenselijke leven zou eindigen, als ze aan de zorg van Omecha werd toevertrouwd, zou dat een zegen zijn.

Toen Mishani weg was, liep de genezeres de kamer binnen en knielde naast Kaiku neer. Door de ochtendzon lag er een gouden gloed op de wang van de slapende vrouw en leken de fijne haartjes op haar huid licht te geven. Haar gezicht was volmaakt glad en vredig; haar mond hing een beetje open. Een hele tijd keek de genezeres alleen maar naar haar.

'Ze zeggen dat je verdwaald bent, Kaiku,' zei ze zachtjes. 'Dat je geest ver is afgedwaald van je lichaam en de weg naar huis niet meer kan terugvinden.' Ze legde haar vlakke hand zachtjes tegen Kaiku's kaak en streelde haar teder. 'Ik draag al vele jaren een deel van jou met me mee, net zoals jij een deel van mij hebt meegedragen. Misschien heb je hier iets aan.'

Ze bukte, hield haar lippen vlak bij die van Kaiku en ademde uit. Na een tijdje werd de ademtocht meer dan een ademtocht: een glinsterende stroom van vluchtige energie die werd overgedragen, die uit de ene mond in de andere gutste. Het ging een hele tijd door, veel langer dan menselijkerwijs mogelijk was, tot Asara zich eindelijk losmaakte en even met haar lippen langs die van Kaiku streek.

Kaiku sliep gewoon door. Buiten klonk het hoge gelach van kinderen.

'Hoor je ze, Kaiku?' vroeg Asara. 'Mijn kinderen groeien ontzettend snel. Binnenkort zijn ze volwassen, en zal ik grootmoeder worden. Dat vind ik wel toepasselijk. Ik nader immers mijn eerste eeuw.' Ze glimlachte bedroefd, kijkend naar de vrouw die ze ooit had gekend. Misschien had ze zelfs van haar gehouden. Dat zou ze niet kunnen zeggen.

Ze stond op. 'Ik heb ze aan jou te danken, Kaiku,' prevelde ze. 'Jij hebt ze het leven geschonken.'

Mishani nodigde haar uit om te blijven eten, en ze spraken over de toestand op de verre steppes van de Nieuwlanden. 's Middags ging de vrouw weg, samen met haar kinderen.

Later die dag stortte Kaiku in.

Het gebeurde tegen zonsondergang, toen ze met Tsata aan het wandelen was. Ze liepen over een kronkelpad langs de rand van de kliffen, en de temperatuur was gedaald tot aangename waarden, een zachte warmte die extra werd verkoeld door een inlands briesje. Aangezien Kaiku nooit antwoord gaf en een echt gesprek onmogelijk was, had Tsata zijn toevlucht genomen tot het vertellen van verhalen over de gebeurtenissen in de nederzetting en de mensen die er woonden. Hij was er erg bedreven in geworden om zelfs de meest alledaagse incidenten vermakelijk te laten klinken, hoewel hij in feite alleen zichzelf amuseerde.

Hij was net bezig met zo'n anekdote toen Kaiku zonder enige waarschuwing vooraf met een zucht op de grond gleed. Hij was zo verrast dat hij haar niet eens kon opvangen. Snel ging hij op zijn hurken bij haar zitten, tilde haar bij haar schouders op, tikte met zijn hand tegen haar wang en schudde haar heen en weer. Ze reageerde niet, en haar hoofd hing er slap bij. Hij keek om zich heen, maar er was niemand in de buurt, en het vierkante huis van bloed Koli was ver weg. Hij zou haar moeten dragen.

Met groot gemak tilde hij haar op. Haar hoofd hing achterover, zodat haar witte haar – dat nu iets langer was dan de dag dat het die kleur had gekregen – over zijn arm hing. Hij verschoof haar een beetje, zodat haar hoofd tegen zijn schouder kwam te leunen.

Als een kind dat zich aan haar vader vastklampt sloeg ze haar armen om hem heen en hield hem stevig vast.

Het duurde even voor hij besefte wat ze had gedaan, wat de druk van haar armen kon betekenen. Hij durfde niet met haar te rennen, want dan zou hij de magie van dit moment, van de mogelijkheid die opeens was ontstaan, verbreken.

'Kaiku?' vroeg hij moeizaam.

Ze klemde zich nog steviger aan hem vast en begroef haar hoofd tegen zijn schouder.

'Kaiku?'

Haar lichaam begon te schokken, en ze maakte een zacht keelgeluidje. Tsata's hart sloeg een slag over.

Ze snikte, en al snel huilde Tsata mee, maar het waren vreugdetranen.

Kaiku herstelde ongelooflijk snel. Hoewel ze de eerste paar dagen schichtig was en hevig schrok van harde geluiden en plotselinge bewegingen, leek het of ze gewoon uit een diepe slaap was ontwaakt. Haar gedachten waren nog wat troebel, maar dat werd snel beter. Mishani, Tsata en de hele Tkiurathigemeenschap vierden feest, maar ze hielden zich in, uit angst dat ze haar te zwaar zouden belasten met hun bezoekjes.

Binnen een week was het net alsof er niets was gebeurd. De slechte herinneringen aan Kaiku's schemertoestand leken bij een andere werkelijkheid te horen die ze wel hadden gezien, maar waarvan ze geen deel hadden uitgemaakt, en het enige wat er nog aan herinnerde was Kaiku's sneeuwwitte haar en dieprode ogen; zelfs toen ze verder weer helemaal de oude was, veranderden die niet meer van kleur.

Ze kon niet uitleggen wat haar was overkomen in de tijd dat ze weg was geweest. Ze kon zich alleen herinneren dat ze verdwaald was en ergens naar op zoek was geweest, ervan overtuigd dat ze dood was, maar niet in staat Yoru en de poort naar de Weiden van Omecha te vinden. Ze had geen idee hoeveel tijd er was verstreken, want in haar beleving was het een eindeloos moment van onzekerheid geweest waarin ze tussen leven en dood gevangenzat. Toen had ze iets gevoeld wat haar bekend voorkwam, of liever: iemand die haar bekend voorkwam, een felle gloed in het Weefsel die haar als een magneet had aangetrokken. En daar had ze zichzelf eindelijk teruggevonden.

Mishani vertelde haar over de genezeres uit de Nieuwlanden, maar Kaiku kon verder geen licht op de zaak werpen. Ze waren het er wel over eens dat ze een godenzegen moest zijn geweest. De bedienden geloofden inmiddels al dat Kaiku bezoek had gekregen van Enyu zelf, dat de godin van de natuur was gekomen om degene die haar van de wevers had gered te belonen. Anderen zagen in haar ijzige schoonheid het bewijs dat ze in werkelijkheid de vleesgeworden maangodin Iridima was, die Kaiku dankbaar was omdat ze haar broer Aricarat had gedood.

Kaiku wist het niet. Maar diep vanbinnen, waar logica en gezond verstand geen rol speelden, had ze zo haar vermoedens.

Op een avond zocht ze Tsata op, en ze trof hem aan op de plek waar ze was bijgekomen: een klein stukje naast het pad aan de rand van de afgrond. Hij staarde naar de zee.

Het was drukkend warm en de lucht leek wel van stroop. Het water van de Mataxabaai kleurde al rood, en de schaduwen van de indrukwekkende kalkstenen eilanden in de monding van de baai, met hun smalle onderkant en ruig begroeide, brede bovenkant strekten zich als vingers uit naar de klif. Haaksnavels kraaiden naar elkaar terwijl ze zich door de bries lieten meevoeren en neerkeken op de piepkleine jonken en vissersboten in de diepte.

'Heb je heimwee?' vroeg ze toen ze bij hem kwam staan.

'Soms,' antwoordde hij. 'Vandaag wel.' Hij keek haar aan. 'Kom morgen met me mee naar de nederzetting. Het merendeel van mijn landgenoten heeft je sinds je herstel niet meer gezien, en ze willen je dolgraag spreken.'

Ze glimlachte. 'Dat zou ik een eer vinden,' zei ze.

Ze bleven even naast elkaar staan kijken naar de vogels in de verte, zwijgend en kameraadschappelijk.

'Mishani heeft me veel verteld,' zei ze uiteindelijk. 'Hoe het het land is vergaan terwijl ik afwezig was.'

'En dat zit je dwars,' zei Tsata.

Ze maakte een bevestigend geluidje, streek haar haren uit haar gezicht. 'Wat hebben we eigenlijk gedaan, Tsata? Wat hebben we hier nu helemaal mee bereikt?'

'We hebben de wevers tegengehouden,' zei hij, maar hij kon haar niet overtuigen, want ze wist dat hij er net zo over dacht als zij.

'Maar we hebben niets veranderd. We hebben niets geleerd. Hooguit hebben we de klok een stukje teruggedraaid. De wevers zijn er nog steeds, alleen zien ze er nu aanlokkelijker uit. Net als zij zullen de zusters op een dag besluiten dat ze de adel niet meer zo hard nodig hebben als de adel hen nodig heeft. Het keizerrijk heeft het overleefd, maar...' Ze maakte haar zin niet af. 'Na alles wat er gebeurd is, is Cailin de enige winnaar. Ik kan het gevoel niet van me afschudden dat we het pad volgen dat zij voor ons heeft uitgestippeld.'

'Misschien,' zei Tsata. 'En misschien is het verkeerd dat we wanhopen. In elk geval hoeven de afwijkenden zich niet langer te verbergen. Alle geluk is maar relatief, en de toekomst ziet er rooskleuriger uit dan voorheen. Dat zou je als een einde kunnen beschouwen.'

Kaiku schudde haar hoofd. 'Nee, Tsata. Dat kwam ik je nu juist vertellen. Dit is allesbehalve een einde.'

Tsata keerde zich af van het uitzicht en richtte zijn volledige aandacht op haar. Hoewel hij inmiddels aan haar nieuwe uiterlijk was gewend, werd hij soms nog van zijn stuk gebracht door de buitenaardse uitstraling die het haar verleende. Die ogen en dat haar waren het teken dat ze ergens was geweest waar niemand haar ooit zou kunnen volgen.

'Ik heb vandaag geweven,' zei ze. 'Voor het eerst sinds mijn terugkeer heb ik geweven. En nu weet ik iets wat de zusters ons niet hebben verteld, wat ze niemand hebben verteld. De Weefselwalvissen zijn verdwenen.'

Tsata's verwarring was aan zijn ogen af te lezen. Kaiku had hem wel eens over de Weefselwalvissen verteld, maar hij begreep niet wat hier nu zo belangrijk aan was.

'Zolang we ons kunnen herinneren, hebben ze deel uitgemaakt van het Weefsel. Ze waren altijd veraf, onbereikbaar, tot wij hen aantrokken. Jij en ik, Tsata, toen we in de Xaranabreuk de eerste heksensteen vernietigden. Maar nu zijn ze er niet meer.'

'Wat betekent dat?'

'Dat weet ik niet,' zei Kaiku. 'Maar ze hebben iets achtergelaten. In het Weefsel. Een constructie, een patroon, een...' Ze zweeg. 'Ik kan het niet beschrijven. Het gaat mijn begrip te boven. Maar het is actief.'

'Actief?'

'Stel je een blad voor dat telkens met het puntje het oppervlak van een roerloze vijver beroert. Die vijver is het Weefsel, en dat... ding veroorzaakt rimpelingen. Die rimpelingen spreiden zich naar alle kanten uit, heel ver, tot ver voorbij het gebied dat wij durven te betreden.'

Tsata fronste zijn wenkbrauwen. Hij vond het altijd moeilijk om Kaiku te volgen als ze over het Weefsel sprak, zelfs als ze het met parallellen inzichtelijk probeerde te maken.

'Maar wat is het dan?' vroeg hij. Hij voelde zich dom.

'Het is een baken, Tsata,' zei ze vurig. Toen kalmeerde ze en keek naar de baai. 'Misschien is het ook een boodschap, maar als dat zo is, zullen we haar vast nooit begrijpen. Maar rimpelingen in een vijver trekken de aandacht van de vissen die daar zwemmen.'

'Kaiku, ik begrijp nog steeds niet wat je duidelijk wilt maken.'

'Ik wil duidelijk maken dat deze oorlog niet zal worden beschouwd als een strijd om het keizerrijk,' zei ze. 'Hij zal worden beschouwd als het moment waarop we volwassen werden. Ons conflict heeft de aandacht getrokken van wezens die machtiger zijn dan wij ons kunnen voorstellen. De Xiang Xhi heeft Lucia verteld hoe de invloed van Aricarat ons heeft veranderd. We hebben leren prutsen met krachten die ons begrip ver te boven gaan, lang voordat dat de bedoeling was. We hebben de scheidende sluier verscheurd, terwijl we in feite nog zuigelingen waren.' Ze keek Tsata recht aan. 'En nu wordt onze aanwezigheid onder de aandacht gebracht.'

'Onder wiens aandacht?'

'De aandacht van degenen die zich ophouden op plaatsen waar wij niet kunnen komen. Misschien duurt het een dag, misschien een jaar, misschien wel duizend jaar of nog langer, maar vroeg of laat zal er iets poolshoogte komen nemen.' Ze sloeg haar blik neer. 'Wat dat zal betekenen, of het een zegen of een ramp zal zijn, kan ik niet voorspellen.'

Daar kon Tsata niets op zeggen. Hij geloofde niet in goden, maar hij was verstandig genoeg om respect te hebben voor de wereld die hij met zijn zintuigen niet kon waarnemen, en haar woorden maakten een subtiele angst in hem los waar hij geen naam aan kon verbinden.

Opeens lachte ze. 'Moet je mij nu horen. Ik ben wel de laatste die zo sentimenteel zou moeten zijn. Vergeef me mijn dwaasheid. De toekomst is inderdaad een stuk rooskleuriger, voorlopig althans. Daar zal ik zoveel mogelijk van genieten. Cailin kan wachten, de zusters kunnen wachten, het keizerrijk kan wachten. Misschien laat ik het allemaal wel achter me, en misschien kom ik ertegen in opstand, maar vandaag nog niet.'

Hij zag haar grijnzen, en het werkte aanstekelijk.

'Ik wil je iets vragen,' zei ze. 'Er is nog één ding dat ik moet doen. Ik moet naar het oosten reizen, naar het Yunawoud, waar op de noordoever van de Kerryn een tempel van Enyu staat. Daar vlakbij is een gewijde open plek, waar ik ooit een belofte heb gedaan aan Ocha en mijn familie. Daar moet ik naartoe voor een dankgebed en om mijn familie te laten weten dat ze nu in vrede kunnen rusten.'

Ze legde haar hand op zijn bovenarm en keek hem met levendige ogen aan. 'Ga met me mee.'

'Dat doe ik,' zei hij zonder aarzeling. Toen betrok zijn gezicht. Kaiku werd bezorgd.

'Wat is er?'

Hij zette zich schrap en stelde de vraag die hij nu al dagen voor zich uit schoof.

'En als je dat hebt afgerond, Kaiku, wat dan?' vroeg hij. 'De oorlog is voorbij. De wereld draait door, en ook wij moeten verder. Maar waar ga jij naartoe?'

Daar was haar glimlach weer, en ze liet haar vingers over zijn arm omlaag glijden tot ze zijn hand kon vastpakken.

'Ik ga met jou mee,' zei ze.

◎ Dankwoord ◎

De Wevers-trilogie dankt haar bestaan aan de volgende personen:

Carolyn Whitaker, die me heeft overgehaald om het eerste boek van begin tot eind te herschrijven.
Simon Spanton, die een risico durfde te nemen met een onbekende knul en die altijd wijze raad had.
Nicola, Ilona, Steve, Tom, Gillian, Sara en alle anderen bij Gollancz die hun steentje hebben bijgedragen of me een warm onthaal hebben gegeven.
En ten slotte mijn ouders, die me altijd onvoorwaardelijk hebben gesteund, sinds ze me mijn eerste typemachine gaven toen ik zestien was. De Wevers-trilogie draag ik met liefde aan hen op.